précédents
description
benefits

1852-1870
équiper publiques: égouts et aqueducs,
meilleur chauffage

Paris,
histoire d'une ville
(XIXe-XXe siècle)

Du même auteur

Venezuela, travailleurs et villes du pétrole
*Travaux et Mémoires de l'Institut des hautes études
de l'Amérique latine, n° 26, 1971*

Introduction à l'analyse de l'espace
*(en collaboration avec M.-F. Ciceri et S. Rimbert)
Masson, 1977*

Leggere la città
Mila, Fabbri-Bompiani, « Vedere e scrivere », 1986

The Emergence of the City of Dreams
Population and Housing in Los Angeles, 1940-1970
Londres, Pion, 1986

Les Ennemis de Paris
La haine de la grande ville, des Lumières à nos jours
Rennes, Presses universitaires de Rennes, 2009

Bernard Marchand

Paris,
histoire d'une ville
(XIXᵉ-XXᵉ siècle)

Éditions du Seuil

ISBN 978-2-02-012864-3

Préface

Le XIXᵉ siècle, en Europe, a connu une double révolution : révolution démographique, caractérisée par la diminution de la mortalité grâce aux progrès de la médecine et surtout à la vaccination, l'affaissement de la natalité, l'explosion de la population urbaine ; et révolution industrielle, marquée par une période de grandes découvertes, de 1780 à 1830, suivie de leur application à la production, après 1820, et accompagnée d'un transfert de travailleurs agricoles vers l'industrie et les services, moins important cependant que dans les pays voisins. Le résultat de ces deux bouleversements fut une crise profonde des croyances, de la morale et des sociétés, et, après une période de transition qui plongea des millions de personnes dans la misère, une prospérité sans précédent.

Dans ce cadre général, la France a suivi un régime original encore mal élucidé. La natalité française diminua la première, dès la fin du XVIIIᵉ siècle, soixante à soixante-dix années avant celle de ses grands voisins européens : Alfred Sauvy a calculé que sans ce décalage, si la France avait adopté la même évolution que l'Allemagne, par exemple, elle aurait eu 100 millions d'habitants en 1939. L'histoire aurait alors, sans doute, été toute différente. De plus, la France, à demi engagée dans la révolution industrielle, a conservé longtemps, jusqu'en 1960, une population agricole excessive. Jusqu'aux années 1980, les capitaux français ont préféré s'investir dans des placements sans danger (obligations et emprunts publics) qui se sont révélés ruineux, ou dans l'or, les terres agricoles et l'immobilier (des investissements en partie stériles), plutôt que dans l'industrie et les services. Malthusianisme et peur du risque semblent avoir été les deux principes directeurs.

Pendant presque un siècle et demi, de Waterloo à la Libération, tout s'est passé comme si la capitale seule grandissait, et très vite, alors que la province stagnait. En fait, les campagnes et les villes françaises se vidaient dans Paris par des migrations considérables, surtout au XIXe siècle. Pour certains, Paris a ruiné la France en aspirant ses ressources en hommes et en capitaux. Pour les partisans de la capitale, ce sont le retard constant et l'assoupissement de la province qui ont rendu Paris d'autant plus attirant : sans le dynamisme de la capitale, la France se serait bien plus affaiblie encore. La croissance de la population parisienne, multipliée par vingt en deux siècles alors que la France doublait seulement, pose deux questions fondamentales : comment la ville s'est-elle adaptée à un tel bouleversement ? Comment les rapports entre une capitale en plein essor et un pays endormi ont-ils évolué ?

L'État a joué, jusqu'à nos jours, un rôle immense dans la vie de la nation française, sans égal dans le reste de l'Europe occidentale. Par ailleurs, la capitale est devenue, dès la fin du XIXe siècle, une agglomération énorme, sans commune mesure avec les autres villes françaises. Plus grave encore, l'État centralisé est installé, depuis 1789, dans l'agglomération capitale et, même dans le langage courant, se confond avec elle. Il existe certainement un lien entre ces deux évolutions, mais de quelle nature ? La centralisation et la croissance de Paris se sont-elles renforcées mutuellement, ou bien, au contraire, faut-il voir dans la capitale un contre-pouvoir développé malgré lui par l'État, et qui s'y oppose ?

Cet ouvrage tente de décrire cette évolution brutale et d'apporter des éléments de réponse à des questions qui n'ont encore guère été envisagées [1].

---

1. Les références bibliographiques sont indiquées par le nom de l'auteur, suivi de l'année de publication. Une « Orientation bibliographique », placée en fin d'ouvrage, tente de guider le lecteur dans ses recherches.

1

Paris grandit trop vite
(1815-1850)

Si l'on devait résumer l'histoire de Paris au XIXᵉ siècle en un seul trait, il faudrait citer la croissance étonnamment rapide de sa population. De ce phénomène radicalement nouveau découlèrent tous les autres : l'entassement, la misère et la puissance nouvelle de la capitale ; les bouleversements de l'opinion, en partie même les révolutions et les changements de régime, si fréquents au cours de ce siècle ; enfin, les transformations profondes auxquelles procéda le Second Empire. Pour la première fois dans l'histoire de France, une grande ville explosait littéralement et faisait craquer son cadre ancien. A aucun moment, les contrastes entre riches et pauvres ne furent aussi évidents et aussi dangereux. La croissance démographique fut si rapide et si violente que l'équilibre même de la capitale en fut altéré et que la ville commença ce long glissement vers le nord, puis le nord-ouest, qui n'a pas encore cessé aujourd'hui.

La population parisienne explose

Le premier recensement sérieux date de 1801. Avant le Consulat, on ne dispose que d'évaluations indiquant plutôt le nombre des foyers (de « feux ») que celui des individus, et l'on sait combien l'opinion publique s'opposait aux « dénombrements », que certains comparaient au grand recensement auquel Hérode avait procédé avant ce que la tradition chrétienne appelle le « massacre des Saints-Innocents ».

Le changement du régime démographique

Ces évaluations sont assez consistantes, cependant, pour indiquer la tendance de la population parisienne avant la Révolution [1].

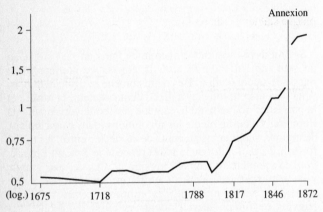

Figure 1
Population de Paris (en millions)

La figure 1 présente l'évolution de la population parisienne depuis la fin du XVIIe siècle [2]. La population a augmenté très lentement entre 1675 et 1788. On sait qu'une population croissant à un taux constant, sans migration ni forte épidémie, suit une fonction exponentielle : ce fut bien le cas de la population parisienne pendant un siècle. Elle croissait régulièrement chaque année au taux moyen de 7,7‰ [3]. Paris grandissait très lentement du fait du seul accroissement végétatif,

---

1. Cf. L. Chevalier, 1978, référence capitale, et aussi A. Husson, 1875.
2. L'échelle des ordonnées est logarithmique : les pentes des diverses parties de la courbe sont comparables ; une croissance exponentielle apparaît sur un tel graphique comme une ligne droite.
3. En prenant 1675 comme année 0, la population pendant l'année t peut être estimée par $Population_t = 1,007708^t + 535717$. Cette fonction permet d'apprécier la population parisienne pendant tout le XVIIIe siècle avec des erreurs de 2 à 3 % seulement.

c'est-à-dire de la supériorité, bien faible, des naissances sur les décès ; les migrations restaient négligeables. La natalité dans la capitale, avant 1800, était un peu inférieure à celle du pays : 1 naissance pour 28 adultes environ au lieu de 1 pour 25 dans le royaume. Buffon[1] opposait Paris, où les naissances équilibraient à peu près les décès, à Londres, où l'apport des migrations représentait plus de la moitié des naissances. La capitale française suivait ce régime démographique stable depuis plusieurs siècles, entrecoupé seulement de creux atroces correspondant aux famines (1715), aux guerres ou, pis, aux grandes épidémies. Jusqu'à la Révolution, l'opinion éclairée crut à la stagnation ou même à la décroissance de la population française, et à une lente augmentation de celle de la capitale qui, toute faible qu'elle fût, ne laissait pas d'inquiéter le gouvernement : de nombreux édits royaux tentèrent périodiquement de limiter l'afflux des provinciaux, pourtant bien peu nombreux. Après 1788, ce modèle régulier s'altéra : non seulement le nombre des habitants se mit à croître plus vite que pendant le XVIIIe siècle, mais il augmenta même plus rapidement qu'une fonction exponentielle. L'accroissement végétatif ne peut expliquer un tel bond : seules de fortes migrations, poursuivies pendant de nombreuses années, purent produire une telle croissance.

Le nombre des habitants de Paris ne changea guère pendant la Révolution : Louis Chevalier[2] l'estime à 524 186 personnes en 1789 ; le recensement de 1801 compte 547 756 habitants. Cette apparente stagnation cache certainement de fortes migrations, car la mortalité fut élevée pendant l'époque révolutionnaire : à cause non point tant des années de la Terreur (en 1793, on compta 3 000 naissances de plus que de décès), que de la misère qui suivit la chute de Robespierre et la fin du contrôle des prix (le « Maximum ») : 6 000 décès de plus que de naissances en 1794 et 9 000 en 1796. Chevalier estime que 60 000 nobles, prêtres et bourgeois durent émigrer entre 1789 et 1792 et que près de 180 000 personnes vinrent, en sens inverse, s'établir dans la capitale. L'un des grands effets de la Révolution, à Paris, fut d'y introduire une population nouvelle venue des campagnes et surtout des petites

1. Cité *in* L. Chevalier, 1978, p. 309.
2. 1978, p. 313.

villes du Nord : on commença alors à critiquer les « sauvages » qui envahissaient la capitale. Un nouveau régime démographique s'établissait, encore masqué par l'importance des décès et des départs. Le flux migratoire vers Paris fut encore puissant sous l'Empire, et la population augmenta fortement. Il s'accéléra sous la Restauration, atteignant un débit maximal au début de la monarchie de Juillet : en cinq ans, de 1831 à 1836, malgré les émeutes et la terrible épidémie de choléra de 1832, la population augmenta de 10 %. En cinquante ans, entre 1801 et 1851, le nombre des Parisiens doubla. Les migrations furent particulièrement importantes entre 1831 et 1836 (gain net moyen de 22 000 habitants chaque année) et entre 1841 et 1846 (+ 25 000).

De pareils flots ne pouvaient manquer de changer la composition de la population. Les arrivants étaient principalement de jeunes adultes. La proportion de vieillards diminua fortement jusqu'en 1851, ainsi que celle des enfants (moins de 15 ans). Entre 1817 et 1836, ce furent surtout des adultes (30-39 ans) qui arrivèrent : leur classe d'âge augmenta de 41 % alors que la classe plus jeune (20-29 ans) ne s'accrut que de 6 %[1]. Plus tard, entre 1836 et 1851, l'immigration devint un mouvement plus calme et plus général : toutes les classes d'âge progressèrent alors (25-29 ans : + 14 % ; 40-49 ans : + 15 % ; 50-59 ans : + 18 %). La répartition par sexe changea avec de telles migrations. Comme les autres grandes villes, Paris comptait plus de femmes que d'hommes sous l'Ancien Régime : elles vivaient plus longtemps. En 1817, elles prédominaient encore : 115 femmes pour 100 hommes. Puis l'immigration changea les proportions : le pourcentage de femmes s'effondra de 1817 à 1836 et ne commença à augmenter de nouveau vers des valeurs plus normales qu'après 1851. On ne comptait plus que 90 femmes pour 100 hommes en 1836 dans la classe d'âge de 30 à 40 ans. Comme après toute grande migration de travailleurs, les femmes devinrent rares et donc précieuses : la prostitution se développa considérablement. Plus qu'aux attraits de la vie de bohème, c'est à la violence du flux migratoire que l'on doit les mythes de la « lorette » (simple prostituée ou grande cocotte), de la « grisette » (petite ou-

1. *Ibid.*, p. 391 *sq.*

vrière libre et galante qui aime pour le plaisir), enfin les efforts féministes de 1848. Le mythe des « petites femmes de Paris » qui attira, jusqu'aux années 1920, les étrangers à Paris date sans doute de cette période et doit plus aux provinciales venues alors à la capitale qu'aux Parisiennes de souche.

Le caractère le plus frappant de ces migrations est leur constance au cours des années : d'ordinaire, et c'est le cas sur le territoire français, les flux migratoires sont déterminés par l'évolution de l'économie, plus importants en période de crise, quand les salaires baissent, plus faibles quand les salaires remontent, en période faste. Les flots qui vinrent alimenter Paris au début du XIXᵉ siècle étaient au contraire à peu près constants : le phénomène migratoire était si fort qu'il ne semblait plus dépendre de la conjoncture. Comme le note finement Louis Chevalier, l'immigration de misère, passive, typique des périodes de crise, était remplacée immédiatement par une immigration de conquête, active, lorsque l'économie repartait. Certains fuyaient à Paris la misère des campagnes, d'autres, comme Rastignac, venaient chercher dans la capitale l'occasion de réussir et de s'enrichir. Le phénomène démographique était si puissant qu'il échappait aux fluctuations économiques et devenait autonome. Ainsi, paradoxalement, les pathologies (mortalité, criminalité, violences) que de tels flots provoquèrent à Paris furent particulièrement fortes lorsque la capitale était prospère.

Pourquoi de si fortes migrations ?

Curieusement, on n'a pas encore proposé d'explication entièrement satisfaisante qui puisse rendre compte de mouvements de population aussi considérables. On a beaucoup évoqué le rôle des chemins de fer[1], souvent celui de la révolution industrielle, sans définir bien clairement ce terme. Proposons ici quelques hypothèses. L'explication par la création d'un réseau ferré en étoile qui aurait concentré à Paris les populations et les richesses de la France relève de ce mythe de la ville-pieuvre que nous retrouverons au long de cette

1. Cf. P. Lavedan, 1975.

étude, celui d'un Paris dévoreur des énergies françaises, d'une capitale tentaculaire dont il faudrait limiter la croissance[1]. Cette explication ne tient guère[2]. En France, la première voie ferrée fut construite en 1823 entre Andrezieux et Saint-Étienne. La première ligne ouverte aux personnes et aux marchandises, et utilisant la traction à vapeur, fut mise en service en 1832 de Saint-Étienne à Lyon. Le premier chemin de fer parisien, entre la capitale et Saint-Germain-en-Laye, date de 1837. A ce moment, des segments de lignes avaient été ouverts, mais sans former encore un réseau continu : les liaisons Paris-Orléans, Paris-Tours, Avignon-Marseille avaient été prévues mais ne fonctionnaient pas encore. Avant 1840, les chemins de fer ne comptaient guère[3] : les marchandises étaient transportées par la voie d'eau, qui profita d'abord des découvertes récentes. Les premiers bateaux fluviaux à vapeur apparurent en 1823 ; un service régulier fut créé sur la Loire en aval d'Orléans en 1832 ; 10 000 bateaux utilisaient le fleuve. Les personnes aisées voyageaient à cheval ou en voiture ; les autres, c'est-à-dire presque toute la population, se déplaçaient à pied, même pour de longs voyages. Les capitaux manquaient hors des places de Paris et de Lyon, ce qui freina considérablement la construction des voies ferrées. Les besoins étaient énormes et dépassaient les capacités financières de l'époque. L'ensemble des canaux construits sous la Restauration représenta un investissement de 285 millions de francs, mais la compagnie de chemin de fer qui proposa la construction d'une ligne Paris-Lyon dut rassembler à elle seule un capital de 200 millions. En deux années seulement (1845-1847), les chemins de fer absorbèrent les deux tiers des dépenses d'établissement de toute la monarchie de Juillet[4]. Les banquiers, avant 1850, utilisaient encore comme fonds propres leur fortune personnelle et se contentaient de gérer le patrimoine de quelques aristocrates et de quelques grands bourgeois. Le Second Empire pensera à recueillir dans la Caisse d'épargne et des banques de dépôt comme le Crédit mobilier des frères

1. Cf. J.-F. Gravier, 1947.
2. Cf. R. Clozier, 1940 ; Y. Leclercq, 1987 ; M. Blanchard, 1938.
3. Cf. B. Lepetit, 1989.
4. Y. Leclercq, 1987, p. 200.

Péreire (1852) les économies des petites gens : les pauvres épargnaient peu, mais ils étaient très nombreux. Sous Louis-Philippe, quelques banquiers seulement – les Lafitte (Caisse générale du commerce et de l'industrie, 1837), les Rothschild – pouvaient financer de gros investissements. Encore s'appuyaient-ils sur des capitaux britanniques, ce qui les amena à préférer construire d'abord la ligne Paris-Le Havre (Lafitte) ou Paris-Bruxelles (Rothschild). Par manque de capitaux ou par indifférence, les notables de province ne s'intéressèrent guère à l'aventure : Leclercq date de cette démission le déclin de leur influence. Paris seul pouvait rassembler de telles sommes, mais la tâche était difficile et les financiers parisiens semblent plutôt avoir péché, jusqu'en 1850, par excès de pusillanimité : outre le risque financier, ils craignaient d'affaiblir leur position en rassemblant les capitaux des petits porteurs, c'est-à-dire en démocratisant l'épargne. On ne remarque aucune volonté de dominer le territoire national. La province réclama souvent des lignes transversales qui ne passeraient pas par la capitale, puis en abandonna le projet par manque de capitaux : la chambre de commerce du Havre demanda d'abord une ligne directe vers Strasbourg qui évitât Paris, puis, en 1844, favorisa la construction de la liaison Paris-Strasbourg pour faire échouer la ligne Paris-Bruxelles, tant Le Havre craignait la concurrence belge. En réalité, la province fut plutôt centralisatrice, réclamant des lignes directes vers Paris pour avoir accès plus facilement aux pouvoirs publics, au marché et aux capitaux parisiens. S'il y eut opposition, ce fut surtout entre le capital financier parisien et le capital industriel provincial qui craignait que les compagnies ferroviaires ne dévorassent les capitaux disponibles sur le marché. Cette opposition, extrêmement importante, apparut dès la monarchie de Juillet et ne cessa pas, jusqu'à la fin du XIXe siècle, de jouer un rôle considérable : les industriels de province ne voulaient pas confier un secteur clef de l'économie à la haute finance parisienne, c'est-à-dire à un très petit nombre de personnes auxquelles ils attribuaient un pouvoir un peu mythique (les textes de Balzac peignant les Nucingen et les Keller sont typiques). Ils préféraient de petites entreprises de banque, plus proches d'eux, mais qui n'avaient pas les reins assez solides. Leur crainte était renforcée par l'impuissance des financiers de province et par la « trahison » du commerce régional. En 1838, François d'Esterno tenta de fonder la Banque départementale de la Saône-et-Loire, mais il échoua : les commerçants provinciaux préféraient travailler avec Paris[1]. Les attaques contre les grandes banques parisiennes se teintèrent vite, envers la plus grande d'entre elles (celle de James Rothschild), d'un antisémitisme violent ; on reprochait au milieu parisien son cosmopolitisme, caractéristique, pourtant, d'une capitale. Finalement, les principales chambres de commerce, à la fin de la monarchie de Juillet, réclamèrent la construction des chemins de fer par l'État afin d'éviter le contrôle des banques parisiennes. La même crainte amena le conseil municipal de Paris, à la fin du siècle, à refuser toute intervention des compagnies ferroviaires dans son métro et à construire un réseau parfaitement séparé des chemins de fer, un choix dont on verra combien il fut lourd de conséquences.

Est-ce à dire qu'il n'y eut aucune politique hégémonique pour permettre à Paris de dominer la province grâce au réseau ferré ? On discerne bien une telle politique, mais elle fut le fait des « technocrates » de l'époque : les ingénieurs du puissant corps des Ponts et Chaussées. Ceux-ci venaient de construire, sous la Restauration, un important réseau de canaux. Ils assimilèrent les voies ferrées aux routes du domaine public et pratiquèrent un « étatisme de principe[2] ». Le directeur général des Ponts et Chaussées, Alexis Legrand, déclarait à la Chambre en 1837 : « Les grandes lignes de chemin de fer sont de grandes rênes du gouvernement [...], des instruments de la puissance publique[3]. » L'intention était claire, mais cette politique ne fut réalisée qu'avec le Second Empire, et dans des conditions bien différentes. Le réseau en étoile autour de Paris fut conçu dès 1832 et organisé par la loi de 1842, mais il fallut plus de vingt ans pour le réaliser, alors que les grandes migrations avaient déjà eu lieu. L'extension du réseau, au milieu du XIXe siècle, fut lente : en 1840, les chemins de fer rayonnant autour de Paris n'avaient encore que 178 kilomètres de long alors qu'en province 475 kilomètres

---

1. *Ibid.*, p. 63.
2. *Ibid.*, p. 64.
3. *Ibid.*

étaient déjà construits ; entre 1840 et 1846, l'étoile parisienne
atteignit 1 211 kilomètres, mais les voies en province en
avaient alors 2 595. L'Allemagne comptait au même moment
plus de 5 000 kilomètres de voies ferrées et la Grande-Bretagne près de 6 000. Il n'est pas possible d'attribuer les plus
grandes migrations parisiennes, celles du début du XIXᵉ siècle,
à l'influence des chemins de fer : ils furent construits après
la loi Guizot (1842) et ne formèrent de véritables réseaux
qu'après 1857, alors que les vagues principales de migrants
arrivèrent à Paris entre 1790 et 1846. En outre, les chemins de
fer ne suivirent d'abord aucun schéma national cohérent, mais
furent construits par morceaux pour répondre à une demande
locale. Rien ne laisse deviner que des intérêts parisiens aient
eu une politique hégémonique ; les rêves de pouvoir du corps
des Ponts ne purent se réaliser avant 1860. Ce furent plutôt les
villes de province qui cherchèrent la connexion directe avec
Paris et réclamèrent le contrôle de l'État.

Mais alors, quelles autres raisons invoquer pour expliquer
des migrations aussi importantes ? On a cité la révolution
industrielle qui, en Angleterre, avait mis en marche des millions de ruraux vers les villes. Il est vrai que Paris a vu se
développer très tôt une industrie importante : industries de
luxe, d'abord, grâce au vaste marché de la Cour et de la
bourgeoisie parisienne. Dès la fin du XVIIIᵉ siècle, Paris
comptait plus de 20 000 ouvriers sur 500 000 habitants. Le
comte d'Artois possédait en aval, sur la Seine, le long du
quai de Javel, des usines chimiques (1777) où l'on fabriquait
de la soude, du chlore et la fameuse « eau de Javel ». Des
industries textiles nombreuses avaient été créées dans la
capitale avant 1789 ; dans la banlieue, les toiles de Jouy-en-
Josas conquirent une grande renommée. A l'époque impériale, Paris acquit des filatures de coton : c'était alors le troisième centre textile français. Durement frappées par la crise
de 1827-1834, de nombreuses filatures fermèrent et l'industrie textile quitta Paris, où les loyers avaient trop augmenté,
pour s'installer hors des murs. Elle fut remplacée par l'industrie de la confection, qui ajoutait davantage de valeur sous
de plus faibles volumes et constitue encore aujourd'hui l'une
des grandes industries proprement parisiennes.

D'autres activités occupaient Paris : les arts graphiques
(surtout sur la rive gauche), les industries du cuir, tanneries et

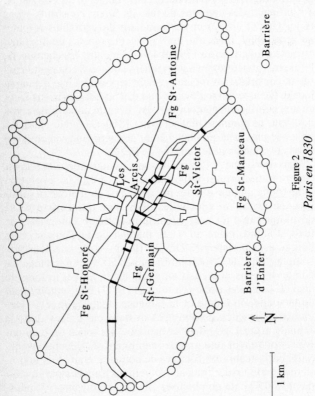

Fg St-Antoine

Les
Arcis

Fg
St-Victor

Fg St-Marceau

Fg St-Honoré

Fg
St-Germain

Barrière
d'Enfer

○ Barrière

Figure 2
Paris en 1830

←N

1 km

mégisseries qui empuantissaient la vallée de la Bièvre et tout le quartier Saint-Victor (figure 2), les industries du meuble au faubourg Saint-Antoine, des fonderies de bronze ainsi que les constructions mécaniques nées sous la Restauration. Toutes les grandes découvertes à usage industriel furent faites avant 1830, même si elles ne furent en général appliquées que plus tard, et Paris innova avant les autres villes françaises. Ces industries étaient considérables et faisaient de la capitale le plus grand centre industriel de l'époque, mais l'on peut douter qu'elles aient attiré d'aussi vastes migrations. En 1825, les entreprises parisiennes étaient en vérité des ateliers d'artisans : la plupart ne comptaient guère qu'un ouvrier et un apprenti, vivant et travaillant avec le patron. La main-d'œuvre, de souche parisienne, était fort qualifiée et n'avait pas grand-chose de commun avec les manœuvres sans formation qui arrivaient de province. Il est difficile de croire que ces industries raffinées, célèbres par la qualité de leurs produits, pouvaient attirer de grandes masses rurales. Certaines activités seulement ont pu jouer ce rôle : le bâtiment, en particulier, qui employait une main-d'œuvre très nombreuse et demandait, pour beaucoup de tâches, peu de qualification. L'utilisation des clous en charpenterie, par exemple, permit après 1830 à n'importe qui de construire des charpentes n'importe comment[1]. Si ce secteur fut bien l'un des principaux employeurs des provinciaux, cela signifie que le moteur initial est à chercher dans la vague de constructions qui commença sous l'Empire, avec les améliorations projetées par Napoléon, et s'enfla sous la Restauration après l'avènement de Charles X (1824). Cette fièvre immobilière était elle-même la conséquence des vastes transformations foncières produites par la Révolution : nationalisation des biens des émigrés et surtout des domaines ecclésiastiques.

On est ainsi conduit à envisager les effets des bouleversements politiques que produisirent la Révolution et l'Empire : ils jouèrent probablement un rôle capital. Vingt années de guerre, pendant lesquelles des millions de paysans français furent mobilisés et déplacés dans toute l'Europe, produisirent bien des déracinés, changèrent des coutumes, brisèrent des liens locaux. Est-ce un hasard si les premières grandes vagues

1. Cf. F. Loyer, 1987.

venues à Paris au début du siècle provenaient du Nord, des
Flandres et de la Picardie, régions qui, certes, connurent
les premières industries mais, surtout, servirent de champs
de bataille pendant deux décennies, de Jemmapes à Waterloo ? Les transformations culturelles, le bouleversement des
mœurs, qui furent si violents entre 1789 et 1815, expliquent
sans doute largement les grandes migrations parisiennes.
On en trouve la trace dans ces fermes si nombreuses dans le
Bassin parisien qui portent des noms évoquant les campagnes
napoléoniennes : Austerlitz, Marengo, la Moskova, le Krem-
lin, et que fondèrent ou achetèrent d'anciens soldats de
l'Empire. Un grand mouvement migratoire est d'ordinaire
produit par deux tendances qui se complètent : l'attirance de
la grande ville, mais aussi la répulsion de la campagne. Balzac dresse un tableau accablant de la misère des villages
français au début du XIXᵉ siècle. A propos de glaneurs en
Normandie, l'une des régions les moins pauvres, il décrit

> [...] leurs jambes de bronze, leurs têtes pelées, leurs hail-
> lons déchiquetés, leurs couleurs si curieusement dégradées,
> leurs déchirures humides de graisse, leurs reprises, leurs
> taches, les décolorations des étoffes, de même que les
> expressions avides, inquiètes, hébétées, idiotes, sauvages, de
> ces figures... Il y avait des vieilles au cou de dindon, à la
> paupière pelée et rouge, qui tendaient la tête comme des
> chiens d'arrêt devant la perdrix, des enfants silencieux
> comme des soldats sous les armes, de petites filles qui trépi-
> gnaient comme des animaux attendant leur pâture ; les carac-
> tères de l'enfance et de la vieillesse étaient opprimés sous
> une féroce convoitise : celle du bien d'autrui qui devenait
> leur bien par abus [1].

On peut douter que Balzac ait aimé les paysans, mais son
texte explique que des hommes jeunes soient partis par milliers à la recherche d'un travail sans même être sûrs d'en
trouver : la croissance violente des capitales du tiers monde
aujourd'hui montre que les campagnes peuvent repousser
bien plus que les villes n'attirent, entassant des malheureux
dans des agglomérations où ils ne peuvent trouver un
emploi. Pourquoi allaient-ils à Paris ? Parce que là se trou-

1. *Les Paysans*, Paris, Calmann-Lévy, 1882, t. VI, p. 540.

vaient la liberté, loin des pressions morales des parents, des voisins et des prêtres, et aussi le pouvoir et l'argent : ces grandes migrations sont l'effet indirect de la centralisation organisée successivement par les rois, par les jacobins et par Napoléon. La concentration dans la capitale des pouvoirs et des moyens, qui a été le fait des politiques plus que des Parisiens, est présentée d'ordinaire comme un mauvais coup dont la province française ne se serait jamais remise : cette opinion est sans doute fondée, mais partielle, car la centralisation semble avoir eu aussi des conséquences néfastes pour la capitale. Dans la mesure où le pouvoir central a veillé à rassurer la province, comme sous le Second Empire, ou bien a été aux mains de notables provinciaux, comme sous la Troisième République, la centralisation a servi plutôt les intérêts de la province que ceux de la capitale, surtout après 1870. L'importance croissante de l'agglomération parisienne ne pouvait qu'inquiéter l'État[1], qui, depuis 1794 jusqu'à nos jours, n'a eu de cesse de limiter le pouvoir politique de Paris, de fragmenter la ville en 12 puis 20 mairies distinctes, de la soumettre doublement au pouvoir de deux préfets, et de maintenir la capitale constamment hors du droit commun. Plus profondément, et de façon paradoxale, la croissance de la ville, en la hissant au niveau de métropole mondiale, égale aux plus grandes capitales, a progressivement détendu ses liens avec les autres villes françaises et l'a amenée à jouer deux rôles de plus en plus difficiles à concilier : tête de la pyramide urbaine française, et élément dans un réseau de capitales européennes et mondiales. Ces contradictions graves et profondes datent du début du XIXe siècle ; leurs effets apparaissent aujourd'hui clairement. En 1830, les conséquences les plus évidentes des mouvements de population rapides et puissants étaient l'accumulation de malheureux dans une ville de moins en moins adaptée à leurs besoins, une aggravation dangereuse des contrastes entre la prospérité éclatante de certains groupes et la misère atroce du plus grand nombre.

---

1. Cf. les deux remarquables ouvrages de C. B. Dupont-White, 1857 et 1860.

Splendeurs et misères :
la capitale devient pathologique

Paris en 1815 était encore en majeure partie une ville
médiévale. La Commission des artistes, réunie par la Convention en 1793 pour préparer la division des propriétés
nationales récemment confisquées, écrivait :

> La Commission a considéré l'ensemble général de Paris
> et elle a été surtout frappée de l'incohérence et de l'irrégula-
> rité de toutes ses communications, de leur insuffisance pour
> le commerce et la circulation, de défaut de places et de mar-
> chés publics, de ses quais obstrués, d'une multitude de rues
> étroites et sinueuses où l'air circule à peine, enfin, des foyers
> de corruption et d'insalubrité qui s'y trouvent et dont l'huma-
> nité souffrante réclame la destruction depuis longtemps.

La Commission prépara des projets destinés à améliorer la
vie des Parisiens, mais ne put les mener à bien. Ceux de
Napoléon, qui visaient à faire de Paris la capitale du monde
en y apportant l'ordre et la grandeur, furent à peine ébauchés,
par manque de crédits et surtout de temps : quelques voies,
un segment de la rue de Rivoli, quelques monuments comme
le « palmier » (la colonne entourée d'une fontaine, élevée à
la gloire de l'armée d'Égypte, qui orne aujourd'hui la place
du Châtelet), l'écrêtement de la colline de l'Étoile afin d'y
construire un arc de triomphe grandiose que Napoléon ne vit
jamais, un étrange éléphant à la barrière du Trône (place de
la Nation) qui fut, pour gagner du temps, ébauché en plâtre
et qu'utilisa Victor Hugo dans *Les Misérables*, la façade du
Palais-Bourbon refaite pour répondre à celle de la Madeleine. Peu de projets, au total, furent réalisés : la précipitation
des événements et vingt ans de guerre ne le permirent pas.
On peut donc reprendre, pour décrire Paris en 1815, certaines
descriptions de Louis-Sébastien Mercier sans risque d'ana-
chronisme, bien qu'elles datent des années qui précédèrent
la Révolution (1781-1788)[1]. D'autres témoignages permet-

---

1. L.-S. Mercier, 1990.

tent d'appécier les changements ou, plus souvent, leur absence : certains romans de Balzac (en particulier *La Fille aux yeux d'or*) ou de Victor Hugo *(Notre-Dame de Paris, Les Misérables)*, et surtout les lettres de Fanny Trollope, grande bourgeoise britannique qui visita Paris en 1835[1], offrent des vignettes de la vie parisienne qu'il est passionnant de comparer aux tableautins de Mercier.

Paris au début du XIXe siècle : la ville inadaptée

Les limites de la ville n'avaient pas changé en cinquante ans (figure 2) : le mur des Fermiers-Généraux l'encerclait toujours, avec les barrières en style « babylonien » de Ledoux (l'ancienne barrière d'Enfer subsiste, place Denfert-Rochereau), mais les terres qu'il enfermait n'étaient pas entièrement construites. Que le lecteur imagine Paris réduit, en superficie et en population, aux six premiers arrondissements actuels, sans la ceinture des quatorze autres ni celle de la banlieue, et entouré de champs et de cultures : telle était à peu près la capitale à la chute de l'Empire. Limitée au nord par les Grands Boulevards et les portes de Louis XIV (Saint-Denis et Saint-Martin), s'arrêtant à l'ouest à la place de la Concorde, au-delà de laquelle les Champs-Élysées et le Cours-la-Reine donnaient dans la campagne, bornée au sud par le palais du Luxembourg dont le parc s'étendait au-delà de l'Observatoire qu'il englobait, finissant à l'est à la place de la Bastille. Des faubourgs d'ordinaire peu policés et mal famés prolongeaient la ville le long des routes principales bordées d'une ligne de maisons basses. A la sortie de Paris, aux barrières d'octroi, s'étaient établis des guinguettes, des bals plutôt mal fréquentés, comme ceux de la rue de la Gaîté, à la barrière Montparnasse, où la population parisienne venait boire sans avoir à payer les taxes d'octroi ; les mauvais garçons y étaient nombreux et les « Vénus de barrière » y régnaient, mêlées aux familles d'ouvriers et d'artisans. Les palais construits aux siècles précédents avaient été bâtis sur des terres agricoles ou sur d'anciens parcs et marquaient

1. F. Trollope, 1985.

encore la limite de la ville : les Tuileries, les Invalides et l'École militaire, le Luxembourg. Ce Paris dont Napoléon avait voulu faire la capitale du monde semblerait aujourd'hui, avec moins de 700 000 habitants, une ville de province. Les migrations accumulèrent dans cet espace limité des nouveaux venus par centaines de milliers. Ils s'entassèrent d'abord dans les bâtiments pauvres du vieux centre (île de la Cité, plateau des Arcis et plateau Beaubourg, quartiers de l'Hôtel de Ville et de la place Maubert) où la densité, déjà forte, augmenta considérablement, ce qui rendit épouvantables des conditions de vie déjà très dures à la fin du XVIIIe siècle. Après 1840, sous la poussée constante des migrants, la population commença à se déverser vers le nord, puis le nord-ouest, et à occuper de nouveaux quartiers : Paris se « déplaçait ».

Sous la Restauration, les rues de Paris étaient presque aussi sales et aussi dangereuses qu'à la fin de l'Ancien Régime. Mercier en explique les inconvénients :

> Le défaut de trottoir rend presque toutes les rues périlleuses… Quand un cocher vous a moulu tout vif, on examine chez le commissaire si c'est la grande ou la petite roue ; le cocher ne répond que de la petite ; et si vous expirez sous la grande roue, il n'y a point de dédommagements pécuniaires pour vos héritiers [1].

A partir de 1823, on obligea bien les propriétaires à border de trottoirs les constructions nouvelles, mais en 1847 beaucoup de voies en étaient encore dépourvues. Certes, Napoléon fit empierrer les rues, mais Fanny Trollope se plaignait, vingt ans plus tard, de la poussière et du bruit des roues sur les pavés :

> Le bruit excessif de Paris, dû soit au pavement inégal, soit à la mauvaise construction des roues et des ressorts, est si violent et incessant qu'il semble dû à un démon tourmenteur [2].

La saleté des voies avait probablement empiré, car une population croissante continuait à y accumuler ses déchets et ses déjections. Mercier en brosse déjà un tableau affreux :

1. L.-S. Mercier, 1990, p. 46.
2. F. Trollope, 1985, p. 77.

Un large ruisseau coupe quelquefois une rue en deux, et de manière à interrompre la communication entre les deux côtés des maisons. A la moindre averse, il faut dresser des ponts tremblants… Des tas de boue, un pavé glissant, des essieux gras, que d'écueils à éviter ! [le piéton] aborde néanmoins ; à chaque coin de rue, il a appelé un décrotteur ; il en est quitte pour quelques mouches à ses bas. Par quel miracle a-t-il traversé la ville du monde la plus sale ? (p. 45).

Les boucheries sont au milieu de la ville :

Le sang ruisselle dans les rues, il se caille sous vos pieds et vos souliers en sont rougis (p. 46-47).

Près de la porte Saint-Martin, la rue de la Planche-Mibray, qui disparut lors de l'ouverture du boulevard Sébastopol, tirait son nom des planches que l'on plaçait couramment pour traverser la boue (la *bray*) qui en occupait le milieu. Les coursiers des notaires en tirèrent leur nom de « saute-ruisseau ». Et Mercier de renchérir :

Les boues de Paris, chargées de particules de fer que le roulis éternel de tant de voitures détache incessamment, sont nécessairement noires ; mais l'eau qui découle des cuisines les rend puantes. Elles sont d'une odeur insupportable aux étrangers… ; les taches qu'elles font brûlent l'étoffe… Des tombereaux enlèvent les boues et les immondices ; on les verse dans les campagnes voisines : malheur à qui se trouve voisin de ces dépôts infects (p. 65).

Le fumier abonde dans la capitale, par le grand nombre de chevaux qu'elle renferme (p. 112).

Les gens qualifiés font jeter pendant leurs maladies du fumier devant leurs portes cochères et aux environs, pour que le bruit des carrosses les incommode moins. Ce privilège abusif change la rue en un cloaque affreux, pour peu qu'il ait plu, et fait marcher […] dans un fumier liquide, noir et puant, où l'on enfonce jusqu'à mi-jambe (p. 154).

[Le Châtelet] est bien l'endroit le plus puant qui existe dans le monde entier. Là est une juridiction qu'on nomme le Grand Châtelet ; puis des voûtes sombres et l'embarras d'un

> sale marché ; ensuite un lieu où l'on dépose tous les cadavres
> pourris, trouvés dans la rivière, ou assassinés aux environs
> de la ville. Joignez-y une prison, une boucherie, une tuerie
> [abattoir] ; tout cela ne compose qu'un même bloc empesté
> […]. Les voitures sont obligées de faire un détour par une
> rue étroite, où se trouve un égout puant et presque vis-à-vis
> de cet égout est la rue Pied-de-Bœuf, qui aboutit à des
> ruelles étroites, fétides, baignées de sang de bestiaux, moitié
> corrompu, moitié coulant dans la rivière […] on est obligé
> de retenir sa respiration et de passer vite, tant l'odeur de ces
> ruelles vous suffoque en passant (p. 184).

> [Quant aux portes cochères,] ce qu'elles ont d'incommode,
> c'est que tous les passants y lâchent leurs eaux, et qu'en ren-
> trant chez soi l'on trouve au bas de son escalier un pisseur
> qui vous regarde et ne se dérange pas (p. 155).

Les égouts étant encore très rares, les Parisiens vidaient
leurs pots de chambre dans la rue, ce qui donnait au terme
de « rue crottée » son sens propre, si l'on peut dire. Ou bien
les excréments étaient accumulés dans des « fosses d'aisance », sous chaque maison, que les vidangeurs vidaient
périodiquement :

> Il s'exhale une vapeur infecte de cette multitude de fosses
> d'aisance. Leurs vidanges nocturnes répandent l'infection
> dans tout un quartier. Ces fosses, souvent mal construites,
> laissent échapper la matière dans les puits voisins. Les bou-
> langers, qui sont dans l'habitude de se servir de l'eau des
> puits, ne s'en abstiennent pas pour cela… Les vidangeurs,
> aussi, pour s'épargner la peine de transporter les matières
> fécales hors de la ville, les versent au point du jour dans les
> égouts et dans les ruisseaux. Cette épouvantable lie s'ache-
> mine lentement le long des rues vers la rivière de Seine, et
> en infecte les bords, où les porteurs d'eau puisent le matin
> dans leurs seaux l'eau que les insensibles Parisiens sont obli-
> gés de boire [1].

Ces spectacles affreux avaient-ils disparu, cinquante ans
plus tard, lorsque Fanny Trollope visitait Paris [2] ?

1. L.-S. Mercier, 1990, p. 50.
2. F. Trollope, 1985, p. 77 (nous traduisons).

Dans une ville où tout ce qui est visible est transformé en gracieux ornements, où les boutiques et les cafés ressemblent aux palais des fées, où les marchés ont des fontaines dans lesquelles les plus belles naïades prendraient plaisir à se baigner, [...] où les femmes semblent trop délicates pour être entièrement de ce monde et les hommes trop soigneux et trop prudents pour laisser les vents déranger leur apparence, [...] on est choqué et dégoûté à chaque pas par des spectacles et des odeurs que je n'ose décrire... Une grande partie de la douceur de vivre est détruite, à Paris, par la négligence ou la carence municipale qui éviterait au peuple le plus élégant du monde le dégoût que provoque, dans la rue, le perpétuel outrage des sens (p. 74).

Des saletés et des abominations de toutes sortes sont jetées sans scrupule à la rue à n'importe quelle heure du jour et de la nuit et attendent la visite matinale du balayeur ; et l'humble piéton est heureux si ses yeux et son nez souffrent seuls de ces déjections... et s'il n'entre pas en contact avec elles, au moment où elles sont jetées sans cérémonie par la fenêtre ou par la porte (p. 76).

[Fanny se plaint de] ce barbarisme monstrueux, un caniveau au milieu des rues, prévu expressément pour recevoir les ordures... La seule chose au monde que font les autres hommes mais que les Français ne peuvent faire, c'est de construire des égouts.

Paris en 1835 était encore en retard sur Londres et les villes anglaises de plusieurs décennies. L'épidémie de choléra de 1832, qui tua 20 000 Parisiens, et celles qui suivirent convainquirent la bourgeoisie que les conditions de vie affreuses dont souffraient les quartiers pauvres pouvaient, par la contagion, menacer les beaux quartiers : les inégalités étaient devenues telles qu'elles mettaient en danger la vie dans la capitale et rétablissait une solidarité entre les Parisiens.

La misère dans Paris au milieu du XIXᵉ siècle

« Paris, enfer des chevaux, purgatoire des hommes, paradis des femmes. » L'image brillante de la vie mondaine dans

la capitale ne doit pas faire oublier les tableaux affreux de la
misère que présente Louis Chevalier[1]. En 1846, sur une population d'environ 1 million d'habitants, plus de 650 000
(258 000 ménages) étaient exempts de l'impôt : leurs ressources étaient si faibles que la Ville devait se substituer à
eux pour payer à l'État 4 francs par personne et par an.
L'administration municipale reconnaissait ainsi que deux
tiers de la population étaient dans le dénuement. Paris comptait environ 200 000 enfants et 110 000 vieillards : un tiers
des Parisiens vivaient à la charge des deux autres tiers. La
littérature contemporaine donne une image distordue de la
société. Les personnes aisées sont mieux à même d'analyser
leurs passions avec raffinement, et les romans de Stendhal
ou de Balzac ne mettent guère en scène que les classes supérieures de la société parisienne. Celles-ci ne représentaient
cependant qu'une partie infime de la population. En 1836, le
suffrage étant censitaire, il fallait, pour voter, payer plus de
200 francs d'impôt annuel : 11 100 chefs de famille seulement étaient électeurs. Le nombre des éligibles ne dépassait
pas 4 900 : ces privilégiés payaient plus de 500 francs
d'impôt. 1 électeur sur 86 habitants, 1 éligible sur 194, soit,
en comptant les familles, environ 50 000 personnes, formaient toute la classe aisée : 5 % de la population. 160 000
autres Parisiens, qui exerçaient des professions « libérales »
(la moitié étaient des propriétaires et des rentiers), étaient
sans doute parmi les moins malheureux. 100 000 commerçants, en outre, se trouvaient, pour la plupart, à l'abri du
dénuement, bien que leurs sorts fussent certainement très
différents : l'obsession de l'échec social, qui transparaît si
fréquemment dans les romans du temps, montre que la déca-
dence de César Birotteau n'était pas un exemple rare. Réca-
pitulons : 50 000 Parisiens vivaient aisément ou dans le luxe,
250 000 réussissaient à éviter la misère ; il reste plus de
700 000 habitants dont elle était le lot quotidien. En 1840, un
rapport de la préfecture de police indiquait que, parmi les
340 000 ouvriers qui habitaient Paris, la moitié des chefs de

1. Cf. ses deux ouvrages de 1978 et de 1958. Consulter aussi J. Janin,
1845 ; J.-E. de Jouy, 1816 ; L..., 1826 ; Lachaise, 1822 ; A. Lescot, 1826 ;
les textes de Parent-Duchatelet, en particulier ceux qui ont été réédités en
1981 ; l'étude contemporaine de L. R. Villerme, 1830 ; ainsi que l'article
récent de E. Van de Walle et S. Preston, 1974.

famille n'avait pas 20 francs pour assurer les dépenses de la semaine ; et il concluait sentencieusement : « Encore faut-il, pour que le peuple obéisse aux lois, qu'il puisse vivre. » Les « professions mécaniques » (c'est-à-dire toutes celles qui s'exerçaient en utilisant une machine), en 1846, occupaient 480 000 personnes, soit presque la moitié des Parisiens. Ce terme vague désignait la multitude de petits patrons et d'ouvriers travaillant à leur compte, qui formaient l'essentiel des industries parisiennes ; en fait, de l'artisanat : 31 000 cordonniers, 27 000 tailleurs, 18 000 menuisiers, etc. Les salariés ne représentaient alors qu'un quart de la population. Encore faut-il déduire de leur nombre (260 000 personnes recevaient un salaire) les domestiques, qui formaient un groupe à part (67 500 domestiques) : ils constituaient 16 % de la population dans l'ancien Ier arrondissement (Tuileries, place Vendôme, Champs-Élysées, Roule) [1].

La misère apparaît encore dans d'autres indices : sur 27 000 décès annuels à Paris, en année moyenne, 11 000 avaient lieu à l'hôpital (une proportion considérable quand on se rappelle la terreur qui frappait les esprits au moment d'aller dans ce lieu sinistre qui évoquait alors la pauvreté et la mort). En outre, parmi les personnes qui mouraient chez elles, 7 000 étaient enterrées gratis dans le corbillard des pauvres : 2 Parisiens sur 3 ne laissaient pas de quoi payer leur propre linceul, alors que les milieux populaires, autant que les riches, s'efforçaient d'assurer à leurs proches des funérailles honorables. La mortalité (environ 30‰), malgré l'hygiène détestable, était plus faible qu'au XVIIIe siècle (elle atteignait alors 39‰ ; un tiers des victimes étaient des enfants de moins de 4 ans), grâce, surtout, à la vaccination contre la variole, qui se répandait peu à peu. Elle diminua pendant tout le XIXe siècle assez régulièrement (figure 3, p. 30), mais resta constamment supérieure à la moyenne française (27-30‰ contre 24-25 ‰) et au taux de Londres à la même époque (inférieur à 25 ‰).

Louis Chevalier estime qu'entre un tiers et la moitié de la population de Paris, selon les époques, fréquentait l'hôpital. Les nouveaux arrivés dans la capitale subissaient un taux de

---

1. Ces indications sont tirées du recensement de 1846, commenté par un saint-simonien : cf. H. Perreymond, 1849.

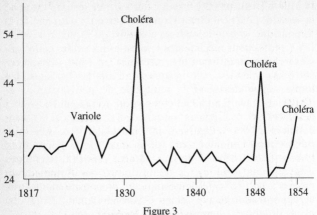

Figure 3
Mortalité à Paris (pour 1 000)

mortalité (46-47‰) très supérieur au taux moyen, alors qu'il
s'agissait en majorité d'hommes jeunes (20-39 ans), dans la
force de l'âge, ce qui montre dans quelles conditions misérables ils devaient vivre. Enfin, la mort frappait différemment
selon les quartiers : la grande épidémie de choléra de 1832
manifesta clairement cette inégalité. Les « professions libérales » furent beaucoup moins touchées, surtout le groupe des
propriétaires et des rentiers. Leur mortalité fut d'autant plus
faible qu'un grand nombre de bourgeois quittèrent la capitale
pour fuir l'épidémie. Les « professions mécaniques » furent
aussi relativement épargnées. En revanche, les « salariés »
subirent un taux de mortalité plus élevé : moitié plus fort, au
moins, que celui des rentiers. Ce fut moins le revenu que les
conditions de vie qui jouèrent le rôle principal : intempérance
plus grande et hygiène plus médiocre dans les quartiers
pauvres, entassement favorisant la contagion, manque d'eau
potable, rues étroites encombrées d'immondices, organismes
affaiblis par les privations. On devine derrière la sécheresse
des chiffres tout un syndrome de la misère.
  Celle-ci marquait la naissance tout autant que la mort : un
tiers des enfants étaient illégitimes ; 10 % des accouchées
abandonnaient leur bébé. En 1846, la Ville de Paris entrete-

naît 4 600 enfants trouvés ou orphelins, 1 400 enfants en
« dépôt », 13 000 enfants en « pension à la campagne » et
plus de 8 000 « hors pension » : en tout, près de 27 500 enfants de moins de 12 ans (après cet âge, ils étaient abandonnés à eux-mêmes). Ce chiffre est à comparer au nombre des
naissances, à Paris, cette année-là : 33 000. Sur 5 enfants
trouvés, 3 mouraient au cours de leur première année : leurs
nourrices ne recevaient de la Ville que 7 francs par mois pour
leur pension, et elles en accueillaient 5, 6, parfois 7, pour
s'assurer un revenu suffisant. La Ville aidait les indigents en
leur versant 15 à 20 francs par an (soit 1 sou par jour : la
valeur d'une grosse tranche de pain), mais les conditions
d'inscription sur la liste étaient très strictes : les célibataires
devaient avoir plus de 65 ans, les personnes en ménage au
moins 3 enfants, en veuvage au moins 2, ou bien prouver une
infirmité grave empêchant de travailler. Paris n'entretenait
que 66 000 indigents en 1844, alors qu'en 1819 la liste en
comptait plus de 100 000 pour une population inférieure
d'un tiers. Perreymond évalue à près de 300 000 le nombre
des véritables indigents à la veille de la Révolution de 1848.
Si l'on accepte cette estimation, c'est près de 1 Parisien sur 3
qui ne savait pas, le matin, comment il allait survivre. Dans
les arrondissements de l'est, les plus pauvres (VIIIe et IXe :
faubourgs Saint-Jacques, Saint-Antoine et Saint-Marceau,
Hôtel de Ville, Cité…), 1 habitant sur 7 ou sur 8 était indi-
gent : la figure 4 (p. 32) montre déjà un passage très régulier
entre le sud-est misérable et le nord-ouest aisé.

Louis Chevalier relève d'autres indices d'autant plus inté-
ressants qu'ils semblent typiques de la grande ville : l'infan-
ticide, pour contrôler la natalité dans une ville où la grande
famille paysanne, qui s'occupait traditionnellement de
l'enfant, n'existait plus et était remplacée par la famille bourgeoise étroite qui réprouvait sévèrement les filles mères ; la
prostitution, un fait de nature alors essentiellement ouvrière
et urbaine, très différente des formes de prostitution que nous
pourrons relever à Paris au tournant du siècle : non point
encore la pratique perverse et raffinée de l'érotisme hors du
cadre familial petit-bourgeois, comme certains la recherche-
ront dans les bordels de la Troisième République et surtout
du Second Empire, mais une prostitution plus simple, correspondant au manque de femmes dans une ville d'immigra-

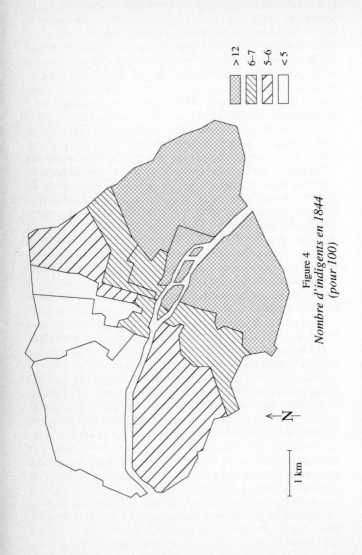

Figure 4
*Nombre d'indigents en 1844
(pour 100)*

> 12
6-7
5-6
< 5

tion. Louis Chevalier insiste sur la pratique fréquente du concubinage (un tiers des naissances étaient illégitimes), peut-être à tort : sous l'Ancien Régime, seules la noblesse et la grande bourgeoisie, qui avaient des titres et des patrimoines à transmettre, attachaient de l'importance au mariage ; les paysans ne se mariaient guère. On peut donc regarder le mépris du mariage non comme la marque nouvelle d'une dégradation des liens sociaux, mais plutôt comme la persistance de coutumes anciennes. Dans cette perspective, c'est la diffusion progressive du mariage dans toutes les couches sociales qui ferait plutôt problème, expliquée sans doute par la vigueur de la propagande cléricale pendant tout le XIXe siècle. Le concubinage était aussi lié au « nomadisme » d'une population sans travail ni domicile fixe, surtout dans les quartiers d'immigration pauvre du vieux centre : près de l'Hôtel de Ville et autour des Halles.

Le recensement des indigents effectué en décembre 1844 (figure 4) manifeste l'opposition qui existait, bien avant les travaux d'Haussmann, entre l'ouest et surtout le nord-ouest de Paris, où les taux étaient les plus faibles (de 3 % à 5 % d'indigents), et la partie orientale de la ville, à l'est d'une ligne qui réunirait aujourd'hui la place de la République à celle du Châtelet puis au carrefour Denfert-Rochereau (de 12 % à 17 %). On dispose aussi d'une évaluation du nombre d'indigents pour chacun des douze arrondissements, effectuée à la fin de l'Empire par Neirey et publiée en 1819[1]. Ces chiffres doivent être interprétés avec circonspection, mais ils permettent deux remarques : 105 000 indigents étaient recensés et aidés dans le Paris de Napoléon, qui comptait moins de 700 000 habitants, alors que la monarchie de Juillet, dans une ville de 1 million, n'avait inscrit que 66 000 noms. Il ne faut pas en déduire que la misère avait fortement diminué ; elle avait au contraire augmenté, avec l'arrivée de plusieurs centaines de milliers de migrants dans une ville qui n'avait pas su s'adapter à tant d'habitants nouveaux. L'administration municipale, sourde et aveugle à la pauvreté et plus encore écrasée par tant de besoins, préférait fermer les yeux. En outre, la comparaison du nombre absolu d'indigents dans

1. *In* J. Tulard, *Le Consulat et l'Empire, 1800-1815*, Paris, Hachette, p. 429.

les douze arrondissements en 1814 et en 1844 montre que, si la ségrégation sociale s'était un peu aggravée, la répartition des miséreux dans la ville n'avait guère changé : les deux distributions sont très fortement corrélées à trente ans d'intervalle[1].

La découverte de la crise urbaine

La première moitié du XIXᵉ siècle oppose ainsi dans un contraste brutal les transformations violentes de la ville à des politiques publiques routinières qui se montrèrent très vite incapables d'accueillir tant de nouveaux arrivés : on n'avait encore jamais observé de tels flots migratoires. La Restauration et surtout la monarchie de Juillet durent d'abord découvrir le phénomène, en prendre la pleine mesure, puis inventer des politiques nouvelles. Les hommes politiques furent surpris et ne commencèrent à chercher des solutions qu'avec retard, quand le problème fut devenu très grave. Ce furent d'abord des hommes de science qui cherchèrent à définir les questions, à mesurer les effets, à comprendre[2]. Les théoriciens britanniques de la fin du XVIIIᵉ, et particulièrement Malthus, avaient ouvert la voie. La brutalité de la révolution industrielle et ses effets sociaux désastreux avaient suscité en Grande-Bretagne un grand nombre d'études sociales, démographiques, géographiques, qui s'attachaient particulièrement au milieu urbain : les grandes villes britanniques recevant des industries nouvelles et des ruraux déracinés par milliers concentraient dans leurs murs tous les problèmes nouveaux. A la suite des Anglais, mais aussi des grands administrateurs et savants français de l'époque des Lumières (les Turgot, les Buffon), des Français s'intéressèrent à la démographie parisienne et à la misère. Sous la Restauration, les recherches que Parent-Duchatelet mena sur l'insalubrité et les carences des équipements urbains à Paris eurent un

---

1. Coefficient de corrélation linéaire r = 0,95 ; les distributions de 1812 et 1844 ne diffèrent que de 10 %.
2. Louis Chevalier étudie fort bien cette prise de conscience d'abord lente puis accélérée dans son ouvrage de 1978.

effet considérable sur l'opinion[1]. On commença à distinguer
le dénuement qu'avaient connu les civilisations anciennes du
paupérisme, effet des sociétés modernes : « La misère est un
phénomène de civilisation », écrivait Buret en 1840, cité par
Chevalier[2] qui ajoute : « la misère est la condition des populations urbaines, chez qui la conscience de la souffrance est
plus éveillée ; les misérables, ce sont essentiellement les
ouvriers des villes, de la capitale surtout où la civilisation est
la plus haute ». Les premiers socialistes français (que Marx
appellera « utopiques » : Saint-Simon, Fourier, Proudhon)
cherchèrent les sources politiques et sociales du paupérisme.
Ainsi, l'apparition d'une science sociale au sens le plus large
du terme avec la philosophie des Lumières, l'exemple de la
révolution industrielle et de la crise urbaine britannique, les
débuts du socialisme créèrent des conditions propices à
l'observation du phénomène parisien dans un petit cercle
d'esprits éclairés. L'augmentation brutale de la population
commença, à la fin de la Restauration, à inquiéter l'opinion
publique, encore qu'elle n'en distinguât bien ni les causes ni,
surtout, les conséquences. Mais il fallut des événements
éclatants pour choquer l'opinion et le pouvoir et mettre la
question urbaine sur le devant de la scène parisienne : ce
furent les grandes épidémies qui ravagèrent la capitale au
début du règne de Louis-Philippe, et surtout celle de 1832.
Alors, les études se multiplièrent, des propositions surgirent :
Louis Chevalier date de 1840 cette prise de conscience générale. De l'étonnement au malaise, puis à l'inquiétude sourde,
enfin à la panique provoquée par le choléra, l'opinion découvrit peu à peu, entre 1815 et 1840, la profondeur de la crise
que la capitale traversait.

Paris avait fortement grandi sous Napoléon. La ville, sous
la Restauration, s'accrut encore d'environ 120 000 habitants,
une augmentation trop faible pour inquiéter les dirigeants
mais déjà perceptible à la population. Contrairement aux
apparences, les règnes des deux frères de Louis XVI furent,
dans la capitale, des périodes actives de construction. Celui
de Charles X, en particulier, monarque pourtant conservateur
et clérical, connut la première spéculation immobilière

---

1. Cf. son *Essai* de 1824 et ses textes réédités en 1981.
2. 1978, p. 256.

d'importance de l'histoire de Paris[1]. L'immeuble de rapport, dont la construction avait commencé sous le règne de Louis XVI puis cessé pendant la Révolution, était réapparu timidement sous l'Empire. Dès 1824, de vastes lotissements furent tentés dans Paris : d'anciens domaines religieux ou aristocratiques furent subdivisés, construits et offerts à la vente par des promoteurs, banquiers et architectes réunis dans les premières sociétés civiles. L'apparition d'un capitalisme foncier dans la capitale rompait avec la tradition des faubourgs : au lieu de laisser la population nouvelle s'installer en désordre le long des grandes routes qui sortaient de Paris, les nouveaux spéculateurs tentaient de prévoir ses besoins et d'y répondre sur une grande échelle. Entre 1824 et 1827, près de 3 000 immeubles furent construits, augmentant le stock de logements de 10 %. La tentative échoua pour plusieurs raisons : le capitalisme du temps, encore balbutiant, n'était pas capable de réunir les capitaux nécessaires, et de nombreux promoteurs, après 1827, firent banqueroute. Tandis que le nombre des immeubles augmentait de 10 %, la population croissait de 25 %, et l'entassement s'aggrava. Surtout, l'effort de construction fut spéculatif et non point social. Les nouveaux immeubles furent construits dans les beaux quartiers (où ils excédèrent les besoins et se vendirent mal) : le long des rues de la Paix, de Castiglione, de Rivoli, ou bien dans les quartiers nouveaux du Faubourg-Poissonnière, c'est-à-dire dans les Ier, IIe et Xe arrondissements, tout le nord-ouest. En revanche, les vieux quartiers où les immigrants pauvres venaient s'entasser ne pouvaient intéresser les nouveaux capitalistes. Dans les IIIe, IVe et IXe arrondissements, autour des Halles et de l'Hôtel de Ville, l'entassement augmenta : chaque immeuble du centre, qui logeait en moyenne 30 personnes en 1817, en abritait 35 en 1826. La spéculation s'effondra en 1827-1828, et son échec contribua sans doute à la chute de la monarchie. Rien ne montre mieux l'aveuglement du pouvoir que la stabilité des dépenses municipales dans une ville qui commençait à exploser. La municipalité continua imperturbablement à attribuer aux œuvres sociales une portion constante et même décroissante de ses

---

1. Cf. F. Loyer, 1987.

budgets : 13,4 % en 1819, 10,4 % en 1825, 11,9 % en 1829 ; si ces budgets augmentèrent de 39 millions à 49 millions en dix années, l'aide aux pauvres resta bloquée à 5,5 millions pendant huit ans[1]. Non que la Restauration ait négligé la capitale : elle sut construire quelques palais, des théâtres, de nombreuses églises – des « embellissements », comme sous l'Ancien Régime. Elle sut aussi réaliser des travaux utiles à la collectivité : des ponts, des marchés, des canaux.

Le transport urbain fut l'un des domaines où la Restauration inaugura des moyens nouveaux : elle créa les transports en commun. Le premier omnibus, dont le nom fut tiré d'une compagnie fondée auparavant à Nantes, roula le 30 janvier 1828, entre la Bastille et la Madeleine, desservant la rive droite mais négligeant la rive gauche. Les voitures, tirées par des chevaux, s'arrêtaient à la demande. Le trajet coûtait 6 sous, une somme non négligeable quand la moitié des Parisiens avaient tant de peine à payer leur pain 7 ou 8 sous le kilo. Dès 1829, une quinzaine de compagnies privées circulaient dans les rues de Paris : les Dames-Blanches, les Tricycles, les Béarnaises, etc.[2]. Autre innovation sous les derniers Bourbons aînés : l'éclairage urbain. L'Empire avait équipé quelques rues avec des réverbères, où les chandelles, grâce à un tirage d'air bien conçu, donnaient davantage de lumière lorsqu'elles étaient placées sur les embrasures des fenêtres. A partir de 1822, le gaz fut introduit : 10 000 becs de gaz éclairaient certaines rues en 1829, en particulier la place Vendôme et la rue de la Paix, mais Mme Trollope se plaignait encore, en 1835, de l'éclairage insuffisant :

> Un autre défaut, c'est l'obscurité profonde de tous les quartiers où manquent les boutiques illuminées au gaz par leur propriétaire. Il n'y pas de petite ville de province en Angleterre où les rues principales soient aussi mal éclairées que celles de la capitale française[3].

En revanche, la santé publique resta négligée jusqu'aux premières années de la monarchie de Juillet. Au début du XIXe, comme au siècle précédent, l'eau que buvaient les

1. Cf. Martin-Saint-Léon, 1843.
2. Cf. L. Dubech et P. d'Espezel, 1926.
3. F. Trollope, 1985, p. 78.

Parisiens, même aisés, était principalement tirée de la Seine, où se déversaient cependant les ordures et les immondices de la ville. Des compagnies vendaient aux riches cette eau « purifiée », en fait décantée, car elle contenait beaucoup de matière en suspension, et quelque peu assainie par le mélange d'un peu de vinaigre... Mercier avouait que cette eau « relâche l'estomac pour quiconque n'y est pas accoutumé[1] ». Des aqueducs avaient été édifiés jadis, comme celui d'Arcueil (surélevé au XIXᵉ) par Catherine de Médicis. Napoléon, dans ce domaine aussi, avait décidé de nouvelles constructions, mais elles ne furent pas menées à bien. L'eau du fleuve était élevée par des pompes dont la plus connue, et l'une des plus anciennes, était accolée au Pont-Neuf : cette pompe de la Samaritaine datait d'Henri IV. L'utilisation de la vapeur permit d'élever l'eau bien plus facilement, mais l'eau courante, que l'on commença à installer à partir de 1828, resta longtemps peu répandue. Comme au temps de Mercier, les ménages parisiens, sous la monarchie de Juillet, se faisaient encore livrer par des porteurs d'eau :

> A Londres, l'eau arrive sous pression jusqu'au second et souvent jusqu'au troisième étage [...] mais presque toutes les familles de Paris se procurent l'eau par deux seaux à la fois, livrée laborieusement par des porteurs qui grimpent bruyamment l'escalier avec leurs sabots [...]. Il est vrai qu'il faut opposer à cela, pour être juste, le bas prix et la commodité des bains publics. [...] Autant j'admire l'église de la Madeleine, autant je pense que la Ville de Paris aurait mieux fait d'utiliser les crédits dépensés pour cette église, à construire des tuyaux pour conduire l'eau dans les habitations[2].

La remarque est importante. Certes, Fanny Trollope, en bonne Anglaise, se méfie de l'Église catholique :

> Cette secte impérieuse, mondaine, apparemment tranquille mais infiniment ambitieuse, qui a su épouser, en de nombreux endroits, la cause de la démocratie, reste à l'écart, attendant le résultat de ses efforts, mais guette, comme un

1. L.-S. Mercier, 1990, p. 57.
2. F. Trollope, 1985, p. 149.

tigre qui semble dormir, le moment où elle pourra se venger de son long éloignement du pouvoir [1].

Mais elle distingue aussi lucidement les « embellissements », typiques de l'Ancien Régime, de l'« urbanisme », souci nouveau qui avait animé jadis la Commission des artistes (1793) et avait réapparu sous Louis-Philippe avec Rambuteau. La monarchie de Juillet entama timidement un véritable programme de modernisation de la capitale. Elle n'avait plus le choix : la situation était devenue dramatique. La grande épidémie de choléra de 1832 affola même les quartiers aisés. Le rapport officiel sur le fléau mit clairement en rapport la violence de l'épidémie et l'insalubrité de certains quartiers :

> Des 48 quartiers de la capitale, 28 placés au centre ne comprennent que le cinquième de son territoire et renferment à eux seuls la moitié de la population [...] dans ces quartiers, il en est un, celui des Arcis, où chaque individu ne dispose que de 7 m^2 d'espace ; et dans ces rues, il en est jusqu'à 73 qui renferment, terme moyen, 30, 40 et 60 personnes par maison. Ce sont ces rues qui, toutes sans exception, ont eu 45 décès sur mille, ce qui est le double de la moyenne [2].

Ce diagnostic sévère ne modifia guère la politique sociale d'une municipalité qui comprenait difficilement que la gravité des problèmes avait changé leur nature. Chevalier, par exemple, souligne avec étonnement la stabilité des crédits affectés aux hôpitaux et aux enfants trouvés : de 6,4 millions en 1831 à 6 millions en 1846. Mais si certains édiles continuaient à vouloir « embellir » la capitale au lieu de planifier sa survie, les Parisiens, affolés par les épidémies, gênés par les embouteillages, inquiets des tensions sociales qui s'aggravaient et de la violence que multipliait la misère croissante, commençaient à quitter la ville. La question devint alors nationale et remonta jusqu'au trône : Paris se déplaçait.

---

1. *Ibid.*, p. 49.
2. Cité *in* L. Chevalier, 1978, p. 354.

Le « déplacement » de Paris

Quelle physionomie présentait Paris en 1832, au moment où était posée publiquement l'une des premières grandes questions d'urbanisme de son histoire ? L'aspect de la ville, pour l'essentiel, n'avait pas beaucoup changé depuis l'Ancien Régime, mais de nouvelles formes urbaines étaient en train d'apparaître tandis qu'un bouillonnement d'idées neuves allait préparer le bouleversement complet de la capitale (voir figure 2)[1].

De nouvelles formes urbaines

Sur la rive droite, le vieux centre densément peuplé où étaient venus s'entasser les migrants pendant l'Empire, puis au début de la Restauration, ne pouvait plus guère accueillir de nouveaux habitants. La mortalité pendant l'épidémie y avait atteint des taux extraordinaires : 136‰ place de l'Hôtel-de-Ville, 244‰ quai de la Grève. Les migrants pauvres venus après 1820 s'étaient installés plutôt sur les franges de l'ancien centre, près des portes Saint-Denis et Saint-Martin, ou bien dans les faubourgs Saint-Antoine et Saint-Marceau. La rive gauche, endormie et moins peuplée, était restée largement à l'écart de cette croissance démographique : la dissymétrie entre les deux rives s'était fortement accrue. Les beaux quartiers qui se trouvaient jadis en bordure de la ville commençaient à être rattrapés et englobés par la croissance urbaine : le Marais, quartier endormi de vieux aristocrates de robe et de rentiers, par la croissance du faubourg Saint-Antoine ; le faubourg Saint-Germain, où la vieille noblesse légitimiste boudait et que les lotissements dans la plaine de Grenelle commençaient à tourner par l'ouest ; le faubourg Saint-Honoré, quartier des banquiers, de la haute bourgeoisie et de la noblesse orléaniste, que débordait par le nord la

---

1. Cf. le texte de P. Lavedan, 1969, et aussi celui de L.-J.-M. Daubenton, 1843.

construction du quartier Saint-Georges. La densité avait augmenté démesurément : de 159 habitants à l'hectare en 1800, elle devait atteindre 310 en 1846. Hormis l'entassement excessif, la physionomie des vieux quartiers n'avait pas beaucoup changé et les tableaux de Mercier, bien qu'écrits en 1788, peuvent encore les évoquer[1] :

> [Le faubourg Saint-Marceau.] C'est le quartier où habite la populace de Paris, la plus pauvre, la plus remuante et la plus indisciplinable. Il y a plus d'argent dans une seule maison du Faubourg Saint-Honoré, que dans tout le Faubourg Saint-Marcel ou Saint-Marceau pris collectivement... Une famille entière occupe une seule chambre, où l'on voit les quatre murailles, où les grabats sont sans rideaux, où les ustensiles de cuisine roulent avec les vases de nuit. Les meubles en totalité ne valent pas vingt écus ; et tous les trois mois les habitants changent de trou, parce qu'on les chasse, faute de payement du loyer. Ils errent ainsi et promènent leurs misérables meubles d'asile en asile. On ne voit point de souliers dans ces demeures ; on n'entend le long des escaliers que le bruit des sabots. Les enfants y sont nus et couchent pêle-mêle. C'est ce faubourg qui, le dimanche, peuple Vaugirard et ses nombreux cabarets ; car il faut que l'homme s'étourdisse sur ses maux : c'est lui surtout qui remplit le fameux Salon des gueux. Là dansent sans souliers et tournoyant sans cesse, des hommes et des femmes qui, au bout d'une heure, soulèvent tant de poussière qu'à la fin, on ne les aperçoit plus [...] [ce peuple] est dans ce faubourg, plus méchant, plus inflammable, plus querelleur, et plus disposé à la mutinerie, que dans les autres quartiers. La police craint de pousser à bout cette populace ; on la ménage, parce qu'elle est capable de se porter aux plus grands excès (p. 72-74).

> [Le Marais.] Ici, vous retrouvez du moins le siècle de Louis XIII, tant pour les mœurs que pour les opinions surannées. Le Marais est au quartier brillant du Palais-Royal ce que Vienne est à Londres. Là règne, non la misère, mais l'amas complet de tous les vieux préjugés : les demi-fortunes s'y réfugient... Si on a le malheur d'y souper, on n'y rencontre que des sots... : tel homme, assis dans un cercle est un fauteuil de plus, qui embarrasse un salon. Les jolies femmes même, qu'un astre fatal a reléguées dans ce triste quartier,

---

1. L.-S. Mercier, 1990.

n'osent recevoir d'autre monde que de vieux militaires ou de vieux robins, et le tout par décence; mais ce qu'il y a de curieux pour l'observateur, c'est que tous ces sots réunis se déplaisent et s'ennuient réciproquement (p. 74).

En revanche, le centre des activités parisiennes s'était déplacé. Les galeries du Palais-Royal, qui offraient jadis la seule promenade où l'on pouvait en sûreté admirer des vitrines, avaient été le centre de Paris avant et après la Révolution, et Mercier pouvait en dire :

> Point unique sur le globe. Visitez Londres, Amsterdam, Madrid, Vienne, vous ne verrez rien de pareil…On l'appelle « la capitale de Paris ». Tout s'y trouve… Les agioteurs, faisant le pendant des jolies prostituées, vont trois fois par jour au Palais-Royal, et toutes ces bouches n'y parlent que d'argent et de prostitution politique […]. Ce lieu est donc une jolie boîte de Pandore […]. Les cafés regorgent d'hommes dont la seule occupation, toute la journée, est de débiter ou d'entendre des nouvelles, que l'on ne reconnaît plus par la couleur que chacun leur donne d'après son état […]. La cherté des locations, que fait monter l'avide concurrence, ruine les marchands. Les banqueroutes y sont fréquentes; on les compte par douzaines… C'est là que tous les soirs, les femmes viennent deux à deux affronter le regard des hommes, chargées de toutes ces modes, quelquefois si fantasques, qu'elles imaginent pour quelques jours, et qu'elles renversent quelques jours après (p. 318-320).

Mercier s'inquiétait déjà de la prépondérance excessive de la rive droite, grâce au poids du Palais-Royal, sur la rive gauche :

> Le Palais-Royal emportant le flot des étrangers, dessèche, pour ainsi dire, l'autre côté de la ville : tout se porte aux environs du Palais-Royal, le surcharge, et conséquemment le faubourg Saint-Germain en maigrit; il serait donc à désirer qu'il y eut contrepoids et équilibre ; les propriétés bourgeoises des particuliers y gagneraient et les deux portions de la ville rivaliseraient alors en opulence, en éclat, en population et en commerce (p. 341).

Mercier n'aurait plus reconnu son Palais-Royal après 1825 : désert, il était abandonné des foules, qui lui préféraient les nouveaux passages. La saleté des rues parisiennes explique la construction des passages : le premier, la voie du Prado, ouvert en 1785, fut couvert plus tard et suivi par le passage du Caire en 1799 et par le plus fameux, le passage des Panoramas, en 1800. La grande vogue des passages fut un peu plus tardive : la plupart furent ouverts entre 1823 et 1831. Ils correspondirent en général au lotissement de domaines religieux confisqués par la Révolution et mis sur le marché : ces terres étaient si vastes qu'il fallait y tracer des rues. On les couvrit et on les interdit aux voitures pour répondre au besoin de voies calmes et propres où les chalands pouvaient admirer les boutiques sans risquer d'être crottés ou même renversés. La passion croissante pour les commerces de tissus, en particulier ceux qui vendaient des cotonnades « indiennes », qui était apparue au XVIIIe et avait grandi après l'expédition d'Égypte, et l'utilisation nouvelle de structures métalliques dans l'architecture favorisèrent la construction des passages[1]. Ils ruinèrent le Palais-Royal, puis furent eux-mêmes ruinés par l'apparition des grands magasins[2].

Une autre forme nouvelle apparut sous la Restauration et se développa sous Louis-Philippe : le quartier aménagé et construit par une société civile d'initiative privée. Le nord-ouest de Paris, occupé par des terres cultivées ou parfois marécageuses, fut ainsi rapidement construit : nouveau quartier Poissonnière, développé par les banquiers André et Lafitte, quartier de l'Europe, plus à l'ouest, par le banquier Hagermann, quartier François-Ier et, plus au sud, quartier Beaugrenelle, etc. François Loyer y voit l'apparition d'une nouvelle structure urbaine, de cette mosaïque de quartiers distincts qui caractérise encore Paris aujourd'hui. Le plus original de ces lotissements donna naissance au quartier de la

---

1. Cf. W. Benjamin, 1989.
2. Les premiers magasins de nouveautés datent de la fin de la Restauration : *La Fille mal gardée*, ou *Le Soldat laboureur*, contemporain de la conquête de l'Algérie. Le premier des grands magasins, *À la ville de Paris*, fut fondé en 1843, rue Montmartre, mais leur vogue éclata pendant le Second Empire. (Cf. E. Zola, *Au bonheur des dames*.)

Nouvelle Athènes[1]. Créés en 1820 entre les rues Saint-
Lazare, de La Rochefoucauld et de la Tour-des-Dames, com-
plétés après 1823 par le quartier Saint-Georges de l'autre
côté de la rue de La Rochefoucauld, entre la rue Saint-Lazare
et la rue d'Aumale actuelle, ces vastes lotissements couvrirent les champs qui formaient encore sous Napoléon Ier le
quartier « des Porcherons », connu pour ses guinguettes
et ses bals champêtres. Quartier nouveau d'immeubles
construits dans le style néo-classique, la Nouvelle Athènes
attira les élites de Paris qui fuyaient les quartiers sordides
du centre ou les immeubles luxueux mais compassés des
vieux quartiers aristocratiques : d'une part, de jolies femmes
qui savaient se trouver de riches protecteurs et qui prirent,
de l'église voisine, le surnom de « lorettes » ; de l'autre,
une pléiade d'artistes romantiques. Des acteurs (Talma,
Mlle Mars, la Païva), des écrivains (George Sand et Béranger), des peintres (Delacroix, Isabey, Géricault, Horace Ver-
net), des hommes politiques (Thiers), le grand Chopin aussi,
vinrent y loger. Delacroix écrivait à George Sand en 1844 :

> Ce nouveau quartier est fait pour étourdir un jeune homme
> aussi ardent que moi. Le premier objet qui a frappé les yeux
> de ma vertu en arrivant, ç'a été une magnifique lorette de la
> grande espèce, toute vêtue de satin et de velours noir, qui en
> descendant de cabriolet et avec une insouciance de déesse,
> m'a laissé voir sa jambe jusqu'au nombril[2].

En 1829, au cœur de la Nouvelle Athènes, sur une terre
ayant appartenu à Mlle Mars, fut construit, sur un modèle
anglais, le square d'Orléans : une véritable cité avec un
grand jardin central autour duquel s'ordonnaient les demeures. Certains habitants se connaissaient et n'avaient que
le jardin à traverser pour se rencontrer, menant parfois
une vie presque communautaire. La danseuse Taglioni,
Alexandre Dumas, Pauline Garcia, sœur de la Malibran,
Sand et Chopin y habitèrent. Ces quartiers homogènes, qui
annonçaient déjà la grande cohérence architecturale que sut

---

1. Cf. le catalogue de l'exposition qui lui fut consacré en 1984 :
D. Morel *et al.*, 1984.
2. Cité *in* D. Morel *et al.*, 1984, p. 43.

imposer Haussmann, recueillaient ainsi les groupes sociaux un peu marginaux qui trouvaient mal leur place dans le vieux Paris. Les constructions nouvelles allaient vite, un peu trop vite ; bien des logements de luxe restaient longtemps vacants avant de trouver un locataire :

> On bâtit de toutes parts ; maisons et bastions sortent de terre. La ville s'agrandit en même temps qu'elle se fortifie. Le dernier recensement constate qu'il y a ici, à cette heure, 40 000 appartements vacants. En ce printemps de 1843, Paris pourrait, sans déplacer un seul de ses habitants, recevoir et loger la ville de Lyon tout entière [1].

D'autres activités durent aussi glisser vers les marges de la ville, rebutées par les embouteillages ou interdites par les règlements. Sous l'Ancien Régime, les théâtres, anathémisés par l'Église, ne pouvaient monter de spectacle à Paris sans un privilège du roi : deux troupes seulement l'avaient obtenu, les comédiens-italiens et les comédiens-français. Les autres avaient été contraintes de s'installer hors de la ville, mais aussi près que possible pour attirer la clientèle parisienne : sur les boulevards qui longeaient l'ancienne enceinte de Charles V. Depuis la Révolution, le privilège n'était plus nécessaire, mais la coutume avait subsisté d'autant plus que des terres assez vastes, le long de cette ancienne limite de Paris, étaient encore disponibles. Ainsi se développa le Boulevard, depuis la Bastille jusqu'à l'actuel Opéra, alignement de spectacles, de théâtres et de restaurants, axe principal de la vie nocturne parisienne chassée du centre par les encombrements. De la Bastille à la Madeleine, l'axe, d'abord très populaire, devenait petit-bourgeois, puis était fréquenté par des bourgeois aisés, enfin, par le monde aristocratique et élégant : il est difficile de trouver un autre exemple de grande avenue offrant ainsi, le long de son parcours, des distractions à toutes les classes sociales. Boulevard du Temple, du Déjazet à la place du Château-d'Eau (place de la République aujourd'hui), le Boulevard était une foire perpétuelle, la promenade des familles les plus pauvres qui admiraient les bateleurs comme Debureau, les montreurs d'ours et les boni-

---

1. V. Hugo, 1972*a*, p. 250.

menteurs : le rôle qu'avait joué, avant la Révolution, le Pont-Neuf.

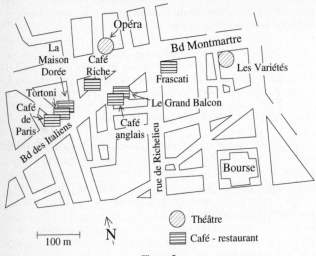

Figure 5

Entre le boulevard Montmartre et le boulevard Saint-Martin, régnaient les théâtres à mélodrame : c'était le Boulevard du Crime[1]. Le théâtre de la Porte-Saint-Martin (où l'on créa la fameuse *Tour de Nesle* en 1832), l'Ambigu, les Folies-Dramatiques (Frédéric Lemaître y fit applaudir le personnage de Robert Macaire en 1834) attiraient les familles populaires et les petits-bourgeois qui venaient trembler aux horreurs de *L'Auberge des Adrets*[2]. Sur le boulevard des Italiens et le boulevard des Capucines se retrouvait le Tout-Paris élégant (figure 5). Les émigrés y paradaient sous la Restauration, ce qui avait fait appeler le trottoir nord « boulevard de Gand », d'où le nom de « gandin » donné à ceux que l'on devait appeler plus tard des « snobs ». L'angle de la rue

---

1. Cf. P. Gascard, 1990 ; S. Arbellot, 1950.
2. L'admirable film de Marcel Carné et Jacques Prévert, *Les Enfants du Paradis*, fait revivre cette partie du Boulevard.

Taitbout était le vrai centre de Paris, autour duquel on trouvait les cafés et les restaurants les plus en vogue : le Café de Paris, le café Riche, Tortoni, la Maison Dorée (où, soixante ans plus tard, Swann ira désespérément chercher Odette), le Café anglais ; ils furent à la mode pendant près d'un siècle et ne disparurent qu'après la Grande Guerre, sans doute lors de l'essor de l'automobile. Encore la passion des Américains pour le Café de la Paix, près de l'Opéra, dans les années 1920, retenait-elle quelque peu de la gloire du Boulevard. L'Opéra se trouvait alors à deux pas, rue Le Peletier. Le journal des saint-simoniens, *Le Globe*, fut publié pendant plusieurs années rue Taitbout, avant de déménager à Ménilmontant. En 1832, le Boulevard n'était pas encore bordé de trottoirs : on s'y promenait sous les arbres. Son succès contribua, avec le développement des passages, à ruiner le Palais-Royal.

Des transformations aussi importantes, dans le commerce, l'architecture et la vie quotidienne, étaient directement liées aux difficultés de circulation et à l'incommodité des rues de Paris. Les héros de Balzac, les Rastignac, les Rubempré, allaient d'ordinaire dîner dans les Halles, Au Rocher de Cancale (restaurant fameux situé au coin de la rue Greneta et de la rue Montorgueil et dont on peut, aujourd'hui encore, reconnaître les vestiges), mais souvent aussi sur le Boulevard. Le centre de la vie élégante glissait ainsi, dès 1830, vers le nord-ouest[1]. On a vu que la Restauration avait créé les transports en commun. La circulation dans les rues médiévales du centre, étroites et encombrées, encore plus embarrassées, dans le quartier des Halles, par l'accumulation des charrettes transportant les légumes, la viande et le poisson, constitua l'un des principaux casse-tête du préfet de la Seine. Les premiers trottoirs avaient été construits en 1823, mais ils restèrent longtemps fort rares. La plupart des mesures d'alignement de façades et des décisions de reculement furent prises sous la monarchie de Juillet, qui vit là un moyen commode d'élargir les voies à bon compte puisque la dépense en incombait aux propriétaires fonciers. Le long des voies frappées d'alignement, ceux-ci perdaient le droit

---

1. Cf. A.-M. Fugier, 1991.

d'entretenir leurs façades. Ils devaient se contenter d'en boucher les fissures avec du plâtre et étaient obligés, lorsqu'elles étaient en ruine, de les reconstruire en retrait. Malheureusement, la transformation était nécessairement longue et entraînait, conséquence étrange d'une mesure d'urbanisme, une dégradation inévitable du patrimoine immobilier. Il en résulta des rues « crénelées », comme on peut le voir aujourd'hui rue Quincampoix, où les façades avancent et reculent selon l'âge du bâtiment. Hugo, mettant en parallèle les transformations urbaines et la révolution des Trois Glorieuses, écrivait en février 1831 :

> On veut démolir Saint-Germain-l'Auxerrois pour un alignement de place ou de rue ; quelque jour, on détruira Notre-Dame pour agrandir le parvis ; quelque jour, on rasera Paris pour agrandir la plaine des Sablons. Alignement, nivellement, grands mots, grands principes pour lesquels on démolit tous les édifices, au propre et au figuré, ceux de l'ordre intellectuel comme ceux de l'ordre matériel, dans la société comme dans la cité [1].

La circulation n'en fut guère améliorée. Il fallut donc ouvrir des voies nouvelles pour assainir le cœur de la ville et moderniser le centre qu'étouffaient les embouteillages : ce fut l'œuvre de Rambuteau, nommé préfet de la Seine le 22 juin 1833, au lendemain du choléra. Après les tentatives de la Révolution et de l'Empire, la monarchie de Juillet fut l'époque des premiers grands projets urbains.

Les projets de la monarchie de Juillet

Les travaux avancèrent d'abord timidement, mais, vers 1840, l'opinion prit conscience que le centre se vidait. Les riches déménageaient vers les quartiers neufs de l'ouest et du nord-ouest, les commerçants les suivaient, les ateliers quittaient des rues où la circulation devenait trop difficile : Paris se déplaçait. Pour la première fois depuis l'époque de la Commission des artistes, on discuta longuement et publique-

1. V. Hugo, 1972*a*, p. 125.

ment de questions fondamentales d'urbanisme. Des réforma-
teurs bien intentionnés, comme Hippolyte Meynadier, proposèrent des solutions d'ensemble[1]. Une longue polémique
s'engagea, au conseil municipal, entre Lanquetin et Rambuteau[2]. Au milieu du XIXe siècle, l'opinion en était venue à
questionner le rôle de la capitale : savoir s'il était fructueux
ou excessif, favorable ou défavorable à la nation. Paris, devenu une ville pathologique, s'inquiétait et inquiétait. Poussée par la misère, la population perdait patience. Les insur-
rections se succédaient malgré les répressions atroces. En
1834, dans le quartier Maubuée, les troupes massacrèrent les
habitants de la rue Transnonain. En mai 1839, conduits par
Blanqui et Barbès, des membres de la Société des saisons
pillèrent un magasin d'armes dans la rue du Bourg-l'Abbé et
combattirent rue Greneta : le vieux cœur de Paris s'enflam-
mait périodiquement. Il n'y eut pas moins de six tentatives
d'assassinat dirigées à Paris contre Louis-Philippe.

Alors que l'initiative privée l'avait emporté, sous la Restauration, ce fut la préfecture de la Seine qui conduisit, dans
le centre, le gros des travaux sous la monarchie de Juillet.
Rambuteau ouvrit quelques petites percées, décupla, pour
des raisons d'hygiène, le nombre des fontaines publiques,
aménagea les Grands Boulevards et les quais de la Seine,
construisit deux ponts. Surtout, il perça (1838-1843) la rue
qui porte son nom, atteignant d'un coup deux buts différents : il détruisait des îlots sordides habités par une population misérable et dangereuse, et il améliorait la circulation
entre les Halles et la Bastille. La rue Rambuteau étonna les
contemporains par sa largeur (13 mètres) mais elle surprend
à un meilleur titre : c'était la première fois, à Paris, que l'on
démolissait de vieux immeubles pour ouvrir un axe nouveau
et le border de demeures modernes, au lieu de construire des
« embellissements » en bordure de la ville comme l'avaient
fait les pouvoirs anciens. La rue Rambuteau annonçait timidement les grands chantiers du Second Empire. Mais les
anciennes traditions demeuraient : des travaux importants
furent exécutés à la périphérie pour achever la place de la
Concorde et l'Arc de Triomphe. La tension avec l'Angleterre

1. H. Meynadier, 1843.
2. Cf. P. Lavedan, 1969.

à propos de la Question d'Orient (la France soutenait Méhémet-Ali et y gagna l'Obélisque) amena Thiers à construire des fortifications (1840-1844) : leur rôle dans le développement de Paris fut considérable. Leur tracé, décidé pour des raisons purement militaires en fonction de la portée de l'artillerie, ne tenait aucun compte de la vie des communes qui entouraient Paris. La plupart furent coupées en deux par les remparts et formèrent peu à peu des communautés distinctes : Petit-Montrouge et Grand-Montrouge, scission des Batignolles, de Clichy, de La Chapelle, etc. L'anneau de terres ainsi délimité était dans une situation étrange : hors de la ligne d'octroi, mais dans l'enceinte. Un autre projet important fut mené avec moins d'attention : la construction des gares de chemin de fer. On n'y croyait guère : en 1838, la première loi sur les chemins de fer fut rejetée par les deux tiers des députés après un discours fameux d'Arago. Les gares furent donc installées un peu au hasard des terres disponibles (gare Montparnasse : 1846 ; gare de Lyon : 1849). Ainsi, les ouvrages les plus importants que construisit à Paris la monarchie de Juillet ne suivaient pas un plan d'urbanisme rigoureux.

La population aisée glissait vers les nouveaux lotissements du nord-ouest ; les pauvres, chassés par les démolitions et par les prix fonciers élevés, allaient s'entasser dans les quartiers misérables de la rive gauche (quartiers Maubert et Saint-Victor, barrière d'Italie) : Paris se déplaçait[1]. Inquiète, la municipalité créa une « commission du déplacement de Paris » dont la mission était de rechercher les causes de ce phénomène et de proposer des solutions. L'un des conseillers, Jacques Séraphin Lanquetin, ancien négociant en vin dans le Doubs devenu notable parisien, trésorier de la chambre de commerce de Paris, rédigea un rapport remarquable dont la première partie, publiée en avril 1840, dressait un tableau critique des arrondissements parisiens, tentait d'identifier les causes du mal et proposait une solution : transférer les Halles. Le tableau de Lanquetin est précis et évocateur. Résumons-le rapidement : les trois premiers arrondissements (Paris, alors, en comptait douze), de la Concorde à la Chaussée-d'Antin, le nouveau centre, étaient

1. *Ibid.* ; et aussi L.-J.-M. Daubenton, 1843.

sains, habités par des ménages aisés, logeant dans des
immeubles de bonne qualité. Le quatrième, des Halles à la
Banque de France et aux Tuileries, était constitué de maisons anciennes, de rues étroites ; il avait besoin d'embellissement, d'assainissement, et de mesures nouvelles de sécurité publique. Un commerce de détail très actif animait le
cinquième et le sixième (de la rue des Lombards à la porte
Saint-Denis, de la rue Montorgueil à la rue du Temple) ; au
nord du Boulevard (faubourg Saint-Denis, faubourg du
Temple, Ménilmontant), des « fabriques et manufactures »
étaient en train de s'installer, qui devaient vivifier ces quartiers. Les septième et huitième (Sainte-Avoye, Mont-de-
Piété, Marais, faubourg Saint-Antoine) contenaient souvent
des bâtiments médiocres et, à l'est, le fameux artisanat du
meuble. Le Marais était peuplé de rentiers assez aisés, mais
très mal relié au reste de Paris. Le vieux centre (Hôtel de
Ville, Cité, île Saint-Louis) constituait la partie de la ville la
plus misérable : la Cité était faite de « rues et impasses
infectes, repaires de la plupart des forçats libérés qui viennent en si grand nombre dans Paris [...]. L'île Saint-Louis,
si bien habitée autrefois, n'a plus de population aisée
que dans les maisons qui bordent le quai ». Le noble faubourg Saint-Germain contenait des rues bien percées, une
ancienne noblesse qui vivait plus discrètement mais qui
demeurait fort riche. Le Quartier latin (onzième) était
curieusement décrit comme un quartier peu animé, avec des
allures provinciales, bien que beaucoup d'étudiants y habi-
tassent (mais ceux-ci étaient souvent désargentés) ; beaucoup de petits rentiers y menaient une vie calme. Les étudiants allaient faire leurs fredaines hors du Quartier latin,
vers Montparnasse et la rue de la Gaîté. Quant au douzième
(Saint-Jacques, Saint-Marcel, l'Observatoire), c'était un
quartier misérable, avec des pentes fortes, des rues très mal-
aisées. Le quartier Maubert était aussi sordide et aussi
inquiétant que la Cité, avec ses rues étroites et malsaines :
« une population malheureuse, mêlée de population dangereuse, le plus souvent, n'ayant pour tout meuble qu'un
méchant grabat et quelquefois même une botte de paille
recouverte de quelques lambeaux de guenilles ».

La polémique qui agita le conseil municipal, puis l'opinion
par l'intermédiaire de la presse, porta sur deux événements

différents que les conseillers confondirent souvent : d'une part, la dissymétrie qui s'accentuait entre rive droite et rive gauche ; d'autre part, le déplacement de la ville vers le nord-ouest. Lanquetin soulignait trois points : le déplacement du centre de Paris vers la Madeleine ; l'encombrement croissant du quartier des Halles dont les rues médiévales ne pouvaient plus accueillir le trafic des marchandises ; le rôle néfaste des octrois placés sur les ponts, isolant bien davantage les deux rives et contribuant de façon redoutable à affaiblir encore la rive gauche. On a vu que Mercier signalait déjà la dissymétrie des deux rives, et en accusait la prospérité du Palais-Royal. Victor Hugo remarquait :

> L'Odéon est toujours désert. Ce n'est pas la faute des directeurs, ce n'est pas la faute des auteurs, ce n'est pas la faute des artistes, c'est la faute de l'Odéon. « Chose singulière ! disent quelques-uns, il n'y a qu'un théâtre sur la rive gauche pour toute une moitié de Paris, et il ne prospère pas ! » C'est justement parce qu'il n'y a qu'un théâtre que vous devez soupçonner quelque raison cachée au fond des choses qui empêche celui-ci de prospérer, de même qu'elle en empêche d'autres de s'établir. La même raison qui fait que ce théâtre est seul fait qu'il est désert. C'est que le flot de Paris ne va pas de ce côté-là. Paris se retire de plus en plus du Faubourg Saint-Germain. Paris est où sont les Tuileries, le Palais-Royal, le Boulevard de Gand ; Paris n'est pas où est le Luxembourg. Ce quartier est déjà pour Paris moins qu'un faubourg ; c'est presque la province. Paris appuie à droite [...]. Étonnez-vous donc que le côté gauche de la Seine ressemble de plus en plus à une ville déserte ou morte, à Thèbes, à Pompéi. Il y a dans cette moitié de Paris les Sourds-Muets, les Jeunes Aveugles, l'Institut, l'Odéon, les Invalides et la Chambre des Pairs [1].

Hugo posait une question fondamentale : les pouvoirs publics pouvaient-ils dévier une évolution urbaine et la redresser ? Et d'abord, devaient-ils le tenter ? Lanquetin affirmait que le déplacement coûtait de plus en plus cher à la municipalité, car il lui fallait construire des équipements publics nouveaux (fontaines, monuments, églises) dans les

---

1. V. Hugo, 1972*b*, p. 252-253.

quartiers neufs tout en continuant d'entretenir les équipements anciens des quartiers progressivement abandonnés. L'argument était spécieux. Il supposait implicitement, et de façon malthusienne, que la population restait constante et que les faibles densités devaient être évitées : la première hypothèse était tout à fait fausse, et la seconde discutable. Vingt ans plus tard, Haussmann supposa, avec plus de vraisemblance, que les logements libérés par les bourgeois qui déménageaient pourraient héberger des ménages plus pauvres qui seraient ainsi mieux logés. Il se trompa aussi, mais pour d'autres raisons. Aux trois causes principales du déplacement (l'attirance des quartiers nouveaux, les embarras des Halles, les octrois sur les ponts), Lanquetin ajoutait d'autres raisons : le rôle des transports (construction de la future gare Saint-Lazare, creusement de ports sur la Seine dans la plaine de Clichy, qui attiraient les spéculateurs) et le rôle néfaste de certains impôts. Celui qui pesait sur les portes et fenêtres était indépendant de la valeur locative : l'impôt était ainsi six fois plus lourd sur la rive gauche. Lanquetin ne voyait que la fonction commerciale des quartiers : le rôle économique et social de l'Université était-il nul ? Son rapport semble avoir confondu dans la même observation trois phénomènes distincts : le développement inégal des quartiers, les mouvements du centre vers la périphérie, et le glissement de la ville vers le nord-ouest. Il est incontestable que la dissymétrie entre les deux rives s'était aggravée, que les inégalités étaient encore plus criantes qu'au début du siècle, et que bien des commerces avaient quitté le vieux centre pour aller s'installer vers la Madeleine : Lanquetin en déduisait que les riches se déplaçaient vers la périphérie. Mais Louis Marie[1] faisait une observation inverse, aussi inquiétante : il montrait que les pauvres, chassés par l'augmentation des prix fonciers et par les démolitions de Rambuteau, quittaient aussi le centre pour aller s'entasser place Maubert, dans le quartier Saint-Victor et souvent au-delà des barrières, dans les faubourgs :

> Par suite de la transformation du vieux Paris, le percement de nouvelles rues, l'élargissement des rues étroites, la cherté

1. L. Marie, 1850.

du terrain, l'extension du commerce et de l'industrie, les maisons à appartements, les vastes magasins et ateliers remplaçant tous les jours les vieilles masures, la population pauvre et ouvrière se trouve et se trouvera de plus en plus refoulée aux extrémités de Paris, ce qui fait que le centre est appelé à n'être peuplé dans la suite que par la population aisée [1].

Glissement centrifuge de la population parisienne (en nombre d'habitants)			
15 quartiers dans	*1817*	*1831*	*1841*
le centre	171 446	171 232	187 960
la 1re couronne	256 680	253 159	287 218
la 2e couronne	285 820	345 895	436 855

Tous deux avaient raison : le centre se vidait selon un processus bien connu aujourd'hui et qui surprenait alors. C'était la première fois qu'on observait de tels phénomènes avec tant de soin et qu'on les analysait. On critiqua les conclusions du mémoire de Lanquetin. Horace Say remarqua que le centre et la première couronne n'avaient pas perdu de population en vingt-cinq ans mais que la seconde couronne avait beaucoup grandi, ce qui donnait l'image, exagérée, d'un glissement : l'excès de population allait vers les terres libres.

Plutôt que de déplacement, il fallait parler d'« extension ». Il reste que de nombreux commerces quittaient le centre pour les quartiers nouveaux plus aisés, derrière la Madeleine, fuyant les embarras des Halles. Napoléon Ier avait déjà prévu de les agrandir. Contre Rambuteau qui prévoyait de réaliser en partie ce projet, Lanquetin proposa à la commission de déplacer les Halles en les déménageant à l'autre extrémité de la ville, sur la rive gauche, entre la rue des Bernardins et celle des Fossés-Saint-Bernard, sur le quai de la Tournelle. L'accès routier et fluvial en eût été aisé et les terres y étaient bien moins coûteuses que dans le centre. Lanquetin pré-

1. L. Marie, cité *in* P. Lavedan, 1969, p. 7.

voyait un nouveau marché de 53 000 mètres carrés pour un prix dix fois plus faible que celui de la transformation, sur 20 000 mètres carrés, des anciennes Halles que défendait Rambuteau. Celui-ci estimait que les expropriations nécessaires à l'extension du marché central coûteraient environ 500 francs le mètre carré, mais, rétorquait Lanquetin en 1842, les expropriations décidées pour le percement de la rue Rambuteau avaient été payées de 900 à 1 900 francs le mètre carré. Le projet d'extension *in situ* du préfet se monterait ainsi à près de 27 millions de francs, alors que le transfert proposé sur la rive gauche ne reviendrait qu'à 2,7 millions. La critique porta. Rambuteau modifia son projet et, en prévoyant des expropriations à 675 francs le mètre carré, réduisit la surface et le coût total à 10 millions, somme encore considérable à un moment où les dépenses annuelles de la Ville, en 1840, étaient de 49 millions. La polémique mit en cause la fonction même des Halles centrales. Le chef du bureau de la Grande Voirie montra que, si l'on considérait la surface de la ville, le centre en était au Pont-Neuf, que, en prenant plutôt en compte la population, il tombait place des Victoires, et que les Halles, devant occuper une position centrale, se trouvaient parfaitement localisées entre ces deux points et ne pouvaient déménager. La solution, écrivait-il, était plutôt de limiter leur rôle à celui d'un centre commercial de gros, alimentant des marchés secondaires, et d'éviter qu'elles ne jouent le rôle de marché central où viendraient s'approvisionner tous les commerçants de la capitale. Ainsi, dès 1842, apparaissaient les conceptions qui devaient être réalisées en partie par Haussmann vingt ans après (création d'une hiérarchie de marchés dans Paris) et appliquées finalement plus d'un siècle plus tard, avec l'installation des halles centrales à Rungis. Un autre projet de réfection des Halles, dû à Daniel, développait un raisonnement très moderne : le montant des investissements importait peu, affirmait-il, s'ils produisaient des recettes telles qu'ils pussent être rapidement remboursés – une manière moderne de compter qui était aux antipodes de la pratique ancienne des « embellissements » offerts à fonds perdus par un prince à sa bonne ville. Après tant de discussions, Rambuteau prit le parti le plus prudent et plutôt que de réformer profondément, il se contenta de moderniser quelque peu les Halles en réalisant une partie des

projets de l'Empire. Le glissement vers le nord-ouest continua et les embouteillages, malgré l'ouverture de la rue Rambuteau, embarrassèrent toujours le vieux centre.

Il fallait plutôt trancher dans le vif : c'est ce que proposa,
entre autres, Hippolyte Meynadier[1]. Il publia en 1843 le *Projet d'un système de grandes voies de communication, et des
emplacements les plus favorables pour des monuments d'art
et d'utilité publique qui sont à édifier ou à reconstruire*
(figure 6). Il abordait la question comme un général attaque
l'ennemi et conseillait au lecteur, afin qu'il puisse suivre ses
indications, de « piquer sur le plan qu'on aura sous les yeux
des épingles portant de petits pavillons de papier, comme
font les stratégistes sur les cartes militaires » (p. 2). Meynadier visait un triple résultat : l'assainissement des quartiers
anciens, l'embellissement de la ville, et l'ouverture de voies
de communication plus aisées, en perçant « de grandes
voies monumentales pour donner un aspect de grandeur et
de majesté » ; embellissement architectural et amélioration
urbaine étaient encore confondus. Il montrait la nécessité
d'un plan général assurant la cohérence des travaux et citait
en exemple l'erreur de la rue Rumfort : alors que le tracé du
boulevard Malesherbes avait été décidé en 1818, on construisit, en 1838, dans son axe, les bâtiments de la rue Rumfort,
qu'il fallut détruire peu après pour ouvrir le boulevard. Le
moyen était de réunir dans une commission unique les
grands propriétaires publics : l'État, la Ville et la Liste civile
(les propriétés personnelles du souverain). Meynadier affirmait qu'il suffirait de percer quatre grandes voies et quelques
rues secondaires pour dégager Paris : la grande rue du Centre
irait du Châtelet aux Grands Boulevards qu'elle atteindrait
entre les portes Saint-Denis et Saint-Martin, ce qui préfi-
gurait exactement le boulevard Sébastopol. Cette rue aurait
16 à 18 mètres de largeur, une dimension considérable pour
l'époque mais moitié moindre que celle du futur boulevard
d'Haussmann.

> Sans faire les constructions entièrement uniformes dans
> toute la longueur de la rue, ce qui serait triste et monotone
> pour une ligne aussi longue, il serait bien cependant qu'elles

---

1. H. Meynadier, 1843 ; voir aussi A. Morizet, 1932.

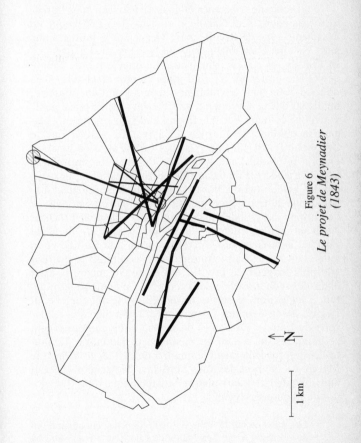

Figure 6
Le projet de Meynadier
(1843)

←N

⊢ 1 km

fussent faites sous certaines conditions, pour les élévations, pour le choix des matériaux, pour des dispositions symétriques qui ne nuiraient pas au pittoresque et assureraient un effet plus monumental [1].

Un tel souci de cohérence était assez nouveau dans l'urbanisme parisien : seul Napoléon en avait déjà fait preuve en dessinant la rue de Rivoli ; mais Meynadier le portait à une autre échelle. Haussmann, suivant la leçon ainsi donnée, en fit l'un de ses soucis principaux. La grande rue du Centre devait être prolongée au nord jusqu'au mur de clôture, avec un rond-point dans les faubourgs agrémenté d'une fontaine, tandis qu'elle se terminerait au Châtelet sur une place pourvue d'une colonne – ce que fit plus tard Haussmann en y plaçant la colonne de l'armée d'Égypte. La grande rue de l'Arsenal devait aller du quai des Célestins, à sa jonction avec la rue Saint-Paul, jusqu'à la Bourse ; son croisement avec la grande rue du Centre formerait un carrefour hexagonal. La grande rue du Nord-Est joindrait Ménilmontant à la colonnade du Louvre, ce que fait aujourd'hui en partie la rue de Turbigo. La grande rue de l'Hôtel-de-Ville devait réaliser enfin un axe en chantier depuis dix règnes en allant de l'église Saint-Germain-l'Auxerrois jusqu'à la Bastille et en redressant la rue Saint-Antoine ; elle assainirait le quartier « le plus fangeux de la ville : on le trouve encore boueux après des sécheresses de deux mois [2] ». Cette rue se terminerait, à son extrémité ouest, par un hémicycle qui engloberait l'église Saint-Germain-l'Auxerrois et ferait face à la colonnade du Louvre. Des voies de second ordre compléteraient ce grand réseau. Visant les mêmes buts que la rue Rambuteau, elles quadrilleraient le quartier de l'Hôtel de Ville et le Marais en ouvrant des rues nord-sud. Meynadier espérait ainsi réveiller ce vieux quartier aristocratique dont il déplorait l'embourgeoisement :

> Les souvenirs de la Belle Gabrielle s'enchaînent aujourd'hui aux besoins d'une fabrication de calorifères ; [...] l'âtre où Sévigné chauffa ses pieds a du feu encore, mais pour les

1. H. Meynadier, 1843, p. 17.
2. *Ibid.*, p. 24.

pieds en chaussettes d'un argus de pension. Et les hôtels des Lesdiguières, des Créquis, des Lamoignons, des Nicolaïs, sont enfumés par la houille, ébranlés par les enclumes ou très bourgeoisement occupés[1].

Sur la rive gauche, Meynadier souhaitait ouvrir de nombreuses voies nouvelles. Les familles aristocratiques, par économie, ne venaient plus passer que quatre mois à Paris, et le faubourg Saint-Germain se mourait d'ennui :

> Il sera impossible [...] [dans l'avenir] de concevoir comment des populations qui ne sont pas privées d'une notable aisance, ont pu séjourner dans ces lieux privés d'air, de promenades et de monuments d'un aspect agréable[2].

Un grand axe devait aller du pont Saint-Michel à la barrière d'Enfer (le boulevard Saint-Michel d'Haussmann) ; une autre voie, de la Halle-aux-Vins, par la rue Jacob et la rue de l'Université, jusqu'à la Chambre des députés (à peu près le futur boulevard Saint-Germain). Des monuments nombreux étaient prévus : une Bibliothèque royale au marché du Temple, un nouvel Hôtel-Dieu dans le Marais entre la rue des Rosiers et la rue du Roi-de-Sicile, une caserne sur l'emplacement des Halles (lieu central et stratégique) qui seraient déplacées vers le Châtelet. Comme plus tard Haussmann, Meynadier prévoyait de nombreux squares, qu'il appelait curieusement des « stades vertes », avec des petites fontaines, et un grand parc entre Monceau et les Ternes qui rappellerait Regent's Park à Londres et aurait à peu près la même surface (166 hectares contre 178). Plus audacieux encore, il proposait de mener à bien l'un des plus vastes projets napoléoniens : celui d'un immense palais sur la colline de Chaillot, précédé de colonnades comme à Saint-Pierre de Rome ; mais Meynadier voulait remplacer le palais par une église gigantesque... Mieux inspiré, il voulait enfin supprimer les péages sur les ponts pour développer la rive gauche et aliéner (on dirait aujourd'hui « privatiser »...) les bâtiments publics afin de couvrir les frais des grands travaux. On

1. *Ibid.*, p. 31.
2. *Ibid.*, p. 30.

pouvait en tirer 70 millions de francs, soit une fois et demie le budget municipal annuel. L'ouvrage de Meynadier est intéressant à plus d'un titre : son projet est cohérent et global. Il vise à améliorer aussi bien les transports que le logement, les activités de quartier et la vie quotidienne des Parisiens. Son projet est si logique qu'Haussmann, bien loin d'obéir aux indications d'une carte dessinée par l'Empereur, comme le voudrait la légende, en réalisa à peu près les grands traits. Le projet de Meynadier représente une transition entre l'architecture urbaine d'Ancien Régime, qui visait à embellir la capitale en construisant des places et des palais à la périphérie, et l'urbanisme moderne, qui cherche, par une action globale et cohérente, à améliorer les conditions de vie et à développer l'activité économique. Meynadier était encore obsédé par les fontaines et les monuments, mais il prévoyait déjà un réseau de voies coordonnées afin d'accroître les échanges. Oublieux du logement des pauvres, mais soucieux d'agrandir les espaces verts, il représente une époque de transition, quand la ville apparaissait, pour la première fois dans l'histoire de Paris (si l'on excepte la brève tentative de la Commission des artistes), comme le domaine privilégié de la planification.

Perreymond, un saint-simonien déjà cité plus haut, allait encore plus loin : il posait la grande question du rôle et de la place de la capitale dans la nation [1]. Bouleversé par la misère dont souffrait la majorité des Parisiens, il montrait que la capitale manquait des équipements nécessaires, mais aussi qu'il était trop coûteux de les construire dans une aussi grande ville et que la croissance accélérée ne pourrait qu'aggraver la question en augmentant les besoins. Perreymond craignait que la taille même de la capitale n'empêchât de la réformer. Il voyait avec effroi la ville grandir follement, sortir de son cadre historique et se développer en serpentant le long de la Seine. Quelle proportion devait exister entre la taille d'une nation et celle de sa capitale ? Question d'importance, à laquelle beaucoup ont répondu avec des affirmations péremptoires, mais peu d'arguments. Perreymond exprimait une inquiétude constante, de l'Ancien Régime à nos jours, celle de voir Paris grandir trop et trop vite, et cherchait,

1. Question discutée dans P. Lavedan, 1975.

comme tant d'aménageurs l'ont fait jusqu'à notre époque, les moyens de limiter ce progrès, fondant sur une politique malthusienne la quête de la Cité heureuse.

L'image de Paris s'altère

Tant de transformations et de déchirements, tant d'inquiétudes et tant d'angoisses ne pouvaient manquer de laisser des traces dans la littérature. Louis Chevalier les retrouve chez Balzac et Hugo, Pierre Citron dans la poésie française contemporaine [1]. Le vocabulaire changeait. Victor Hugo avait d'abord intitulé son grand roman *Les Misères*, puis en changea le titre en *Les Misérables*, ce qui insistait davantage sur les pauvres eux-mêmes. Le mot « misérables », qui, dans les premières années du siècle, désignait des malfaiteurs, avait pris, avec l'aggravation de la pauvreté à Paris, un sens plus pitoyable, pour désigner des victimes de la misère. La littérature se rapprocha doublement des masses populaires : tout d'abord, elle commença à s'intéresser à leur sort et à le décrire, mais aussi le peuple de Paris se prit de passion pour la littérature ou, plutôt, pour le théâtre et le roman-feuilleton [2]. Au début du XIXe, la première page des journaux, principalement parisiens, était divisée par des barres doubles en trois parties horizontales : le corps principal, formé d'articles d'ordinaire anonymes ; en dessous, la revue des modes et des grands événements ; enfin, le feuilleton signé qui occupait le bas de la page, le « rez-de-chaussée ». *La Presse* inaugura cette présentation sous la Restauration, consacrant son rez-de-chaussée à la critique des vaudevilles, puis à des extraits de pièce, enfin, dès 1820, à des textes inédits. Les feuilletons fleurirent sous la monar-

---

1. Cf. L. Chevalier, 1978 ; et P. Citron, 1961.
2. Consulter le compte rendu du colloque de Cerisy sur la littérature populaire, *Paris et le Phénomène des capitales littéraires*, 1986. Et aussi Y. Olivier-Martin, *Histoire du roman populaire en France*, Paris, Albin Michel, 1980 ; C. Wikowski, *Monographie des éditions populaires : les romans à 4 sous, les publications illustrées à 20 centimes, 1848-1870*, Paris, J.-J. Pauvert, 1982 ; A.-M. Thiesse, 1985.

chie de Juillet et connurent leur apogée vers 1843-1844.
Ensuite, ils déclinèrent : on les accusa d'être la cause de la
révolution de 1848 et aussi d'avoir perverti les mœurs. Les
censures politique et religieuse obtinrent qu'ils fussent taxés
(1 sou par numéro contenant un feuilleton) : ils disparurent
sous le Second Empire, remplacés par le journal-roman, puis
par la petite presse à 1 sou. La fiction paraissait beaucoup
plus authentique dans un journal que dans un roman. Les
feuilletonistes étaient particulièrement habiles à s'emparer
d'un fait divers et à l'inclure dans leur récit. Les feuilletons
supposaient d'ordinaire que le lecteur était un observateur
assidu de la politique intérieure et étrangère et faisaient souvent allusion aux événements contemporains, d'où l'importance du « suspense », lié à la précarité des nouvelles quotidiennes[1]. En bon journaliste, le feuilletoniste prétendait
enquêter, aller au-delà des apparences, ce qui explique des
titres comme *Les Mystères de Paris*, de Sue[2], ou *Les Mystères de Londres*, de Paul Féval. Le lecteur avait l'impression
de découvrir la réalité cachée du monde où il vivait. Paris
gardait son rôle de phare : la presse de province, qui n'avait
guère les moyens d'acheter des textes originaux, reproduisait
les feuilletons parisiens. Le succès immense du roman
d'Eugène Sue, publié d'abord dans la presse, vint de ce que
les milieux populaires s'y reconnurent au point d'accabler
Sue de lettres le félicitant de la beauté de ses évocations et
lui proposant des dénouements. Le feuilleton devenait ainsi
une sorte d'immense autobiographie collective de Paris. Il
présentait l'image que les Parisiens se faisaient de leur ville
et contribuait aussi à former ou à déformer cette image. On
manque malheureusement d'études détaillées de ces feuilletons. La presse populaire dut jouer un grand rôle, mais il est
encore mal connu : René Guise a fait remarquer à Cerisy que
le peuple ne lisait guère les journaux et encore moins les
romans. Girardin estimait que 200 personnes achetaient des
livres nouveaux, en 1835, ainsi que 800 cabinets de lecture
(dont plus de 500 à Paris) où chaque livre était lu par une
quarantaine de lecteurs différents : cela ne représentait que

1. Cf. l'intervention, à Cerisy, de M. Grauer, in *Paris et le Phénomène
des capitales littéraires, op. cit.*
2. E. Sue, 1842-1843 (le roman a été écrit entre 1832 et 1843).

40 000 lecteurs par an. Comment les Parisiens ont-ils pu connaître ces œuvres devenues si populaires ? Peut-être par les pièces de théâtre qui mettaient en scène les romans populaires et par les comptes rendus qu'on en publiait.

Dans la poésie, les images animées de Paris apparurent vers 1827 : la capitale était alors une femme dont on évoquait le charme et la sensualité[1]. Après la révolution de 1830, Paris changea de sexe et fut représenté par un guerrier : « le peuple » remplaça « la foule ». De féminine et passive, la capitale devint masculine et active. Le sexe changea de nouveau avec les premières déceptions. La ville redevint femme, mais « prostituée », avec les inévitables condamnations bibliques : « la Babylone moderne », « Sodome », sans oublier les citations de Juvénal. Le flot croissant des migrants se traduisit dans les poèmes par le retour fréquent du mythe de la mort de la capitale, détruite, en général, par une attaque extérieure. Pour les mêmes raisons, on se réfugiait dans le rêve et l'utopie : on dépeignait un Paris fantastique où la vie serait devenue heureuse[2]. Citron cite ainsi Duveyrier, un saint-simonien qui imaginait une capitale en forme de corps humain où les architectures changeraient avec les différentes fonctions des quartiers. Léon Gozlan prévoyait un « Paris port de mer » où de grands travaux permettraient l'accostage de grands navires venus du monde entier. Afin de rendre les révolutions impossibles, H. Lecouturier[3] proposait de crucifier littéralement Paris en coupant la capitale par une grande croix formée de larges avenues plantées d'arbres et bordées de parcs séparant des quartiers eux-mêmes subdivisés de la même façon, comme à Washington : l'architecture française de l'Enfantin revenait en France après un long détour et prenait l'aspect religieux d'une expiation. Dans un article publié dans *Le Pays*, Théophile Gautier, plus païen, peignait un Paris aérien, en terrasses comme l'ancienne Babylone, dominant un Paris souterrain – une prédiction assez peu éloignée de la réalité actuelle[4]. L'image d'un Paris terrible, effrayant, décevant les

1. Cf. P. Citron, 1961.
2. Cf., par exemple, J. Couturier de Vienne, 1860.
3. H. Lecouturier, 1848.
4. Cf. aussi Th. Gauthier, 1852.

provinciaux venus dans la capitale et provoquant leur rébellion, était fréquente aussi. Biers, un poète du Lot, apostrophait ainsi la capitale en 1840 :

> Paris, fantôme vain, colosse aux pieds d'argile,
> Je briserai d'un coup ta royauté fragile,…
> Je prétends t'arracher ton sceptre héréditaire
> Je veux faire du Lot la Seine tributaire [1].

Le mythe du Paris charmant apparut après 1830, comme la ville commençait à changer et que l'entassement et les démolitions altéraient son apparence. Les années 1833-1835 furent celles de la plus grande production poétique sur Paris, à la charnière entre deux époques [2]. Balzac ne décrit que certains aspects de la capitale [3] : la petite bourgeoisie commerçante de la rue Saint-Denis et de la rue des Lombards ; les grands bourgeois qui spéculaient sur les lotissements de la Madeleine et de la plaine Monceau, comme César Birotteau ; la vie brillante, mondaine et demi-mondaine entre les Grands Boulevards, le Palais-Royal et la place Vendôme ; les brasseurs d'affaires et les enrichis du quartier de l'Europe et de la Chaussée-d'Antin ; les Champs-Élysées, bordés de guinguettes et de bals (bal Mabille), où les chevaux et les promeneurs soulevaient trop de poussière. Sur la rive gauche, il décrivait les petits-bourgeois, les gens de justice, les étudiants, les savants, les libraires autour de la rue Saint-Jacques ; l'aristocratie du noble faubourg ; la population inquiétante, surtout pour un royaliste conservateur, du faubourg Saint-Marceau, avec sa misère et la puanteur de la Bièvre. Ces descriptions montrent un Paris dont les quartiers étaient encore, vers 1830, des villages où l'on reconnaissait les provinciaux. Mais des groupes entiers manquent à ces tableaux, surtout les ouvriers d'industrie, très différents des artisans, et qui étaient, à Paris, de nouveaux arrivants. Balzac, comme plus tard Zola, et pour les mêmes raisons, n'évi-

1. Cité *in* P. Citron, 1961.
2. Cf. *Paris au XIXᵉ, Aspects d'un mythe littéraire*, 1984 ; le colloque de Cerisy déjà cité ; et aussi H. Clouzot et R.-H. Valensi, 1926 ; C. Combes, 1981.
3. C. Samaran, 1952.

tait pas les anachronismes en décrivant une ville qui évoluait
vite et dont il voyait mal les changements : son Paris pèche
par un certain archaïsme et ressemble plus à la capitale de la
Restauration qu'à celle de la monarchie de Juillet.

Le plus frappant est le désenchantement des Parisiens
et des observateurs. Au XVIIIe siècle et jusqu'au début de
la monarchie de Juillet, l'opinion avait retenu principalement
le charme de la ville, le luxe des privilégiés, la douceur
d'une vie mondaine, libre de préjugés, sensuelle et raffinée.
L'image, après 1840, changea : on eut l'impression, sans
bien en saisir les causes, d'une dégradation de la vie quotidienne dans la capitale. Qu'elle apparût comme un monstre
tentaculaire – une image qui sert encore beaucoup aujour-
d'hui bien qu'elle ait perdu un peu de sa fraîcheur –, comme
une nouvelle Babylone, une prostituée qui méritait le feu
du ciel, ou bien comme le lieu d'un tourbillon d'intérêts
effrayants où certains se jetaient avec frénésie, elle excitait la
haine des moralistes et les passions des ambitieux. Quarante
ans après Rastignac, un héros de Ponson du Terrail s'écrie :
« Paris ! ô la patrie de tous ceux qui ont dans le cerveau une
lueur de génie… » La capitale étonnait alors par la rapidité
de ses transformations et par l'invasion de nouveaux venus
dont beaucoup tombaient dans la misère, souvent dans le
crime. Pour ceux-là, on ne trouvait pas de mots assez durs :
« vil monde bohème, affreux monde, purulente verrue sur la
face de cette grande ville [1] ». Le *Journal des débats* évoquait
en 1832 l'« invasion des barbares ». Un peu plus tard, Haussmann parlera d'une « tourbe de Nomades ». En 1862, Paul
Féval, décrivant dans *Les Habits noirs* le Paris d'avant
Haussmann, s'inspirera de la forêt de Bondy, jadis fameux
repaire de brigands, pour parler de la forêt de Paris, le
nouveau repaire, qu'il comparera à une « savane », une
« jungle », où les hommes sont des « loups », des « sauvages » – termes repris encore en 1871 par le clergé pour fus-
tiger les communards. Thiers accusait la « multitude de
vagabonds », et Lecouturier écrivait : « Il n'y a pas de société
parisienne, il n'y a pas de Parisiens. Paris n'est qu'un campement de nomades [2]. » Le thème de l'invasion du vieux

1. J. Janin, 1845.
2. H. Lecouturier, 1848.

Paris par des provinciaux était capital. Il se doublait d'un thème raciste facile à répandre à une époque où la phrénologie prétendait déduire le caractère de la forme du crâne. Les « sauvages », les « nomades » étaient racialement différents. Un thème proche et fort ancien resurgissait, celui des « deux races », qui avait justifié les privilèges de la noblesse et que la Restauration avait repris avec enthousiasme : la « race des Francs » avait été jadis vainqueur de la « race gauloise », ce qui justifiait la domination de la noblesse, qui prétendait descendre des Francs, sur les vaincus, les roturiers Gaulois du tiers état. Cette théorie historique fantaisiste (que l'on retrouve citée par un héros de Stendhal, dans *Lamiel*) servait, opportunément adaptée, à condamner les migrants qui envahissaient Paris. Comme la misère affaiblissait les corps, entraînant le rachitisme, la phtisie et bien d'autres maladies, sans compter l'alcoolisme, il n'était pas impossible de trouver des différences physiques entre les riches et les pauvres. Les romans de Balzac laissent fréquemment deviner de telles interprétations raciales, qui isolaient encore davantage les nouveaux venus. Une nouvelle adaptation de la théorie des deux races se préparait, qui allait opposer, à la fin du siècle, le bon Français de souche à l'archétype de l'étranger : le Juif, comme Dreyfus. On voit quelles tendances redoutables bouillonnaient dans le chaudron parisien au milieu du XIXᵉ siècle, fortifiées par la violence des migrations et l'inadaptation croissante de la ville.

La crise de 1848 en fut l'aboutissement logique. Il nous semble aujourd'hui que la révolution était inéluctable, mais les contemporains s'aveuglaient. Le roi Louis-Philippe, recevant le 2 janvier 1848 les vœux des ambassadeurs, leur déclara que deux choses étaient désormais impossibles en Europe : la guerre et la révolution. Son trône s'effondrait un mois plus tard. Les années 1848 et 1849 virent éclore un éventail étonnant d'idées neuves : théories socialistes, propositions pour une nouvelle économie, efforts pour établir de nouveaux liens sociaux (comme en témoigne l'adjonction du mot Fraternité à la devise républicaine), apparition de mouvements féministes sur la scène publique. Ce bouillonnement se manifesta particulièrement à Paris, mais il ne fut pas un phénomène purement parisien : bien que les campagnes y fussent plutôt opposées (comme le rappelle P. Gaxotte, trop conservateur pour aimer la capitale révolutionnaire : haine contre Paris était générale en province »), quelques grandes villes françaises y participèrent, et toute l'Europe. C'est dans la capitale, cependant, qu'apparut le premier effort en faveur de la santé publique : le Conseil de Paris, institué en 1848, devint rapidement le « Conseil d'hygiène public et départemental de la Seine ». Il fut chargé de veiller à l'application de la loi, votée sur proposition du vicomte de Melun (13 avril 1850), sur l'assainissement ou l'interdiction des logements insalubres. Mieux encore, la municipalité commença à construire une cité ouvrière, rue Rochechouart, où des logements décents devaient être loués à des ménages ouvriers pour un loyer modique, fixé par la puissance publique. Cette cité comportait un w.-c. et un évier par étage, une fontaine dans la cour, un lavoir, des bains, et même une salle d'asile pour les enfants : un luxe inouï à cette époque. Elle fut terminée sous le Second Empire et baptisée cité Napoléon. Mais les notables chrétiens s'opposèrent aux cités ouvrières. Harou-Romain, dans un article virulent[1], leur reprocha de briser la vie de famille et d'affaiblir l'influence du prêtre, et aussi de réunir les ouvriers dans des ghettos où ils pourraient devenir dangereux (c'est pourtant ce que fit, quinze ans plus tard, Haussmann, en accentuant fortement la ségrégation sociale à Paris). La critique porta : Napoléon III essaya d'aider les ouvriers en fondant l'Œuvre des loyers, alimentée en partie par la cassette impériale, et fit construire encore, en 1867, une quarantaine de pavillons à faibles loyers rue Daumesnil ; mais la crainte des phalanstères rouges triompha de cette bonne volonté.

Jusqu'au milieu du XIXᵉ, Paris avait guidé la France. Les grandes « journées » de la Révolution, du 14 juillet 1789 au coup d'État de Brumaire, les Trois Glorieuses de juillet 1830, les émeutes de février 1848, les massacres de juin de cette même année : les révolutions françaises avaient toujours éclaté dans la capitale. La province, avec retard, avait suivi et approuvé les nouveaux régimes et les idées nouvelles. La seule exception d'importance avait été la Vendée, mais on sait quel rôle le clergé, encouragé par le pape, y avait joué en déclarant la guerre civile. Tout changea en juin 1848, puis

---

1. *Annales de la Charité*, 1849, vol. 5, p. 737-746.

rince-Président fut élu par les campagnes
un programme d'ordre dirigé principalement
Louis-Napoléon rassura la province en promet-
la ville au pas, et il le fit. Pour la première fois
sans d......... dans l'histoire de la capitale, le pays dans sa
majorité refusait le régime que souhaitait Paris et montrait
sa défiance en élisant, aux élections de 1849, un homme
d'ordre. Le fait est considérable : il marque un éloignement
entre capitale et province qui avait sans doute des origines
plus anciennes et qui semble avoir duré, en s'aggravant,
jusqu'à nos jours. Nous ébaucherons une étude de ce thème
dans le chapitre 7. Ce n'est point ici le lieu de le discuter
davantage : le massacre des Parisiens par les troupes de provinciaux en mai 1871 en fournira une sanglante illustration.

2

La ville modernisée
(1850-1890)

La révolution de 1848, le « printemps des peuples », fut
l'effet d'une crise d'abord européenne : le vieil ordre féodal,
blessé par le « missionnaire botté de la Révolution », n'en
finissait pas de mourir sous les coups de la révolution industrielle et les progrès du libéralisme. La révolution était aussi
française : chute d'une monarchie méprisée qui n'avait pas
compris que, faute de redistribuer la richesse, il lui fallait
contraindre la misère ou la faire rêver. Mais ces grands déchirements étaient aggravés par la crise proprement parisienne
d'une ville qui craquait, dont la population avait presque
doublé en trente ans sans que ses équipements eussent été
adaptés aux nouveaux besoins. Les efforts de Rambuteau
avaient été utiles, mais restaient insuffisants. A Paris, 1848
fut une révolte contre l'entassement, les taudis, les épidémies, les transports difficiles, les loyers trop élevés pour des
logements trop petits et trop misérables, le chômage ou le
travail précaire : les journées de Juin furent en grande partie
un soulèvement urbain. Leur échec, comme plus tard celui
de la Commune, le confirme : la bourgeoisie, l'aristocratie
(dont la fortune était dans les campagnes), la paysannerie
ne suivirent pas les Parisiens. Louis-Napoléon essaya de
répondre à ces trois crises : à Bordeaux, il promit la paix.
Devant les classes dirigeantes menacées et les paysans
inquiets, il s'engagea à maintenir l'ordre. Il lui restait à
moderniser Paris, l'une des œuvres principales de son règne ;
œuvre d'autant plus difficile que la France, qui fut un des
premiers pays européens à s'urbaniser, était en retard en
1850 : 25 % seulement de la population vivaient dans
des villes, contre plus de 33 % en Grande-Bretagne. Les
Chambres étaient dominées par des ruraux et refusaient les
crédits. Mais la croissance de Paris, beaucoup plus rapide

que celle des autres villes françaises, en rendait la modernisation d'autant plus nécessaire. Alors que c'étaient les villes moyennes qui grandissaient le plus vite en Angleterre, la capitale, en France, explosait.

A quels grands problèmes l'empereur devait-il s'attaquer ? D'abord, aux effets désastreux d'une croissance trop rapide. La construction de logements n'avait pas progressé au même rythme que les migrations : les densités avaient augmenté surtout dans les quartiers les plus pauvres (île de la Cité, plateau des Arcis-Beaubourg, Halles, montagne Sainte-Geneviève), là où la population était déjà trop entassée. L'insalubrité s'était tellement aggravée dans ces îlots misérables que les quartiers parisiens plus aisés commençaient à craindre la contagion. Il fallait ensuite à Napoléon réduire la misère urbaine, plus dure à supporter que la pauvreté dans les campagnes, engendrant violence, insécurité et révolutions. S'il voulait éteindre le paupérisme dans l'Empire, il lui fallait tout particulièrement lutter contre le chômage à Paris et développer les principales activités de la capitale. Mais quelles fonctions fallait-il favoriser ? La question était particulièrement délicate : en 1850, les grands bâtiments qui logeaient les principaux rouages de l'État se trouvaient dans le vieux centre, dans l'île de la Cité et sur la rive droite, au milieu des quartiers les plus misérables et les plus dangereux. Ne convenait-il pas d'assurer la fonction administrative en les dégageant par un vaste programme de démolitions et la construction d'un réseau de boulevards qui les protègent ? C'était d'autant plus utile qu'une politique de grands travaux devait offrir des emplois en grand nombre. Mais elle ne manquerait pas non plus d'attirer à Paris une main-d'œuvre flottante et peu qualifiée qui risquait de menacer l'ordre public. Valait-il mieux lutter contre la misère en favorisant le développement d'industries à Paris ? Mais ce serait concentrer dans la capitale des masses ouvrières redoutables, l'un des cauchemars du régime. L'Empire ne sut pas trancher dans ce réseau de contradictions, ce qui affaiblit sa politique parisienne. Il devait en outre choisir une structure urbaine favorable : fallait-il lutter contre ce déplacement du centre qui avait tant inquiété la municipalité au temps de Rambuteau ? Comment empêcher les riches de partir habiter au nord-ouest de la ville, abandonnant derrière eux des quartiers vétustes ?

Comment réveiller la rive gauche, où l'activité stagnait ? La grande question de la dissymétrie est-ouest, posée clairement par la monarchie de Juillet, restait pendante. En renonçant à la traiter, le Second Empire l'aggrava tellement qu'elle est devenue aujourd'hui l'un des principaux problèmes de l'agglomération parisienne. L'Empire, enfin, devait aménager la périphérie. La croissance de Paris engendrait des vagues concentriques de peuplement autour de la vieille capitale. Fallait-il les prendre en considération et les organiser ? Comment les relier au centre ? Quelles fonctions leur donner ?

Ces tâches étaient immenses ; elles étaient urgentes et indispensables. Le Second Empire s'attaqua avec succès à la vétusté du bâti et du plan et au retard des grands équipements, essaya de résoudre la question du paupérisme sans y parvenir, ne sut pas choisir entre les fonctions à favoriser ; mais, loin de faire disparaître la dissymétrie de la ville, il l'aggrava par ses constructions nouvelles. Il est vrai que le défi était effrayant. Pour y répondre, l'Empire disposait d'atouts importants : d'abord, de capitaux considérables que la prospérité avait accumulés en France au cours du XIXe siècle. Les banques remplaçaient les banquiers : il s'agissait non plus de gérer les fortunes de quelques grandes familles, mais de recevoir les dépôts du public. Nouvellement créés, la Société générale, le Crédit lyonnais, l'Union, la Caisse d'épargne rassemblèrent les économies des petites gens qui, s'ils n'étaient pas riches, étaient du moins très nombreux. En concentrant ainsi une multitude de petits bas de laine et en orientant les investissements de leurs clients, les banques pouvaient désormais financer de très grands chantiers. L'Empire, dans ses premières années surtout, fut autoritaire, ce qui, parmi d'affreux inconvénients, offrait quelques avantages. Le monarque osa, au début de son règne, balayer la résistance des intérêts privés qui avaient tant ralenti les projets urbains de la monarchie de Juillet et passer outre : Napoléon eut le pouvoir d'imposer à Paris une véritable politique urbaine. Mieux encore, il en eut la volonté et il sut constituer une équipe compétente de personnalités qui se complétaient. Napoléon III voulait suivre l'exemple de son grand ancêtre qui, en quelques années, avait prévu une transformation profonde de la capitale. Le neveu apporta le rêve un peu confus d'un Paris grandiose et humain où les

classes sociales vivraient en harmonie, où les pauvres
auraient du travail et où les travailleurs seraient heureux ; une
capitale qui saurait mêler harmonieusement la nature et la
culture, les espaces verts et la pierre, les parcs pour les loisirs
et les bâtiments. On reconnaît là l'influence du socialisme
saint-simonien, et aussi la marque des années passées en exil
en Angleterre. La France, depuis Louis-Philippe, était en
partie anglomane, mais le régime impérial alla bien plus loin
et regarda Londres comme la ville modèle dont il fallait
s'inspirer. Pour moderniser Paris, Napoléon choisit Georges-
Eugène Haussmann, futur baron d'Empire, qui avait fait ses
preuves à Bordeaux et qu'il nomma préfet de la Seine le
29 juin 1853. Haussmann, à 44 ans, reçut des pouvoirs considérables pour une tâche gigantesque. Il put s'appuyer sur la
faveur du monarque pendant une douzaine d'années, mais
les conflits aigres avec d'autres serviteurs du régime, et en
particulier avec Rouher, l'affaiblirent peu à peu. Il n'obtint
jamais un portefeuille ministériel, pourtant âprement désiré,
et quitta la préfecture en 1870, juste avant le désastre. Si
Napoléon était un romantique, Haussmann fut un classique :
il aimait la rectitude des grandes avenues, l'ordonnance
majestueuse et la symétrie des bâtiments, les grandes perspectives. Il sut surtout s'entourer de collaborateurs remarquables : un ingénieur, Alphand, aidé par Barillet-Des-
champs (un horticulteur bordelais), fut chargé de tracer les
jardins et les parcs ; un autre ingénieur, Belgrand, s'occupa
des réseaux et construisit ces égouts et ces aqueducs qui
assurèrent enfin la salubrité de la ville ; Deschamp traça les
axes nouveaux ; Davioud sculpta les principaux monuments.
  Cette équipe sut remarquablement répondre aux nouveaux
besoins et utiliser les techniques nouvelles qui avaient transformé l'urbanisme depuis la monarchie de Juillet. Le souci
de l'hygiène était apparu en France bien plus tard qu'en
Angleterre (les protestations de Fanny Trollope, en 1835, le
montraient bien), mais les grandes épidémies de choléra
avaient changé les esprits. Pasteur prouva l'existence des
microbes. On commença à reconnaître l'influence bénéfique
sur la santé du soleil qui détruit les germes contenus dans la
poussière, et de l'air qui la disperse : c'était le début, encore
bien timide, d'une politique d'élimination des taudis. La loi
du vicomte de Melun (13 avril 1850) donna à la puissance

publique le droit d'inspecter, de faire améliorer ou de détruire les bâtiments insalubres. Le décret-loi du 25 mars 1852 permit aux municipalités d'établir des règlements pour assurer la sécurité publique et la santé. Trop lourds, la loi Melun et le décret ne furent guère utilisés, mais ils témoignaient d'une préoccupation nouvelle.

Le besoin de confort commença à se faire sentir à partir du milieu du siècle, à mesure que la bourgeoisie s'enrichissait[1]. Il se manifesta d'abord dans le chauffage. La cuisinière en fonte moulée apparut à la fin de la monarchie de Juillet et se répandit rapidement. Beaucoup plus efficace que la grille de cheminée, elle permettait d'utiliser du charbon et assurait plusieurs fonctions à la fois : la cuisson des aliments, le chauffage de certaines pièces et la production d'eau chaude. Le chauffage par air chaud, déjà réalisé dans les hypocaustes romains et repris dès le XVIIIe siècle en France (château de Craon, 1730), était encore très peu utilisé, et jamais dans les chambres : on préférait dormir dans l'air froid, sous de gros édredons et de coquins bonnets de coton. Le développement de la poterie industrielle offrit aux architectes des conduits de fumée plus plats et transforma l'utilisation des cheminées : petites et basses (les « capucines »), elles pouvaient désormais être placées dans chaque pièce principale. Les progrès techniques, à partir de 1840, avaient été si grands dans le domaine de la construction qu'ils ouvraient des perspectives toutes nouvelles. L'utilisation du gaz d'éclairage, commencée sous Louis-Philippe, permit de construire des immeubles plus épais, avec des couloirs et des cabinets aveugles, et influença l'architecture haussmannienne. Les techniques de calcul et de dessin avaient considérablement progressé : on apprit à concevoir des immeubles plus vastes et d'une organisation plus complexe. L'usage du bois recula fortement à cause de la rationalisation des chantiers et aussi de l'abandon des matériaux de réemploi. Les charpentiers, hélas, oublièrent les admirables façons qui permettaient d'ajuster les poutres sans utiliser de métal (coupes en queue d'aronde, par exemple) pour user et vite abuser des clous, car la métallurgie savait maintenant les produire à bon marché. Il devint possible, même dans les travaux de charpenterie, de

1. Cf. le texte fondamental de F. Loyer, 1987.

faire appel à une main-d'œuvre incompétente qui clouait grossièrement des bouts de bois mal taillés ; le sapin remplaça le châtaignier. L'économie était grande et l'emploi y gagna, mais à quel prix ! Le progrès technique le plus important concerna les matériaux de base : la pierre et la brique[1]. Le débitage mécanique des pierres rendit possible le façonnage de gros éléments : en 1800, il était difficile de tailler des pierres de plus de 30 centimètres sur 60. Désormais, l'architecte put utiliser des blocs de 1 mètre sur 2 mètres ou même 3. La production industrielle de briques mécaniques transforma davantage encore l'art de la construction. Cuites au coke et non plus au charbon de bois, les nouvelles briques étaient beaucoup plus résistantes et moins poreuses : elles pouvaient servir à élever les murs de grands immeubles à plusieurs étages. Jeanne Gaillard insiste sur la hiérarchie sociale qu'exprimait le type de construction : pierre de taille pour les bâtiments bourgeois dans les beaux quartiers, briques pour les constructions populaires et la banlieue[2].

Ce n'est pas diminuer le mérite d'Haussmann et de ses collaborateurs que de montrer combien toutes les conditions étaient réunies, en 1850, pour une transformation radicale de la capitale. Les épidémies et les révolutions en signalaient l'urgence. Les discussions passionnées du temps de Rambuteau et de Lanquetin avaient identifié les grands problèmes et indiqué assez clairement les principales solutions. Les progrès techniques fournissaient des outils nouveaux et bien plus efficaces. L'accumulation des capitaux offraient les moyens financiers. Tout était mûr, mais l'expérience montre que cela ne suffit pas, qu'il fallait une impulsion initiale – ce fut le mérite de Napoléon –, et une surveillance compétente et passionnée : ce fut le rôle d'Haussmann et de son équipe.

---

1. Cf. l'analyse importante de J. Gaillard, 1976.
2. *Ibid*.

La modernisation :
l'œuvre du baron Haussmann

Curieusement, l'œuvre d'Haussmann ne commença pas par un nouveau règlement d'Urbanisme, comme les transformations profondes de l'architecture, visibles dès la monarchie de Juillet, semblaient l'imposer. De sorte que les grands travaux, qui débutèrent dès 1852, sous l'impulsion de Napoléon lui-même, furent encore régis par le règlement de 1783. La hauteur des immeubles était toujours limitée à 18 mètres ; la largeur des voies variait de 10 à 14 mètres. La seule nouveauté, jusqu'en 1859, fut la codification d'une nouvelle voie large de 18 mètres aussi. La largeur des nouvelles rues était égale à la hauteur des nouveaux immeubles, ce qui déterminait, entre les îlots, des percées de section carrée. Il ne s'agissait pas seulement d'élargir les rues : Haussmann retrouvait là une tendance profonde de la grande architecture monumentale comme la pratiquait Palladio, qui avait dessiné, sur la Brenta, des pièces cubiques.

La période des succès : 1853-1860

La construction de la croisée de Paris, le « premier réseau », fut l'un des projets les plus grandioses d'Haussmann (figure 7, p. 76).

Depuis quinze siècles, Paris disposait d'un double axe nord-sud (rues Saint-Denis et Saint-Martin, rue Saint-Jacques, rue de la Harpe), sur le tracé de deux voies romaines, et d'un axe est-ouest (rues Saint-Honoré et Saint-Antoine), le long d'une ancienne levée insubmersible de la Seine. Depuis longtemps, ces deux axes étaient devenus trop étroits et gravement embouteillés. Napoléon Ier avait bien commencé à élargir l'axe est-ouest en ouvrant la rue de Rivoli, mais le temps lui avait manqué et elle s'arrêtait au Louvre. Son neveu, aussitôt après le coup d'État, traça une rocade sur la rive gauche : ce fut la rue des Écoles, mais elle était trop loin du centre et trop en pente. Haussmann, sans respect pour

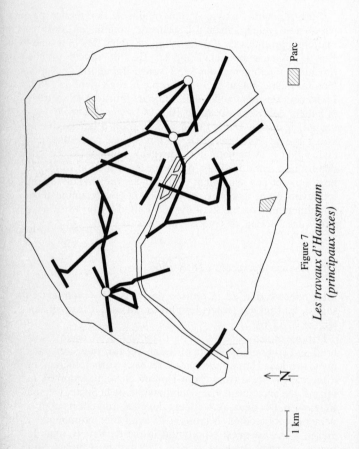

Figure 7
Les travaux d'Haussmann
(principaux axes)

N ←

⊢ 1 km

▨ Parc

l'auguste projet, l'abandonna et dessina une voie plus large
et plus proche du centre : le boulevard Saint-Germain. La rue
des Écoles resta ainsi à l'état d'embryon, partant de nulle
part pour venir buter sur les voies anciennes et étroites que
sont la rue de l'École-de-Médecine et la rue Racine. Il est
remarquable que la rive droite, beaucoup plus active, n'ait
pas reçu de rocade semblable : la rue de Rivoli fut un peu
prolongée, mais la rue Saint-Antoine demeura, et jusqu'à nos
jours, la vieille rue médiévale qu'elle était. C'est qu'il aurait
fallu trancher dans des quartiers qu'Haussmann n'osa pas
toucher. A l'ouest, le Louvre, les Tuileries (résidence du souverain), le Palais-Royal empêchaient de tracer une voie
large. Il fallait démolir au moins le Palais-Royal, comme le
proposera Hénard en 1909, ou même raser tout le centre de
Paris, comme le suggérera Le Corbusier en 1927. A l'est, il
eût fallu défoncer le cœur du Marais et démolir certaines
résidences aristocratiques qui, pour être occupées en partie
par des artisans, appartenaient encore souvent à de grandes
familles ; le préfet y renonça. L'axe nord-sud, en revanche,
fut clairement tracé : ce fut le premier souci d'Haussmann,
qui ouvrit le boulevard Saint-Michel (1855-1859) et le boulevard Sébastopol (inauguré le 5 avril 1858) pour desservir la
gare de l'Est et la gare du Nord. Cette grande percée, commencée dès 1853, et qui allait en fait de la Villette à la barrière d'Enfer (place Denfert-Rochereau aujourd'hui), est sans
doute la voie la plus audacieuse tracée par le préfet dans
Paris.

   La grande croisée ne suffisait pas. Haussmann ouvrit un
deuxième réseau, à la périphérie du vieux Paris : boulevards
de Port-Royal, Saint-Marcel, Voltaire, etc. « Le second
réseau trouera la ville de toutes parts pour rattacher les faubourgs au premier réseau », explique Zola dans *La Curée*, et
aussi pour relier les gares entre elles. Le résultat fut médiocrement atteint. Si certaines gares sont bien reliées par paires
(Nord et Est, Montparnasse et Austerlitz), il manque un
ensemble de voies larges conduisant directement de l'une à
l'autre : la gare Saint-Lazare et la gare d'Orléans-Orsay sont
trop isolées. Quant à la gare Montparnasse, l'effarante erreur
de la rue de Rennes la laisse sans lien commode avec le
centre : on s'aperçut un peu tard que cette rue, projetée toute
droite jusqu'à la gare du Nord, nécessitait la destruction

complète de l'Institut et d'une partie de la colonnade de Perrault. On y renonça, et la large rue de Rennes vient s'étouffer
dans le goulet étroit de la rue Bonaparte. Hénard proposa (en
1909) un pont en X sur la Seine qui aurait corrigé en partie
cette erreur, mais il ne fut pas suivi. Le développement du
trafic ferré et l'importance croissante des gares surprirent la
Ville et le préfet, qui ne surent pas concevoir une politique
d'ensemble. La construction (1851-1863) du chemin de fer
de Ceinture ne peut en tenir lieu. On se contenta d'élargir
quelques avenues, d'agrandir quelque peu la gare Saint-
Lazare, de reconstruire la gare du Nord et la façade de la gare
de l'Est, aboutissement du boulevard Sébastopol, de dédou-
bler la gare d'Orléans-Orsay. Paris reste desservi, depuis cent
cinquante ans, par les gares de Louis-Philippe qui avaient
été placées à la périphérie de 1840 « pour y multiplier les
fonctions », comme le confirma Napoléon III. Les gares de
Londres, en revanche, furent construites aussi près que possible du centre, pour y amener les banlieusards à leur travail :
deux conceptions opposées de leur rôle [1]. La desserte de ces
gares périphériques, éloignées les unes des autres et séparées
du grand marché des Halles, ne fut guère mieux assurée par
les avenues du deuxième réseau : le problème demeura, lan-
cinant, jusqu'à la construction du métro et, au-delà, jusqu'à
notre époque.

La construction de grands équipements publics fut voulue
personnellement par Haussmann. Napoléon ne s'y intéressa
guère, et le mérite du préfet et de son équipe fut entier. Tout
ou presque était à faire : Paris avait trente ans de retard sur
Londres. L'eau d'abord : les anciens aqueducs ne permettaient de faire monter l'eau que dans quelques beaux quartiers du nord-ouest et jusqu'au deuxième étage. Deux nouveaux aqueducs amenèrent l'eau de la Dhuys au réservoir de
Ménilmontant, l'eau de la Vanne à celui de Montsouris. Leur
longueur (131 et 140 kilomètres) était, pour l'époque, tout à
fait impressionnante. Le vieil aqueduc construit à Arcueil,
au-dessus de la vallée de la Bièvre, par Catherine de Médicis
fut largement surélevé. Pour les eaux usées, Haussmann
construisit un réseau d'égouts hiérarchisés de près de
600 kilomètres, aboutissant à la Seine en aval du pont

---

1. Cf. la thèse particulièrement riche de R. Clozier, 1940.

d'Asnières. Paris devenait presque aussi moderne que la Rome de Trajan. Ces eaux sales n'étaient pas traitées, et continuèrent à polluer considérablement le fleuve, mais le progrès était immense. Emporté par ce que certains appelèrent sa mégalomanie, Haussmann proposa l'ouverture d'un cimetière gigantesque (500 hectares) destiné à se substituer aux cimetières de banlieue, englobés dans Paris en 1860. Installé à Méry-sur-Oise, il devait être relié à Paris par un chemin de fer spécial de 22 kilomètres. Le projet, trop coûteux, n'aboutit pas. L'approvisionnement de la capitale fut entièrement revu : les Halles centrales, que Napoléon Ier puis Rambuteau avaient agrandies, furent détruites et remplacées par les admirables édifices de fer construits par Baltard – une étonnante prouesse technique où l'influence anglaise était aussi très nette (voir les Docks Albert de Liverpool ou le Crystal Palace de Londres…). Le grand marché central fut complété par de nombreux marchés couverts construits dans les divers quartiers de Paris, afin de hiérarchiser et de décentraliser la distribution des aliments. Les grands abattoirs de la Villette complétèrent ce système d'approvisionnement. L'anglomanie de Napoléon lui fit jouer un rôle capital dans le développement d'espaces verts dont Paris manquait tellement. D'anciennes chasses royales furent aménagées pour la promenade des Parisiens : le bois de Boulogne était destiné à prendre le rôle qu'avaient joué naguère les Champs-Élysées, le parc à l'anglaise remplaçant le jardin à la française ; le bois de Vincennes assurait les mêmes agréments aux classes populaires de l'est, mais, grignotée par les administrations et les entrepreneurs, sa superficie a diminué de moitié depuis 1860. Le parc Montsouris au sud, au nord-est celui des Buttes-Chaumont, construit sur les anciennes carrières d'Amérique et sur les collines de gravas provenant des démolitions haussmanniennes, complétèrent cet effort pour reproduire à Paris les grands parcs londoniens, mais des critiques acerbes[1] ont déploré qu'Haussmann ait détruit plus de parcs et de jardins qu'il n'en a construit – ainsi, toute la partie du Luxembourg qui s'étendait entre la rue Guynemer et la rue Madame, qu'il abandonna aux spéculateurs.

1. Lire en particulier L. Dubech et P. d'Espezel, 1926.

Ces immenses travaux furent d'abord conduits et financés
de façon très habile. Il fallait exproprier. Napoléon Ier avait
bien réglementé les expropriations (loi de 1807) pour les
embellissements qu'il voulait accomplir, mais il n'eut guère
le temps d'utiliser cette loi. Une nouvelle loi (3 mai 1841)
permit d'exproprier pour construire les chemins de fer, mais
elle ne facilitait guère les grands travaux urbains. Le décret-
loi du 25 mars 1852 autorisa l'expropriation de parcelles
entières si elles étaient trop petites pour l'édification de bâtiments sains. Mais chaque expropriation réclamait encore le
vote d'une loi, procédure d'une lourdeur rédhibitoire. Le
sénatus-consulte du 25 décembre 1852 changea tout cela
et ouvrit la voie à Haussmann : il permit d'exproprier par
simple décret impérial et, mieux encore, il autorisa la Ville à
revendre les fragments des parcelles expropriées que la nouvelle voirie n'aurait pas utilisés. En effet, l'un des principaux
problèmes de l'urbanisme est de récupérer le produit des
investissements. Les grands travaux sont d'ordinaire financés par des capitaux publics. Ceux qui profitent d'un nouveau parc, d'une nouvelle avenue ou d'un système de transport plus moderne sont non pas les locataires occupants, car
leurs loyers augmentent en même temps que la qualité des
services dont ils disposent, mais les propriétaires fonciers.
Un programme de grands travaux aboutit ainsi à diriger un
flux considérable d'argent public vers des poches privées.
Comment la collectivité peut-elle recouvrer le fruit de ses
investissements ? Haussmann avait trouvé une solution élégante à ce problème classique : la loi de 1852 lui permettait
d'exproprier des terres privées, d'y ouvrir une nouvelle avenue et de revendre sur le marché les terres qu'il n'avait pas
utilisées, à un prix très supérieur à celui de l'expropriation
puisque les travaux avaient considérablement augmenté leur
attrait. Le coût des travaux était en partie remboursé par les
plus-values produites par ces reventes, et ces plus-values
étaient dues aux améliorations qu'apportaient les grands travaux. Le mécanisme était sain et efficace. Il permit au préfet
d'engager rapidement des travaux considérables et assura
d'abord le succès de son entreprise. Mais les propriétaires
fonciers ne l'entendaient pas ainsi. Le Conseil d'État fut
saisi et, en bon protecteur de la propriété privée, décida en
1858 que les terres expropriées qui n'étaient pas directement

utilisées devaient être rendues à leur ancie[n]
put ainsi, en les mettant lui-même sur le
son compte la plus-value. La Haute Asse[m]
pher l'intérêt privé sur l'intérêt public. C
mina une cassure dans l'œuvre d'Haussn[ann]

Les temps difficiles : 1860-1870

Le financement des travaux devint d'autant plus difficile qu'une autre décision de la Cour de cassation trancha à nouveau, en 1860, en faveur des intérêts particuliers : les locataires expropriés purent désormais exiger le paiement de l'indemnité dès que l'expropriation était prononcée, sans attendre d'être évincés. Comme l'éviction avait souvent lieu plusieurs années après l'avis d'expropriation, la Ville dut payer ces indemnités longtemps avant de pouvoir espérer rentrer dans ses fonds. Il en résulta une grave crise de trésorerie qui acheva de mettre à mal les comptes d'Haussmann. Privé de ses ressources naturelles, le préfet dut recourir massivement à des emprunts pour lesquels il devait obtenir l'autorisation du Parlement. Afin de construire le premier réseau, il avait déjà levé 60 millions de francs à 3 % sur le marché ; en 1858, pour le deuxième réseau, il dut emprunter 180 millions, et autant en 1860. Pour financer le troisième réseau, Haussmann dut livrer une vraie bataille en 1868 pour obtenir l'autorisation d'emprunter 300 millions à 4 %. Encore ces ressources étaient-elles insuffisantes, ce qui le força à recourir à des manœuvres illégales en contractant des emprunts occultes. 1858 est une date pivot ; les difficultés s'accumulèrent ensuite.

Il restait encore tant à faire. Le centre de Paris contenait les bâtiments les plus importants de l'administration et du pouvoir impérial, mais aussi les constructions les plus vétustes et les plus misérables. Haussmann entreprit de rassembler en un ensemble cohérent les divers éléments constituant le Louvre. Une autre tâche importante fut de dégager l'île de la Cité (de 1858 à 1868). Les bâtiments d'habitation y étaient les plus vieux de Paris. Serrés les uns contre les autres au pied de Notre-Dame, ils formaient encore, en 1848, un fouillis de ruelles lugubres où s'étalait la misère :

..] la Cité, dédale de rues obscures, étroites et tortueuses, qui s'étend depuis le Palais de Justice jusqu'à Notre-Dame. Quoique très circonscrit et très surveillé, ce quartier sert pourtant d'asile ou de rendez-vous à un grand nombre de malfaiteurs de Paris, qui se rassemblent dans les tapis francs, […] des cabarets du plus bas étage. Des repris de justice, qui dans cette langue immonde, s'appellent un ogre, ou une femme de même dégradation qui s'appelle une ogresse, tiennent souvent ces tavernes, hantées par le rebut de la population parisienne […].

[…] la lueur blafarde, vacillante des réverbères agités par la bise, se reflétait dans le ruisseau d'eau noirâtre qui coulait au milieu des pavés fangeux. Les maisons couleur de boue, percées de quelques rares fenêtres aux châssis vermoulus, se touchaient presque par le faîte, tant les rues étaient étroites. De noires, infectes allées conduisaient à des escaliers plus noirs, plus infects encore, et tellement perpendiculaires que l'on pouvait à peine les gravir à l'aide d'une corde fixée aux murailles humides par des crampons de fer[1].

C'est là qu'Eugène Sue fait vivre ses malheureux héros, la si touchante Fleur-de-Marie, prostituée au corps souillé mais au cœur pur, et l'infâme Chourineur qui vit de son surin, c'est-à-dire de son poignard. La Cité concentrait des milliers de pauvres souvent dangereux dans le centre de la ville, à faible proximité des différents sièges du pouvoir. De plus, le labyrinthe de ruelles étroites gênait la circulation entre les deux rives, déjà bien mal reliées. Haussmann fit détruire six vieilles églises et presque toutes les maisons d'habitation de la Cité, ne gardant qu'une poignée de bâtiments moins sordides sous le chevet de la cathédrale, où logeaient des employés de l'archevêché. La population de l'île passa de plus de 15 000 habitants à moins de 5 000. Les terrains ainsi dégagés furent consacrés à des fonctions d'ordre public : extension du palais de justice, construction de la préfecture de police (terminée bien plus tard, en 1906). L'ancien Hôtel-Dieu, qui longeait la Seine, fut aussi abattu et remplacé par un nouvel hôpital, plus grand, à l'intérieur de l'île, ce qui permettait de dégager la vue sur la façade de Notre-Dame : pour la première fois, depuis le XIIᵉ siècle, on pouvait en

1. E. Sue, 1842-1843, p. 6.

observer commodément les détails. Les bâtiments publics
étaient désormais protégés des foules, comme dans une forteresse entourée d'eau de toute part, mais c'était du bien
mauvais urbanisme : très populaire jadis, et très remuante,
trop sans doute, l'île est devenue un quartier froid et sans
activité, que l'on traverse à la hâte.

La construction d'un nouvel Opéra montre bien les qualités et les limites de l'urbanisme haussmannien. L'ancien
Opéra, situé au 6 rue Le Peletier, avait été construit en 1821
et pouvait satisfaire encore les besoins lyriques du Paris élégant. Mais il manquait de faste et le « Tout-Paris », un mot
né à cette époque, allait sans doute davantage au spectacle
pour se montrer que pour écouter. En outre, il avait porté
malheur à l'empereur : Orsini, en 1858, avait tenté d'assassi-
ner Napoléon III tandis qu'il s'y rendait. Un décret décida,
en 1860, la construction d'un nouvel Opéra. On discuta âprement de son emplacement, car on avait compris, ce qui était
fort moderne, qu'un tel bâtiment attirerait d'importantes activités et contribuerait à modeler la ville. Certains souhaitaient
garder l'ancien emplacement, au carrefour Richelieu-Drouot,
cœur du Boulevard et centre de la vie élégante. Le conseil
municipal recommanda de le placer dans l'hôtel Crillon,
place de la Concorde, afin de renforcer le vieux centre.
Haussmann préféra l'emplacement actuel, à l'ouest du Boulevard, bien qu'il fût situé sur un ancien cours de la Seine –
ce qui posa de graves problèmes d'étanchéité et explique la
présence du lac souterrain qu'y ménagea Garnier. Plus grave
encore, ce choix ne pouvait qu'accentuer le glissement de la
ville vers l'ouest. On ouvrit la rue du 10-Décembre (du
4-Septembre) pour relier l'Opéra à la Bourse : « Pourquoi
relier un monument où l'on va de jour à un autre où l'on va
de nuit ? », demanda un journaliste. On s'étonnait de cet
urbanisme qui cherchait avant tout à relier des monuments
entre eux. La construction de cette voie dura de 1862 à 1875.
C'était une œuvre énorme et Haussmann lui-même dut, pour
une fois, renoncer à son souci de cohérence architecturale :
les façades des maisons qui entourent le gigantesque bâtiment avaient été dessinées par Rohaut de Fleury pour
accompagner son projet d'Opéra. On commença à les édifier.
Quand le projet de Garnier, fort différent, fut finalement
choisi, on renonça à abattre les façades déjà montées, qui ne

correspondent pas au style de l'Opéra. Les autres divertisse-
ments ne furent pas oubliés : Haussmann fit construire de
chaque côté de la nouvelle place du Châtelet deux théâtres
nouveaux (Châtelet, Théâtre de la Ville), et aussi les théâtres
de la Gaîté, du Vaudeville, etc. Dans le même temps, l'ouverture du boulevard Voltaire chassait les bateleurs qui
depuis des décennies installaient leur « foire » place du Château-d'Eau (de la République) et amenait la démolition des
vieux théâtres populaires qui avaient fait la gloire du Boulevard au milieu du XIXe siècle : théâtres de la Porte-Saint-Martin, de l'Ambigu, des Folies-Dramatiques : toute la culture
populaire disparaissait en même temps que s'épanouissait,
plus à l'ouest, une nouvelle culture de la petite bourgeoisie ;
les œuvres de Labiche et d'Offenbach remplaçaient le mélodrame où Margot avait pleuré.

Ces réseaux de voies nouvelles, de carrefours en étoile,
de larges avenues entraînèrent de vastes démolitions et de
nouvelles constructions : en fait, une nouvelle politique du
logement qui a sans doute valu le plus de critiques à Haussmann. Parmi les reproches qui lui furent adressés, retenons
les trois principaux : les démolitions et les reconstructions
auraient créé une grave crise du logement, favorisé une spéculation et une corruption extrêmes, et dangereusement
aggravé la ségrégation sociale. Il y eut en effet une crise du
logement entre 1850 et 1860. Le décalage inévitable entre la
démolition et la reconstruction y contribua sans doute, mais
la vraie cause en fut l'accroissement considérable de la
population. Entre 1852 et 1869, on détruisit 117 553 logements et on en construisit 215 304[1] : le parc augmenta beaucoup. Comment cela fut-il possible, alors que les nouveaux
appartements étaient en moyenne beaucoup plus vastes que
les anciens ? A cause, d'une part, de l'occupation de la couronne annexée en 1860, d'autre part, de l'élévation plus
grande des bâtiments. La spéculation foncière fut le thème
favori des ennemis du préfet et de l'Empire, d'autant que
Zola, dans *La Curée*, l'a dépeinte avec un grand talent, mais
non sans exagération :

1. Cf. F. Marnata, 1961.

> Les appétits lâchés se contentaient enfin, dans l'impudence du triomphe, au bruit des quartiers écroulés et des fortunes bâties en six mois. La ville n'était plus qu'une grande débauche de millions et de femmes[1].

Il est vrai que les prix fonciers et les loyers augmentèrent rapidement. Jeanne Gaillard appelle le Second Empire l'« âge d'or de la propriété bâtie » : alors qu'entre 1821 et 1850 on construisait environ 260 maisons par an à Paris, on en bâtit en moyenne, chaque année, 1 240 à Paris et 3 600 dans la proche banlieue entre 1851 et 1860, et plus de 5 000 dans le grand Paris d'après l'annexion. Pendant la préfecture d'Haussmann, la valeur totale des immeubles parisiens passa de 2,6 à 6,1 milliards de francs[2]. Cette augmentation était largement due à la meilleure qualité des constructions nouvelles, mais le fonctionnement des expropriations l'explique aussi. Halbwachs en a analysé le mécanisme dans un texte célèbre[3] :

Soit un terrain A valant Q_0. Avec le temps, son prix augmente de x et devient au moment 1 :

$$Q_1 = Q_0 + x$$

Soit un terrain B tout à fait semblable, au même moment 1. Il devrait valoir exactement Q_1. Mais, devant la commission des expropriations, son propriétaire invoquera la forte augmentation x qui a été observée sur le terrain voisin et demandera qu'elle soit intégrée au prix, puisque l'intervention de la puissance publique lui fait perdre cet accroissement. La commission aura ainsi tendance à accorder un prix

$$Q_2 = Q_1 + x = Q_0 + 2 x$$

Ce mécanisme classique d'anticipation des gains futurs explique en grande partie le bond qu'ont fait les prix fonciers au moment des grands travaux. Comme il s'agissait d'un mécanisme psychologique, il ne se déclenchait qu'avec retard mais il s'emballait ensuite, surtout le long du tracé des axes nouveaux.

1. E. Zola, *La Curée*, Paris, Gallimard, « Bibl. de la Pléiade », p. 165.
2. 2 milliards de constructions nouvelles et 1,5 milliard de plus-value sur les bâtiments anciens : cf. J. Gaillard, 1976.
3. M. Halbwachs, 1909.

Zola décrit un cas différent, celui du promoteur qui a accès à une information secrète : la carte fameuse et sans doute mythique où l'auguste main de l'empereur aurait tracé d'avance toutes les nouvelles percées à faire. Saccard, le héros de *La Curée*, peut alors aisément acheter des terres sur le futur tracé et, grâce à la complaisance de quelques commissaires corrompus, revendre ces terres à la Ville pour une fortune. De tels « délits d'initiés » ont certainement dû se produire, d'autant que la haute administration impériale était connue pour sa corruption, mais il est douteux que de telles escroqueries aient été assez nombreuses pour avoir un effet important. L'exagération des indemnités d'expropriation a donné lieu à bien des abus, et Zola n'est pas le seul à les souligner :

> [Une agence véreuse] se chargeait de toute la procédure de l'expropriation moyennant une remise minima de 10 % sur l'indemnité obtenue ; elle s'adressait de préférence aux petits industriels et elle était outillée de façon à leur fournir des livres de commerce détaillés, de faux inventaires, des marchandises apparentes, qui souvent n'étaient que des bûches enveloppées de papier ; elle procurait même des clients nombreux qui encombraient la boutique au jour où le jury venait faire la visite réglementaire ; elle fabriquait des baux exagérés, prolongés, antidatés sur des feuilles de vieux papier timbré dont elle avait trouvé moyen de se nantir ; elle faisait repeindre les magasins à neuf et y installait des commis improvisés… C'était une sorte de bande noire qui dévalisait la caisse de la Ville [1].

Halbwachs fait remarquer que les « spéculateurs » de l'époque ont plutôt agi avec beaucoup de prudence, prêtant une grande attention aux réactions du public, suivant les événements sans les créer, et surtout limitant leur champ d'action aux quartiers riches. Les capitaux privés hésitèrent longtemps à s'investir le long des percées ouvertes dans le centre de la ville : dix-huit mois après son inauguration, le boulevard de Strasbourg (de Sébastopol) n'était encore construit qu'à son extrémité nord ; la rue des Écoles était ouverte

---

1. M. Du Camp, 1875, p. 256.

depuis deux ans au milieu des démolitions avant q
mières constructions neuves commencent à la bo
pourrait plutôt reprocher aux « spéculateurs », ainsi q
Haussmann, d'avoir négligé les pauvres. Ce manque d'inté
rêt s'explique aisément : Jeanne Gaillard montre que le prix
de revient d'une maison ouvrière était de 700 francs par
mètre carré pour un loyer de 7 francs par mètre carré, alors
que dans le cas d'une maison bourgeoise du boulevard Voltaire le prix de revient atteignait 1 000 francs par mètre carré,
mais le loyer 18 francs par mètre carré ; un rapport de 1 %
dans le premier cas, et de 1,8 % dans le second[1]. La construction pour les pauvres n'était guère rentable.

La Ville favorisa la belle construction. L'État, par
exemple, fit preuve de générosité envers les concessionnaires
de la rue de Rivoli, comme les frères Pereire par exemple, à
partir de 1850, sans doute parce que la révolution de 1848
avait fait fuir beaucoup de bourgeois qui, comme le Frédéric
de *L'Éducation sentimentale*, s'étaient installés durablement
à la campagne, provoquant une crise de la construction. En
outre, la pierre de taille payait des droits élevés en franchis-
sant l'octroi, alimentant les finances de la Ville. Haussmann
s'était convaincu qu'il n'était pas rentable de construire des
logements à bon marché. Il semble avoir espéré que les
ménages pauvres iraient s'installer dans les appartements
qu'abandonneraient les bourgeois, prévoyant en somme un
glissement général des différentes classes sociales vers des
constructions plus confortables. Il n'en fut pas ainsi. Pourquoi cet échec ? L'amélioration de l'habitat semble n'avoir
été voulu ni par les ouvriers ni par les propriétaires. Ceux-ci
craignirent la concurrence et se gardèrent bien de développer
une politique de logement social. Les ouvriers, de leur côté,
ne montrèrent pas grand intérêt pour des logements un peu
plus coûteux mais bien plus confortables ; ils cherchèrent
principalement les faibles loyers. Ainsi, au lieu de glisser
dans les appartements abandonnés par les petits-bourgeois, ils allèrent habiter en banlieue, à meilleur marché : les
salaires ouvriers étaient encore bien trop bas. L'habitat
ouvrier resta un secteur libre ou plutôt abandonné par l'État.

1. J. Gaillard, 1976.

...iorer le fonctionnement du marché fon-
...re : ses travaux accompagnèrent et sans
...le glissement des riches vers le nord-
...nt pas la cause. De ce point de vue, son
...oins en une modernisation générale de
...e mutation profonde mais isolée, du logement ... L'immeuble haussmannien fut comme une
copie réduite ... e la demeure aristocratique. Le bourgeois
vivait d'une façon plus ouverte : il cherchait moins à économiser et étalait davantage son luxe, ce qui déconcertait les
observateurs et explique certaines critiques moralisatrices de
Zola (voir, par exemple, *Pot-Bouille* et *La Curée*). Le grand
perdant fut l'ouvrier, obligé de déménager dans la périphérie
de Paris ou bien en banlieue, dans un logement aussi sordide
qu'il payait plus cher car l'afflux de population faisait monter tous les prix. « L'ensemble du peuple parisien prend
conscience d'une évolution sociale qui se fait à son détriment [1]. »

Les travaux d'Haussmann aggravèrent beaucoup les disparités : entre Paris et la banlieue, entre quartiers riches de
l'ouest et quartiers pauvres de l'est, entre rive droite et rive
gauche. La ségrégation verticale (les pauvres se logeant sous
les toits et les riches occupant les étages nobles) fut peu à
peu remplacée, dès la monarchie de Juillet, par une ségrégation horizontale que les travaux d'Haussmann étendirent à
toute la ville. Peut-être les « honnêtes gens », après les nombreuses révolutions du xixe siècle, et surtout les journées de
juin 1848, voulurent-ils s'écarter des quartiers ouvriers ? Surtout, les architectes se mirent à dessiner, par souci d'économie, le même appartement à tous les étages des immeubles
qu'ils construisaient, assurant ainsi à leurs bâtiments, sans le
vouloir peut-être, une grande cohérence sociale. La ségrégation en « beaux quartiers » et en quartiers pauvres fut
atténuée, ou plutôt doublée d'autres ségrégations comme,
par exemple, la construction, sur les dépendances des beaux
immeubles, d'« additions », c'est-à-dire de bâtiments médiocres et provisoires pour loger des ouvriers. Ce procédé
avait déjà été utilisé dans le Marais pour utiliser les jardins et

1. *Ibid.*

les cours des anciens hôtels aristocratiques en y entassant des familles ouvrières ou de petits ateliers d'artisans.

Plus importante encore était l'opposition entre la belle façade et la cour, entre le grand escalier et l'escalier de service, entre les familles bourgeoises et leur domesticité. L'architecture hausmannienne, opposant de façon typique une façade en pierre de taille et des murs de cour élevés en brique, la manifestait clairement. Toutes les familles bourgeoises, même de la petite bourgeoisie, avaient des serviteurs, au moins une bonne, ce qui juxtaposait deux groupes très différents sous le même toit. Zola oppose la façade bourgeoise :

> Au premier des têtes de femme soutenaient un balcon à rampe de fonte très ouvragée. Les fenêtres avaient des encadrements compliqués, taillés à la grosse sur des poncifs ; et en bas, au-dessus de la porte cochère, plus chargée encore d'ornements, deux amours déroulaient un cartouche où était le numéro, qu'un bec de gaz intérieur éclairait la nuit [...]

à la cour des domestiques où donnent les cuisines :

> Un terrible bruit s'en échappa. La fenêtre, malgré le froid, était grande ouverte. Accoudées à la barre d'appui, la femme de chambre noiraude et une cuisinière grasse [...] se penchaient dans le puits étroit d'une cour intérieure, où s'éclairaient, face à face, les cuisines de chaque étage. Elles criaient ensemble, les reins tendus, pendant que, du fond de ce boyau, montaient des éclats de voix canailles... C'était comme la déverse d'un égout : toute la domesticité de la maison était là à se satisfaire. Octave se rappela la majesté bourgeoise du grand escalier [1].

Les rapports des maîtres et des serviteurs étaient complexes : opposés, les deux groupes vivaient cependant en perpétuel contact, sans le moindre secret l'un pour l'autre. Proust a bien montré comment le serviteur, la vieille Françoise, servait et dominait en même temps. Les domestiques épousaient les préjugés de leurs maîtres, à tel point que, au moment de l'affaire Dreyfus, les plus enragés antidreyfu-

---

1. *Pot-Bouille*, Paris, Gallimard, « Bibl. de la Pléiade », p. 6 et 9.

sards n'étaient point tant les militaires ou les aristocrates que leurs valets, les plus passionnés lecteurs de *La Libre Parole*.

Les capitaux manquant pour construire des quartiers entiers, les nouvelles avenues haussmanniennes étaient bordées d'une simple ligne d'immeubles neufs, comme une mince pellicule cachant les bâtiments vétustes qui subsistaient. Ainsi, dans tout le vieux centre, les quartiers restèrent en grande partie populaires, malgré les grandes percées. Ce fut dans les quartiers nouveaux bâtis à l'ouest (Champs-Élysées, Étoile) et surtout au nord-ouest (plaine Monceau, quartier de l'Europe) que se développèrent des populations bourgeoises aisées et homogènes. Même sous ces formes un peu nuancées, la ségrégation aboutit à opposer deux Paris différents : les beaux quartiers de l'ouest aux quartiers ouvriers des couronnes nord, est et sud. Le centre-est était dans une position intermédiaire, peuplé d'employés, d'artisans ou de commerçants qui formaient plutôt un troisième groupe. Une telle ségrégation était inquiétante pour l'ordre public et représentait, pour un régime autoritaire voulant empêcher le retour des révolutions, une grave erreur. Les barricades de la Commune s'élevèrent à peu près exactement, en 1871, aux endroits où avaient été édifiées celles de juin 1848, ce qui montre à la fois que les travaux d'Haussmann avaient moins changé la ville qu'on ne pouvait le penser et combien, du point de vue du maintien de l'ordre, le préfet avait échoué. Aussi grave pour l'équilibre urbain, l'opposition entre une rive droite active et une rive gauche assoupie, loin d'être atténuée par Haussmann, fut fortement aggravée. La plupart des grands travaux, et surtout les grandes constructions (Louvre, Opéra, Halles, théâtres…), augmentèrent l'attraction de la rive droite. Pis, la dérive de Paris vers le nord-ouest fut renforcée et accélérée, isolant encore davantage les quartiers de la rive gauche. En 1865, tandis que le vieux centre-nord (les quatre premiers arrondissements) comprenait 11 300 locaux commerciaux ou industriels, les trois arrondissements de la rive gauche (Ve, VIe et VIIe) n'en avaient que 3 400[1]. Alors qu'en 1852, avant Haussmann, la rive nord avait quatre fois plus de patentes que la rive sud, elle en comptait cinq fois plus en 1869. L'activité commerciale et

1. J. Gaillard, 1976.

industrielle faisait monter les baux professionnels et, par entraînement, les loyers des habitations. Même les maisons neuves construites sur la rive gauche avaient des loyers bien plus bas que les bâtiments semblables construits sur la rive droite. La rive sud, où les propriétés ecclésiastiques étaient très nombreuses, demeura une réserve urbaine qui ne fut développée que bien plus tard.

Curieusement, le préfet s'intéressa davantage à la couronne de communes entourant Paris. Elles se trouvaient dans une situation assez étrange : hors de l'enceinte des Fermiers-Généraux qui servait, depuis la fin du XVIIIᵉ siècle, de limite d'octroi et de la Ville, elles étaient cependant à l'intérieur de la ceinture fortifiée construite après 1840. Communes rurales produisant des légumes, des fruits, du vin pour la capitale, elles logeaient un nombre croissant d'ouvriers et de retraités fuyant les démolitions de Paris et l'enchérissement des loyers. Elles servaient aussi, le dimanche, de lieux de promenade pour la foule parisienne des quartiers populaires, qui venaient y chercher la campagne, la fraîcheur et les bals des guinguettes : Ménilmontant, Belleville, Vaugirard, Grenelle, la Villette, Montrouge, les Batignolles, Charonne, Bercy... Nombre de ces communes avaient été coupées en deux par l'enceinte fortifiée. Sur la proposition d'Haussmann, la Chambre décida (26 mai 1859) de porter la limite de la capitale à l'enceinte fortifiée le 1ᵉʳ janvier 1860 et d'annexer les communes comprises entre les deux enceintes. La surface de Paris fut plus que doublée et sa population passa de 1 million d'habitants à 1 696 000. Les douze anciens arrondissements furent remplacés par les vingt actuels. L'annexion provoqua une nouvelle vague de départs : les populations annexées ne subissaient pas l'octroi et payaient des impôts très faibles, car les communes périphériques avaient peu d'équipements publics à entretenir. L'augmentation brutale des charges repoussa une bonne partie de la population au-delà des fortifications, dans ce qui forme aujourd'hui la petite banlieue. Quant aux Parisiens, ils durent financer l'équipement de ces communes annexées où tout était à faire. La mesure, au total, ne fut guère populaire, ce qui explique en partie que les élections aient été à Paris, vers la fin de l'Empire, si défavorables au régime. Elle permettait cependant d'agrandir la base fiscale de la capitale et de mieux asseoir le service de la dette

énorme qu'Haussmann allait laisser derrière lui. Est-ce pour
cette raison que le préfet songea à proposer l'annexion
d'autres communes de la banlieue ouest (Sèvres, Saint-
Cloud, Meudon…) ? Le « troisième réseau », entamé après
1860, eut pour but de rapprocher du vieux Paris ces nouveaux arrondissements annexés et surtout de mieux relier
ceux-ci entre eux. Haussmann construisit une ceinture de
boulevards sur l'ancienne enceinte des Fermiers-Généraux
(boulevards Arago, de Grenelle, etc.[1]). Il y ajouta plus loin,
en second anneau, un chemin de fer de Ceinture autour des
fortifications, ainsi que la voie ferrée d'Auteuil à Saint-
Lazare, favorisant de nouveau l'ouest de Paris.

L'opposition républicaine, en particulier Jules Ferry dans
Les Comptes fantastiques d'Haussmann, attaqua violemment
le préfet, qui avait été obligé de conclure des emprunts à la
limite de la légalité. Tombé, à partir de 1867, en défaveur,
Haussmann quitta la préfecture au début de 1870, quelques
mois avant l'effondrement de l'Empire, laissant en héritage
une ville profondément transformée, modernisée et citée en
modèle dans toute l'Europe, mais écrasée par une dette
énorme et avec une structure sociale bouleversée.

Le bilan de l'œuvre d'Haussmann

La transformation de Paris a frappé l'opinion et est devenue exemplaire dans le monde entier. Comment expliquer
une telle célébrité ? Toutes les grandes villes européennes ont
été modernisées en démolissant des quartiers insalubres et en
ouvrant de larges avenues modernes : Londres quarante ans
avant Paris, Berlin et Vienne vingt ans après. L'œuvre
d'Haussmann a étonné autant par l'immensité de la tâche
accomplie que par sa rapidité : les contemporains exprimè-
rent souvent leur effarement devant la soudaineté avec
laquelle les nouveaux quartiers semblaient sortir de terre,
témoignage de l'habileté de l'équipe qui entourait le préfet et
de la puissance des moyens de financement utilisés. L'originalité de l'œuvre réside probablement en trois points :

1. Voir figure 7.

l'importance reconnue aux équipements collectifs, la c
tion de la ville bourgeoise, la production d'un ensemble
cohérent.

Londres fut la seule ville où les équipements collectifs eussent été, quarante ans avant le Paris du Second Empire,
l'objet de la sollicitude publique : le souci de l'hygiène,
typique des classes britanniques aisées sous la Régence,
avait pourvu la capitale anglaise, dès le début du XIXᵉ siècle,
d'adductions d'eau, d'égouts, de parcs, d'éclairage public, de
moyens de transport dont l'ensemble était unique au monde.
Dans ce domaine, Haussmann n'innova pas, mais il copia et
rattrapa en partie un grave retard, ce qui diminue peu son
mérite. Dans les domaines de la santé (eau, égouts), des
transports, des bâtiments collectifs comme les marchés et les
casernes, son œuvre est considérable. Bien que, dans ses
Mémoires, le baron se soit particulièrement vanté des jardins
qu'il avait ouverts, il est probable qu'il diminua la surface
des espaces verts parisiens, en détruisant de nombreux jardins privés bien plus étendus que les squares qu'il créait et
en annexant et urbanisant rapidement des communes de banlieue encore couvertes de verdure. Haussmann priva les
familles pauvres de leurs promenades dominicales comme
des théâtres populaires du Boulevard.

Le principal mérite d'Haussmann, si c'en est un, est
d'avoir réalisé la ville bourgeoise, une forme urbaine nouvelle et originale, apparue timidement sous Louis-Philippe et
qui triompha avec le Second Empire. Les expropriations
transformèrent le parcellaire. Les nouvelles parcelles, plus
vastes et plus régulières, réclamaient des investissements
immobiliers plus importants. Allongées le long des voies,
elles permirent aux immeubles d'aligner leur façade principale sur la rue au lieu de lui être, comme jadis, perpendiculaire : les ménages bourgeois retrouvèrent une partie du faste
architectural qui caractérisait, sous l'Ancien Régime, les
palais aristocratiques. La bourgeoisie ne cacha plus sa fortune, mais l'exhiba de façon d'abord retenue, puis avec une
exubérance croissante à mesure que le siècle tendait vers sa
fin et que son pouvoir s'affermissait. Les appartements offrirent un confort que l'aristocratie avait négligé et auquel les
milieux populaires n'avaient jamais pu prétendre, mais la
fonction de représentation, si importante dans les palais de

ubsistait dans ces nouveaux logements. L'oppo-
ue entre monuments et logements qui avait
férence de pouvoir entre la Couronne ou l'aris-
..., u une part, et les masses populaires, de l'autre, ten-
dit à disparaître avec les progrès des classes intermédiaires.
Les immeubles devinrent de plus en plus vastes et majes-
tueux tandis que les monuments, comme l'Opéra ou les deux
théâtres de la place du Châtelet, s'embourgeoisaient et res-
semblaient à des immeubles. Les étages eurent désormais la
même hauteur : l'« étage noble » disparut en même temps
que la noblesse. Les logements, dans un même immeuble, se
ressemblèrent tandis que les différences entre les quartiers
s'accentuaient.

Une telle uniformisation risquait de produire un paysage urbain monotone : François Loyer[1] reconnaît le génie
d'Haussmann dans la manière dont le préfet sut combiner la
variété des détails et l'unité de l'ensemble et réaliser, dans
un équilibre fragile, une ville cohérente. L'harmonie haussmannienne naît de deux soucis : d'abord, assurer simultanément l'uniformité des grandes masses et la variété
des détails ; ensuite, organiser une hiérarchie des éléments
urbains, depuis l'immeuble et le jardin jusqu'au groupe de
quartiers. Les façades suivent le même plan général, avec six
étages, une ligne de balcon au cinquième, des fenêtres de
proportions régulières, des murs plats, si bien que la rue
semble bordée plutôt d'un immense bâtiment que de
constructions différentes. Mais, en même temps, la décoration des fenêtres, des balcons, des portes, des corniches,
varie à l'infini, assurant ainsi la variété nécessaire. La ville
est ordonnée par une hiérarchie qui contrôle les volumes :
l'immeuble, la rue, les carrefours et les jardins, le quartier
sont des unités de tailles différentes mais dessinées en relation les unes avec les autres. Avant Haussmann, il n'existait
pas de proportion entre la hauteur des immeubles parisiens
et la largeur des voies. Le règlement royal de 1783 reconnaissait deux catégories d'immeubles : des bâtiments de type
traditionnel, qui ne pouvaient dépasser 12 mètres de haut
sur des voies de moins de 8 mètres de large, et des immeubles qui pouvaient atteindre 17,54 mètres, sur des voies de

1. 1987.

plus de 8 mètres (d'ordinaire, des avenues larges de 10 à 14 mètres). En pratique, la rue représentait le côté d'un carré dont la diagonale correspondait à la hauteur de l'immeuble. Haussmann imposa une proportion fixe au cadre urbain en établissant une relation entre la largeur de la rue et la hauteur de l'immeuble et dessina des espaces à section carrée (largeur de la voie et hauteur de l'immeuble égales à 18 mètres). Comment maintenir cette proportion dans les avenues plus larges ? Le règlement de 1859 autorisa un étage supplémentaire sur les voies de plus de 20 mètres, ce qui rétablissait le gabarit carré. Pour mieux assurer l'harmonie des axes principaux, Haussmann prévit des alignements d'arbres dans les grandes avenues afin d'en briser l'excessive largeur. Les proportions des jardins et des carrefours furent aussi calculées de façon à s'harmoniser avec les axes. Toute la ville haussmannienne apparaît ainsi d'un seul tenant, faite d'éléments de tailles variées mais toujours dessinés en rapport les uns avec les autres, ce qui assure l'unité de l'ensemble, tandis que la variété des éléments évite la monotonie, ou du moins s'y efforce. La ville bourgeoise ainsi construite sur un principe d'harmonie rationnelle s'oppose radicalement à la ville classique, dont le tissu était infiniment varié, fait de morceaux sans lien les uns avec les autres, où un palais jouxtait un bâtiment chétif et où chacun pouvait construire à son idée. La « Grande Composition » haussmannienne[1], qui prend son origine dans l'urbanisme de la monarchie de Juillet, regroupe en un seul ensemble des immeubles construits par des propriétaires différents. Sutcliffe[2] montre cependant que cet urbanisme produisit des îlots très denses et que les villes de province, imitant Paris, accumulèrent dans leurs centres des densités bien plus fortes que ne l'imposaient leurs prix fonciers.

Jules Ferry a brillamment reproché à Haussmann ses « comptes fantastiques » : la plus grande critique adressée au préfet par ses contemporains fut non pas d'avoir organisé la ségrégation sociale, mais d'avoir amené la banqueroute. La dépense, en effet, fut immense et déséquilibra le budget municipal. De 1821 à 1850, le budget de la Ville fut équili-

1. Un terme de F. Loyer, 1987.
2. 1981.

bré, et son volume ne changea guère : autour de 50 millions
de francs de recettes et de dépenses par an [1]. Les recettes provenaient principalement des impôts indirects (70 % du total),
et surtout de l'octroi. Les dépenses consistaient en frais de
bienfaisance (14 %), frais généraux de la préfecture (12,5 %),
service de la dette (11 %), et même un « prélèvement au profit du Trésor » (10 % du budget étaient ainsi pris par l'État).
Jusqu'au milieu du XIXe siècle, les Grands Travaux extraordinaires, en plus des dépenses d'entretien, représentèrent entre
12 et 16 % du budget, selon les années. Une fois Haussmann
nommé préfet, le budget « extraordinaire » s'enfla démesurément : entre 1852 et 1859, les travaux coûtèrent en
moyenne 25 millions par an, soit 30 % des ressources ordinaires (qui avaient elles-mêmes presque doublé, passant de
49 millions en 1849 à 80 millions en 1859). L'annexion fit
bondir les recettes à 104 millions en 1860 ; elles atteignaient
150 millions en 1868, trois fois plus qu'en 1851. Mais
le budget n'était plus équilibré : 10 % de déficit en 1868.
Alphand évalue le coût total des travaux, en 1872, à
1,22 milliard de francs, mais en y ajoutant les dépenses ultérieures qui furent nécessaires pour terminer les projets, et qui
s'étendirent jusqu'en 1885-1890, on peut estimer le coût global de l'entreprise haussmannienne à près de 2,5 milliards de
francs-or, soit une année du budget de la France à l'époque [2].
Qui a payé ces sommes immenses ? L'État ne versa, en tout,
que 50 millions de francs de subvention, mais les plus-values
fiscales, dues à l'augmentation des prix fonciers, atteignirent
250 millions : tout compte fait, le budget national y gagna
près de 200 millions. Les contribuables parisiens payèrent
davantage : de 48 francs par habitant en 1851, les charges
fiscales annuelles augmentèrent à 61 francs en 1860 et à
83 francs en 1868 ; mais cette augmentation était encore
faible : la charge fiscale n'avait même pas doublé. En fait,
Haussmann finança ses travaux, avant 1858, par la revente
des terres inutilisées et, dans la seconde moitié de l'Empire,

1. Cf. G. Cadoux, 1900.
2. Comment l'évaluer en francs 1990 ? La tâche est presque impossible,
car les rapports entre les coûts ont beaucoup changé : au prix actuel du
métal précieux, 2,5 milliards de francs-or représenteraient 55 milliards de
francs 1991, mais le budget de l'État, qui s'est démesurément enflé en un
siècle, atteint, en 1991, 1 400 milliards de francs...

par l'emprunt. C'est alors que le système s'emballa. Les parlementaires, qui devaient autoriser les emprunts de la Ville, en vinrent à les refuser. Haussmann tourna l'obstacle en lançant des emprunts occultes et illégaux, faisant escompter au Crédit foncier, qui ne pouvait rien refuser à l'administration, des « bons de délégation » de la Caisse des travaux. La plus grande partie des dépenses fut ainsi couverte par l'emprunt, ce qui reportait le coût sur les générations futures. Les Parisiens de la Troisième République payèrent une partie des travaux, entre 1870 et la Grande Guerre. Après 1914, les moratoires puis l'inflation rognèrent la dette et la réduisirent bientôt à néant : les rentiers qui avaient acheté des titres d'emprunts financèrent involontairement le gros des travaux, et en furent en partie ruinés. En 1871, la dette d'Haussmann, combinée aux emprunts faits pendant le siège et aux 210 millions d'indemnité que Paris dut payer à la Prusse, avait poussé le passif de la Ville à 636 millions de francs, un total extraordinaire à l'époque. Paris était riche et inspirait confiance : un emprunt de 350 millions levé par la Ville en 1871 fut couvert quinze fois, et, comme l'État versa 140 millions d'indemnité en solde de tout compte, la dette fut réduite. La capitale resta cependant longtemps la ville la plus endettée du monde : en 1898, le Parisien devait encore 236 francs, contre 123 francs pour l'habitant de New York, à peu près autant pour le Berlinois, 74 francs pour celui de Londres, 53 francs pour le Marseillais et… 5 francs pour l'habitant de Tokyo. Le service annuel de la dette, qui ne coûtait à chaque Parisien que 5,2 francs en 1850, était monté à 11 francs en 1870 et à 24 francs en 1880. L'inflation de l'entre-deux-guerres libéra les Parisiens du fardeau que leur avait légué Haussmann.

Il était malheureusement plus difficile de libérer Paris des erreurs commises par le préfet. Beaucoup lui ont reproché le « vandalisme » avec lequel il jeta à terre le vieux Paris pour le remplacer par des constructions d'un style que Zola qualifiait de « bâtard opulent ». Certains critiques ont la dent cruelle :

> Les voies d'Haussmann n'ont pas souvent d'utilité et elles n'ont jamais de beauté. La plupart sont des percées surprenantes qui partent de n'importe où pour n'aboutir nulle part

en renversant tout sur leur passage, alors qu'il eût suffi de les infléchir pour conserver des souvenirs précieux [...] l'achèvement de la rue de Rennes saccagerait aujourd'hui l'Institut et la pointe de la Cité, tout ce qui subsiste de la beauté de l'île dont les démolisseurs ont fait un désert. A l'ouest, les percées ont créé une vaste excroissance artificielle, pareille à un champignon monstrueux poussé sur un flanc de Paris [...]. Du jour au lendemain, les quartiers de l'est ont été déclassés, aucun favorisé de la fortune ne songerait à y vivre [...].

Quand Haussmann a eu de bonnes idées, il les a mal réalisées. Il a beaucoup tenu aux perspectives, il a pris soin de mettre des monuments au bout de ses voies rectilignes ; l'idée était excellente, mais quelle gaucherie dans l'exécution : le Boulevard de Strasbourg [boulevard de Sébastopol] encadre l'énorme cage d'escalier du Tribunal de Commerce et l'avenue de l'Opéra vient buter sur la loge du concierge de l'Hôtel du Louvre. Quand il a suivi un tracé historique, il l'a gâté. Ainsi, la nature lui indiquait de doubler la branche Nord de la croisée, il suffisait d'abattre un des côtés des deux rues Saint-Denis et Saint-Martin, et l'on ne saurait objecter les raisons d'économie quand on sait à quel point il s'est soucié de ce détail. Il a laissé subsister les deux voies devenues trop étroites et il a planté au milieu un boulevard qui n'est pas de moitié assez large, qui est laid et qui est moins utile que l'eussent été deux voies parallèles.

Il ne faut pas l'accuser d'avoir haussmannisé trop, mais trop peu. En dépit de sa mégalomanie théorique, nulle part, dans la pratique, il n'a vu assez large, nulle part il n'a prévu l'avenir. Toutes ses vues manquent d'ampleur, toutes ses voies sont trop étroites. Il a vu grandiose et il n'a pas vu grand, ni juste, ni loin [...]. Par-dessus tout, le Paris du Second Empire manque de beauté. Aucune de ces grandes voies droites n'a le charme de la courbe magnifique de la rue Saint-Antoine... Enfin, cette ville illogique n'est pas solide... l'Opéra se lézarde, la Trinité s'effrite et Saint-Augustin est fragile. Cet immense effort ne nous a donné qu'un Paris transitoire. Il n'est pas durable. Il n'est pas beau. Il n'est pas rationnel. Rarement un si grand travail aura été aussi vain [1].

1. L. Dubech et P. d'Espezel, 1926, vol. 2, p. 163-164.

Le réseau de transport créé par Haussmann fut certainement un échec. Le principal besoin, et le but qu'il s'était fixé
lui-même, était de faire communiquer les gares entre elles :
hormis celles du Nord et de l'Est, aucune ne fut commodément reliée aux autres. On a négligé de relever la preuve,
pourtant éclatante, de cet échec : les grandes avenues haussmanniennes n'étaient pas encore terminées, en 1872, que
l'on discutait déjà comment les doubler par un chemin de fer
(le futur métro). La forme même du réseau nouveau était
plus spectaculaire que commode :

> Sauf dans les quartiers déserts, les boulevards du XIXᵉ sont
> deux ou trois fois trop étroits, et les difficultés ont été multi-
> pliées par une idée folle : le carrefour. C'est le type de
> l'effort à l'envers, la plaie du Paris moderne. Il fallait à tout
> prix éviter les confluents de circulation, on les a provoqués.
> On embouteille par principe, au lieu de dégorger... Autant
> que d'ampleur, le Paris d'Haussmann manque de raison ; il
> eût fallu diviser et mettre à la périphérie les Halles, source
> inépuisable de saleté et d'encombrement : on les a mises au
> centre [1].

En fait, l'intérêt des propriétaires et des commerçants des
vieux quartiers centraux réclamait des voies aussi larges et
aussi belles que les grandes percées ouvertes dans les nouveaux quartiers du nord et de l'ouest, afin de résister à leur
concurrence.

En revanche, les grandes démolitions ont assurément évité
que le peuplement du vieux centre ne devienne trop dense et
ont contribué à mieux répartir la population et les investissements immobiliers sur la surface de la ville. Halbwachs note
que, sans l'ouverture de voies nouvelles qui ont rendu habi-
tables des espaces inaccessibles (à l'ouest, en particulier),
l'augmentation des loyers eût été bien plus forte, et la pénurie de logements plus grave. Surtout, les travaux ont rendu
Paris attrayant : en y attirant et en y retenant, même au prix
d'un glissement, les classes aisées, ils lui ont évité de devenir, comme les villes américaines ou comme Bruxelles, un
ensemble de bureaux, une coquille qui se vide le soir quand
les employés retournent dans leur villa de banlieue. C'est à

---

1. *Ibid.*

Haussmann, démolisseur des vieux quartiers, que Paris doit
sans doute d'avoir conservé un centre attirant et une vie
urbaine fascinante. Mais le prix en fut l'expulsion des Parisiens pauvres.

Éviter la guerre sociale, assurer les possédants que Paris ne
connaîtrait plus d'émeutes a constitué l'un des buts principaux d'Haussmann. Ce but pouvait être atteint de deux
façons : en améliorant le sort des Parisiens pauvres grâce à la
modernisation des équipements publics, et il s'y est efforcé ;
mais aussi en chassant de Paris les classes laborieuses qui
pouvaient si rapidement devenir dangereuses. L'Empire, et
pour cause, n'a jamais proclamé une telle politique, mais il
l'a faite. Le centre de Paris fut vidé de ses habitants pauvres :
après l'ouverture de nombreuses avenues nouvelles autour
de la place du Château-d'Eau [place de la République], de
nombreux habitants du Xe arrondissement durent déménager
vers le XXe. La peur des ouvriers était telle que Devinck proposa de supprimer les exemptions d'octroi dont bénéficiaient
les matières premières industrielles, afin de chasser l'industrie de Paris et de faire de la capitale une ville purement commerciale consacrée au luxe. Mais les grands travaux attirèrent en même temps à Paris des masses de travailleurs
pauvres et déracinés, qui ne pouvaient y trouver aisément du
travail. Le préfet Rambuteau avait déjà, vingt ans auparavant, exprimé la crainte que les grands travaux ne provo-
quent de graves déséquilibres sociaux. Louis Lazare écrivait
en 1861 : « Sur cent personnes qui entrent dans Paris, quatre
apportent leur superflu, seize y vivent de leur aisance et
quatre-vingts lui demandent tout [1]. » Si les pauvres quittèrent
Paris pour le nord et l'est, les riches le quittèrent aussi, vers
l'ouest et le nord-ouest, pour habiter les quartiers nouveaux
construits autour de l'Opéra, de l'Étoile, de la plaine Monceau. A la grande différence des responsables de la monarchie de Juillet, comme Lanquetin, qui redoutaient le déplacement du centre urbain vers le nord-ouest et proposèrent de le
balancer en construisant à l'est, Haussmann semble n'avoir
pris aucune précaution pour éviter le glissement des activités
et des résidences, glissement qui s'accéléra tout au long de

1. *Revue municipale*, 20 octobre 1861, p. 300 ; voir aussi L. Lazare,
1870*a* et *b*.

l'Empire. La grande dissymétrie parisienne, l'opposition entre une moitié orientale pauvre et une partie occidentale riche, apparut, certes, avant 1840, mais elle devint un fait urbain fondamental sous le Second Empire, conséquence directe des travaux du préfet. La capitale, en 1990, ne s'en est pas encore remise :

> [...] ce bouleversement s'est accompagné de transformations sociales autrement graves, profondes, durables. Paris a cessé pour toujours d'être un conglomérat de petites villes ayant leur physionomie, leur vie [...], où la nature et l'histoire avaient collaboré à réaliser la variété dans l'unité. La centralisation, la mégalomanie ont créé une ville artificielle où le Parisien, trait essentiel, ne se sent plus chez soi ; aussi, dès qu'il le peut, il s'en va, et voici un nouveau besoin, la manie de la villégiature... Le Parisien, dans sa ville devenue carrefour cosmopolite, fait figure de déraciné [1].

La politique urbaine du Second Empire repoussa les ouvriers à la périphérie de la ville, à Grenelle, Belleville, Vaugirard, Ménilmontant... Surtout, elle créa autour de Paris une véritable banlieue, mais dans des conditions si particulières que celle-ci ne ressembla à celle d'aucune des autres grandes métropoles. La banlieue parisienne fut peuplée moins par des paysans pauvres venus travailler comme ouvriers à la ville, comme à Vienne, ou par des bourgeois aisés fuyant les embarras et la vétusté du centre, comme à Londres, que par des artisans et des petits employés chassés du cœur de leur ville en vagues successives. La banlieue parisienne représente exactement le « lieu du ban », l'endroit où l'on est banni. La différence était grande avec les anciens faubourgs qui entouraient Paris jusqu'aux travaux d'Haussmann : ils formaient des excroissances de la grande ville le long des principales routes, des sortes de prolongements de la vie urbaine pénétrant dans la campagne. La banlieue, au contraire, apparut à partir d'Haussmann en présentant un aspect original : c'était le lieu où des citadins pauvres, mais habitués à une vie urbaine, avaient été refoulés, un endroit qui n'était plus tout à fait la ville mais encore moins la

1. L. Dubech et P. d'Espezel, 1926, vol. 2, p. 165.

campagne, une culture originale et différente de la culture urbaine, constituée à côté d'elle et contre elle. Paris en conçut envers sa banlieue un mélange de mépris et de crainte qui se manifesta lors de la conception du métro, qui dut rester proprement parisien, et, plus tard encore, entre les deux guerres, lorsque la banlieue grandit dans l'indifférence et l'anarchie. Les rapports empoisonnés que l'on observe encore aujourd'hui entre la ville et sa banlieue constituent un héritage haussmannien. La structure sociale si particulière de Paris, avec les pauvres à la périphérie et les riches au centre, logeant dans le cœur de la ville et utilisant des résidences secondaires à la campagne, bien au-delà de l'anneau de la banlieue, remonte au Second Empire. La capitale française adopta alors une structure tout à fait originale, qui eut des effets capitaux sur la disposition de la rente foncière et la séparation des groupes sociaux.

Paris, ville libre : la signification de la Commune

L'effort sanglant des communards pour se réapproprier leur ville, d'où les bourgeois les chassaient, fut une conséquence atroce de cet héritage. On a peu étudié les liens entre la Commune et l'évolution de Paris. La plupart des historiens qui ont tant écrit sur cette période ont insisté sur ses aspects révolutionnaires et internationaux [1]. La Commune fut avant tout un mouvement urbain et typiquement parisien. Ce fut non pas une insurrection cohérente, mais une suite de mouvements d'apparence parfois contradictoire, changeant de direction à mesure que les chocs extérieurs (et quels chocs : la guerre, la défaite, le blocus, l'élection d'une Assemblée rurale et royaliste) apportaient de nouvelles menaces. Le mouvement communard semble avoir correspondu à une transformation profonde, entamée en 1848, du rôle que Paris jouait en France.

---

1. Voir les indications bibliographiques en fin d'ouvrage.

Paris patriote

Le 2 septembre 1870, la IIe armée impériale capitula à Sedan. L'empereur était fait prisonnier. La nouvelle parvint à Paris le 4 septembre. Le régime s'effondra et un gouvernement provisoire fut constitué à l'Hôtel de Ville, formé presque exclusivement de députés parisiens : la capitale marquait déjà sa méfiance envers la province. Sous l'Empire, Paris avait soutenu l'opposition. Alors que Napoléon III avait obtenu une forte majorité de *oui* au plébiscite organisé en février 1870, les *non* l'avaient emporté dans la capitale. Dès le 4 septembre, un simple citoyen, Dupas, demanda l'élection, dans chaque quartier, de représentants devant eux-mêmes élire des représentants d'arrondissement. Ceux-ci, se réunissant le 11 septembre, créèrent un comité des Vingt Arrondissements, embryon illégal d'un gouvernement communal sans le nom. Pour la première fois, le pouvoir municipal procédait de bas en haut, alors qu'il avait été imposé à Paris de haut en bas depuis un siècle. Mais les soucis du comité étaient purement patriotiques : il voulait poursuivre la guerre. Son premier manifeste (la première « affiche rouge », placardée sur les murs de la capitale le 14 septembre) n'avait qu'un but : organiser la défense. Les troupes prussiennes avançaient vite : elles mirent le siège devant Paris et bloquèrent la ville le 19 septembre. Dès le lendemain, Jules Favre, au nom du gouvernement de la Défense nationale, entama secrètement les premiers pourparlers avec Bismarck. La capitale devint, avec Metz où Bazaine s'était enfermé, l'un des deux fronts de résistance, mais Paris ne comptait guère de troupes de métier. Il fallut donc renforcer la garde nationale, organiser et armer les Parisiens de toutes les classes sociales, pour la première fois depuis 1793. Le 9 octobre, Gambetta gagna la province en ballon pour y organiser la défense nationale. Des comités d'arrondissement demandèrent l'envoi en province de « délégués spéciaux » chargés de « se concerter » avec les autorités locales afin de renforcer la défense : Paris sentait déjà confusément que la France rurale était moins anxieuse que la capitale de continuer la guerre « à outrance ». Le 20 septembre, le comité

central vota à l'unanimité la « Commune de Paris » – aux
délégués qui demandaient le sens de ce terme, il répondit :
« davantage qu'une municipalité banale ». C'était encore
bien vague, mais la province, déjà, s'émouvait. Un député de
l'ancienne Chambre bonapartiste s'écria : « Il y a du sang sur
ce nom-là. » Les souvenirs de la Révolution de 1793-1794 et
de la Commune hébertiste pesaient d'un poids écrasant et
exaltaient ou terrifiaient les esprits. Le 22 septembre, le
comité central proclama « la Commune souveraine, opérant
révolutionnairement la défaite de l'ennemi, ensuite facilitant
l'harmonie des intérêts et le gouvernement des citoyens par
eux-mêmes… ». Le comité reprenait ici une ancienne revendication des sans-culottes pour établir, par l'autonomie municipale, un mode de gouvernement direct. Quant au souhait
que la Commune assurât l'« harmonie des intérêts », il
s'opposait exactement au concept marxiste de lutte des
classes.

Qu'était donc cette avant-Commune de Paris qui se disait
« souveraine » ? Elle n'était encore qu'un mot puisque les
élections municipales qui devaient la former furent plusieurs
fois repoussées et qu'il n'existait plus à Paris d'autres autorités élues que les anciens maires d'arrondissement, largement
discrédités, et le comité central, instance élue mais illégalement. Quelles étaient ses intentions ? Paris a-t-il voulu
prendre le pouvoir et gouverner la France parce qu'il doutait
de l'énergie et du patriotisme du gouvernement de la
Défense nationale ? Ou bien essaya-t-il plutôt de se protéger
d'un État oppresseur en s'isolant ? Ces tendances opposées
coexistaient et se révélèrent à mesure que la crise évoluait.
Une réponse capitale fut donnée par la déclaration de principe votée le 8 octobre par le comité central et rédigée par
un représentant de la majorité modérée, Leverdays :

> Dans le danger suprême de la patrie, le principe d'autorité et
> de centralisation étant convaincu d'impuissance, nous
> n'avons plus d'espoir que dans l'énergie patriotique des
> Communes de France, devenant par la force même des
> choses, libres, autonomes et souveraines […].
> A Paris [revient] la responsabilité de la race gauloise, à Paris
> l'initiative […].
> […] les membres actuels du gouvernement de la Défense

Nationale, mandataires élus de la population de Paris, n'ont dû leur élection qu'à la promesse formelle qu'ils ont faites à leurs électeurs de réclamer énergiquement […] la restitution du droit qu'ont les Parisiens de se gouverner eux-mêmes.

[…] depuis 1794, le pouvoir central a toujours non pas seulement opprimé mais violemment supprimé la vie municipale de Paris, créant ainsi une déplorable source de haines et de malentendus entre la capitale et les départements. […]

Mais la Commune de Paris, comme toute autre commune, doit se contenir sévèrement dans les limites de sa propre autonomie. Elle ne peut avoir la prétention d'exercer un contrôle sur les résolutions ou les actes des pouvoirs nationaux […].

[…] La Commune est l'unité politique […], la nation n'est que la réunion des communes de la France […] le principe de la liberté municipale n'est autre chose au fond que celui de l'inviolabilité individuelle [1].

Le dernier paragraphe envisageait la ville comme un organisme, un individu jouissant d'une personnalité distincte qu'il n'était pas nécessaire de définir. Le fait que les membres du gouvernement fussent tous des députés de la capitale prêtait à une redoutable ambiguïté : puisqu'ils étaient leurs élus, les Parisiens étaient en droit de leur demander des comptes, mais, du coup, Paris semblait vouloir gouverner la France, même si la Déclaration affirmait le contraire. Proudhon, dont la pensée avait profondément influencé le texte de Leverdays, avait pourtant condamné, en son temps, une telle tendance :

L'autorité ne peut jamais l'emporter sur ses constituantes […], le système fédératif est l'opposé de la hiérarchie ou centralisation [des] démocraties impériales [et des] monarchies constitutionnelles. Dans la fédération, les attributs de l'autorité centrale se spécialisent et se restreignent, diminuent de nombre, d'immédiateté et d'intensité [2].

Puisque le pouvoir vient du peuple, le principe fédératif assure, pour Proudhon, que l'autorité diminue de bas en haut à mesure que l'on s'élève dans la pyramide des pouvoirs. La

1. Cité *in* J. Rougerie, 1971.
2. Proudhon, *Du principe fédératif*, p. 66.

Déclaration exprimait bien le rêve des proudhoniens, mais la confusion des esprits était extrême, car bon nombre de membres du comité qui votèrent le texte étaient non pas proudhoniens, mais blanquistes, ou plus souvent jacobins et sans-culottes, hantés par les grands souvenirs de 1793. Les blanquistes hésitaient : une Commune comme celle de 1793, oui, mais celle d'Hébert, qui avait été insurrectionnelle et révolutionnaire, et non celle de Pétion, élue légalement et conservatrice. Comme Pétion et Hébert s'étaient opposés jusqu'à l'échafaud, la confusion était profonde. Les jacobins voulaient une commune autonome qui fût aussi un gouvernement national – Delescluze, le plus prestigieux d'entre eux, s'écria : « La Commune doit être le Comité de Salut Public de la République. » Comme le souligne très justement Rougerie, la contradiction était dangereuse entre la Commune sans-culotte et la Commune proudhonienne. Le comité central approuva cependant les deux tendances et les fondit dans un même texte.

Une tentative populaire d'imposer une Commune après la capitulation de Metz, apprise le 31 octobre, échoua à cause de ces dissensions. L'idée d'une Commune parisienne autonome refluait : le 3 novembre, 86 % des Parisiens renouvelèrent leur confiance au gouvernement de la Défense nationale ; 14 % la lui refusèrent. Aux élections municipales, attendues depuis deux mois et demi, deux arrondissements seulement (XIXe et XXe : le nord-est ouvrier) élirent des délégués « rouges » ; trois autres votèrent pour de bons républicains (IIIe, XIe et le XVIIIe ce dernier réélisant Clemenceau) ; les quinze autres choisirent des modérés. Cependant, les tendances révolutionnaires furent peu à peu exacerbées par les misères du siège et plus encore par les échecs militaires. Les diverses tentatives de sortie, mal conduites, mal coordonnées et mal équipées, aboutissaient à des échecs sanglants. Poussés par les misères du siège, beaucoup de clubs et de comités réclamaient la Commune avec une insistance croissante et commençaient à opposer ouvertement Paris à la France :

> [La Commune] n'entend point [...] s'imposer à la France.
> Non, elle sera exclusivement parisienne. Mais en sauvant
> Paris et avec Paris la France, elle aura le droit de faire ses

conditions aux départements. S'ils voulaient, par exemple, lui imposer une restauration monarchique, n'aurait-elle pas le droit de la repousser et, au besoin, de maintenir la république parisienne[1] ?

Le 6 janvier, une seconde « affiche rouge » appela le peuple à s'opposer à la politique de défense du gouvernement, jugée trop molle. Une nouvelle sortie pour percer les lignes prussiennes à Buzenval-Montretout échoua le 19. Le 29 janvier 1871, le gouvernement signait la capitulation de Paris et l'armistice. La première Commune de Paris, institution encore fantomatique dont le rôle était de chasser les Prussiens, perdit sa raison d'être avant d'avoir existé : une première période s'achevait, sur une immense désillusion. Les souffrances du siège, l'enthousiasme patriotique (malgré le désordre qui l'accompagnait), le stoïcisme des gardes nationaux (même entaché d'amateurisme), la disette, les morts : tous ces sacrifices parurent inutiles, et la ville eut l'impression d'être livrée à l'ennemi par un gouvernement que soutenait une France provinciale qui n'avait guère fait la guerre. Paris se sentit trahi une seconde fois et abandonné.

Paris révolutionnaire

Sous la pression de Bismarck, qui voulait traiter avec un pouvoir stable et légitime, des élections législatives furent organisées à la hâte, en France, le 8 février 1871. Paris envoya à Bordeaux des députés républicains et patriotes. Tous les membres du précédent gouvernement de la Défense nationale, pourtant anciens députés de Paris, furent battus, sauf Jules Favre. Mais, sur un total de 750 représentants, la province élut 450 députés monarchistes qui voulurent signer rapidement la paix. Les congrégations religieuses avaient joué un rôle capital dans leur succès. Pour Paris, plus qu'un camouflet, c'était le vieux cauchemar de 1815 qui semblait recommencer. On a souvent rapproché la Commune des émeutes de juin 1848, de 1830 ou de la révolution de 1793, mais on a sans doute négligé le traumatisme de Waterloo.

1. *In* J. Rougerie, 1971, p. 66 *sq.*

Une fois encore, un empire s'effondrait sur un champ de bataille, les armées étrangères assiégeaient la capitale, la province signait, précipitamment semblait-il, la paix et ramenait au pouvoir la monarchie, les aristocrates et les prêtres. Contre ce retour à un passé tyrannique, Paris se souleva et organisa de nouveau une Commune, pourvue d'une mission toute différente de la première qui avait à peine vu le jour. Il s'agissait non plus de combattre le Prussien, mais de refuser le roi et le prêtre et, du coup, de s'opposer à la province. Dès le début de février, la garde nationale se fédéra. Le 15 février, dans la salle du Vauxhall, rue de la Douane, ses bataillons fédérés élurent un comité provisoire qui décida que Paris garderait ses armes et ses canons, que la guerre continuerait « à outrance », et qui demanda la mise en accusation du gouvernement de la Défense nationale : des revendications patriotiques peu réalistes qui marquaient la transition entre les deux phases de la Commune. L'Assemblée de Bordeaux attisait le conflit : les députés de Paris furent accueillis par des sifflets et des insultes. Un député rural s'écria en les montrant : « Ils sont couverts du sang de la guerre civile. » A un élu de Paris qui criait : « Vive la République », un provincial riposta : « Vous n'êtes qu'une fraction du pays »[1]. Victor Hugo, élu député, et qui défendait Paris, fut violemment insulté ; il démissionna peu après, sur la question de la paix. En réponse à ces démonstrations haineuses des campagnes, les représentants des bataillons fédérés votèrent le 3 mars au Vauxhall, par acclamations unanimes, que, « dans le cas où le siège du gouvernement viendrait à être transporté ailleurs qu'à Paris, la ville de Paris devrait se constituer immédiatement en république indépendante », motion révélatrice de l'ampleur du fossé qui commençait à séparer la capitale du reste du pays. Le 24 février, l'assemblée du Vauxhall élut un comité central des Bataillons fédérés de la garde nationale (à ne pas confondre avec l'ancien comité central des Vingt Arrondissements) qui forma un second pouvoir parisien, en concurrence, et bientôt en conflit, avec les maires des arrondissements. Le comité, à vrai dire, ne représentait qu'une partie de la ville : les arrondissements bourgeois (Ier, IIe, VIIe, VIIIe, IXe et XVIe : presque toute la moitié ouest) n'envoyè-

1. P.-O. Lissagaray, 1969, p. 94.

rent pas de représentant au Vauxhall. Un peu plus de la moitié des compagnies seulement élurent le comité (1 325 sur 2 575). Celui-ci représentait quelques arrondissements ouvriers à tendance révolutionnaire (XIIIe, XIXe, XXe), mais surtout des bataillons de petits patrons, de petits commerçants, d'employés : il était plus populaire que prolétaire. Le 10 mars, l'Assemblée de Bordeaux décida, par 427 voix, de « décapitaliser » Paris et de s'installer avec le gouvernement, définitivement, à Fontainebleau ou à Bourges. (Souvenir de l'équipée de Charles VII ? Cette époque de révolutions semble avoir eu les yeux fixés sur le passé.) Thiers obtint que la nouvelle capitale fût Versailles, autre rappel historique du temps où la Cour se méfiait de la Ville. Aveugle ou provocatrice, l'Assemblée décida que les dettes commerciales échues entre le 13 août et le 13 novembre 1870 seraient désormais exigibles. Les petits commerçants, après cinq mois de siège, devaient commencer à payer, à partir du 13 mars 1871, les billets signés le 13 août précédent ; c'était en pousser des centaines à la faillite, d'autant que, les banques étant fermées, il leur était impossible d'escompter leurs créances. Pour faire bonne mesure, l'Assemblée leva le moratoire sur les loyers : les propriétaires pouvaient réclamer les loyers en retard. L'Assemblée poussait Paris au désespoir. Thiers, inquiet, décida de désarmer la capitale. Au point de conflit où en étaient venus l'Assemblée et Paris, la mesure était sans doute indispensable, mais dangereuse, d'autant que la fibre patriotique était encore toute vibrante chez les Parisiens et que les canons qu'il s'agissait de leur prendre leur appartenaient : ils les avaient achetés par souscriptions.

L'insurrection parisienne du 18 mars 1871, qui marqua le véritable début de la Commune, fut une réaction spontanée et désordonnée à une entreprise mal conçue. Paris laissa d'abord faire, au petit matin, les troupes qui venaient emporter les bouches à feu (il y en avait 400, dont 200 à Montmartre : une artillerie formidable), puis, se réveillant, se jeta sur les attelages, fraternisa avec la troupe et rapporta les pièces. Les premières barricades apparurent à Montmartre et au faubourg Saint-Antoine à partir de 10 heures du matin. Thiers replia les troupes qui lui restaient sur le quai d'Orsay puis, décision étonnante, fit évacuer toutes les casernes qu'Haussmann avait installées soigneusement aux points stratégiques, et quitta finalement Paris vers 4 heures de l'après-midi. Plus surprenant encore, il donna l'ordre, en chemin, d'évacuer même le mont Valérien, forteresse principale que rien ne menaçait, que les Prussiens n'avaient pu prendre et qui était la clef de la défense de Paris. Le comité central semble avoir été aussi surpris que Thiers : il se trouvait projeté, sans plan, dans la guerre civile. Paris était divisé. Des comités insurrectionnels apparurent dans les quartiers « rouges » (la Villette, Belleville, les XIIIe, XIVe et XVe arrondissements), mais les beaux quartiers (Ier, IIe, XVIe) restaient fidèles à l'« ordre ». Le 20 mars, les maires s'opposèrent au comité central, qui décida alors des élections pour le 26. Les Parisiens votèrent librement, mais ils ne furent que 287 000 à le faire. Les délégués élus ce jour-là se constituèrent officiellement en Commune de Paris, la seule assemblée qui ait véritablement mérité ce nom.

Paris était-il isolé en France ? Pas tout à fait, mais presque. Les grandes villes de province attendirent quatre jours avant de bouger. Plusieurs tentèrent de mettre sur pied des communes, mais avec tant de mollesse que celles-ci furent balayées aisément en quelques jours. Celle de Lyon ne dura que deux jours (22-24 mars), celle de Saint-Étienne, un peu plus solide, du 24 au 28. Les communes de Limoges et de Marseille, proclamées toutes deux le 23 mars, disparurent le 4 et le 5 avril. La commune de Narbonne dura une semaine (24-31 mars), celle de Toulouse du 22 au 27. Les historiens favorables à la Commune de Paris ont insisté sur ces quelques rébellions pour essayer de montrer que la classe ouvrière entière s'était soulevée. On est plutôt frappé par la faiblesse de ces mouvements sporadiques, et surtout par leur apparition dans des villes et non dans les grands bassins industriels. Dix jours après son soulèvement, Paris était à peu près seul, ce qui confirme le caractère typiquement parisien de la Commune [1].

Deux pouvoirs coexistèrent dès le début : celui du comité central, qui ne s'était pas dissous après les élections, et continuait à prendre des décisions ; et la Commune, issue du scrutin et déchirée, en plus des querelles de personnes, entre une

1. Cf. J. Gaillard, 1982.

majorité radicale et une minorité plus proche de l'Internationale et plus modérée. On proposa le 28 avril la création d'un
comité de Salut Public dont le nom formidable ne répondait
pas au caractère hésitant de ses membres, mais qui eut des
attributions larges et vagues. Trois pouvoirs décidèrent donc
à Paris, sans compter les comités de quartier et les chefs de
bataillon, qui n'en faisaient souvent qu'à leur tête. Une sortie
mal préparée des communards vers Versailles se termina le
3 avril par un échec complet. Le 16 mai, l'Assemblée de
Versailles refusa de proclamer la République. Le 21 mai, les
troupes versaillaises pénétrèrent dans Paris par la porte de
Saint-Cloud, peu ou pas gardée : une semaine atroce de
guerre de rue et de massacres, du 21 au 28 mai, rétablit
l'ordre dans la capitale. L'armée de Thiers manœuvra principalement le long de la Seine et surtout par l'extérieur, le long
des remparts, surprenant des portes mal gardées et tournant
souvent les barricades des communards. Ceux-ci résistèrent
surtout dans les quartiers les plus populaires, à Montmartre, à
Ménilmontant, mieux encore à Belleville. Les communards
tuèrent un millier de soldats versaillais pendant le combat et
environ une centaine d'otages, soit 1 100 morts de leur fait.
Les Versaillais avouèrent le massacre de plus de 17 000 personnes, hommes, femmes et enfants – bien davantage si l'on
suit les divers témoignages. Rougerie avance prudemment
un chiffre double, soit près de 35 000 morts. L'armée fit
43 500 prisonniers ; il fallut quatre ans pour les juger. Une
centaine furent encore exécutés, 4 500 déportés en Nouvelle-
Calédonie. Certains communards purent s'enfuir à l'étranger.
Paris perdit en une semaine près de 100 000 habitants, et une
si vaste proportion de ses ouvriers en bâtiment, ouvriers du
bois, du fer, travailleurs de l'habillement, etc., que la main-
d'œuvre qualifiée manqua pendant plusieurs années et que
l'économie parisienne s'en ressentit. Comme après la révo-
cation de l'édit de Nantes, les exilés portèrent à l'étranger,
surtout en Angleterre, leur savoir-faire.

La ville aussi fut gravement mutilée. La Commune ne
détruisit à peu près rien pendant les soixante-douze jours de
son règne, si ce n'est la colonne Vendôme (acte dont on rendit plus tard Courbet responsable, ce qui permit de saisir ses
biens et de le forcer à l'exil en Suisse, dans la misère). Mais
la Semaine sanglante fut l'occasion de nombreux incendies.

On ne croit plus aujourd'hui à la légende des « pétroleuses » :
ce fantasme étonnamment clair de la libido des bien-pensants rappelle que la Commune fut considérée par ses ennemis comme une période de bacchanales épouvantables,
d'orgies quotidiennes, et qu'ils la condamnèrent principalement d'un point de vue moral. Il y eut probablement des
incendiaires, soit pour interdire une rue, soit par désespoir,
peut-être pour le pillage. Il est certain que les projectiles de
l'artillerie des deux camps allumèrent aussi beaucoup d'incendies. Quelles qu'en aient été les causes, le feu détruisit de
grands monuments (les Tuileries, symbole de l'absolutisme ;
l'Hôtel de Ville, symbole de la liberté municipale ; la Cour
des comptes, etc.) et les archives qu'ils renfermaient : des
tonnes de documents disparurent. La Troisième République
refusa de reconstruire l'aile des Tuileries, symbole des monarchies successives. La conséquence, bien qu'imprévue, en
fut immense : en formant désormais un U gigantesque ouvert
vers l'ouest, le Louvre fut tourné vers les Champs-Élysées et
conduisit irrésistiblement au prolongement de cette avenue
qui forme aujourd'hui le principal axe de croissance de
l'agglomération.

La nature de la Commune

Quels enseignements peut-on tirer de la révolution
communarde ? Sa tragique histoire est trop émouvante pour
ne pas avoir excité les passions : on a souvent essayé de la
faire entrer dans des schémas politiques préconçus qui la
déforment. La Commune fut d'abord une lutte de classes : la
plupart des prisonniers interrogés par la commission parle-
mentaire étaient des ouvriers ou des artisans[1]. Mais au-delà
des aspects sociaux et politiques, qui ont été abondamment
traités, la crise de 1871 contient aussi des indications précieuses sur le rôle de Paris et sur sa place en France, trop
souvent négligées.
Jacques Rougerie donne des indications vivantes et précises que nous compléterons pour esquisser un tableau du

1. Cf. M. Delpit, *Dépositions des témoins*, 1872, t. II.

communard (ou « communeux », comme on disait aussi) :
populaire, ouvrier souvent, mais aussi artisan, petit commerçant ou petit patron, il est avant tout patriote et républicain.
Patriote, il n'accepte pas que la France soit vaincue ; bien
qu'antimilitariste, il aime les uniformes et les choses de la
guerre ; ennemi de Napoléon III, il aurait été un bon soldat
du Ier Empire. Il est républicain tout en se méfiant du suffrage universel, qui a donné tant de plébiscites favorables à
Badinguet. Dans cette méfiance envers le bulletin de vote,
Rougerie voit « quelque chose de cet orgueil de la Ville, ins-
truite, mûre, politique, face à la France des paysans illettrés,
incertains, incapables de la suivre [1] ». Son premier, son pire
ennemi, c'est le prêtre, le « marchand de religion » ; l'insurgé
de 1871 est un « déchristianisateur » [2]. Les femmes commu-
nardes savent encore mieux combien la religion les écrasent :
« Ne parlez pas de Dieu. Ce Croquemitaine ne nous effraie
plus. Il y a trop longtemps qu'il n'est qu'un prétexte à pillage
et assassinat […]. Nous biffons Dieu [3]. » Autres ennemis du
communard : le propriétaire (les travaux d'Haussmann
avaient renchéri les loyers) et l'accapareur, le commerçant
qui accumule les denrées pour les revendre plus cher. C'était
déjà le principal ennemi des sans-culottes, la cible de la
fameuse loi du Maximum due à Robespierre et la principale
victime de la Terreur. Par ce qu'il aime et par ce qu'il déteste,
le communard est plus proche du sans-culotte de l'an II que
du bolchevik de 1917. Ses convictions semblent parfois
influencées par les idées d'Hébert, l'un des maîtres de la
Commune de Paris en 1793, en particulier par son projet
d'établir une dictature populaire parisienne sur la France provinciale attardée [4].

La Commune fut, à Paris, un temps de libre parole : jamais,
depuis 1848, on n'avait autant refait le monde dans les multiples clubs qui avaient surgi dans tous les quartiers, surtout
les plus populaires. Des déclarations contradictoires et des
votes opposés, il serait malhonnête d'essayer d'extraire une

---

1. J. Rougerie, 1971, p. 218.
2. *Ibid.*, p. 224.
3. Journal féminin *La Montagne*, cité *in* J. Rougerie, 1971, p. 225.
4. Cette filiation, esquissée par H. Lefebvre (1965), mériterait d'être
vérifiée et approfondie. Il est certain que Raoul Rigault, procureur de la
Commune, était un hébertiste convaincu.

politique cohérente : la Commune n'en a jamais eu et n'a pas eu le temps, en une cinquantaine de jours, d'en élaborer une. Beaucoup ont insisté sur l'aspect social et même socialiste de la Commune : elle a essayé d'organiser le travail dans les grandes entreprises parisiennes, décrété un moratoire des loyers, contrôlé les conditions de travail des ouvriers boulangers, commencé une politique d'assistance aux plus démunis, aidé les associations ouvrières.

Mais, surtout, la Commune fut profondément parisienne. Elle semble avoir été d'abord l'occasion, pour les Parisiens pauvres chassés par les travaux d'Haussmann, de reconquérir leur ville. Reprenant une idée d'Henri Lefebvre[1], J. Rougerie écrit :

> [...] ceux des faubourgs, de la « ceinture rouge », ceux qu'Haussmann et l'Empire avaient chassés, les envoyant « camper » hors de la Ville, y refluaient maintenant en conquérants ; dévalant du nord, de Montmartre, de Belleville derrière Eudes, des Batignolles derrière Varlin ; et les rejoignant, ceux du sud, conduits par Duval ou Faltot, les « misérables » de la Glacière, de Montrouge ou de Grenelle. La Ville venait de reconquérir la Ville[2].

L'image est belle ; elle n'est sans doute qu'en partie exacte. Les travaux d'Haussmann ont d'abord refoulé les Parisiens les plus pauvres vers l'anneau qui séparait le mur des Fermiers-Généraux des fortifications, où la vie était moins chère. Mais l'annexion de 1860 constitua cet anneau en arrondissements parisiens (les treize derniers) et y introduisit des taxes plus élevées, et aussi l'octroi : les plus pauvres déménagèrent de nouveau hors de Paris, vers la banlieue. Que devinrent-ils quand les Prussiens mirent le siège devant Paris ? Vinrent-ils se réfugier à l'intérieur des fortifications ? Ou fuirent-ils plus loin, dans la campagne ? L'information manque. Le siège, en faisant de la banlieue une zone de guerre, chassa ses habitants et obscurcit les rapports entre banlieue et ville qui auraient pris tant d'importance au moment de la guerre civile. Ceux qui étaient restés sur les

1. H. Lefebvre, 1965.
2. J. Rougerie, 1971, p. 108.

buttes du nord-est (Belleville, Ménilmontant, Montmartre), et qui ont fait la Commune, n'étaient sans doute pas les Parisiens les plus pauvres.

La Commune est remarquable aussi par le mépris qu'elle vouait aux classes dirigeantes, les tenant pour injustes, incompétentes et profondément corrompues ; mépris égal pour les campagnes françaises, arriérées, chrétiennes et prêtes à applaudir tous les tyrans. Un membre du comité central déclarait aux maires, le 19 mars : « Quant à la France, nous ne prétendons pas lui dicter des lois – nous avons trop gémi sous les siennes –, mais nous ne voulons plus subir ses plébiscites ruraux [1]. » La création d'une Commune, d'une certaine façon, exprima la méfiance des Parisiens envers le reste du pays après la répression impériale, les désastres aux frontières et la capitulation honteuse, et, mieux encore, le désir de la capitale de reprendre en main le pouvoir municipal, confisqué par l'État depuis Thermidor [2]. La ville n'avait cessé de refuser le régime administratif hors du droit commun qui lui était imposé et de réclamer sa « liberté », c'est-à-dire son autonomie : « Jusqu'ici, nous n'étions qu'une foule, nous serons une cité [3]. » Les Chambres, représentant principalement la province, refusèrent pendant plusieurs années encore de revenir dans la capitale : en mars 1879, le Sénat s'y opposait de nouveau. Il fallut que la Chambre des députés passât outre et, dans une grande scène d'euphorie républicaine, votât l'amnistie des crimes de la Commune pour que le pouvoir législatif revînt s'installer cette année-là dans la capitale qu'il avait fuie neuf ans auparavant. Autre tendance fondamentale : le besoin de liberté. De liberté politique, qui explique l'attachement à la République ; de liberté morale aussi, qui justifie le dégoût de la religion et la création d'un enseignement laïc et obligatoire. Ces deux tendances convergèrent dans la revendication de Paris ville libre, mais elles précipitèrent la Commune contre deux forces terribles qui, jointes à la réaction sociale, l'écrasèrent : la Province des notables, la Religion des campagnes.

1. *Ibid.*, p. 116.
2. Sous Napoléon III, par exemple, Paris était administré par une commission municipale de 36 membres, tous nommés par l'empereur pour cinq ans, et présidée par un délégué du pouvoir exécutif.
3. *In* H. Lefebvre, 1965, p. 189.

Quelques questions pendantes

Malgré les nombreuses études qu'elle a suscitées, la Commune pose encore bien des questions. Relevons-en quelques-unes, encore mal élucidées : quel rôle ont joué les grands travaux d'Haussmann ? Ont-ils facilité l'écrasement de la Commune ? Pourquoi la répression fut-elle si sauvage ? Comment expliquer que Paris, à la fin du XIXe siècle, ait perdu aussi évidemment la direction politique de la France ?

La répression menée par les Versaillais a-t-elle été favorisée par les grands travaux d'Haussmann ? On a souvent écrit que ses grandes avenues avaient eu pour but principal de briser les révolutions, en permettant les salves d'artillerie et les charges de cavalerie : « une entaille là, une entaille plus loin, des entailles partout, Paris haché à coup de sabre, les veines ouvertes, nourrissant cent mille terrassiers et maçons, traversé par d'admirables voies stratégiques qui mettront les forts au cœur des vieux quartiers[1] » ; mais Thiers abandonna ces forts intérieurs sans coup férir. Haussmann lui-même avait utilisé cet argument à la Chambre en 1857 pour obtenir les crédits qu'il demandait :

> Il s'agit d'établir des voies qui assureront des communications larges, directes et multiples entre les principaux points de la capitale et les établissements militaires destinés à les protéger.

Et Walter Benjamin affirme :

> Le véritable but des travaux d'Haussmann, c'était de s'assurer contre l'éventualité d'une guerre civile. Il voulait rendre impossible à tout jamais la construction de barricades dans les rues de Paris [...]. Les contemporains ont baptisé son entreprise l'« embellissement stratégique »[2].

1. E. Zola, *La Curée, op. cit.*, p. 102.
2. W. Benjamin, *Das Passagenwerk*, t. I, Suhrkamp, 1982, p. 73 ; cf. la traduction française, W. Benjamin, 1989.

L'explication ne tient guère. Nombre d'avenues haussmanniennes avaient été projetées sous d'autres régimes et dans
des conditions différentes : la rue de Rivoli, par Napoléon Ier,
la rue La Fayette, sous Louis-Philippe ; les étoiles autour de
la Bastille, de la Nation et de l'actuelle place Denfert-Rochereau avaient déjà été esquissées par la Commission des
artistes de la Convention nationale. La Troisième République
n'a pas hésité à continuer et à terminer l'œuvre d'Haussmann. A moins d'imaginer un complot permanent de tous les
régimes contre la classe ouvrière, on ne peut retenir une telle
explication. Les combats furent des engagements d'infante-
rie, parfois au corps à corps, comme il est fréquent dans la
guerre urbaine, et des manœuvres de débordement à l'extérieur des fortifications. Rougerie a fait justement remarquer
que les communards construisirent leurs barricades aux
endroits mêmes où les insurgés de juin 1848 avaient élevé
les leurs : le réseau haussmannien ne changea rien. En
revanche, ces localisations montrent aussi que la séparation
de Paris en deux moitiés (l'une, riche, à l'ouest, l'autre,
pauvre, à l'est, au nord et au sud-est) s'était renforcée. Les
insurgés de 1848 avaient résisté principalement le long de
l'axe nord-sud : rue Saint-Denis-rue Saint-Jacques. Les communards se retranchèrent surtout au nord (Montmartre) et au
nord-est (Ménilmontant, Belleville). Les travaux d'Haussmann avaient largement vidé le cœur de Paris de sa population ouvrière. Ils n'ont pas pu empêcher la plus grave insurrection parisienne du siècle.

La sauvagerie de la répression étonne encore aujour-
d'hui. Les historiens les plus sévères y voient la marque
de la cruauté bourgeoise : une explication un peu courte.
Un tel massacre est néanmoins extraordinaire : peut-être
35 000 morts en six jours. Dans la mesure où l'on peut comparer des monceaux de victimes, rappelons que le Tribunal
révolutionnaire de Paris, dont la juridiction s'étendait sur
près d'un tiers du territoire national, pendant une année (été
1793-été 1794), en situation de guerre civile et de guerre
étrangère, sous la Terreur et la Grande Terreur, fit exécuter
un peu plus de 40 000 victimes. L'armée française, en huit
années de guerre d'Algérie, compta 35 000 morts. Faut-il
croire que la réglementation du travail de nuit des garçons
boulangers ou encore le moratoire des loyers avaient affolé à

ce point les possédants ? On devine des raisons plus profondes en lisant les récits des Versaillais. Que reprochaient-
ils aux communards ? Rarement d'avoir tenté des réformes
sociales, parfois de s'être insurgés, mais toujours d'être déracinés et moralement dégradés :

> Si nous voulons couper le mal dans sa racine, il faudra réfor-
> mer les mœurs et les conditions de la classe ouvrière, fixer
> les éléments nomades, apprendre la vie de famille à ceux qui
> l'ont oubliée... Somme toute, il faut que la France
> s'applique dès demain à instruire, à fixer, à enrichir par le
> travail et à moraliser les prolétaires des villes [1].

Et *Le Temps*, journal pourtant libéral, stigmatise « un prolétariat avide de jouissances en face d'une bourgeoisie avide
de repos [...] la France ne peut se relever que dans l'effort du
repentir commun ». L'immoralité est le principal reproche
adressé aux insurgés :

> Presque toutes les prévenues joignaient à l'ignorance la plus
> complète le manque de sens moral [...]. Toutes ou à peu près
> sont perdues de mœurs, même les femmes mariées [...] la
> paresse, l'envie, la soif de jouissances inconnues et ardem-
> ment désirées [sic] contribuèrent à les aveugler et elles se
> jetèrent à corps perdu dans le mouvement révolutionnaire [2].

Les hommes étaient nécessairement des ivrognes, les
femmes, des prostituées : ensemble, ils commirent tous les
péchés capitaux et violèrent la loi divine. Pour une bonne
partie des Versaillais, il ne s'agissait pas seulement de réprimer une rébellion, mais de confier à l'armée une croisade
chrétienne contre des athées. Le communard, refusant Dieu,
était plus coupable qu'un révolutionnaire : il commettait un
sacrilège, péché qu'une loi fameuse, naguère, avait puni de
mort [3]. Après avoir triomphé de la Commune marseillaise,
les troupes d'Espivent défilèrent en criant : « Vive Jésus, vive
le Sacré-Cœur ! » Prononçant l'oraison funèbre du père Cap-
tier, tué par les communards, le père Perraud s'écriait :

1. About, dans *Le Soir* du 31 mai 1871.
2. Le capitaine Briot, jugeant les femmes arrêtées.
3. La loi contre le sacrilège, votée au début du règne de Charles X (mars
1825), punissait de mort la profanation publique d'une hostie consacrée.

Il [le père Captier] déclarait en 1867 : « Les Barbares ne sont pas à nos portes, ils sont plus près encore ; ils sont dans nos cités mêmes, et l'heure des justices de la Providence pourrait se lever sur nous. » Il avait dit vrai : les Barbares étaient dans nos cités, ourdissant silencieusement la plus formidable des conspirations contre l'ordre politique, religieux et social.

Les Barbares ! Plus barbares que ces Huns, que ces Vandales, que ces pirates du Nord, que ces Sarrasins qui avaient ravagé notre vieille Gaule et notre France du Moyen Age…

Les Barbares ! Les vrais Barbares sont venus, faisant la guerre à Dieu et aux hommes, et aux hommes à cause de Dieu, et aux choses elles-mêmes, aux pierres, aux monuments, aux œuvres de la pensée et à celles de l'art, à cause de Dieu et des hommes.

Ils sont venus, foulant tout aux pieds, tout droit, toute garantie, toute faiblesse, tout souvenir, toute reconnaissance [1]…

Le Consistoire israélite ne demeura pas en reste et écrivit à l'archevêché :

Faisons des vœux ensemble pour que tout ce sang innocent [des victimes des communards], versé par de si coupables mains, puisse devenir la rançon de notre infortunée patrie et la semence d'où sortira notre régénération morale [2].

L'irréligion, particulièrement dangereuse dans les grandes villes, et plus encore à Paris, fut considérée comme la cause principale de la catastrophe [3] :

Comment un économiste, un politique même incroyant ne comprennent-ils point que, tant que dans les grandes villes, surtout à Paris, l'homme du peuple ne trouvera point dans la foi, la pratique religieuse et les immortels dédommagements de la vie future un principe de moralité, de force et de consolation en présence de l'inégalité des fortunes et des positions sociales, des jouissances et de l'oisiveté des heureux du siècle, des épreuves et des souffrances imprévues qui l'attei-

1. *La Semaine religieuse*, 3 juillet 1871, n° 913, p. 62-63.
2. *Ibid.*, p. 71.
3. Cf. le *Rapport officiel…* rédigé par Martial Delpit en 1871.

gnent trop souvent lui-même, il ne saurait y avoir ni sécurité ni repos[1] ?

Certes, l'écrasement des ouvriers parisiens, en juin 1848, avait été atroce, alors que les insurgés ne s'étaient pas attaqués à la religion. L'horreur plus grande encore de la Semaine sanglante conduit cependant à se demander si la coloration morale de la répression ne la rendit pas plus meurtrière que ne l'eût été la seule reconquête d'une ville rebelle. Les mobiles ruraux se conduisirent comme des croisés : « Jamais les Prussiens n'auraient osé traiter Paris comme les ruraux[2]. » Afin d'expier le blasphème que constituait ce soulèvement, l'Église termina la croisade en construisant une basilique qu'elle choisit d'installer à Montmartre, l'un des hauts lieux de la Commune, comme pour en recouvrir et en effacer le souvenir. Pierre Citron a montré comment toute une littérature, après 1830, avait condamné Paris, ville de perdition et « Babylone moderne »[3]. Certains virent dans la guerre civile le juste effet de ces malédictions accumulées pendant tout le XIXe siècle :

> Paris dans les flammes allumées par ses « idées » et par les mains de ses fils. Dernier mot de la Commune, elle-même dernier mot de la Révolution ! Une folie incomparable dans l'histoire, un crime inouï ! Ni Babylone, ni ses filles, ni la vieille Sodome et la vieille Gomorrhe n'ont ainsi péri de leurs propres mains. Pluie de feu, pluie de soufre, averses de feu liquide, trombes de fer brûlant… Depuis de longues années, depuis quarante ans et plus, à notre connaissance, un esprit de prophétie courait dans le monde chrétien. Des centaines d'oracles annonçaient à la France d'immenses catastrophes […] [tous] s'accordaient en une circonstance : PARIS SERA BRÛLÉ[4].

La révolte communarde fut ainsi, même après son écrasement, considérée comme une honte nationale qui devait être

1. Abbé Lamazou, vicaire de la Madeleine, dans *Le Correspondant*, 10 juillet 1871.
2. H. Lefebvre, 1965, p. 223.
3. P. Citron, 1961.
4. L. Veuillot, 1871, vol. 2, p. 389-391.

expiée par toute la nation : la basilique fut déclarée « œuvre d'utilité publique » en juillet 1873, ce qui permit d'exproprier les terrains nécessaires. Encore que les victimes des Versaillais aient été des gens du petit peuple, certains ont cherché une autre explication de cette sauvagerie dans une sorte d'aigreur envieuse de la province obscurantiste envers la grande ville moderne :

> Pour expliquer un tel acharnement [de la répression], la politique ne suffit pas. Il faut y joindre la haine des obscurs contre la lumière, la rancœur des provinciaux contre le parisianisme (factice ou décadent peut-être, mais trop brillant à leur goût), le ressentiment de la périphérie contre le centre, ressentiment dont le mouvement révolutionnaire décentralisateur n'a pu réussir à s'emparer. Il faut y joindre enfin la fureur de l'ordre moral contre l'immoralité (prétendue) de Paris et de la lâcheté contre le courage [1].

Les provinciaux attirés par les grands travaux d'Haussmann jouèrent un rôle capital dans la Commune. Des 36 309 personnes qui comparurent devant les conseils de guerre après l'écrasement de l'insurrection, 8 841 seulement étaient nées dans le département de la Seine, soit moins d'un quart [2]. Le recensement de 1872 dénombra à Paris un total de 1 986 972 personnes, dont 642 718 Parisiens et 1 344 254 provinciaux ou étrangers – soit plus des deux tiers. Les contemporains s'en étonnèrent. Maxime Du Camp, grand pourfendeur de la Commune, vit dans la rébellion l'œuvre de déracinés sans foi ni loi qui auraient entraîné malgré eux les Parisiens :

> Le Parisien ne se mêle qu'avec une extrême réserve à des commotions qui sont contraires à ses mœurs, à ses habitudes et à ses intérêts [...]. Dans les Révolutions, [...] le vrai Parisien succombe sous la masse provinciale dont il est environné.

---

1. H. Lefebvre, 1965, p. 223-224.
2. Général Appert, « Rapport d'ensemble sur les opérations de la justice militaire relatives à l'insurrection de 1871 ».

Et plus loin : « [Le Parisien] est un être assez éteint, d'imagination modérée, actif à la petite industrie où il excelle, se souciant fort peu de la forme du gouvernement, pourvu que l'ordre soit maintenu [...] », ce qu'il tempérait en assurant que « [si le Parisien ne fait pas les révolutions], il aide à les préparer, car il est naturellement frondeur ; par tempérament, par sottise, par niaise manie de paraître esprit fort, il se moque de tout, des autres et de lui-même, de la République et de la Royauté, de la Philosophie et du Bon Dieu »[1]. On retrouve ici la peur du « Barbare » envahissant Paris et y apportant sa violence, thème apparu dès le début du XIXᵉ siècle, à la suite des grandes migrations vers la capitale qui avaient tant impressionné les contemporains, quand Paris était devenu l'Eldorado des provinciaux français :

> L'Angleterre va aux Indes, l'Allemagne part pour l'Amérique, la Russie défriche ses immenses territoires, l'Italie envoie ses colons vers Montevideo et le Mexique ; la France émigre à Paris[2].

Il reste à expliquer pourquoi Paris perdit la direction de la France dans la seconde moitié du XIXᵉ siècle, au moment où la capitale n'avait jamais été aussi florissante. Depuis le milieu du XVIᵉ, Paris avait fait et défait les régimes. Aucun mouvement politique important ne réussit qui n'était pas appuyé sur Paris. La Révolution, surtout, fut, du début à la fin, une affaire parisienne. En 1830, encore, la capitale menait le jeu et la France applaudit le changement de dynastie. La cassure apparut nettement entre février et juin 1848 : la France refusa d'entériner la chute de la royauté.

> 1793, 1830, 1848 : trois fois l'insurrection parisienne avait imposé sa loi à la France. Mais la dernière fois, les désordres de la capitale provoquent une réaction presque immédiate. Deux mois après les journées de février, « la haine contre Paris était générale en province » (P. Gaxotte). Une assemblée monarchiste est élue fin avril[3].

1. M. Du Camp, 1871, p. 343 et 345-346.
2. *Ibid.*, p. 347.
3. J.-F. Gravier, 1972, p. 33.

Le suffrage universel, établi en 1792 pour l'élection de la Convention, mais appliqué très imparfaitement dans une nation en plein bouleversement, fut réellement mis en œuvre en 1848 : Paris, malgré sa croissance démographique rapide, perdit du coup sa prééminence. Les campagnes électorales de 1848-1850 manifestèrent l'affaiblissement de la capitale : les candidats tentèrent surtout de séduire les campagnes. Le Prince-Président gagna les paysans et les notables de province en leur assurant qu'il saurait réprimer les révoltes parisiennes : Louis-Napoléon fut élu en grande partie contre Paris. L'impuissance de la Commune à soulever le reste de la France puis son écrasement par des troupes de ruraux marquèrent la fin de cette domination. Paris, jusqu'à nos jours, n'est plus parvenu à décider seul du destin de l'État.

Cette impuissance politique nouvelle est d'autant plus remarquable qu'elle apparut pendant la seconde moitié du XIXᵉ siècle, au moment où la capitale connaissait un essor inouï, où toutes les nouvelles voies de transport convergeaient vers elle, où son poids dans l'économie devenait prédominant, où elle rassemblait une part croissante de la population. En 1789, Paris contenait 2 % de la population française, 2,8 % en 1848, 5,3 % en 1870, et même près de 7 % à cette date, si l'on compte aussi la banlieue (figure 8, p. 124). La domination économique et financière de la capitale avait grandi encore plus vite : à la chute du Second Empire, Paris représentait plus de 15 % des activités nationales et de la richesse du pays. La capitale, en devenant une grande métropole mondiale, n'aurait-elle pas acquis des ambitions plus larges, des idées plus audacieuses, des besoins nouveaux en lesquels la province française ne se reconnaissait plus ? La croissance brutale commencée dès la Révolution, accélérée sous la monarchie de Juillet et devenue plus vigoureuse encore sous le Second Empire, avec la naissance du grand commerce, du grand capital et de la grande industrie, fit peut-être franchir un seuil à Paris, qui sembla acquérir alors une stature nouvelle et jouer deux rôles différents : d'une part, tête du système urbain français, et donc représentant des intérêts et des tendances politiques et morales des autres villes françaises, mais, d'autre part, métropole mondiale, en concurrence avec Londres, Vienne et New York, ouverte aux idées

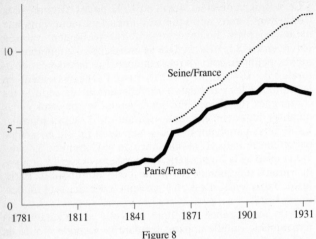

Figure 8
Taille relative des populations (pour 100)

venues du monde entier et sensible à des influences qui
n'étaient plus exclusivement françaises :

> Nous ne nions pas qu'il n'existe (à l'heure qu'il est) dans
> Paris plus d'amour et plus de goût qu'ailleurs pour la Répu-
> blique, mais il y a dans Paris moins de France qu'on ne croit.
> Paris forme une nation à part, et ne s'estime pas tant la capi-
> tale de la France que la capitale du monde. La France n'est
> que son faubourg, son jardin et sa ferme [1].

A partir du milieu du XIXe siècle, la fonction de grande
métropole mondiale semble être entrée en conflit avec celle
de capitale nationale : les intérêts de Paris, d'une part, des
villes et de la province française, d'autre part, avaient commencé à se séparer. La Commune fut peut-être le symptôme
le plus atroce de cette divergence qui semble s'être accentuée
jusqu'à notre époque [2]. Louis Veuillot en percevait déjà les
effets, en 1870, et appelait de ses vœux une restauration de la

---

1. L. Veuillot, 1871, vol. 1, p. 108 (6 septembre 1870).
2. Cf. R. Tombs, 1981.

France provinciale qui n'était pas sans annoncer déjà, avec un siècle d'avance, le pamphlet de Jean-François Gravier[1] :

> Dans la réalité, la France, depuis 1789, a été expulsée de ses propres affaires par cette impertinence et cette centralisation de 89 qui ont renfermé toute la France dans Paris. Le résultat le plus clair de la centralisation a été de détruire l'union. Elle a fait l'unification aux dépens de l'unité [...]. Dans les hauteurs de l'administration politique, civile, militaire, rien n'était local. Tout était envoyé de Paris, tout était rappelé par Paris ; tout, y compris le gouvernement et les opinions, était de la fabrique de Paris [...]. On s'est lassé. Il est survenu enfin, notamment à partir de 1830, trop d'Esquiros de tous les habits et de toutes les couleurs. [...] C'est la France qu'il faut restaurer et rétablir dans son droit sur la religion, la famille et la propriété. *Hic opus*[2] !

Paris, ville modèle ?

Alors que Paris commençait, après l'Année terrible, à panser ses plaies, malgré les destructions à réparer et le double poids de la dette laissée par Haussmann et d'une lourde indemnité de guerre, l'économie mondiale ralentit brutalement à partir de 1872-1873. Les économistes ont étudié de près cette crise dans laquelle ils voient le signe que la révolution industrielle avait triomphé dans quatre pays (Grande-Bretagne, France, États-Unis et Allemagne) et que le reste du monde ne pourrait plus se soustraire à l'influence de ces quatre nations privilégiées : l'âge de l'« impérialisme » commençait[3]. La crise dura une vingtaine d'années, avec un affaissement de la production particulièrement notable vers 1884. Un nouveau cycle commença en 1895-1896, amenant une vingtaine d'années de prospérité interrompues brutalement par la guerre.

1. J.-F. Gravier, 1972.
2. L. Veuillot, 1871, vol. 1, p. 328-329.
3. Cf. J.-P. Rioux, *La Révolution industrielle, 1780-1880*, Paris, Éd. du Seuil, 1971, p. 143 *sq.*

Paris pendant la crise (1872-1895)

La crise économique affecta profondément l'industrialisation de Paris. Commencée avant 1830, elle avait progressé
comme une vague qui culmina en 1872 puis reflua à la fin
du siècle[1]. Entre 1872 et 1895, 139 grands établissements
industriels fermèrent leurs portes : presque la moitié des disparitions ; c'était la première fois depuis 1836 que l'on
observait pareille hémorragie. Le quart des grandes entreprises qui existaient à Paris à la chute de Napoléon III avait
disparu en 1900. Les activités traditionnelles furent les plus
touchées : le textile, l'ameublement, la métallurgie et les arts
graphiques, les quatre secteurs qui constituaient, depuis
soixante ans, les principales industries parisiennes, fourni-
rent les deux tiers des disparitions. Les entreprises les plus
menacées étaient de taille moyenne : de 100 à 200 ouvriers.
Ce furent souvent des établissements connus, même célèbres,
qui ne surent pas s'adapter à des conditions nouvelles :
Gibus, le fameux fabricant de « chapeaux mécaniques » de
la place des Victoires, qui depuis 1830 avait couvert bien des
têtes célèbres, sinon couronnées, et dont la marque était
devenue un nom commun, dut fermer ses portes.

La longue dépression de la fin du XIXe siècle explique
en partie ce déclin de l'industrie, mais des facteurs propres à
la capitale ont aussi joué un rôle considérable. L'accroissement de la population augmenta la densité, et enchérit les
loyers : garder une usine à Paris devint un luxe. Les travaux
d'Haussmann jouèrent deux rôles différents, tout deux défavorables : pendant ces longs travaux qui durèrent près de
trente ans, de nombreuses entreprises, gênées par les démolitions, les transports embouteillés, les déménagements de
leurs fournisseurs et de leurs clients, furent poussées au
départ. Les travaux terminés, les nouvelles constructions
haussmanniennes, en augmentant la valeur du capital immobilier, contribuèrent davantage encore au déménagement
d'usines qui ne pouvaient plus payer des loyers accrus.
Jusqu'en 1872, les entreprises qui déménageaient conser-

1. Cf. l'excellente étude collective dirigée par M. Daumas, 1977.

vaient à Paris des entrepôts pour leurs activités commerciales. Sous la Troisième République, elles quittèrent complètement la capitale. Le rôle important des prix fonciers apparaît bien dans la dissymétrie des départs. Ce fut la rive droite, qu'Haussmann avait le plus modernisée, qui perdit ses usines : entre 1872 et 1900, la moitié des grands établissements installés dans les vieux quartiers de la rive droite disparurent. La rive gauche, moins touchée, et où les prix avaient moins monté, garda des entreprises plus grandes. L'imprimerie fut la seule activité qui s'accrut dans le centre de la capitale. Jusqu'à la chute de l'Empire, le nord-est de Paris s'était beaucoup industrialisé autour des gares du Nord et de l'Est, et autour des bassins de la Villette et du canal Saint-Martin. En même temps, le vieux faubourg Saint-Antoine conservait la moitié de la production de meubles parisienne. Ces activités avaient entraîné un fort accroissement démographique. La crise toucha d'autant plus durement ces quartiers populaires que ses effets furent aggravés par les progrès techniques : l'amélioration des voies d'eau et la construction de gares de marchandises en banlieue accrurent les déménagements d'entreprises. Les grosses industries quittèrent les quartiers du nord-est. Les arrondissements de l'ouest (VIIe et VIIIe), qui n'avaient jamais été très industriels, perdirent leur petit nombre d'établissements. Seuls, les quartiers du sud (la Salpêtrière, Montparnasse), encore périphériques, reçurent des industries venues du centre-ville. Alors que la monarchie de Juillet et le Second Empire avaient vu le triomphe des chemins de fer, les débuts de la Troisième République correspondirent à un essor nouveau des voies d'eau : agrandies, améliorées, elles redevinrent compétitives et attirèrent de nouveau les usines. Trois pôles industriels se développèrent ainsi sur le bord de l'eau à la fin du XIXe siècle : dans le XVIIIe arrondissement, les abords de la Villette et du canal Saint-Denis (21 entreprises) ; au sud-est, dans les quartiers de Charonne et de Picpus (18 établissements autour de la gare de Charonne et sur les quais) ; au sud-ouest, dans le XVe (29 entreprises autour des ports de Grenelle et de Javel). En 1900, la moitié des combustibles et des matières premières lourdes consommées à Paris arrivaient par voie d'eau.

La crise profita à la banlieue et lui permit non seulement

de grandir, mais de conquérir son autonomie[1]. Jusqu'en 1872, l'industrie parisienne avait été principalement installée dans les vingt arrondissements : elle glissa vers les communes périphériques à la fin du siècle. Le nombre des entreprises parisiennes diminua de 76 000 en 1872 à 60 000 en 1896, mais il augmenta en banlieue de 11 000 à 13 000. Paris conserva les branches traditionnelles (textile : 18 000 ouvriers ; habillement : 45 000) et gagna les activités nouvelles qui utilisaient des techniques de pointe et employaient une main-d'œuvre particulièrement qualifiée (constructions électriques et mécaniques avec l'apparition de l'automobile et de l'aéronautique) : quatre sur cinq s'installèrent dans la capitale. En banlieue, se développèrent les grandes entreprises et les activités insalubres : production de gaz, raffinage du pétrole (qui débutait), métallurgie et chimie. Les transports furent améliorés par la construction d'une voie ferrée de rocade : une ligne de Petite Ceinture avait été construite pour relier les gares de la rive droite, de 1851 à 1867. Devenue insuffisante, elle fut doublée, entre 1878 et 1883, par la ligne de Grande Ceinture qui fit le tour de Paris en reliant les communes de la banlieue et leurs industries. Envahie par les établissements industriels, la périphérie connut alors un accroissement démographique qui s'accéléra à la fin du siècle (figure 8) : il fallut, à partir de 1890, multiplier les lignes de transport en commun pour mieux relier au centre cette banlieue en plein essor et aussi en pleine extension. Comme la densité augmentait en même temps à Paris, la capitale déménagea en banlieue un grand nombre d'équipements publics qui vinrent encombrer, sans profit pour elles, les communes périphériques : asiles, hospices, gares de triage et de marchandises, cimetières, hippodromes, aérodromes même à la veille de la guerre[2]. La crise contribua ainsi, en joignant ses effets à ceux des travaux d'Haussmann, à réaliser en partie le rêve du Second Empire : chasser de Paris l'industrie et ses masses ouvrières dangereuses, et ne laisser dans la capitale que des services, des commerces et des banques.

On dispose heureusement de données détaillées sur les

---

1. Cf. surtout M. Daumas *et al.*, 1977 ; J. Bastié, 1965 ; ainsi que A. Faure *et al.*, 1991.
2. J. Bastié, 1965.

quatre-vingts quartiers de Paris, données relevées lors du recensement de 1886 et qui permettent de dresser un tableau assez précis des groupes sociaux dans la capitale une génération après les grandes démolitions d'Haussmann.

Certains groupes sont extrêmement concentrés : les « domestiques » (figure 9, p. 130) se trouvent principalement dans le VIIIᵉ arrondissement (de part et d'autre des Champs-Élysées, jusqu'à la Madeleine, au quartier de l'Europe et à la butte Chaillot) et dans le noble faubourg (Saint-Thomas-d'Aquin, Saint-Germain, la Monnaie) : l'ancienne division entre faubourg Saint-Honoré et faubourg Saint-Germain, entre banquiers orléanistes et aristocratie légitimiste subsiste encore, un demi-siècle plus tard. On ne saurait s'en étonner : Haussmann avait ouvert des percées, démoli les taudis, mais soigneusement épargné le faubourg Saint-Germain comme le Marais, et construit surtout au nord-ouest, pour les classes aisées, sans déplacer les classes dirigeantes, celles qui rassemblent l'armée des gens de maison.

Les groupes les plus riches étaient restés tout à fait stables. Les « patrons [1] » (figure 10, p. 131) demeuraient aussi dans le noble faubourg, mais un peu plus à l'ouest, à Saint-Thomas-d'Aquin, aux Invalides et à l'École-Militaire : la vieille aristocratie avait su prendre la tête de bien des entreprises industrielles. Les patrons s'étendaient aussi en croissant au sud du Quartier latin, par Notre-Dame-des-Champs et l'Odéon, vers le Val-de-Grâce. Ils occupaient le faubourg Saint-Honoré, mais débordaient un peu vers le nord, de la place Vendôme au quartier Saint-Georges, de la rue Vivienne (la Bourse) et du Palais-Royal jusqu'au Roule et même à la plaine Monceau. Des petits patrons vivaient de la porte Saint-Denis aux Halles, mais toujours à l'ouest du boulevard Sébastopol. En somme, les deux faubourgs, légitimiste et orléaniste, subsistaient, avec des extensions qui suivaient les directions indiquées par Haussmann. On saisit les glissements sociaux dans leur mouvement. Les noyaux occupaient encore les vieux quartiers du centre, mais des antennes étaient déjà poussées vers la périphérie occidentale : les

---

1. Ils forment un groupe très hétérogène : le mot désigne, dans les recensements, un non-salarié de l'artisanat, du commerce ou de l'industrie, et groupe ainsi des conditions sociales tout à fait différentes.

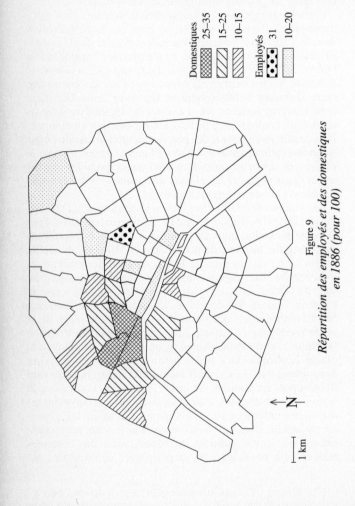

Figure 9
*Répartition des employés et des domestiques
en 1886 (pour 100)*

Domestiques
- 25–35
- 15–25
- 10–15

Employés
- 31
- 10–20

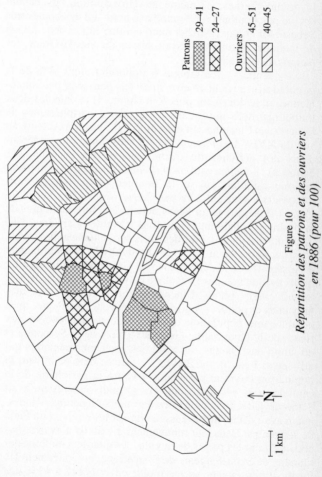

Figure 10
*Répartition des patrons et des ouvriers
en 1886 (pour 100)*

Patrons
29–41
24–27

Ouvriers
45–51
40–45

N

1 km

patrons, vers le nord-ouest par la plaine Monceau, vers le sud-ouest, dans le quartier d'Auteuil, où des nouveaux venus faisaient figure de précurseurs. L'ouest n'était pas encore entièrement conquis par les plus riches : de la Muette jusqu'aux Ternes, et même au Gros-Caillou, ils étaient encore peu nombreux. Le grand axe nord-sud des boulevards Sébastopol et Saint-Michel marquait une limite nette à l'est de laquelle, hormis un noyau autour du Val-de-Grâce, les patrons ne figuraient guère.

Les « rentiers », ce groupe si important alors (4 % de la population), avaient mieux suivi les poussées haussmanniennes et se logeaient plus loin (figure 11) : dans les deux faubourgs, mais aussi dans les quartiers périphériques de l'ouest (des Épinettes, au nord du XVIIe, jusqu'à Auteuil, au sud du XVIe). Les rentiers étaient sans doute plus indépendants des activités du centre (sièges des sociétés, des banques…) que les patrons et ils montraient plus clairement la voie qu'allait suivre la bourgeoisie parisienne. Les « ouvriers » vivaient à la périphérie (figure 10), surtout à l'est (à Belleville et au Père-Lachaise, ils formaient plus de la moitié des habitants), au nord (Grandes Carrières, Clignancourt) et au sud, près des ports sur la Seine et des industries qui leur étaient liées : le sud du XIIIe, derrière la gare d'Austerlitz, et le XVe (Javel et Grenelle). Cela signifie qu'ils avaient non pas l'avantage de vivre près de leur lieu de travail, mais plutôt l'inconvénient d'habiter des rues bruyantes et polluées, où les loyers étaient bas. Petite, mais notable, une population ouvrière s'accrochait encore aux flancs de la butte Sainte-Geneviève, près de la Sorbonne et du jardin des Plantes : un reste des anciennes tanneries qui utilisaient l'eau de la Bièvre. A part ce dernier noyau, la population ouvrière parisienne vivait à la périphérie de la capitale, hors des douze anciens arrondissements qu'avait entourés jadis l'enceinte des Fermiers-Généraux. Haussmann avait décidément réussi à chasser les ouvriers du Paris de son temps. Dans leur mouvement d'exil, ils n'avaient pas encore atteint les portes de la ville : les quartiers du Pont-de-Flandre, de Saint-Fargeau, de l'Amérique, qui longeaient les fortifications, étaient encore moins ouvriers (41 à 43 % des habitants) que les quartiers plus proches du centre de Paris : Belleville, Combat et Père-Lachaise (49 à 51 %). Très denses

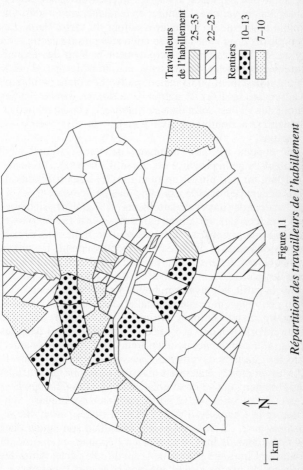

Figure 11
*Répartition des travailleurs de l'habillement
et des rentiers en 1886 (pour 100)*

Travailleurs
de l'habillement

25-35
22-25

Rentiers

10-13
7-10

1 km

autour de Belleville, les ouvriers formaient encore en 1886 la majorité des habitants qui occupaient les collines où s'était achevée l'aventure de la Commune. En quinze ans, ils s'étaient peu déplacés, mais des masses ouvrières importantes étaient venues s'installer en banlieue, créant ainsi une double couronne de prolétaires autour du vieux Paris. Les « employés », au contraire, étaient restés près du centre (voir figure 9). Ils vivaient principalement le long des Grands Boulevards (portes Saint-Denis et Saint-Martin), dans le Xe arrondissement où ils étaient particulièrement nombreux, et aussi dans les Ier et IIe, autour de la Bourse, dans le Sentier, autour des Halles, enfin dans le Marais. Ils étaient remarquablement peu nombreux rive gauche : la dissymétrie est frappante.

Où étaient nés ces habitants de Paris (figure 12) ? Venaient-ils de la province ou étaient-ils de vrais Parisiens ? En 1886, un peu plus d'un tiers (35,7 %) des habitants de Paris étaient nés dans la capitale ; plus de la moitié (56,3 %) provenaient des autres départements ; 8 % étaient originaires de l'étranger. Les véritables Parisiens étaient les ouvriers et vivaient à la périphérie, surtout autour de Belleville, dans le Petit-Montrouge et dans le XVe arrondissement. Un noyau particulièrement dense (66,5 % nés à Paris) demeurait encore dans le quartier de l'Hôtel de Ville, l'ancien plateau des Arcis, la partie la plus misérable du vieux Paris. Les provinciaux, en revanche, étaient installés dans le centre : dans le faubourg Saint-Germain surtout (l'aristocratie terrienne vivait à Paris pendant la « saison », mais se retirait dans ses terres, à la campagne, pendant tout l'été) ; dans le Marais ; dans les quartiers ouverts par Haussmann (Europe) ; dans le Xe : les employés étaient en majorité d'origine provinciale. Les étrangers, qui se rassemblaient autour des Champs-Élysées et de la colline de Chaillot, ou bien entre la place Vendôme et la Chaussée-d'Antin, étaient riches : le mythe du *rastaquouère*, du Sud-Américain gaspillant son argent dans les restaurants de luxe, triomphait à l'époque, à l'opposé du mythe de l'immigré pauvre de la fin du XXe siècle. Ainsi, les Parisiens de souche avaient été repoussés vers la périphérie : l'accent faubourien (on ne disait pas, à juste titre, « banlieusard ») était, en réalité, le véritable accent de Paris ; les provinciaux étaient installés dans le cœur de la ville : Hauss-

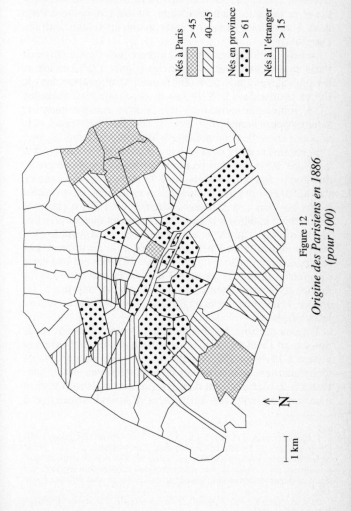

Figure 12
Origine des Parisiens en 1886
(pour 100)

Nés à Paris
>45
40-45

Nés en province
>61

Nés à l'étranger
>15

N

1 km

mann avait renversé toutes les situations. Chassés de leur
ville, les ouvriers pouvaient concevoir de l'amertume envers
les provinciaux qui avaient pris leur place, et plus encore
envers les étrangers qui dépensaient facilement : la xénopho-
bie et sa variante, l'antisémitisme, étaient puissantes à Paris
dans les milieux ouvriers, juste avant qu'éclatât l'affaire
Dreyfus.

Le prix des locations en 1880 montre bien la séparation de
Paris en plusieurs parties distinctes (figure 13)[1]. Les loyers
les plus élevés (plus de 1 000 francs) se trouvaient dans le
IXe et surtout dans le VIIIe, où ils dépassaient en moyenne
2 000 francs par trimestre – une somme énorme quand le
salaire moyen annuel d'un ouvrier était de 1 300 francs et la
dépense annuelle d'un ménage bourgeois à peine aisé, avec
cinq enfants et deux domestiques, d'environ 14 000 francs[2].
Le vieux Paris des sept premiers arrondissements proposait
des loyers égaux ou supérieurs à la moyenne (485 francs).
Les logements des périphéries sud et est étaient, en revanche,
à très bas prix : la couronne annexée en 1860 n'était pas
encore bien intégrée à la capitale, cependant que les prix très
élevés du VIIIe, du IXe et même du XVIe montraient le glissement du centre de Paris vers l'ouest et le nord-ouest. Les
loyers des entreprises (figure 14, p. 138) forment une carte
différente : le plus frappant est la dissymétrie entre la rive
droite, active et coûteuse, et la rive gauche, déprimée : ici
encore, Haussmann avait aggravé les dissymétries au lieu de
les atténuer.

T. Loua a utilisé les registres des Pompes funèbres pour
dresser, en fonction du luxe des obsèques, un tableau de la
misère à Paris en 1880 (figure 15, p. 139). En dehors des
vieux quartiers aristocratiques de Saint-Germain et de Saint-
Honoré, les riches vivent dans les quartiers construits sous la
monarchie de Juillet (les VIIIe, IXe et X[e] arrondissements) et à

1. Cf. l'article de T. Loua, 1868 ; et aussi l'ouvrage de C. Grison, 1957.
On se méfiera de l'étude célèbre de Paul Leroy-Beaulieu, *Essai sur la
répartition des richesses* (1883), qui utilise les loyers pour déduire, sans
précaution, les revenus, et dont les estimations fragiles sont reprises bien
légèrement par A. de Foville, *Journal de la Société de statistique de Paris*,
1893.
2. V. de Saint-Genis, *Journal de la Société de statistique de Paris*,
juillet 1895, p. 240.

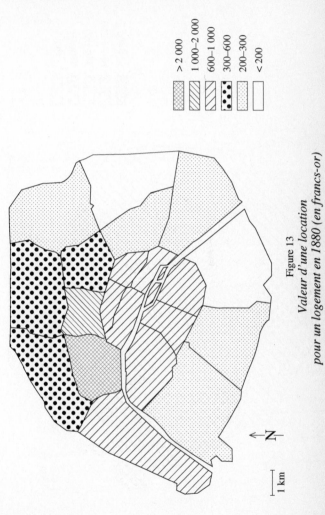

Figure 13
*Valeur d'une location
pour un logement en 1880 (en francs-or)*

> 2 000
1 000–2 000
600–1 000
300–600
200–300
< 200

N

1 km

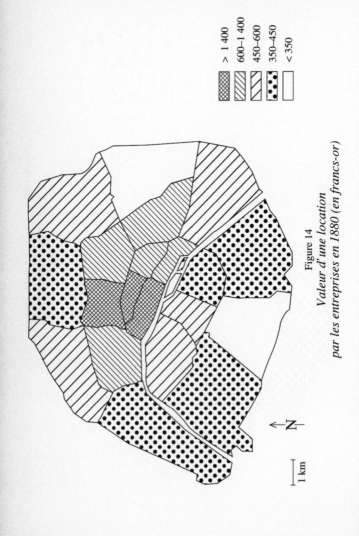

Figure 14
Valeur d'une location
par les entreprises en 1880 (en francs-or)

> 1 400
600–1 400
450–600
350–450
< 350

1 km

N

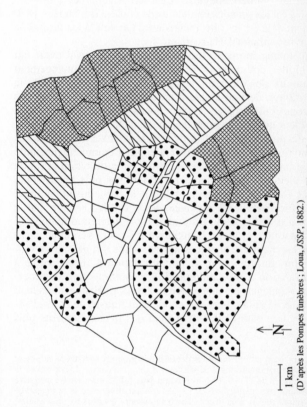

Pauvres

>7
4-7
2-4
<2

(D'après les Pompes funèbres ; Loua, JSSP, 1882.)   Figure 15

Nombre de pauvres pour un riche en 1880

l'ouest et au sud-ouest : la géographie sociale de Paris était alors bien déterminée et n'a guère changé depuis un siècle.

L'épidémie meurtrière de grippe qui frappa Paris en 1890 permet de dresser une carte de l'insalubrité et de la misère dans la capitale (figure 16). La violence de l'épidémie est clairement fonction du niveau social des quartiers[1] : elle a surtout frappé les anciens quartiers pauvres du centre (quartier Saint-Merri sur le plateau des Arcis, et pente sud-est de la colline Sainte-Geneviève : quartiers Maubert et Saint-Victor), là où les grandes épidémies de choléra des années 1830 avaient déjà été les plus meurtrières. On voit là les limites de l'œuvre sanitaire d'Haussmann.

Au même moment, le style architectural qu'il avait fait triompher commençait à se scléroser. L'ordonnancement rigoureux des éléments architecturaux, la hiérarchie de la décoration, de l'ensemble d'un quartier jusqu'au détail des balcons et des fenêtres, cette cohérence qui avait constitué la grandeur de l'architecture haussmannienne et assuré son succès devait conduire, à la longue, à la sclérose du style et à la monotonie des façades. Loyer souligne l'étonnante pérennité des principes et des modes de production du bâti à la fin du XIXe siècle : l'haussmannisme connut ses plus beaux jours après 1870. Alphand resta préfet de la Seine jusqu'en 1892. L'uniformisation fut aggravée, dès la fin de l'Empire, par le rôle croissant joué par les grandes sociétés immobilières qui se constituèrent alors. L'initiative fut peu à peu concentrée dans les mains de quelques investisseurs : on passait du propriétaire au promoteur, de la construction d'un immeuble à l'édification d'îlots entiers, d'une « architecture commerçante » tapageuse à une « architecture capitaliste » cherchant l'efficacité et la rentabilité, produisant l'austérité et l'uniformité[2]. Les bâtiments réclamèrent des investissements plus

---

1. Les corrélations entre les décès et les groupes sociaux le montrent bien : corrélations fortes et négatives avec le pourcentage de *patrons* et de *rentiers* (− 0,54 et − 0,50) ; corrélation plus faible mais encore négative avec celui des *employés* (− 0,15) ; et très positive avec le pourcentage d'*ouvriers* (0,55). Les décès dans les quartiers les plus touchés (Saint-Merri : 4,4‰ ; parc Montsouris : 4,3 ; Plaisance : 4,3 ; jardin des Plantes : 4,2 ; Sorbonne : 4,2) sont trois fois plus fréquents que dans les beaux quartiers (Palais-Royal : 1,6 ; le Roule : 1,7 ; Chaussée-d'Antin : 1,8).

2. F. Loyer, 1987, p. 353.

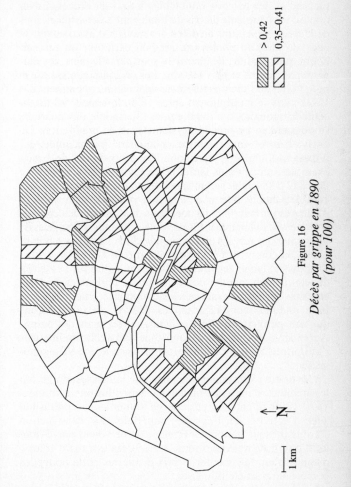

Figure 16
Décès par grippe en 1890
(pour 100)

> 0,42

0,35–0,41

←N

1 km

lourds : ils devinrent plus grands, plus vastes, bordés de murs massifs. La ségrégation sociale croissante correspondait à des immeubles plus homogènes, avec la même hauteur de plafond et des balcons semblables à tous les étages. Loyer oppose les bâtiments du bas du boulevard Saint-Michel, près de la Seine, construits au début des travaux d'Haussmann, et ceux du haut du boulevard, près du carrefour du Luxembourg, plus tardifs ; les premiers sont plus élégants, les derniers plus lourds et plus massifs. Les critiques adressées à la monotonie de l'architecture haussmannienne apparurent dès 1860, mais se multiplièrent après 1870, lorsque l'ordonnancement rigoureux qui avait assuré l'harmonie des quartiers se dégrada en un procédé systématique de production. On essaya bien de varier le style, en ajoutant, par exemple, des rotondes d'angle (le carrefour Vavin en donne de beaux exemples, un peu plus tardifs). Les règlements d'urbanisme de 1882-1884 relâchèrent quelque peu les contraintes : les combles durent être contenus non plus dans un angle à 45 degrés partant de la façade, mais dans un arc de cercle de 6 mètres de diamètre. Il fut possible d'ajouter un étage et de lui donner des formes plus baroques. Sous l'influence britannique, on commença à adopter, à partie de 1885, des « bow-windows », larges fenêtres qui faisaient saillie sur la façade, développement naturel des balcons. Le règlement de 1893 entérina ces protubérances : les architectes purent dès lors faire onduler leurs façades, les décorer de mille façons qui leur permettaient de les distinguer les unes des autres. Après 1890, la ville haussmannienne, qui avait sombré dans l'uniformité et la grisaille, laissa la place à la « Ville pittoresque »[1].

L'évolution vers un nouveau baroque intéresse aujourd'hui les architectes, mais elle ne doit pas faire illusion : les années 1870-1890 furent une période de somnolence contrastant avec l'activité de l'époque impériale. La construction s'arrêta presque partout en France : on ne voyait plus l'intérêt d'ouvrir de nouvelles rues. A Paris, les travaux d'Haussmann avaient fait monter le prix des terres et de nouvelles percées auraient été ruineuses.

La figure 17 montre la montée des loyers et celle, plus

1. *Ibid.*

rapide, du prix des maisons[1] : l'investissement foncier
devenait de moins en moins rentable. L'enchérissement,
beaucoup plus brutal encore, des terrains nus explique l'augmentation du coût de la construction. Les Chambres républi-
caines, bien plus respectueuses de la propriété privée que ne
l'avait été le gouvernement impérial, n'osaient plus exproprier, tandis que l'insuffisance des moyens de transport (le
métro ne fut ouvert qu'en 1900 et n'atteignait pas la banlieue) maintenait une grande différence de prix entre Paris et
sa périphérie. Surtout, la crise mondiale, qui dura vingt ans,
l'établissement difficile de la République, proclamée furtivement en 1874 (amendement Wallon) et véritablement éta-
blie en 1879 (démission de Mac-Mahon et mort du prince
impérial), le poids de la dette municipale, tout conseillait à
la municipalité une extrême prudence. La Ville se contenta
de terminer quelques grands projets (comme l'avenue de
l'Opéra, achevée en 1878, à temps pour l'Exposition) et de

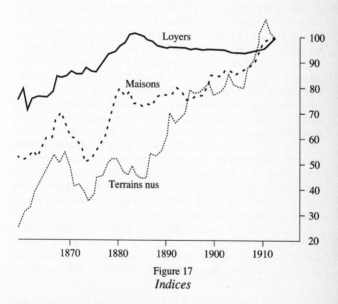

Figure 17
Indices

1. *Source :* F. Marnata, 1961.

laisser les entrepreneurs finir de border les percées haussmanniennes de grands immeubles. La politique urbaine en
France et particulièrement à Paris entra en sommeil à la fin
du XIXe siècle.

Aux causes indiquées ci-dessus, il faut certainement ajouter l'évolution démographique, qui joua, comme toujours, un
rôle fondamental[1]. La population augmentait très lentement
et demeurait principalement rurale : de 36 millions en 1872 à
39,5 millions en 1911, soit 10 % d'accroissement seulement
en quarante années ; 44 % de ces Français vivaient dans des
villes, à la veille de la Grande Guerre, quand 60 % de la
population allemande était déjà urbaine. La combinaison de
deux phénomènes différents, croissance démographique et
migration vers les villes, opposait dangereusement les deux
pays. En quarante années (1872-1911), la population urbaine
avait augmenté en France de 6,25 millions de personnes, en
Allemagne de 24 millions. L'opinion française, cependant,
se désolait de l'« exode rural ».

Paris était encore la ville française qui grandissait le plus
rapidement, mais cette croissance restait faible et était due
entièrement aux migrations (figure 18). La capitale s'accrut
de 66 % en quarante ans (1872-1914) : moins qu'en quinze
ans, entre 1851 et 1866. Il en résulta d'abord une faible pression foncière. Alors que les villes allemandes, Berlin en particulier, se modernisaient rapidement et que la vivacité des
problèmes sociaux posés dans les villes amenait un patronat
intelligent à accepter des lois sociales avancées, Paris et,
a fortiori, les autres villes françaises se contentaient d'expé-
dier les affaires courantes. La lutte contre l'habitat insalubre
(et particulièrement contre la tuberculose, beaucoup plus
meurtrière qu'à Londres ou à Berlin), l'aménagement et la
desserte des banlieues, l'amélioration des transports, toutes
ces questions que posait avec tant d'acuité Paris à la fin du
siècle furent tout simplement escamotées.

Cause et, plus encore, effet de l'abandon où sombrait la
capitale, l'opposition entre Paris et le reste de la France
s'aggrava à la fin du XIXe siècle. Depuis deux siècles, il manquait en France un réseau de métropoles régionales capables

1. Cf. F. Carrière et Ph. Pinchemel, 1963 ; et aussi l'excellent A. Sutcliffe, 1970.

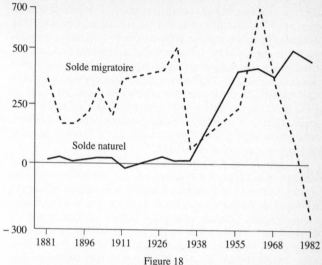

Figure 18
Population d'Ile-de-France (en milliers)

de promouvoir des politiques urbaines autonomes et d'accompagner Paris dans la voie des réformes. Seule en Europe, l'Angleterre offrait l'exemple d'une ville-capitale aussi gigantesque, mais la révolution industrielle précoce y avait tôt vidé les campagnes et créé un ensemble de grandes villes (Manchester, Liverpool, Birmingham...) capables de peser sur les votes du Parlement. En France, les villes de province étaient restées médiocres et les campagnes pléthoriques : ce furent elles qui influencèrent le plus fortement la politique française. Paris était seul : aucune autre ville, sauf peut-être Lyon, n'était capable de jouer un rôle considérable. Jusqu'à la Seconde Guerre mondiale au moins, la Chambre des députés fut une assemblée principalement rurale. Le Sénat, « grand conseil des communes de France », était encore plus favorable aux campagnes et encore plus mal élu : les paysans y furent toujours fortement surreprésentés. Les gouvernements de la Troisième République furent fragiles, entièrement dans les mains d'une Chambre qui les abattait au gré des ambitions d'un Clemenceau ou d'un Poincaré. Le prési-

dent de la République, sans grand pouvoir depuis la démission de Mac-Mahon, était élu par les deux Chambres en
congrès. Dans ce régime de notables provinciaux, tous les
pouvoirs étaient ainsi dans les mains d'hommes élus indirectement. Les députés paysans, grâce à un découpage habile
des circonscriptions électorales, représentaient trois ou quatre
fois moins d'électeurs que les députés des grandes villes, et
Paris était encore moins bien représenté que Lyon ou Marseille. Enfin, la population française était, dans sa majorité,
rurale : autant dire que le gouvernement ne se souciait guère
de Paris et, surtout, s'en méfiait.

La capitale fut ainsi amenée à s'opposer de plus en plus
nettement à l'État. La faiblesse des gouvernements, leurs
chutes répétées contribuèrent à renforcer le rôle du Sénat, qui
triompha de Jules Ferry en 1884. Comprenant la leçon, celui-
ci, qui briguait l'Élysée, changea d'attitude et céda davantage
de pouvoir à l'Assemblée rurale, sans réussir, il est vrai, à la
séduire. On avait souvent réclamé la révision de la Constitu-
tion, ensemble de lois fragmentaires votées de façon peu
cohérente par une Chambre royaliste. En 1885, il n'y avait
plus que les députés parisiens pour demander avec insistance
une révision profonde : ils réclamaient, comme on pouvait s'y
attendre, la suppression du Sénat et aussi de la présidence. Le
général Boulanger, en nourrissant le mythe de la « Révision »
constitutionnelle, agrandit encore le fossé qui séparait Paris
de la province. Le boulangisme, de 1885 à son effondrement,
en 1889, fut porté par la crise économique : la banqueroute de
l'Union générale (1882) avait inquiété le patronat ; la concurrence des Nouveaux Mondes (États-Unis, Inde, Russie, Aus-
tralie, Argentine) menaçait la France rurale. Surtout, les
Opportunistes au pouvoir laissèrent se réunir contre eux deux
forces différentes, naguère violemment opposées : la foi chrétienne, qui soudait les monarchistes et effaçait momentané-
ment leurs dissensions, et la passion patriotique, qui animait
également l'extrême droite et le peuple de Paris. Ces alliances
étranges manifestaient la douloureuse contradiction qui
déchirait la gauche : patriotique depuis la Révolution, mais
républicaine passionnée. Dix-huit ans après la Commune,
républicaine et patriote, de quel côté allait basculer le peuple
de Paris : vers les Opportunistes républicains ou vers les
monarchistes patriotes ? Il s'engagea en majorité au côté du

brave général et des monarchistes, mais, à la différence de ces
derniers, il le soutint jusqu'à la fin. Aux élections législatives
de 1889, les quartiers les plus populaires (le Ve arrondissement, Montmartre…) votèrent avec de fortes majorités pour
Boulanger, s'attirant des critiques amères d'Engels :

> Paris a, au moins provisoirement, abdiqué son titre de ville
> révolutionnaire […], abdiqué en pleine paix, dix-huit ans
> après la Commune et à la veille d'une révolution probable
> […], les ouvriers parisiens se sont, dans leur majorité, com-
> portés d'une façon tout simplement lamentable [1].

Boulanger obtint peu de voix dans les quartiers qui étaient
conservateurs depuis longtemps (la Chaussée-d'Antin, Saint-
Thomas-d'Aquin) ou bien solidement républicains (les Halles,
la Bastille, Charonne : le vieux « faubourg Antoine »). Mais,
dans le reste de la capitale, il gagna partout plus de 20 % des
suffrages : Paris fut jusqu'au bout son plus ferme soutien [2].
La banlieue tout entière lui apporta plus de 35 % de ses voix.
Le programme contradictoire de Boulanger, conservateur et
réformiste, populiste mais financé par des monarchistes
comme la duchesse d'Uzès, profita un moment des méfaits
de la crise économique, du chômage et de la déception
provoquée par le conservatisme social des Opportunistes [3].
Peut-être peut-on aussi deviner, derrière les grandes forces
qui soulevèrent le Paris populaire en sa faveur, une amertume
particulière aux Parisiens, une sorte de désespoir de la capitale, sa haine et son dégoût pour ces gouvernements de provinciaux qui la négligeaient ou la traitaient en ennemie :
c'est le moment où la querelle du métro bat son plein. A
Paris, le boulangisme posa en termes politiques le vieux problème des rapports de la capitale avec la province.

On manque, pour la dernière décennie du XIXe siècle, d'une
étude sur l'image de Paris aussi fine et aussi fouillée que
celle de Pierre Citron [4]. Certaines pièces de théâtre montrent

1. Lettre à Lafargue du 4 février 1888, citée *in* F. Engels, P. et
L. Lafargue, *Correspondance*, Paris, Éditions sociales, 1957, t. II, *1887-
1890*.
2. Cf. L. Giard, 1966-1968.
3. Cf. M. Winock, 1986.
4. P. Citron, 1961 ; le texte de S. Max, 1966, lui est malheureusement
très inférieur.

bien, de façon caricaturale mais d'autant plus significative, le prestige de Paris en province ; c'est le cas de l'un des plus célèbres vaudevilles de la fin du XIXe : *La Dame de chez Maxim*, de Georges Feydeau [1]. Le succès fut énorme, la critique enthousiaste, preuve que les images présentées correspondaient à celles que le public se faisait de la vie parisienne et de la province :

> Le succès de la pièce fut tel que, d'abord parisien, il devint rapidement provincial, bientôt européen, puis mondial. Dépassant l'histoire du théâtre, il s'intégra à l'histoire tout court ou plutôt à l'histoire des civilisations. *La Dame* devint un symbole multiple, celui non de la France à proprement parler, mais de Paris – avec la tour Eiffel – et surtout celui de cette « vie parisienne » tout entière vouée au plaisir, objet des fantasmes de tant de provinciaux et d'étrangers, mythe déjà vivace sous le Second Empire et qu'avait illustré l'opéra-bouffe de Meilhac, Halévy et Offenbach [2].

Au deuxième acte, Feydeau décrit, avec une drôlerie irrésistible, le snobisme de provinciales prêtes à tout accepter d'une cocotte vulgaire et charmante, la Môme Crevette, qu'elles prennent pour une grande dame, afin de se conformer à ce qu'elles croient être les coutumes parisiennes. Elles n'ont pas tout à fait tort car la Môme représente, par sa vulgarité faubourienne, un Paris populaire dont on a vu qu'il était plus authentique que celui des grands bourgeois, et, par sa condition de femme entretenue, la vérité d'un Paris fêtard dont rêvaient leurs maris. Si bien que ce qui fait rire, ce n'est pas tant l'image de Paris donnée par la Môme, qui est ressemblante, mais le contraste entre la vérité de cette image et la fausseté de celle que s'en font les bourgeoises et les aristocrates de Touraine. La société parisienne était admirée sans limites bien qu'elle fût fort mal connue, ou peut-être parce qu'elle était mal connue : ces bourgeoises bien-pensantes aux vies étriquées auraient-elles tant admiré la capitale si

1. G. Feydeau, *Théâtre complet*, Paris, Bordas, « Classiques Garnier », 1989, t. II. La pièce, créée en janvier 1899, a probablement été écrite en 1896, retouchée et complétée en 1898.
2. Henry Gidel, introduisant la pièce dans le tome II de l'édition Garnier, p. 710.

elles avaient su clairement comment on y vivait ? La mécon-
naissance fonde le mythe : Paris perdit une partie de son
prestige quand la presse et, mieux encore, la télévision firent
connaître partout la mode et les mœurs parisiennes. Le prestige de la Parisienne était alors immense, mais il servait principalement à établir une hiérarchie entre les femmes de province. Dans ce petit cercle tourangeau, une Mme Vidauban
joue avec autorité le rôle d'arbitre des élégances que lui
donne son titre de « Parisienne » : née à Versailles, elle passe
chaque année une semaine dans la capitale, comme d'autres
vont chaque année *ad limina*, afin de reprendre des forces au
seuil de la vérité. L'arrivée d'une véritable Parisienne lui ôte
son pouvoir et satisfait la jalousie de ses amies : « Elle crève
de dépit [...] : elle qui faisait autorité ici pour la mode et le
ton, la voilà supplantée par une plus parisienne qu'elle. » Le
mythe de Paris agit ainsi de diverses façons : comme une
autorité lointaine et presque religieuse à laquelle il faut, pour
tout ce qui concerne la culture, obéir aveuglément, même
quand la Môme s'exprime avec la pire vulgarité (« Avec ton
prestige de simili Parisienne, ce qui eût choqué chez une
autre a paru du dernier genre », lui explique son amant ras-
suré) ; comme un modèle méconnu et d'autant plus admiré ;
comme une manière de se distinguer de ses semblables,
et donc comme une source de pouvoir (Mme Vidauban :
« Quand je pense que je suis seule à porter le drapeau du
parisianisme ») ; enfin, comme un instrument de ségrégation
entre les groupes sociaux (les paysannes tourangelles n'ont
que faire de l'exemple de la Parisienne), et surtout entre les
sexes : si les femmes de province suivent aveuglément
l'exemple de la Môme, les officiers de la garnison, qui l'ont
fréquentée dans quelque restaurant parisien, comprennent
très vite qui elle est. Les provinciales de la pièce reconnais-
sent le prestige de la capitale non point seulement pour
suivre ses édits, mais plus encore pour établir leur pouvoir
sur leurs amies. Cette remarque fine de Feydeau exprime
sans doute une grande vérité : il est probable que le « parisianisme » a plus souvent aidé les provinciaux que les Parisiens à s'imposer dans un cercle d'amis. L'influence de Paris
était aussi grande dans les domaines de la mode et de la culture qu'elle était faible dans celui de la politique. L'opposition entre la capitale et la province que décrit Feydeau était-

elle le fait de toutes les grandes capitales? Il ne le semble
pas, car la taille de la ville ne suffit pas. Il y faut un ingré-
dient supplémentaire : la concentration des pouvoirs dans les
mains d'une administration très centralisée, mais émanant de
la province. L'exemple de Londres, l'autre grande capitale,
qui n'a pas eu à s'opposer au gouvernement britannique dans
un pays plus décentralisé, le montre amplement.

L'autre capitale : Londres

A la fin du XIXe siècle, Paris avait évolué fort différemment
des grandes villes anglo-saxonnes. En Grande-Bretagne
comme aux États-Unis, les soulèvements sociaux, nombreux
et souvent violents, s'étaient produits plutôt dans les bassins
miniers et les villes industrielles. La croissance de Londres
n'avait guère entraîné de conflits épuisants ou parfois sanglants avec le pouvoir central. Sa structure sociale même
était l'inverse de celle de la capitale française : les riches
avaient déjà quitté Londres pour la banlieue, laissant le vieux
centre aux travailleurs pauvres, alors que les grands bourgeois et les aristocrates français s'installaient au cœur de
Paris. Haussmann n'est-il pas réputé cependant pour avoir
suivi de près l'exemple britannique? Les rapports entre les
deux plus grandes capitales du monde à la fin du XIXe siècle
ont été assez peu étudiés [1]. La transformation profonde qu'a
connue Paris n'a pu avoir lieu sans référence à un ou plusieurs modèles que l'on voulait imiter ou dont on essayait de
se distinguer. L'« autre capitale » désigne ici ce modèle fascinant et inquiétant, source d'inspiration et concurrente dangereuse, qui, de multiples façons, a influencé la modernisation
de Paris. Dans la seconde moitié du XIXe, l'« autre ville » fut
incontestablement Londres, mais l'exemple de la capitale
britannique joua un rôle ambigu.
   Capitale d'un royaume insulaire qui n'avait jamais été
envahi depuis le XIe siècle, Londres ne fut pas fortifiée. La
ville ne fut jamais enserrée dans ces ceintures de murailles
qui forcèrent, au long de l'histoire, les Parisiens à s'entasser
dans un petit espace : dès le moyen âge, Londres était une

1. Cf. l'excellent ouvrage de D. J. Olsen, 1986.

ville peu dense. Le grand incendie de 1666 détruisit complètement cette ville de bois et offrit aux reconstructeurs une « table rase » comme Paris n'en a jamais connu. L'essor du capitalisme anglais dès la fin des guerres napoléoniennes et sa victoire finale sur la France entraînèrent une transformation considérable de la ville au début du XIXe : sous le Prince-Régent (1811-1825), Londres, profondément transformée, était devenue la ville la plus moderne du monde. Comme l'aristocratie investissait plutôt dans ses châteaux, la capitale comptait peu de ces bâtiments magnifiques dont les rois et les empereurs couvrirent Paris, mais elle gagna des équipements publics encore uniques au monde : rues pavées, éclairage public, réseau d'égouts développé, eau courante à peu près partout. Bien qu'en 1832 le choléra eût été beaucoup moins meurtrier à Londres qu'à Paris, le gouvernement anglais, à la différence de celui de Louis-Philippe, agit et entreprit une profonde réforme sanitaire qui améliora encore l'équipement public londonien. Le First Reform Bill (1832) força les municipalités à économiser et à se soucier du bien public. Londres préféra ainsi des améliorations (allonger le réseau d'égouts, améliorer les transports et détruire des zones insalubres) aux projets somptueux, au moment où Thiers construisait les fortifications : les deux capitales suivaient en 1840 deux voies presque opposées. Le capitalisme immobilier se développa à Londres après 1850 en multipliant la construction spéculative de logements dans la banlieue. Le prix des terres y était tombé, après un sommet en 1825, à des niveaux fort bas. Le plus remarquable est que ces prix fonciers restèrent faibles jusqu'en 1939. Dans la banlieue, la terre ne représenta, pendant presque un siècle, que 10 % du coût d'une maison. L'abondance de terres à bon marché, conséquence de la qualité des transports, encouragea l'extension urbaine à faible densité. Olsen montre que le bas prix des logements rendait plus dangereux l'investissement dans de grands bâtiments construits autour d'une place, qu'il fallait terminer avant de les mettre sur le marché. Les investisseurs préféraient naturellement construire des pavillons ou de petits bâtiments distincts que l'on pouvait vendre au fur et à mesure. Ainsi se forma ce paysage typique de la banlieue londonienne, et des autres grandes villes britanniques, ces kilomètres ou plutôt ces *miles* de maisons individuelles mais toutes semblables, étirées dans un paysage uniforme. De là vient sans doute cette habitude britannique de peindre ces maisons standardisées de couleurs vives, peut-être pour que les travailleurs, rentrant le soir dans le brouillard, après le pub, puissent les reconnaître. Comme les prix fonciers étaient à peu près les mêmes pour des usages différents du sol (résidences ouvrières ou bourgeoises, industries), aucune force ne poussa la banlieue à s'organiser en noyaux résidentiels ou industriels, à constituer un tissu urbain différencié. En revanche, le bas prix du sol et la construction en série permettaient d'offrir en abondance des logements à bon marché. Dès le milieu du XIXe siècle, la classe ouvrière londonienne disposait de plus d'espace que la petite bourgeoisie parisienne et jouissait de bien meilleures conditions sanitaires. On a vu combien Haussmann, au contraire, s'était désintéressé du logement ouvrier. Il ne suivit nullement l'exemple britannique, d'autant moins qu'il avait aussi négligé la clef de cette politique foncière, à savoir l'établissement d'un excellent réseau de transport atteignant jusqu'aux limites de la banlieue afin d'assurer à celle-ci une bonne accessibilité, gage de prix fonciers peu élevés.

Donald Olsen rappelle que deux institutions dominèrent le XIXe siècle : la Nation et la Famille. Les Anglais privilégièrent la vie de famille ; les Londoniens n'imaginaient pas que l'on pût vivre ailleurs que dans des maisons individuelles. Le logement en appartements, si typique de Paris, choquait et attirait en même temps les journaux d'architecture britanniques, qui y consacrèrent de nombreux articles après 1850. Cette préférence anglaise était assez récente : au moyen âge, il n'y avait guère de différence entre les logements de Londres et ceux de Paris. La prédominance de la maison individuelle devint si forte qu'elle constitua, après 1800, la principale caractéristique des grandes villes britanniques : en 1911, les appartements ne formaient, dans tout le Royaume-Uni, que 3 % des logements. Le plan de la maison londonienne était constant : les dimensions pouvaient changer, mais la disposition était répétée uniformément dans toute la capitale. Construite sur un rectangle allongé perpendiculaire à la rue, elle comprenait toujours deux pièces par étage, un hall d'entrée puis un escalier sur le côté, un sous-sol à mi-profondeur qui permettait de gagner à bon marché un étage supplémentaire (une cave pour garder le vin, comme en possédaient toutes les maisons parisiennes, n'était pas nécessaire à Londres), un petit jardin sur le derrière. Ce bâtiment était de construction facile et bon marché : le Code anglais de la construction, plus laxiste que le français, permettait d'élever des murs en matériaux médiocres qui isolaient mal mais coûtaient peu, si bien que les loyers londoniens, hors de la City, étaient la moitié de ceux de Paris. La maison pouvait être aisément transformée en pension ou en hôtel[1]. L'appartement apparut à Paris dès le XVIIᵉ siècle, mais il s'imposa au début de la première grande spéculation immobilière parisienne, pendant la Restauration. Il permettait de décorer assez luxueusement la façade, les frais de la décoration étant répartis sur plusieurs locataires, et surtout il répondait bien aux besoins d'une forte densité démographique[2]. Toute l'architecture londonienne favorisait la séparation des habitants et des fonctions, et la spécialisation des pièces était poussée à l'extrême : quand les Parisiens avaient une chambre, les Londoniens disposaient simultanément de *bedroom*, *dressing-room*, *drawing-room* et *sitting-room*, termes sans traduction exacte en français. Pour loger des groupes sociaux équivalents, la maison londonienne comptait trois ou quatre fois plus de pièces que l'appartement parisien. Il en résultait une extrême ségrégation : séparation des maîtres et des serviteurs, des parents et des enfants (qui avaient leur chambre, parfois leur propre salle de jeux), des hommes et des femmes. La grande perdante était la bourgeoise londonienne, qui devait s'ennuyer à mourir : elle ne travaillait pas, n'avait pas coutume de s'occuper de ses enfants, confiés aux nurses, ni d'avoir une vie galante dans la patrie du puritanisme. Elle rendait difficilement visite à des amies, tant la ville était étendue, et vivait recluse tandis que son mari, qu'elle rencontrait rarement, passait ses soirées au club. Contrairement aux apparences, la maison londonienne brisait la famille en individus isolés, désagrégeait les relations humaines et semblait, aux Français, détruire la vie familiale :

1. Cf. H. Muthesius, 1904, p. 144 *sq.*
2. On se reportera aux articles successifs de C. Daly parus dans la *Revue générale d'architecture*, entre 1840 et 1860, et à son ouvrage de 1870-1872.

> [les clubs londoniens] encouragent le culte de l'égoïsme,
> l'abandon des vertus familiales, un goût exclusif pour les
> plaisirs matériels et un relâchement déplorable des mœurs
> dont la nation entière sentira un jour les désastreuses consé-
> quences [1].

A l'inverse, les Londoniens étaient très choqués de l'exiguïté des appartements parisiens où tout le monde se cou-
doyait et même, *horresco referens*, où la chambre de la maîtresse de maison, lieu secret et sacré à Londres, parfois
interdit même aux bonnes, était ouverte aux amis les soirs de
réception :

> Ce qu'on appelle pompeusement « antichambre » [d'un
> appartement haussmannien] n'est rien d'autre qu'un passage
> sombre – seulement 9 pieds par 4 – précédant la salle à man-
> ger et dont elle constitue, en fait, la seule entrée ; il est
> impossible d'atteindre aucune autre pièce, même la cuisine,
> sans la traverser. La porte de l'antichambre ouvre directe-
> ment contre la cheminée de la salle à manger, qui se trouve
> ainsi resserrée entre cette porte et une seconde porte, ce qui
> rend impossible de s'asseoir devant le feu. Et où conduit
> cette seconde porte ? droit dans la cuisine [...]. A l'autre
> bout de la salle à manger, se trouve le salon *(drawing-room)*
> (d'environ 14 pieds carrés) et, derrière, deux chambres ; il
> faut traverser l'une pour atteindre l'autre, car la *drawing-
> room* dessert les deux. On voit de quelle admirable façon la
> décence et le confort ont été observés [...] [les chambres
> donnent sur une cour] si étroite que ni l'air ni le soleil ne
> peuvent y pénétrer. [...] Une famille française ne ressent
> sans doute pas le besoin de *privacy* et ne voit pas d'inconvé-
> nient a ce qu'une pièce en commande une autre, à ce qu'une
> chambre ne soit pas immédiatement à côté de la *sitting-
> room*, mais qu'elle ne puisse même pas y accéder sans tra-
> verser une autre chambre. Bien sûr, cela ne la gêne pas,
> sinon, elle ne supporterait pas un plan aussi mal disposé.
> Elle n'en est pas choquée, cependant, et cela en dit long sur
> son raffinement [2].

1. Hittorf, *Revue générale d'architecture*, n° 18, 1860, col. 184.
2. *BUILDER*, n° 30, 1872, p. 180 (nous traduisons).

L'opposition des lieux, des coutumes, des jugements, était totale. Détail significatif, le mot *privacy*, qui désignait à Londres la qualité principale d'un logement, ne peut être traduit à Paris par son équivalent « privauté ». S'il représentait en Angleterre tout ce qui sauvegardait la pudeur de la maîtresse de maison, il signifiait à Paris, employé au pluriel, les libertés que prenait le maître de maison avec sa bonne : on ne peut opposer davantage deux civilisations et deux capitales. Peut-être faut-il, pour trouver un début d'explication, remonter au XVIIe siècle, quand l'aristocratie française vint s'installer en ville auprès du roi, à Paris, puis au château de Versailles, où les meilleurs logements étaient extrêmement exigus, alors que l'aristocratie anglaise vivait dans ses châteaux à la campagne. Olsen note : « La villa de la banlieue londonienne essayait d'être une maison de campagne en miniature, tandis que l'appartement parisien luxueux tentait d'imiter un hôtel privé[1]. » Tindall établit un lien réciproque entre les vastes espaces extérieurs où se déroule une part importante de la vie parisienne (terrasses de café, boulevards, ronds-points) et l'exiguïté des logements, aux dépens de la vie de famille :

> Paris, les Français le reconnaissent, est un endroit fait pour boire et manger, pour marcher et bavarder. C'est le cadre idéal pour une vie de consommation, non d'accumulation. A la différence de Londres, ce n'est pas un bon endroit pour avoir des enfants, [...] pour économiser afin d'acheter un nouveau tapis, et il n'y a pas de jardin où l'on puisse faire pousser des plantes [...]. Les familles même bourgeoises, même aisées, vivent autour de cours bruyantes, dans des appartements si exigus que tout ce qui ressemble à ce qu'un Anglo-Saxon d'un bon niveau considère comme la vie de famille est impossible[2].

De même, Olsen suppose que la « parfaite laideur de Londres » impliquait sans doute des intérieurs agréables. Les écrivains de l'époque avaient coutume d'opposer le brillant de la vie sociale parisienne au calme et à l'intimité peut-être ennuyeuse de la vie londonienne :

---

1. D. J. Olsen, 1986, p. 126.
2. Tindall, « Expatriates' Paris », *in* R Rudorff (ed.), *The Paris Spy*, 1969, p. 233 (nous traduisons).

Londres peut devenir Rome, mais elle ne sera certainement
jamais Athènes : ce destin est réservé à Paris. Dans la première, nous trouvons l'or, la puissance, le progrès matériel
poussé au plus haut degré ; une exagération gigantesque de
tout ce que l'on peut réaliser avec de l'argent, de la patience
et de la volonté ; l'utile, le confortable ; mais l'agréable et le
beau, non [1].

Il faut donc nuancer la tradition qui fait d'Haussmann et de
Napoléon III les imitateurs de l'urbanisme britannique. Les
équipements publiques de Londres donnaient à la capitale
anglaise une avance qu'elle garda sur les autres villes du
monde jusqu'en 1900. Haussmann en prit exemple pour
moderniser ou parfois créer les équipements de Paris, mais il
serait sans doute excessif de voir dans les travaux du Second
Empire une influence anglaise directe : l'architecture, les coutumes, la manière de vivre, la morale, les rapports sociaux différaient trop. La vie dans la rue ou dans les cafés au sud de la
Manche, le repli dans le club et la maison au nord, tout opposait Paris et Londres. Même les fameux parcs créés par Napoléon se distinguaient des parcs londoniens : alors que ceux-ci
étaient des morceaux de campagne inclus dans la grande ville,
les Buttes-Chaumont ou le parc Montsouris, malgré leur dessin « à l'anglaise », furent des créations artificielles aussi éloignées de la nature que l'étaient les jardins de Le Nôtre. La
plus grande différence peut-être entre Paris et Londres, et la
plus lourde de conséquences, est à chercher dans les relations
entre ville et banlieue : prolongation naturelle de la ville qui
lui était commodément reliée, la banlieue londonienne logeait
la classe moyenne et les ouvriers et offrait des logements
nombreux et peu coûteux. Autour de Paris, la banlieue formait au contraire une couronne mal connue, mal reliée, assez
hostile, largement abandonnée à elle-même et qui, recevant
les pauvres chassés de la capitale, tendait à l'encercler d'un
anneau d'opposants. L'Angleterre victorienne, si attachée à
toutes les formes de ségrégation et qui avait presque institu-
tionnalisé l'inégalité, sut éviter de la traduire trop brutalement
dans l'espace urbain alors que la France, qui se prétendait
plus égalitaire, surtout sous la Troisième République, donna

1. Th. Gauthier, 1852.

naissance autour de sa capitale à l'un des premiers grands ghettos sociaux de l'histoire urbaine.

Ainsi, l'action d'Haussmann fut profondément française. Réalisation d'idées préparées dès la Convention et le Premier Empire, agitées publiquement pendant la monarchie de Juillet, son œuvre continua après son départ : les travaux culminèrent vers 1880 et ne furent terminés qu'après 1900. L'haussmannisme occupa d'une façon ou d'une autre tout le XIXe siècle. Il transforma moins la capitale qu'on ne l'a dit : Sutcliffe, décrivant l'aspect et les activités des quatre premiers arrondissements après Haussmann, y voit « une étonnante survivance du passé qui est unique parmi les centres des villes de l'Europe du Nord[1] » : le démolisseur a sans doute permis de sauvegarder une bonne partie du patrimoine. Le grand mérite d'Haussmann fut d'oser entreprendre et de mener une œuvre gigantesque qui continua d'elle-même après son départ ; de s'être soucié de la santé publique, ce qui était malheureusement, en France, une nouveauté ; d'avoir su, jusqu'à la revanche des possédants, trouver une méthode pour récupérer, pour le compte de la Ville, le profit de ses investissements ; surtout, d'avoir imaginé et imposé une cohérence trop rare dans la planification urbaine : cohérence dans le tracé général des avenues, qui ne furent plus seulement des perspectives isolées mais des arcs liés dans un gigantesque réseau, cohérence dans l'emboîtement des formes architecturales, du détail d'une fenêtre ou d'un balcon, jusqu'à la perspective d'une avenue en enfilade, en passant par les façades et les îlots. Jamais auparavant et, ce qui est plus surprenant, jamais après lui, l'urbanisme parisien ne connut d'œuvre où toutes les parties se tiennent aussi heureusement. Mais la cohérence fut principalement architecturale : dans les domaines économique et social, Haussmann laissa faire sans bien apercevoir les contradictions qu'il favorisait. Il construisit pour les riches sans trop s'inquiéter si les pauvres en profiteraient aussi. Il laissa Paris continuer son glissement vers le nord-est, il l'accentua même, sans voir qu'il appauvrissait du même coup le vieux centre qu'il tentait de rénover. Il provoqua, en chassant les pauvres de Paris, un développement très rapide de la banlieue sans se préoc-

1. A. Sutcliffe, 1970, p. 321.

cuper de l'aménager et sans bien la desservir. Les tares du Paris actuel, s'il ne les a pas toutes créées, il les a toutes aggravées. Administrateur habile, courageux et intègre, malgré qu'on en eût, il fut un grand architecte, un bon ingénieur et un médiocre urbaniste : au total, le meilleur administrateur, sans doute, que Paris ait eu dans son histoire.

Haussmann mourut en 1891. Il est commode de choisir cette date pour marquer la fin d'une ère. 1715, 1789, 1890 : curieusement, les grands tournants de l'histoire semblent suivre à peu près les limites du calendrier. Celui de la fin du XIXe occupa toute une décennie, de 1890 à 1900. Victor Hugo disparut en 1885 : ses funérailles grandioses marquèrent la fin du XIXe siècle littéraire en France. En 1889, la célébration du Centenaire fut une charnière : allusion au passé, mais aussi construction de la tour Eiffel et exaltation de la technique. Paris recevait le monde entier à l'Exposition, l'éblouissait de ses illuminations électriques et devenait la *Ville lumière*. Les attentats anarchistes (Ravachol fut exécuté en 1892) ne semblaient pas capable de menacer la République qui avait triomphé de Boulanger. La France était stable et riche. L'avenir semblait assuré. Pourtant, tout était en train de basculer : la longue crise mondiale qui se terminait avait travaillé en profondeur et un monde nouveau s'ébauchait. Paris, en attirant les artistes et les exilés, en servant de banquier au monde, en projetant ses idées sur d'autres continents, fut un des grands acteurs de cette révolution silencieuse. Transformée par les grands travaux du XIXe siècle, la ville moderne était prête à jouer son rôle.

3

La Ville lumière
(1890-1930)

La dernière décennie du XVIIIe siècle connut la Révolution. Celle du XIXe siècle, sans revêtir une pareille importance, fut aussi l'occasion de bouleversements profonds et marqua le début d'une époque nouvelle, sans que les contemporains s'en fussent clairement aperçus. L'économie repartait assez vigoureusement : le tissu industriel avait été assaini et modernisé par la longue crise qui dura une vingtaine d'années. L'affaire Boulanger, qui avait menacé l'État, se termina avec une soudaineté qui surprit et redonna confiance en la République, exaltée par la grande Exposition de 1889. La tour Eiffel et la Grande Roue exprimaient, d'une certaine façon, le triomphe de la République bourgeoise. Paris, plus boulangiste que le reste de la France, et plus longuement, sortait de la crise quelque peu humilié, mais le tourbillon de l'Exposition occupait les esprits. Le siècle semblait se terminer en apothéose, quand une nouvelle affaire commença, qui devait couper la France en deux et annonçait les pires horreurs du nouveau siècle. L'affaire Dreyfus débuta en 1894 et sembla vite réglée : Dreyfus, arrêté le 15 octobre, fut jugé et condamné (22 décembre 1894). La mise en cause, en novembre 1897, du commandant Esterhazy et surtout la lettre de Zola, « J'accuse » (13 janvier 1898), relancèrent la question et en firent l'Affaire qui devait bouleverser la France. La capitale servit de cadre à de nombreuses manifestations : grèves des ouvriers du bâtiment et des cheminots en 1898 ; coup de canne renversant le chapeau du nouveau président de la République, Loubet, en juin 1899, provoquant une contre-manifestation de la gauche quelques jours plus tard, etc. L'épisode tragi-comique du fort Chabrol fut peut-être le plus spectaculaire : Jules Guérin, président de la Ligue antisémitique fondée par Drumont, soupçonné de liens louches avec

la police, s'enferma dans les bureaux de sa ligue, rebaptisée
« Grand Occident de France », rue Chabrol, et y « résista » à
un assaut qui ne fut jamais donné. Paris s'enflamma d'abord
pour le résistant, mais montrait plutôt une curiosité de
badaud applaudissant Guignol en train de rosser le gen-
darme. Le « siège » dura plus d'un mois ; Guérin sortit du
« fort » en septembre 1899 et entra dans l'oubli. Peu de
choses, au total : les grands mouvements de l'affaire Dreyfus se produisirent hors de Paris. Les plus grandes manifestations racistes dirigées contre les Juifs eurent lieu surtout à
Alger (où elles firent deux morts), à Marseille et dans
l'Ouest chrétien. A Nantes, le 17 février 1898, 3 000 catholiques conduits par des prêtres parcoururent la ville en bri-
sant les vitrines des boutiques tenues par des Juifs : une Nuit
de Cristal avant la lettre. De telles pogromes se produisirent à
Rennes, à Saint-Malo, à Rouen et à Clermont-Ferrand ; à
Paris aussi, sans que la capitale se fût particulièrement dis-
tinguée dans ces démonstrations horribles. Déroulède tenta
bien, le 23 février 1899, juste après les obsèques de Félix
Faure, d'entraîner le général Roget dans un putsch, mais en
vain. Paris marqua plutôt sa différence d'une autre façon :
par la force et la persistance de ses opinions nationalistes.
L'agitation nationaliste fut un phénomène principalement
urbain, mais elle s'apaisa, dans les grandes villes, dès la fin
de 1899. A Paris, en revanche, elle dura : aux élections municipales de mai 1900, la capitale, se distinguant des autres
villes, élut 45 nationalistes sur 80 conseillers. Aux élections
législatives (avril-mai 1902), alors que la France donnait une
majorité solide (plus de 80 sièges) au Bloc des gauches,
Paris derechef vota pour les nationalistes, refoulés partout
ailleurs : dans le centre de la ville et au Quartier latin, radicaux et socialistes furent balayés. Ce nationalisme parisien
était original. Plus patriote que clérical, il se teintait même
souvent, à la différence du nationalisme des régions françaises, d'irréligiosité : peut-on y voir la réapparition des tendances profondes des communards ? Peut-être, mais dans un
contexte entièrement nouveau.

Un siècle nouveau

Le tournant du siècle connut un bouillonnement d'idées
tout à fait exceptionnel : l'apparition de nouveaux styles en
peinture (avec l'Art nouveau puis le cubisme), de nouvelles
formes en musique (avec Debussy), en littérature (avec
Proust et Gide), changeait la sensibilité. L'homme moderne,
en quelques années, voyagea dans les airs, s'enfonça sous les
eaux, utilisa l'électricité, roula en automobile, s'amusa au
cinéma, écouta le gramophone, triompha de certains microbes, découvrit l'inconscient : aucune période de l'histoire,
ni la fin du XVIIIe siècle ni celle du XXe, n'a connu de pareils
chocs, une telle succession de découvertes extraordinaires.
Schorske note que, à partir de Nietzsche, toutes les sciences
semblèrent perdre leur cohérence, se briser en fragments toujours plus nombreux. La culture européenne, entraînée dans
un tourbillon d'innovations variées, se séparait en disciplines
qui proclamaient successivement leur indépendance pour se
rompre de nouveau en sous-domaines ; chaque discipline
prétendit se libérer de l'histoire pour s'engager sur une voie
nouvelle[1]. L'Europe dominait le monde avec une puissance
inconnue à ce jour. En même temps, les fondements de
l'ordre occidental craquaient : le christianisme redressait la
tête et, critiquant la Raison, luttait contre son vieil ennemi,
la philosophie des Lumières. Les physiciens effarés voyaient
la nature échapper à leurs modèles newtoniens mécanistes :
la lumière apparut à la fois comme corpusculaire et ondula-
toire, l'atome sembla n'être plus qu'un objet statistique, le
temps cessait d'être unique. Même la mathématique, la
science la mieux fondée, s'effondrait avec la découverte des
nombres transfinis : Cantor prouva l'existence d'une infinité
d'infinis de tailles différentes. En France, Paris joua un rôle
privilégié dans ce bouillonnement effarant et fascinant : rôle
économique, social, scientifique, mais surtout artistique, en
attirant des peintres et des poètes du monde entier. Si

1. C. E. Schorske, *Fin de Siècle Vienna*, New York, First Vintage
Books, 1961, préface.

Londres était la capitale financière de la planète, et si Berlin
en devenait la capitale scientifique, deux villes européennes
occupaient des places encore plus importantes en faisant
éclore les idées nouvelles : Paris et Vienne.

Les fruits du progrès

La confiance dans le progrès était la base de la République.
La bourgeoisie y croyait encore, et cette foi donna au tournant du siècle un enthousiasme qui justifia aussi son appellation de « Belle Époque ».

L'économie repartait : l'industrie de banlieue, qui avait
grossi et s'était concentrée pendant la crise, connut un essor
rapide après 1896.

Les communes entourant Paris changèrent davantage en
dix ans (1896-1906) que pendant les vingt-quatre années
précédentes (1872-1896) : alors que Paris ne grandissait plus
guère, la Petite Couronne était en plein essor (figure 19). Le
nombre d'entreprises augmenta en banlieue de 45 %, mais de

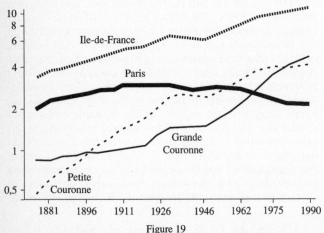

Figure 19
Croissance démographique (en millions)

2 % seulement à Paris. La main-d'œuvre ouvrière crût seulement d'un tiers à Paris mais doubla presque (+ 90 %) en banlieue pendant ces dix années. Les grandes entreprises (plus de 500 ouvriers) s'installèrent principalement hors de Paris : leur nombre augmenta de 140 % en banlieue, de 70 % dans la capitale. Elles fabriquaient des objets nouveaux : des automobiles, surtout, mais aussi des aérostats, des avions, des moteurs électriques, et tous les produits liés à ces nouvelles machines (le pétrole, les huiles, les pneus et d'autres dérivés du caoutchouc). Les grands établissements avaient quitté Paris durant la crise pour s'installer dans la Petite Couronne : la capitale comptait encore 489 établissements employant plus de 100 ouvriers en 1873, puis 452 en 1888, 387 en 1900, 307 à la veille de la guerre[1]. Après 1900, le nombre des entreprises diminua dans tous les quartiers de Paris et dans toutes les branches d'activité. Les petites entreprises aussi délaissaient la capitale : Paris en comptait 76 000 en 1872 et 61 000 en 1914. Le mouvement de départ avait des causes profondes : prix fonciers élevés, migration de la main-d'œuvre, mais aussi nouvelle politique sanitaire. La reprise économique, loin de freiner le mouvement, l'accéléra : le nombre total d'entreprises diminua de 9 % entre 1872 et 1900, mais de 20 % entre 1900 et 1914. L'industrie quittait Paris comme une onde concentrique qui s'élargissait peu à peu. La banlieue commençait à nouer davantage de relations avec le reste de la France qu'avec la capitale, conquérant ainsi son indépendance. L'aménagement des voies d'eau concurrençait les gares et créait de nouveaux pôles industriels : la couverture de la Bièvre, et surtout du canal Saint-Martin, déplaça les anciennes zones de déchargement auparavant proches du centre. A la veille de la Grande Guerre, l'industrie parisienne se trouvait en banlieue et, en partie, dans quelques arrondissements périphériques qui avaient des ports : le XIXe (40 établissements), où se trouvaient encore des industries lourdes, le XVe (30) et le XIIe (26). Le vieux rêve du Second Empire, chasser les industries et les ouvriers de Paris, était en passe de se réaliser sous la pression des forces économiques. Combiné à la séparation radicale qui existait déjà entre banlieue et capitale, ce mou-

1. Cf., sur ce thème, l'étude de M. Daumas, 1977.

vement entourait peu à peu Paris d'une « ceinture rouge » qui devait subsister pendant quatre-vingts ans et constituer une donnée fondamentale de la vie politique parisienne ; ceinture au statut ambigu, qui, du point de vue économique, travaillait plutôt avec la France et le monde, réalisant d'une certaine façon le rêve d'indépendance des communards, mais dont la vie quotidienne était liée à celle de la capitale.

La naissance de la grande industrie et la maîtrise de techniques nouvelles, en particulier l'usage de l'acier dans la construction, amenèrent l'ingénieur à jouer un rôle principal dans la ville [1]. Eugène Hénard [2] ne se contentait plus d'exécuter des œuvres impressionnantes comme le faisait Eiffel, mais commença à concevoir des solutions globales aux difficultés urbaines : l'ingénieur remplaçait l'architecte et jouait le rôle de l'urbaniste. Il proposa, dans les huit volumes qu'il publia au début du siècle, des solutions techniques nouvelles : surélever les rues afin de séparer le trafic des véhicules et celui des piétons (une solution que redécouvriront les architectes au cours des années 1960) ; prévoir des trottoirs creux munis de plaques d'acier pour en visiter l'intérieur où l'on pourrait placer tout l'écheveau des fils électriques, des câbles téléphoniques, des conduites d'eau et des tuyaux d'égout afin de pouvoir les réparer ou les remplacer commodément sans être obligé de défoncer chaque fois la voie publique – une solution de bon sens que l'on commence à peine, aujourd'hui, à utiliser. Il dessina des ronds-points circulaires pour assurer une plus grande fluidité au trafic automobile et éviter les accidents en forçant tous les véhicules à circuler dans le même sens. Mais il prétendit aussi continuer l'œuvre d'Haussmann : il proposa la construction d'une « grande croisée nord » qui répondrait, sur la rive droite, à la disposition perpendiculaire des boulevards Saint-Germain et Saint-Michel sur la rive gauche. Le projet était audacieux : il s'agissait de défoncer le vieux cœur de Paris par une grande avenue est-ouest qui aurait coupé en deux le

---

1. Cf. les nombreux ouvrages de L. Figuier, par exemple celui publié en 1862 et aussi celui de 1914, intéressant par ses nombreuses gravures de magasins parisiens ; voir aussi Ch. Prochasson, 1991.
2. Voir les huit volumes qu'Hénard publia entre 1903 et 1909, ainsi que son projet de 1909 ; bonne analyse de son œuvre *in* P. W. Wolf, 1968.

Palais-Royal et relié la Bastille à l'Opéra en doublant au nord
l'axe étroit des rues Saint-Honoré et Saint-Antoine. En
même temps, il prévoyait de corriger l'erreur qu'avait com-
mise Haussmann lorsqu'il avait tracé la rue de Rennes droit
sur le Louvre. Hénard imagina de construire un pont en X sur
la Seine : une des deux branches obliques devait conduire la
rue de Rennes, prolongée jusqu'au fleuve, vers la rue du
Louvre en passant devant la colonnade de Perrault. Des
projets aussi audacieux et aussi coûteux n'avaient aucune
chance d'être menés à bien dans une ville déjà accablée de
dettes et sous un régime qui ne songeait guère à l'urbanisme
parisien et protégeait la fortune des notables en refusant opi-
niâtrement l'impôt sur le revenu. L'œuvre d'Hénard eut
cependant une influence considérable : elle occupe une place
importante dans l'histoire de l'urbanisme parisien, faisant la
transition entre les démolitions audacieuses du XIXe siècle et
les inventions techniques du XXe.

Elle montre aussi que la réflexion sur l'avenir de la capitale n'avait pas cessé. Certains même, comme Robida, proposaient une vision du Paris futur qui, mêlant l'humour et la
clairvoyance, constituait les premiers pas de la science-fiction [1] : Paris, en 1952, s'étend de Rouen à Meaux. Robida
prévoit très finement que l'extension de la capitale doit
continuer vers le nord-ouest et que les quartiers de l'ouest
seront toujours les plus élégants. Chantilly et Saint-Germain-en-Laye sont devenus de simples faubourgs ; Chatou
constitue le trente-septième arrondissement. Le trait dominant est l'utilisation de la troisième dimension : les déplacements se font par ballons individuels, familiaux ou collectifs, et immenses. Les immeubles aussi ont grandi vers le
haut :

> De grandes transformations venaient de bouleverser ce quar-
> tier de Paris [l'Étoile]. Depuis longtemps, la place manquait
> dans le Paris central ; la nombreuse population qui ne peut
> s'envoler vers les quartiers éloignés [...] qui s'allongent
> jusqu'à Rouen, ne trouvait plus à se loger, bien que les mai-
> sons eussent gagné considérablement en hauteur. Dix ou
> douze étages à chaque maison ne suffisant plus, il fallait

---

1. Cf. A. Robida, 1881, 1888, 1896, et surtout son délicieux tableau
visionnaire de *Paris en 1953*, publié en 1883.

prendre de plus en plus sur le ciel. Des spéculateurs hardis ont acheté l'Arc de Triomphe et le Palais [du] Trocadéro ; un tablier de fer colossal, soutenu de distance en distance par des piliers de fer [...] a été jeté du sommet de l'Arc de Triomphe aux deux tours du Trocadéro, par-dessus tout un quartier. La place de l'Étoile, couverte entièrement, a été convertie en jardin d'hiver. Au-dessus, un immense palais s'est élevé, [...] un grand hôtel international. De l'Arc de Triomphe au Trocadéro court, sur des piliers, un superbe jardin suspendu [...] [réservé à Nuage-Palace, un immense casino qui flotte dans les airs accroché à des ballons...].

Paris est relié aux autres capitales par des tubes pneumatiques qui transportent les voyageurs à 1 600 kilomètres à l'heure. Plus étonnant encore, les Parisiennes se sont émancipées et s'appellent désormais Gontrane ou Nicolasse. La mode est pratiquement « unisexe ». La politique est enseignée dans une école (qui ne s'appelle pas ENA mais « Conservatoire politique ») où les candidat(e)s apprennent à jouer tous les rôles et à changer habilement de parti. Le « téléphonoscope » permet d'assister de loin aux spectacles ou aux guerres lointaines. Les repas sont préparés dans les cuisines centrales de la « Grande Compagnie d'alimentation » et livrés chez les abonnés par un réseau de tuyaux. Le théâtre parisien s'est bien amélioré : les pièces classiques, si fastidieuses, ont été mêlées de scènes de cirque afin de mettre la culture à la portée de tous. Pour satisfaire une capitale devenue très cosmopolite, un théâtre comprend trois scènes superposées où trois troupes jouent simultanément la même pièce dans trois langues différentes. Il n'y a plus de prisons, mais des domaines délicieux dans la banlieue parisienne où les criminels sont régénérés par la pêche à la ligne, dans l'oisiveté et la douceur. L'utilisation de l'espace aérien au-dessus de la ville, pour les constructions et les transports, constituait une obsession de l'époque. Déjà, en 1869, Tony Moilin imaginait des rues-galeries perçant les immeubles au niveau du premier étage et courant sur des ponts [1]. Au début du XXe siècle, encore, certains journalistes prédisaient ainsi l'avenir de Paris :

1. T. Moilin, 1869.

peu à peu, la vie active s'est transportée dans les airs : l'antique chaussée, désormais affranchie de la circulation intense d'autrefois, ne sert plus qu'aux lourds transports, aux charrois encombrants, aux trains de marchandises. L'accès des maisons se fait par le ciel et les rez-de-chaussée sont au 6e étage [1].

C'était croire aveuglément au progrès. Mais déjà les idées changeaient et, devant la rapidité des transformations techniques, beaucoup commençaient à s'inquiéter.

Sous l'académisme, un goût nouveau

Dans toute l'Europe, le tournant du siècle vit l'essor du spiritualisme mystique [2], mais Paris joua un rôle particulier dans ce retour de la crédulité. De jeunes intellectuels venus de toutes les régions françaises mais éduqués dans la capitale, souvent élèves de l'Ecole normale supérieure, ou bien écrivains mêlés à l'intelligentsia parisienne conduisaient ce mouvement ou, plutôt, le manifestaient au grand jour. Les causes en étaient multiples : séquelles d'une crise économique longue de vingt ans ; luttes sociales qui commençaient (Jaurès fut élu député en 1892 et quelques dizaines de socialistes entrèrent à la Chambre en 1893 ; grandes vagues de grèves entre 1904 et 1907 [3]), opposant les milieux populaires aux bourgeois rationalistes, et dont les syndicats chrétiens profitèrent ; crise du positivisme et de la physique newtonienne ; réaction puissante de la religion chrétienne contre sa vieille ennemie, la Raison des Philosophes ; intérêt passionné de l'époque pour l'étude des maladies mentales (voir les travaux de Charcot à la Salpêtrière) ; sclérose de l'académisme en peinture, en littérature, et succès de l'avant-garde [4] ; me-

---

1. « Quand tout le monde aura des ailes », *Lectures pour tous*, 1909, p. 205-215.
2. Cf. le texte à succès de Schuré, *Les Grands Initiés* (1889), ainsi que les ouvrages de Huysmans, Maeterlinck, Conan Doyle, etc.
3. Cf. M. Rébérioux, *La République radicale, 1898-1914*, Paris, Éd. du Seuil, p. 88 *sq.*, et aussi p. 143 *sq.*
4. Cf. R. Shattuck, *The Banquet Years*, New York, Random House, 1968.

naces de guerre qui se rapprochaient après le « coup de Tanger » (1905). Les effets furent multiples et particulièrement sensibles dans la vie intellectuelle de la capitale. Le climat politique devenait inquiétant. L'extrême droite, avec Maurras, louait l'Ancien Régime ; la démocratie chrétienne, avec Marc Sangnier, s'efforçait de ramener les travailleurs à Dieu (le Sillon fut fondé en 1893) ; l'affaire Dreyfus et les menaces de guerre exacerbaient le nationalisme et exaltaient les valeurs passées. Paris, dans ce tournant des idées, joua un rôle crucial non seulement par sa position de capitale intellectuelle, mais davantage encore par sa tradition d'opposition au régime en place : alors que sous le règne de Napoléon III, favorable à l'Église, Paris avait professé le rationalisme par les voix de Taine, de Renan et de Flaubert, sous le régime bourgeois et anticlérical de la Troisième République la capitale bascula dans la direction opposée. Dans le fracas des idées de cette fin de siècle, Paris gardait le rôle que lui avait assigné Dupont-White, celui de s'opposer presque systématiquement aux idées du gouvernement central et de la province.

La capitale fut l'endroit où les idées nouvelles éclatèrent et eurent leurs premiers effets. La peinture symboliste et celle des Nabis, c'est-à-dire des « prophètes », exprima le retour au spiritualisme. L'Art nouveau rompait les lignes droites haussmanniennes et abandonnait les sujets néo-classiques de l'art officiel. Ce fut, en réaction, un envahissement de lignes courbes (le « style nouille »), une déformation systématique des objets, un entrelacement de décorations végétales. Après les lignes tendues et la rigidité qu'exaltait Baudelaire (« Je suis belle, ô mortel, comme un rêve de pierre »), le mouvement était partout, déplaçant les lignes et évoquant une sensualité exubérante dans une chaleur torride. La rupture était moins radicale qu'il n'y paraissait : la sculpture du Second Empire, celle de Davioud sur les monuments parisiens, avait aussi aimé les corps nus et les poses expressives, mais l'Art nouveau apportait la torsion, l'encerclement du végétal et la rupture des cadres : les statues faisaient partie de la bordure même des bassins du Grand Palais (1900) dont elles sortaient à peine, et les cadres des gravures, dans les revues de l'époque, étaient tordus en feuillages, en tiges contournées comme les hallucinations des fous, les rêves et les cauchemars que la psychologie étudiait alors. L'architecture parisienne en fut transformée. La municipalité organisa entre 1898 et 1905, à l'occasion de l'Exposition de 1900, huit concours de façades qui donnèrent aux architectes l'occasion d'exprimer les goûts nouveaux [1]. Les réalisations furent des plus diverses, montrant ainsi le bouillonnement des idées. La chance, ou plutôt le conflit permanent entre la Ville et l'État, voulut que le métro de Paris fût construit pour l'Exposition, en retard sur ceux des autres capitales. Pour décorer les stations, un concours fut lancé en 1899. Le jury, inspiré par le conseil municipal, choisit Duray. La Compagnie du métro refusa ce choix et élut Formigé. Le conflit s'envenima au point qu'il fallut trouver un troisième candidat : Hector Germain Guimard [2], qui venait de gagner le premier concours de façades en construisant, rue La Fontaine, un immeuble Art nouveau, le Castel Béranger (1898). Il fut chargé de la décoration des entrées du métro (1900) et les entoura de grilles étranges aux lignes souples et enchevêtrées qui en font aujourd'hui des objets d'art et des symboles de Paris. Mais l'Art nouveau (le « modern style ») ne dura guère : on l'abandonna dès 1904, lors de la construction de la station Opéra. A partir de 1912, on détruisit des ouvrages de Guimard pour les remplacer par des grilles droites et banales, plus « modernes », tant les goûts évoluaient vite à cette époque charnière.

L'urbanisme aussi était en effervescence. Tandis que l'haussmannisme continuait à régner comme l'exemple parfait de la réhabilitation urbaine et que Paris, déjà en retard pourtant sur Berlin ou sur New York, faisait encore dans le monde figure de modèle, un architecte autrichien lança une bombe : l'ouvrage fondamental de Camillo Sitte [3] fut traduit et publié en français en 1902. Camille Martin, le traducteur, trahit l'auteur en changeant le titre (qui devint *L'Art de bâtir les villes*), en supprimant des passages et des croquis et en rendant à sa manière le texte de Sitte. Alors que l'Autrichien louait longuement la Renaissance, Martin sauta des paragraphes et laissa l'impression d'un plaidoyer pour un retour

---

1. Cf. *Les Concours de façades de la Ville de Paris, 1898-1905*, Paris, s. d., in-4°.
2. Cf. l'ouvrage anonyme *Hector Guimard et l'Art nouveau*, 1990.
3. Cf. C. Sitte, 1889, et sa traduction française, 1902 ; bonne étude par les Collins, 1965.

au moyen âge. Ces erreurs mêmes exprimaient bien les idées qui étaient alors courantes. Comme les Anglais et les Américains lurent longtemps Sitte dans le texte français, le malentendu dura et s'étendit au-delà de l'Atlantique. Sans l'avoir voulu sans doute, Sitte écrivit une véritable critique de l'haussmannisme : il opposait le « moderne », pratique, efficace et qu'il n'aimait guère, à ce qui est « artistique », à savoir émouvant *(wirkungsvoll)* et pittoresque *(malerisch)*[1]. Sitte recommandait de délimiter les volumes urbains, de dessiner des places fermées. Il détestait l'urbanisme qui tranche la ville en grandes avenues toutes droites et, pour améliorer le trafic, détruit le charme des rues *(die moderne verrottete Stadtbaumanier)*. Il recommandait les rues courbes, plus pittoresques, l'harmonie plutôt que la symétrie, et se moquait des grandes places modernes, vides, carrefours de grandes avenues dotés d'une statue isolée au milieu. Il leur opposait les places de la Renaissance italienne, fermées de façades, où les rues pénétraient par les coins, à angle droit, de façon à être cachées, et où les statues ornaient les murs latéraux, nombreuses, laissant l'espace central, vide, aux piétons et aux rencontres. Il voulait conserver des morceaux de nature dans la ville :

> Peut-on rien imaginer de plus dégénéré que de détruire la forme naturelle des arbres, qui devraient justement dans la ville évoquer la magie du monde naturel, en les taillant à la même hauteur, en les arrangeant à des intervalles mathématiquement calculés [...] et, ce qui est un comble, en immenses files ininterrompues[2] ?

Plus profondément, Sitte, qui vouait un culte à Richard Wagner, exprimait la profondeur du nationalisme allemand : exaltés par la victoire allemande de 1870, les intellectuels autrichiens rêvaient d'un retour aux « valeurs germaniques » profondes. Le krach bancaire de 1873 (qui secoua violemment l'Autriche), la puissance du catholicisme, opposé à un socialisme naissant et plus encore à la petite bourgeoisie juive, avivaient l'antisémitisme déjà si violent et rendaient d'autant plus attirante l'image d'une communauté artisanale

---

1. Cf. C. Sitte, 1889, p. 100 *sq.*
2. *Ibid.*, appendice, p. 210 (nous traduisons).

allemande fondée sur les valeurs anciennes du terroir et ennemie du capitalisme moderne apatride. Plus encore qu'aux
artistes, Sitte était profondément attaché aux artisans, qui
avaient le plus à souffrir du capitalisme. Il souhaitait que
l'urbaniste permît à l'ensemble des arts de contribuer au projet urbain, qu'il agît comme un chef d'orchestre qui sût
réunir en un faisceau les artisans gardiens des traditions,
qu'il apparût comme le héros capable de guérir la blessure
sociale, comme un Siegfried. Toutes ces idées ou presque
s'opposaient aux conceptions haussmanniennes. L'immense
succès de Sitte, même mal traduit et mal compris, montre
l'ampleur de la révolution intellectuelle qui marqua le
tournant du siècle : le goût nouveau s'éloignait du Paris
d'Haussmann. On voit aussi où ces idées pouvaient mener,
au moment où Adolf Hitler, à moitié clochard, hantait les
rues de Vienne. La capitale autrichienne et Paris étaient alors
les deux centres de la pensée européenne et mondiale, deux
métropoles modernisées toutes deux à la fin du XIXe siècle et
que rapprochaient encore leurs différences mêmes. Elles formaient un couple étrange qu'il faudra analyser.

Le tournant du siècle, la Belle Époque, qui parut si calme
et si désirable aux nostalgiques que les horreurs de la Grande
Guerre avaient bouleversés, fut en vérité une période inquiète, troublée. On terminait encore les travaux d'Haussmann : la rue Réaumur, décrétée en 1864, fut effectivement
ouverte en 1895, principalement pour permettre la construction du métro. Le boulevard Haussmann, qui devait relier
l'Opéra au carrefour Drouot, ne fut terminé qu'en 1926. On
ouvrit enfin, après 1889, la rocade sud de la rue de la
Convention, vers Alésia et Tolbiac. Le boulevard Raspail fut
achevé en 1911 : le legs haussmannien semblait inépuisable.

Une ville nouvelle

Mais le cœur n'y était plus : la municipalité n'avait plus les
ressources nécessaires pour trancher de grandes voies dont
on ne voyait plus l'utilité. Les besoins étaient ailleurs, en ce
tournant du siècle : il fallait améliorer les transports publics
et assurer de nouvelles ressources à une ville gravement
endettée ; en somme, gérer la ville nouvelle.

De nouveaux types de transport

La crise des transports devint particulièrement grave dans les dernières années du siècle. Les journaux se plaignaient des embarras de la circulation : une plainte chronique à Paris avant même Boileau. Mais, en même temps, les moyens de transport étaient insuffisants : alors que la population avait quadruplé depuis le début du XIXe siècle, le nombre des véhicules parisiens de tout genre n'avait fait que doubler (23 000 en 1819, 45 000 en 1891). La ville étouffait. Comment cela était-il possible alors que les grands axes percés par Haussmann étaient à peine terminés, ajoutant plus de 50 kilomètres de voies nouvelles aux rues de Paris, et ouvrant un réseau de radiales (la fameuse « croisée de Paris ») et de rocades (l'anneau des Grands Boulevards et du boulevard Saint-Germain) qui devaient désengorger le trafic parisien ? L'offre de transport (les voies et les véhicules), même améliorée, répondait mal à la demande (le besoin de se déplacer), qui s'était accrue très fortement à mesure que la banlieue se développait. Des compagnies de tramways à chevaux la desservaient depuis 1874. A partir de 1890, les mouvements (joliment appelés aujourd'hui « pendulaires ») des banlieusards venant travailler dans la capitale augmentèrent considérablement. Les transports en commun commencèrent alors à devenir l'un des traits les plus marquants de la vie quotidienne à Paris, et ils le sont restés juqu'à notre époque [1]. L'économie progressait et les Parisiens, plus aisés, se déplaçaient davantage, mais l'offre stagnait. Peu de familles possédaient une voiture. Se faire offrir un « équipage » était encore, pour une cocotte, l'une des principales marques du succès : c'est l'une des leçons que Rocambole enseigne à Turquoise [2]. Les gens « honnêtes » ou moins habiles allaient à pied ou utilisaient les transports en commun, mais ceux-ci ne suffisaient plus. Ils faisaient encore appel au plus

1. Les ouvrages principaux sont ceux de J. Bastié, 1965, et de L. Lagarrigue, 1956. Consulter aussi M. Chassaigne, 1912 ; R. Clozier, 1940 ; G. Day, 1947.
2. Cf. P. A. Ponson du Terrail, *Rocambole*, IV, *Le Club des Valets de cœur*, Verviers, Gerard, 1962.

vieux mode de traction : le cheval. En 1900, Paris comptait
98 000 chevaux, plus que la ville n'en avait jamais eu au
cours de son histoire. La fin du XIXᵉ siècle fut, à Paris, le
règne du cheval : chevaux de selle, demi-sang courant devant
les élégants coupés, vieilles rosses souffrant dans les bran-
cards des fiacres (1 cheval sur 5 était à réformer, chaque
année), énormes percherons tirant les camions.

Les omnibus assuraient l'essentiel des transports publics,
mais ils ne répondaient plus aux besoins[1]. Ils étaient trop
lents (8 kilomètres à l'heure en moyenne), alors que les
tramways électriques qui apparaissaient en banlieue atteignaient les 10 kilomètres à l'heure. Si l'on était pressé, un
seul moyen vraiment rapide : le bateau-mouche, qui emme-
nait ses clients à 15 kilomètres à l'heure, mais en suivant un
trajet étroitement limité. La presse rapportait les réclama-
tions du public : surtout, les longues attentes dans des stations inconfortables pour des voitures toujours complètes
aux heures de pointe ; des lignes mal conçues (la compagnie
essayait d'éviter les quartiers peu rentables) ; enfin, un matériel inconfortable. Selon les lignes, la Compagnie générale
des omnibus (CGO) utilisait des voitures de deux tailles. Les
grandes offraient 40 places (24 en bas, serrées mais abritées,
16 sur l'impériale, au soleil et à la pluie). Chaque voiture
rapportait en moyenne à la compagnie 125 francs par jour
(1888), mais certaines lignes, très chargées, étaient plus rentables (Madeleine-Bastille : 149 francs ; gare Saint-Lazare-
place Saint-Michel : 138 francs). Sur la ligne Vaugirard-
Louvre, la compagnie ne faisait guère de profit : 99 francs
seulement. Les petits omnibus (26-28 places) ne rapportaient, en une journée, que 71 francs. La ligne Belleville-
Louvre, grâce à sa clientèle populaire, était avantageuse
(90 francs) ; les voitures qui allaient d'Ivry à la place Saint-
Michel ne percevaient, en moyenne, que 21 francs. On comprend les efforts de la compagnie pour renoncer à ces trajets
déficitaires. Mais fallait-il alors abandonner les Ivriens à leur
solitude ? C'était bien là le cœur du conflit qui opposait la
CGO et la municipalité depuis longtemps et qui devint aigu
après 1884. La Ville rappelait justement que la compagnie
n'avait obtenu, en 1855, un monopole qu'à condition d'assu-

1. R.-H. Guerrand, 1986.

rer certains services déficitaires. La polémique était d'autant plus aiguë que la concession expirait en 1910 et que chacun essayait de se placer favorablement dans les négociations.

Puisque la circulation en surface tendait vers l'étouffement, et aussi pour faire céder la CGO, la Ville reprit le dossier du métro : un projet déjà vieux de quarante ans et qui n'aboutit que dix ans plus tard, en 1900. Ce fut l'une des aventures les plus longues (quarante-sept ans) et les plus étonnantes dans l'histoire de l'urbanisme parisien : une entreprise que le choc d'intérêts contraires, l'opposition de pouvoirs également opiniâtres, l'hésitation entre des projets parfois absurdes transformèrent en une tragi-comédie. Dès 1853, deux ans avant que Londres eût un projet, Flachat, avec l'aide de l'ingénieur Brame, proposa de construire un chemin de fer souterrain de la gare du Nord jusqu'aux Halles afin de mieux relier le cœur de la ville à sa périphérie et d'approvisionner plus commodément le marché central. Ses références étaient solides : il avait construit le chemin de fer de Paris à Saint-Germain-en-Laye. Sa proposition contenait déjà quelques-uns des éléments principaux qui devaient alimenter la polémique : une voie en tunnel, et non aérienne ; une prolongation du réseau ferré normal ; enfin, une liaison entre une gare et les Halles. L'année suivante, Le Hir élabora un dossier plus complet : six lignes différentes, dont certaines devaient passer sous la Seine. Paris était alors en avance sur Londres, dont le premier projet ne date que de 1855. Pourquoi Haussmann ne s'est-il pas intéressé à ces deux propositions, alors qu'il entamait, au même moment, son immense chantier ? Crainte d'engager des frais supplémentaires excessifs ? Ou plutôt conviction que ses nouvelles percées suffirait à assurer un trafic fluide ? Pendant vingt ans, on ne parla plus de métro, et Paris prit du retard. Londres retint un projet en 1855 et le réalisa en 1863, devenant la première ville au monde à s'équiper d'un chemin de fer urbain et souterrain. Berlin conçut le sien en 1871 et l'ouvrit au public en 1877. New York s'y prit un peu plus tard mais construisit plus vite : le chantier fut ouvert en 1872 et le métro fonctionna dès 1874.

A Paris, on recommença à discuter, à quatre : la Ville, le département et l'État avaient chacun son mot à dire, cependant que les grandes compagnies de chemin de fer poussaient leurs pions. Le département intervint le premier : le conseil général de la Seine demanda (10 novembre 1871) que soit nommée une commission technique chargée d'étudier l'extension du réseau ferré (chemins de fer et tramways) dans le département[1]. Cette décision, prise alors que les décombres de la Commune et du siège n'étaient pas encore déblayés, est curieuse : on aurait pu croire que le département de la Seine avait alors d'autres soucis. Peut-être les conseillers voulurent-ils profiter de ces bouleversements pour faire avancer plus vite de nouveaux projets ; et puis il fallait sans doute ne pas prendre de retard quand Berlin, la capitale victorieuse, s'apprêtait à construire un métro. Comme les conseillers municipaux de Paris étaient aussi conseillers généraux, ils contribuèrent manifestement à orienter les travaux de la commission technique vers les besoins parisiens, quitte à oublier quelque peu ceux du reste du département. La délibération du 10 novembre fixa les buts du futur réseau : il devrait prévoir un second chemin de fer de Ceinture à l'intérieur de Paris (il en existait déjà un le long des fortifications) ; il lui faudrait mettre cet anneau intérieur en communication, d'une part, avec le centre de Paris, d'autre part, avec le reste du département. D'autres buts furent fixés : desservir la ligne des quais de la Seine ainsi que l'anneau intérieur formé par les Grands Boulevards et le boulevard Saint-Germain ; enfin, relier les gares entre elles et avec les Halles. Le plan était clair : deux anneaux emboîtés, reliés à l'extérieur de Paris et à son centre, renforcement de l'axe de la Seine – une copie améliorée du réseau londonien, avec les lignes rayonnant autour de Picadilly et l'anneau de Circle Line. Le projet visait, à vrai dire, trois buts différents : mieux intégrer Paris à son arrière-pays ; améliorer la circulation dans la ville même ; faciliter les flux de marchandises vers le marché central.

La commission technique commença à travailler en 1872. L'enjeu était de taille et tentait les sociétés privées : en 1875, on proposa à la commission un réseau rayonnant autour du Palais-Royal vers les gares, avec un raccordement aux Halles. C'était faire le jeu des compagnies de chemin de fer... qui avaient financé le projet. Une autre proposition,

---

1. J. Hervieu, 1908.

l'année suivante, suggéra un réseau souterrain partant de la Bastille. Ces projets montrent bien que le centre d'activité de Paris n'était pas encore clairement identifié : on choisissait encore le vieux centre du début du XIXe siècle (le Palais-Royal), ou bien l'une des entrées les plus importantes de la ville. En 1877, la commission proposa des tracés qui se sont révélés fondamentaux et ont été conservés [1] : un réseau élémentaire suivant les Grands Boulevards (l'axe le plus chargé de trafic à l'époque), une grande ligne nord-sud interrompue momentanément par le fleuve, et des liens avec les gares. La ligne principale aujourd'hui (Vincennes-Neuilly, d'est en ouest) ne parut pas primordiale à la commission : d'une part, la rive droite pesait alors relativement plus lourd et son axe était plus au nord, le long des Grands Boulevards ; d'autre part, le carrefour du Châtelet, aujourd'hui central, n'était pas alors aussi important (il faudra l'obscurantisme des vieillards de l'Académie pour en faire le centre de la capitale). Parallèlement, la commission continuait à travailler sur un réseau de chemin de fer d'intérêt local destiné au département et qui devait être directement relié, par les embranchements des gares indiqués plus haut, avec le réseau parisien. Ces conclusions servirent de base aux réseaux futurs. Dès l'année suivante, le gouvernement confirmait le travail de la commission en rappelant que le métro devrait être impérativement relié, au-delà des fortifications, aux lignes des grandes compagnies de chemin de fer : c'était jeter les bases d'un conflit interminable.

L'équilibre des intérêts fut alors bouleversé : une nouvelle loi (11 juin 1880) permit aux communes de construire un chemin de fer d'intérêt local sur leur territoire. La Ville de Paris crut triompher et prit le dossier au département. Trois ans plus tard (4 juin 1883), le conseil municipal vota un projet de métro parisien et demanda au Parlement d'en reconnaître l'intérêt public, déclaration nécessaire pour lever des

---

1. Une ligne du bois de Boulogne au bois de Vincennes par l'Étoile et les Grands Boulevards ; une deuxième partant des Halles par le boulevard Sébastopol vers le nord ; une troisième ligne Montrouge-gare d'Austerlitz par le boulevard Saint-Michel et Cluny. La commission recommandait d'ajouter des embranchements vers chaque grande gare et d'effectuer, dès que la technique le permettrait, une liaison du boulevard Saint-Michel au boulevard Sébastopol en passant sous la Seine.

emprunts. Ce fut l'échec : le Conseil d'État décida qu'un métro parisien ne pouvait avoir qu'un caractère général et en refusa à la Ville la concession. Comme la loi obligeait la Ville à faire gérer son métro par un concessionnaire, le projet s'effondrait. On n'a pas assez étudié les motifs qui poussèrent le Conseil d'État à une telle décision : jacobinisme profond de cette cour, sans doute, et désir de centralisation ; peur de laisser quelque autonomie à la capitale, après les Communes de 1793 et de 1871 ; souci stratégique de faciliter les mouvements de troupes. (Paris payait-il sa position privilégiée au centre du réseau français ?) Il y eut peut-être des raisons plus solides et plus sordides. Le Conseil d'État avait déjà défendu les intérêts fonciers en 1858 et fait en grande partie échouer le projet d'Haussmann en l'obligeant à rendre aux propriétaires les parcelles de terres inutilisées. En restreignant le métro aux vingt arrondissements, le projet de la Ville favorisait les propriétaires parisiens. Au contraire, en reliant largement le réseau urbain projeté aux grandes lignes de chemin de fer, la commission technique avantageait les propriétés rurales de la banlieue. Le Conseil d'État penchat-il davantage de ce côté ?

Cette décision marqua le début d'une véritable guérilla où le gouvernement et la Ville s'épuisèrent pendant douze ans. Le ministère des Travaux publics s'obstinait à ne voir, dans le métro, qu'un appendice au réseau ferré national et à traiter le cas de Paris hors du régime commun. La Ville, de son côté, voulait un réseau purement urbain, limité à ses portes. Pour tout envenimer, la Ville, qui votait à gauche quand le Parlement avait une majorité plutôt de droite, vira à droite au moment où une solide majorité de centre gauche prenait le pouvoir à la Chambre. Après 1880, les projets se succédèrent, suscités par la Ville, refusés par l'État. On discuta d'abord de l'énergie à employer : vapeur ou électricité ? On ne pouvait alors transporter l'électricité que dans des accumulateurs, beaucoup trop lourds ; la vapeur n'était concevable que pour des lignes aériennes. Il ne semble pas que les contemporains aient été effrayés par la pollution que les locomotives n'auraient pas manqué de produire. Un projet[1] suggéra de tracer les lignes aériennes à travers les cours des

1. Dupuis, Nibart et Vauraillon (1886).

immeubles et de les faire passer en tunnel dans les bâtiments, ce qui aurait eu l'« avantage de laisser libres les avenues ». Il y aurait eu « seulement un trou à percer à travers les maisons rencontrées sans détruire entièrement l'immeuble », les heureux habitants auraient eu le métro littéralement à leur porte, parfois sur leur plafond… Des projets plus raisonnables envisagèrent un métro aérien à monorail et à deux voies[1] sur les principales avenues : toujours le besoin de doubler le réseau haussmannien ; mais la largeur des deux voies parut rédhibitoire. Garnier (1884) suggéra de superposer les deux voies et de prévoir des changements de lignes par gares « tangentes ». Ces voies ferrées superposées auraient aussi servi, entre deux passages d'une rame du métro, à faire circuler les trains de chemin de fer entre les gares : on reconnaît ici le désir de relier les gares et de faciliter le trafic de marchandises, un des premiers soucis de la commission. Nordling (1887) dessina un tracé intéressant : trois boucles formant comme un trèfle et se réunissant à la Bourse, qui serait devenue le cœur de Paris, retrouvant l'ancien centre de la ville qui s'était déplacé, au cours du XIXe siècle, de la Chaussée-d'Antin sous Napoléon Ier à l'Opéra sous Napoléon III. Une solution curieuse[2] faisait appel à un système funiculaire : les voitures devaient s'accrocher à des câbles, enfouis entre les voies et mus par des moteurs fixes. Cette solution élégante aurait donné à Paris des *cable-cars* comme ceux de San Francisco, mais le débit eût été faible.

Jusqu'en 1887, la plupart des réseaux projetés furent aériens[3]. Un métro souterrain n'était pas concevable tant que l'on faisait appel à la vapeur. Ceux mêmes qui proposaient la traction électrique avec accumulateurs préféraient des voies au-dessus du sol. Le coût d'une voie aérienne devait être très élevé, mais plusieurs propositions comptaient en couvrir une bonne partie en louant des boutiques sous les arcades des voies et le long des lignes, afin de récupérer la plus-value produite par la meilleure accessibilité : le projet Haag retrouvait la méthode par laquelle Haussmann avait lui aussi, avant 1858, récupéré la plus-value foncière produite

---

1. Projet Jullien, Fournier, Broca et Lartigue.
2. Projet Mareschal.
3. Cf. A. Dumas, 1901.

par ses travaux. Mais l'opinion commençait à s'émouvoir à
la perspective de ces ponts immenses le long des grandes
avenues : la Société des amis des monuments parisiens, forte
du grand nom de Victor Hugo, son président, milita contre le
métro aérien. Ses efforts ne contribuèrent pas peu au choix
d'un réseau souterrain. La CGO, effrayée de la concurrence
qui s'annonçait, finança une étude pour démontrer que
Paris n'avait pas besoin de métro[1] : Paris était deux fois
plus dense que Londres (un quart de sa superficie, mais la
moitié de sa population) ; Londres avait alors 75 voitures
pour 1 000 habitants, Paris, 166 ; enfin, si la capitale anglaise
transportait 100 000 passagers par voiture et par an, une voiture à Paris en transportait 200 000. Au-delà du plaidoyer *pro
domo*, ce texte était caractéristique du mépris parisien pour
la banlieue : il comparait l'agglomération londonienne, où
l'urbain passait à la banlieue sans transition, avec Paris *intra
muros*, oubliant complètement sa périphérie, pourtant mal
desservie.

   La situation avait mûri en 1887 : les projets étaient devenus très sérieux. Certains[2] pensaient à utiliser les quais de la
rive droite : cela fut réalisé plus tard, mais rive gauche, pour
la ligne d'Orsay. Un ingénieur connu, Berlier, suggéra un
système de tunnels construits par boucliers, afin de ne pas
gêner la circulation de surface pendant les travaux, et une
traction électrique ; le dossier était si tentant que la Ville était
prête à lui donner la concession d'une ligne, de Vincennes à
la porte Dauphine. Le grand Eiffel lui-même, en accord avec
la Compagnie des chemins de fer du Nord, prépara un projet
(1890). Mais le ministère des Travaux publics s'y opposait
toujours : le projet de métro était d'intérêt général et devait
être confié, au moins en partie, aux grandes compagnies
ferroviaires. Cependant, un autre projet conforta la Ville :
l'Exposition universelle, prévue à Paris en 1900, qui ne réus-
sirait que si Paris pouvait transporter commodément ses visi-
teurs. Le gouvernement essaya d'abord de résister à ce petit
chantage, puis en comprit le bien-fondé et céda. Le ministre
Louis Barthou reconnut enfin (lettre du 22 novembre 1895)
qu'un métro parisien devait être un chemin de fer d'intérêt

   1. L. Marsillon *et al.*, 1886.
   2. Projet Villain et Dufresne, et projet Cotard et Sautereau.

local. Et le réseau urbain, après quarante ans d'attente et vingt-cinq ans de disputes, devint possible : un record, sans doute, dans l'urbanisme européen.

La Ville reprit le projet sans précipitation. Il lui fallut un an et demi pour définir les caractéristiques de son métro. L'infrastructure (tunnels, ponts, voies, stations…) serait construite par la Ville et resterait sa propriété ; elle lança à cet effet un emprunt de 165 millions de francs. En revanche, l'exploitation, pour obéir à la loi, serait confiée à un concessionnaire pour une durée de trente-cinq ans : celui-ci devait construire les accès en surface, gérer les lignes et verser à la municipalité un péage de 5 centimes par voyageur ; à l'expiration de la concession, la Ville deviendrait propriétaire de tout le réseau. En fait, la concession fut attribuée d'une façon curieusement complexe au baron Empain, un grand industriel belge qui construisait des tramways. Il créa ainsi la Compagnie générale de traction (janvier 1897), mais, comme la société gestionnaire devait être française, il lui ajouta une filiale, la Compagnie du chemin de fer métropolitain de Paris (mai 1898). Les travaux furent dirigés à partir de 1896 et menés à leur terme par Fulgence Bienvenüe, un ingénieur breton. Le programme que la municipalité lui avait fixé était ambigu : d'une part, « suppléer à l'insuffisance des moyens de transport du Paris actuel » ; de l'autre, « mettre en valeur les quartiers éloignés et les moins peuplés de la capitale », dans l'enceinte des fortifications. Il lui fallait desservir à la fois le centre et les arrondissements périphériques afin de distribuer plus également la population parisienne *intra muros*. Rien n'était dit de la banlieue, la grande oubliée. Paris n'avait pas pardonné au ministère ses efforts pour mettre la main sur « son » métro : le projet des ingénieurs de la Ville, voté par le conseil municipal en 1897, préservait méticuleusement l'indépendance du nouveau réseau. La voie serait étroite (1 mètre) et les voitures auraient moins de 2 mètres de large : ainsi, métro et réseau ferré national resteraient totalement séparés. Il ne s'agissait pas seulement, à vrai dire, de sauvegarder l'indépendance de la capitale, mais aussi de préserver ses valeurs foncières en concentrant la population à l'intérieur des fortifications et en limitant son départ vers la banlieue. Albin Dumas écrivait très justement dès 1901 : « Le projet primitif du chemin de fer métropoli-

tain écartait, systématiquement, tous moyens d'exode des
Parisiens vers la banlieue [1]. » Le concessionnaire s'inquiéta
de voitures si petites : la Ville accepta de porter la voie à
1,30 mètre et les voitures à 2,10 mètres, du moment que
ces mesures restaient inférieures à celles des chemins de fer.
Il fallait une loi pour autoriser l'emprunt : la Chambre en
profita pour élargir de nouveau la voie à la taille normale
(1,44 mètre). La municipalité ne voulut pas céder et se rattrapa sur le gabarit des tunnels : ils n'auraient que 7,10 mètres
de large (au lieu de 9) et des rayons de courbure plus petits.
Ainsi, les rames de métro pourraient peut-être rouler sur les
voies de chemin de fer, mais l'inverse demeurerait impossible : un train normal ne pourrait toujours pas emprunter les
voies du métro. Par comble de précaution, il fut prévu que
les trains métropolitains rouleraient en tenant leur droite,
alors que tous les chemins de fer du monde roulent à gauche
depuis que la Grande-Bretagne, au début du XIXe siècle, leur
a donné l'exemple. La RATP et la SNCF, quatre-vingt-dix
ans plus tard, ont connu de grandes difficultés lorsqu'elles
ont voulu relier leurs deux réseaux : les voies d'une même
ligne du RER ont dû être séparées en deux tunnels qui se
croisent deux fois pour rouler tantôt à gauche, tantôt à droite,
selon les stations.

Le plan choisi pour le réseau ne semble pas avoir répondu
à une logique bien claire. Un point de droit détermina en
grande partie le tracé des voies : le droit français ne limitait
pas la propriété foncière à une certaine profondeur, comme
le faisait, par exemple, le droit américain. Il est fréquent, aux
États-Unis, que plusieurs compagnies pétrolières se parta-
gent en tranches superposées la propriété du sous-sol. L'heureux propriétaire français possède sa terre jusqu'au centre du
globe et aurait donc été en droit de réclamer des redevances
aux compagnies forant des tunnels dans son bien. On aurait
pu négocier le montant de ces redevances d'une façon globale, à l'échelle de la ville, utiliser une procédure particulière
d'expropriation souterraine ou, mieux, changer le droit du
sol ; toutefois, remettre en question le droit de propriété,
même pour une raison technique, parut d'une difficulté
insurmontable, et les ingénieurs choisirent une solution plus

1. Cf. A. Dumas, 1901, p. 14.

simple, mais bien mauvaise : faire passer les tunnels sous le domaine public. C'était se condamner à suivre les grands axes et à doubler sous terre le réseau haussmannien, au lieu d'imaginer un réseau neuf dont le dessin aurait pu contrebalancer les effets des grands axes de surface. Il était inévitable que ce réseau métropolitain déterminât un centre où viendrait confluer la population, les employés et les clients. Le choisir était une tâche capitale qui ne semble pas avoir retenu beaucoup l'attention. Le centre des activités parisiennes se trouvait alors autour de l'Opéra et de l'extrémité des Grands Boulevards : il avait glissé du vieux centre historique vers le nord-est, attiré par les grands travaux de l'Opéra et de la Bourse. Plusieurs projets avaient envisagé un carrefour principal aux Halles. Le métro, tel qu'il était finalement conçu, était interdit aux wagons de marchandises et ne pouvait plus servir directement le trafic du marché central. Ce quartier, cependant, jouait encore un rôle tellement important que le projet de 1900 prévoyait un carrefour souterrain près de Saint-Eustache : c'est là que devaient se croiser les deux lignes principales coupant Paris d'est en ouest et du nord au sud. La voie sud, en particulier, longeait la rue de Rennes, dont Haussmann avait voulu faire un grand axe mais qui se terminait, par suite d'une effarante erreur de planification, en quasi cul-de-sac devant l'église Saint-Germain-des-Prés ; elle devait traverser la Seine et aller droit sur les Halles, puis rejoindre l'axe du boulevard Sébastopol. Le désir de desservir la gare Montparnasse et les Halles explique qu'elle ait évité l'axe du boulevard Saint-Michel, qui semblait s'imposer et que longe, aujourd'hui, le RER. Ce tracé assez logique fut bouleversé par une opposition bien imprévue : l'Académie française n'accepta pas qu'une ligne de métro passât sous le palais Mazarin, les vibrations pouvant gêner la rédaction du dictionnaire. Dans cette République de notables, les académiciens eurent assez de poids pour faire dévier le tracé : la voie dut faire un coude à Saint-Germain, aller par Odéon traverser la Seine à Saint-Michel puis rejoindre les Halles, qu'il était nécessaire de desservir, par un second coude tout aussi bizarre. L'opposition des petits hommes verts eut des conséquences considérables : non seulement la ligne fut allongée, et plus coûteuse, mais, surtout, la place du Châtelet devint le centre du réseau qui avait d'abord été prévu plus au nord. Il est remarquable que le tracé récent du RER (qui, dans Paris du moins, a été assez libre) reprenne en partie l'ancien projet, avec une gare centrale sous Saint-Eustache, et non plus au Châtelet. Le développement récent du quartier Étienne-Marcel en est une conséquence évidente.

L'obligation de forer sous le domaine public eut des effets dommageables en renforçant les erreurs des tracés haussmanniens. Les mailles du réseau furent nettement plus serrées sur la rive droite que sur la gauche, renforçant ainsi la dissymétrie de la ville. Le Marais n'avait pas été ouvert par de grandes percées : Haussmann l'avait soigneusement évité, comme il avait contourné le faubourg Saint-Germain, afin sans doute d'épargner les résidences aristocratiques qui y étaient encore nombreuses. Le Marais fut donc évité par le métro et demeure encore aujourd'hui l'un des quartiers parisiens les plus mal desservis. Les techniques employées ne permettant pas de donner aux voies des pentes bien fortes, les quartiers de collines (Montmartre et surtout la butte Sainte-Geneviève) n'eurent pas de station. Enfin, il fallut faire sortir de terre, pour un coût deux fois plus élevé, les voies qui traversaient au nord les lignes de chemin de fer des gares du Nord et de l'Est, afin d'éviter de trop les enfouir, ce qui explique le triste métro aérien le long du boulevard de Rochechouart. Comme la municipalité ne voulait qu'un « métropolitain » et avait conquis de haute lutte le droit de ne construire qu'un réseau local, on put multiplier les stations – qui furent alors si rapprochées qu'on peut souvent, de l'une, apercevoir l'autre. Des erreurs étranges furent faites : aucune communication ne fut prévue, par exemple, entre la ligne Vincennes-Neuilly et le chemin de fer de Ceinture qui existait déjà et était fort utilisé. Des concessions ultérieures permirent d'ouvrir de nouvelles lignes administrées par des concessionnaires différents, comme le Nord-Sud (aujourd'hui la ligne 12), avec des stations plus larges et plus luxueusement décorées. Il en résulta inévitablement un manque d'unité dont souffre encore aujourd'hui le métro : les correspondances, au lieu d'être organisées verticalement (comme à Londres, où l'on passe d'une ligne à l'autre à l'aide d'escaliers roulants), se font entre des quais assez éloignés, par des couloirs trop longs. Comme le coût de 1 mètre de station était trois fois plus élevé que celui de

1 mètre de voie, on réduisit la longueur des stations au strict nécessaire : 75 mètres pour des rames de 72 mètres[1].

Le métro fut coûteux : 800 000 francs par kilomètre pour les superstructures, 3 millions pour les tunnels ; au total, une dépense de près de 300 millions de francs-or pour un réseau, en 1901, de 65 kilomètres. Mais son succès fut indéniable : dès 1901, il assurait un trafic moitié plus élevé que celui de Londres et presque double de celui de Berlin. La circulation en fut-elle dégagée ? Non, et les contemporains en furent très étonnés : ils n'avaient pas prévu que, dans le centre des grandes villes, accroître l'offre de transport entraînerait une augmentation de la demande. Les usagers furent plus nombreux à utiliser les nouvelles lignes, qui se trouvèrent vite saturées. Dès 1901, la capacité des rames était insuffisante et il fallut en accélérer la rotation. L'opinion s'aperçut vite de cette vérité qui semble encore méconnue aujourd'hui :

> On avait espéré, lors du vote du Chemin de Fer Métropolitain, que celui-ci, en emportant sous terre ses cargaisons de voyageurs, déblaierait d'autant la chaussée. Il n'en fut rien et cette vérité apparut que, plus on offre au public des moyens de circuler, plus il circule. Le métro, en 1903, recevait 100 millions de voyageurs pour 17 millions de francs. En 1907, il en charriait 195 millions avec une recette de 34 millions F. Or la Compagnie Générale des Omnibus n'en roulait pas moins 26 millions de personnes [...]. Quant aux autres compagnies concurrentes, le nombre des voyageurs qu'elles transportent est de 50 millions environ.
>
> Ainsi, les rues n'ont pas été dégagées ; Paris s'est remué davantage et voilà tout[2].

Comme la concession de la CGO expirait en 1910 et que la compagnie désirait la faire renouveler, il est possible que ce texte n'ait pas été publié par hasard. Il témoigne cependant d'une lucidité remarquable.

Le métro ne résolut pas le problème des transports à Paris. Non seulement la circulation s'aggrava, mais de nouveaux modes de déplacement occupèrent les rues : sur 230 000 véhicules que comptait la capitale en 1908, près de 50 000 étaient

---

1. *Ibid.*
2. *Lectures pour tous*, 1909, p. 209 *sq.*

des automobiles et plus de la moitié des bicyclettes (165 000 ; 270 000 en 1910). Entre le crépuscule du cheval et l'essor de l'automobile, Paris a connu, pendant les premières années du siècle, un âge d'or de la bicyclette[1] : celle-ci était partout et méritait alors son surnom de « petite reine ». A. de Lucenski lança un journal, *La Bicyclette*, qui remporta un grand succès et devint, en 1904, *Paris-Vélo*, à peu près au moment où le dernier tramway à cheval disparaissait (1907). On essaya en 1905 un autobus à vapeur. La première course automobile (Paris-Rouen, 1894) montra les qualités d'un véhicule à moteur. L'opinion publique allait plus loin, et commençait à rêver de transports aériens dans la capitale.

L'œuvre d'Haussmann n'a pas connu, dans le domaine des transports, un grand succès. Dans les vingt années qui ont suivi la fin de ses projets (1880 environ) et l'ouverture des grands axes qu'il avait tracés à coups de sabre dans le tissu parisien, l'accroissement du trafic et la multiplication des embouteillages furent tels qu'ils amenèrent les Parisiens à se tourner vers des solutions radicalement différentes, dans le sous-sol et dans les airs… pour y trouver la même déception. Quelques chiffres résument l'ampleur du problème : Paris comptait 23 000 véhicules en 1819, le double soixante-dix ans après (45 000 en 1891), mais vingt fois plus au début du XXe siècle (430 000 en 1910). Il aurait fallu que les ressources municipales grandissent en proportion. Elles étaient au contraire menacées, au même moment, par la querelle de l'octroi.

De nouvelles ressources municipales

Paris, au tournant du siècle, avait un besoin urgent de ressources nouvelles. En vingt-cinq ans, sa population avait augmenté d'un quart, mais ses dépenses de moitié[2] (voir tableau p. 186).

Le budget ordinaire, excédentaire en 1876, était difficilement équilibré en 1899. Les dépenses avaient augmenté beaucoup plus vite que la population, à cause de l'accroissement des dépenses sociales (assistance et instruc-

1. J. Bastié, 1965.
2. Cf. G. Cadoux, 1900.

	1876	1899
Population	1 946 000	2 500 000
Dépenses ordinaires (en millions de francs) *dont*	198,2	304,4
Dette	96	111
Instruction primaire	9,2	28,2
Assistance publique	13,1	31,1
Police	19,4	33,2
Dépenses par habitant	102 F	122 F
Recettes ordinaires (en millions de francs) *dont*	218,6	304,4
Octroi	124,5	157,8
Centimes communaux	24,2	34,5
Redevances Cie du Gaz	8,3	14,6
Eaux	8,8	18,7
Contribution de l'État pour la police	6,9	11,7
Recettes par habitant	112 F	122 F

tion publiques), presque triplées, mais aussi à cause du poids de la dette laissée par Haussmann : entre la moitié et le tiers du budget, et près de 45 francs-or par habitant et par an. En face, les ressources nous paraissent aujourd'hui bien malsaines : elles provenaient principalement de taxes indirectes, ce qui était inévitable à une époque où l'on refusait l'impôt sur le revenu. Plus grave cependant, la moitié de ces ressources provenait de l'octroi. La question de l'octroi est donc cruciale : fallait-il l'alourdir encore, alors que chaque Parisien payait en moyenne 64 francs par an de droits ? Ou bien le supprimer, au contraire – mais en le remplaçant par quoi ?

L'octroi[1] était un ensemble de droits d'entrée dans Paris,

---

1. Cf. F. Galtier, 1901.

portant sur les boissons, les denrées comestibles, les combustibles et les matériaux de construction. Il tendait à augmenter le coût du logement et avait donc un effet non négligeable sur la politique d'urbanisme de la Ville :

> Parmi les causes qui ont le plus contribué à un exode de la population parisienne, il faut citer la construction de l'enceinte dite des Fermiers Généraux pour la perception des droits d'octroi. Son influence ne se fait sentir qu'après la Révolution car, commencée en 1784, cette clôture n'était pas encore achevée en 1791, quand l'Assemblée Constituante supprima les droits d'entrée et d'octroi […]. Mais en 1798, il fallut rétablir l'octroi […]. Cette mesure contribua à fixer en dehors de l'enceinte réparée […] toute une population [1].

L'octroi est attesté depuis le XIIe siècle, et critiqué depuis ce temps. Alors que le peuple en demandait l'abolition, l'Assemblée nationale le maintint en 1790 et supprima même les exemptions qui l'adoucissaient. Le gouvernement révolutionnaire, cédant aux manifestations de rue et pour établir le libre commerce, le supprima totalement en février 1791 : le coût de la vie diminua à peine, mais les hôpitaux furent ruinés, qui en tiraient toutes leurs ressources, et menacèrent de fermer. Dès l'an VII (1798), l'octroi réapparaissait en France et à Paris. Napoléon le réorganisa en 1809. L'importance de la question apparaît bien dans le souci qu'eurent tous les régimes, depuis la Révolution, de contrôler étroitement l'octroi. A Paris, l'administration en était nommée par le gouvernement ; les taux des droits étaient proposés par la Ville, mais approuvés par le ministère. L'octroi parisien pesait d'un poids disproportionné : près de la moitié (156 millions de francs en 1896) de ce que rapportait l'octroi dans toute la France (326 millions à cette date), alors qu'environ mille cinq cents villes françaises en avaient un. Curieusement, ce total avait peu changé au cours du XIXe siècle. Ainsi, il était difficile de gérer cette taxe sans mettre Paris à part – ce qui était délicat, la Ville se plaignant, à juste titre, d'être toujours laissée hors du droit commun. La polémique atteignit un paroxysme au début des années

1. Commission d'extension de Paris, 1913, p. 125.

1890 : la longue crise qui, entre 1870 et 1890, avait atteint l'économie parisienne faisait paraître plus lourd le poids des taxes d'entrée. Chaque habitant payait en moyenne 62 francs à l'octroi chaque année : pour une famille d'ouvriers de 4 personnes gagnant environ 2 000 francs par an, cela représentait près de 12 % des ressources. La dette, laissée principalement par Haussmann, pesait de tout son poids : 24 francs par habitant en 1880, 19 francs en 1890, les chiffres les plus élevés de tout le siècle. En 1900, la Ville avait une dette de 5 milliards de francs-or ; on prévoyait qu'elle ne serait éteinte qu'en 1974.

L'opinion publique n'avait cessé, au cours des siècles, et particulièrement pendant le XIXe, de réclamer la suppression de l'octroi. Les Bourbons en 1815, les révolutionnaires en 1848 en promirent l'abolition, mais ne purent ou ne voulurent tenir leur promesse. La question passionna l'opinion du Second Empire : Frédéric Passy réclama inlassablement cette suppression. La Société des agriculteurs de France militait aussi contre l'octroi : démarche intéressante qui montre combien les villes étaient devenues le principal marché des campagnes. L'octroi gardait des défenseurs : plusieurs réformes, proposées entre 1851 et 1859, furent tour à tour refusées par le Sénat et par le corps législatif qui craignaient qu'on n'en remplaçât les revenus par des taxes sur la propriété foncière, dont ces Assemblées étaient les protectrices vigilantes. On proposa même de renforcer les droits, afin d'éliminer l'industrie de Paris (proposition Devinck), d'en chasser une masse ouvrière qui paraissait dangereuse, et de faire de la capitale une ville consacrée au commerce et au luxe : l'octroi aurait ainsi joué le rôle de filtre social. C'était une suggestion audacieuse, dans un Paris qui comptait en 1860 près de 22 000 établissements industriels et 200 000 ouvriers ; mais on y trouvait déjà autant d'entreprises commerciales et d'employés. En 1869, le gouvernement impérial, plus libéral, consulta toutes les villes qui avaient un octroi pour leur demander un avis sur sa suppression. Une commission, réunie en 1870, se divisa sur la question : la majorité refusa de proposer l'abolition de l'octroi, mais suggéra d'en limiter le poids, avec des taux modérés portant sur peu de produits, et d'interdire l'extension des zones urbaines. La commission se souvenait bien de l'annexion de la banlieue à Paris en 1860, qui, en élargissant le territoire enfermé dans l'octroi, en avait augmenté d'un coup les ressources de près de 20 %. La minorité de la commission proposa la disparition progressive des octrois. La catastrophe de 1870-1871 fit avorter le projet. Du moins, les vices de l'octroi avaient été reconnus publiquement. La République, entre 1870 et 1897, multiplia les discussions et les projets : tout le monde était d'accord pour supprimer l'octroi, mais pour le remplacer de quelle façon ? Il fallait trouver ailleurs 156 millions de francs, la moitié du budget de la Ville. Et, comme l'octroi pesait principalement sur les boissons, la question était encore compliquée par la politique, ou plutôt les politiques contradictoires, de l'État en faveur des viticulteurs et contre l'alcoolisme (qu'on désignait déjà comme un fléau majeur).

Essayons de jeter un peu de lumière sur ces controverses qui devaient fixer les ressources, donc déterminer la politique de la Ville. Galtier énumère les avantages et les inconvénients de ces droits d'entrée [1] :

– L'octroi n'est pas un impôt proportionnel. Il frappe autant le pauvre que le riche, d'autant que les droits dépendent du volume et non du prix : un litre de merveilleux château-margaux paie autant qu'un litre d'une infâme piquette du Languedoc.

– Il est source de vexations et excite à la fraude : certains, par exemple, faisaient passer des tuyaux sous les murs de Paris pour pomper du vin dans la ville. Les journaux et les romans populaires fourmillent d'exemples de stratagèmes plus ou moins heureux pour tromper les employés.

– L'octroi limite le salaire réel de l'ouvrier : c'était un point capital et fort discuté. Certains prétendirent que l'ouvrier y gagnait [2]. On put montrer que, à Lyon, l'introduction de l'octroi avait contribué à chasser l'industrie de la

---

1. F. Galtier, 1901.
2. Brelay calcula qu'un ménage ouvrier de 4 personnes payait seulement 150 francs par an à l'octroi, moins que la moyenne (238 francs). En revanche, grâce aux droits d'octroi, l'ouvrier jouissait, si l'on peut dire, de subventions à l'Assistance publique (50 francs par individu assisté), de dégrèvements de la Contribution mobilière pour les bas loyers, et de l'enseignement primaire gratuit (130 francs par enfant). Au total, il y gagnait, concluait l'auteur, cité *in* F. Galtier, 1901.

soierie car les ouvriers avaient réclamé des salaires plus élevés pour compenser l'augmentation des droits.

– Cette douane intérieure gêne la petite industrie (qui ne possède pas de grands entrepôts hors les murs) et l'agriculture : cette remarque, exacte, amena un audacieux à proposer que, en cas d'abolition de l'octroi, on augmentât les taxes payées par les paysans, ce qui souleva le tollé qu'on imagine. On montra aussi que l'octroi avait été effectivement utilisé par l'industrie parisienne du bois, en 1888, pour créer un marché captif et établir, hors la loi, un protectionnisme local.

On critiqua même la facilité avec laquelle les droits étaient perçus, qui pouvait pousser les communes au gâchis, ainsi que le coût de cette perception (un quart des droits payaient l'administration de l'octroi).

Mais on trouva des arguments en faveur de ces droits si anciens : ils suivaient rapidement les fluctuations de richesse d'une commune et constituaient un indicateur indispensable. On fit même remarquer que des taxes de remplacement seraient dangereuses, car « votées par des foules pauvres contre des riches peu nombreux ». La difficulté était bien là : par quoi remplacer l'octroi ? Le danger que courait la propriété excita les imaginations : on suggéra que l'État abandonnât aux communes une partie des grands impôts nationaux. Ménier proposa des taxes sur la valeur vénale des immeubles (1884), sur les loyers, ce qui frappait de plein fouet les propriétaires fonciers ; une forte majorité de députés rejeta ce projet. On alla jusqu'à proposer un impôt sur le revenu, ce qui fit peur, et un impôt sur les cheminées (Pieyre, 1882), ce qui fit rire. Tous ces projets dangereux furent successivement enterrés. Comme les projets de lois qui n'avaient pas été votés devenaient caducs à la fin de chaque législature, il suffisait de laisser traîner la discussion d'une proposition inquiétante pour qu'il faille tout recommencer après les élections suivantes. La question de l'octroi, si grave pour les finances parisiennes, fut ainsi reportée de législature en législature pendant près de trente ans. La question avait pourtant été déjà abondamment discutée sous la monarchie de Juillet et l'Empire. Mais la France était encore un pays rural, et la crise du phylloxéra vint dénouer la situation : il fallut agrandir le marché des viticulteurs en crise. La loi de

1897 décida que les communes pouvaient supprimer leur octroi (elles avaient ce droit depuis longtemps) et choisir des taxes de remplacement (mais lesquelles ?) ; en contrepartie, elles devaient abaisser fortement les droits frappant les « boissons hygiéniques », ce qui transformait profondément l'équilibre financier parisien : la Ville perdait 44 millions de francs que gagnaient les viticulteurs. Pour une meilleure politique de l'hygiène ? Certes non : les « boissons hygié-niques » comprenaient... la bière et le vin. L'entrée dans Paris de chaque hectolitre de vin ne coûtait plus que 4 francs au lieu de 11 : une décision étrange au moment où le gouver-nement proclamait la lutte contre l'alcoolisme. Cette « ré-forme bâtarde voulue par les viticulteurs » ne résolvait rien ; au contraire, la Ville devait chercher de nouvelles ressources. Elle les trouva en taxant plus durement l'immobilier : une nouvelle taxe sur la valeur du sol rapporta 13 millions, une autre, sur la valeur locative, 23 millions. Finalement, la pro-priété foncière en vint à payer 29 % du revenu immobilier, et même, si l'on déduit le passif hypothécaire, 43 %. Il est frap-pant d'observer, d'une part, le respect constant (dont on a donné déjà de nombreux exemples) des Chambres et des grandes institutions comme le Conseil d'État pour la pro-priété foncière et, d'autre part, la brutalité avec laquelle la municipalité parisienne taxa ses propriétaires fonciers : la terre avait une valeur symbolique, dans les campagnes, et était sacrée, alors que pour les conseillers parisiens, plus modernes, la propriété foncière n'était qu'une forme un peu archaïque de capitalisme. Ces différences d'appréciation furent particulièrement fortes entre les deux guerres, quand les Chambres bloquèrent les loyers pendant plusieurs décen-nies, au grand dam de Paris. La fortune mobilière fut beau-coup moins frappée. La vieille image du propriétaire rapace (M. Vautour) fut, en partie sans doute, la cause de cette poli-tique. La crise du logement qui commença à partir de 1900 en fut peut-être une conséquence.

La séparation de l'Église et de l'État allégea momentané-ment les charges de la Ville. On est surpris des richesses qu'avait su conserver ou reconquérir l'Église malgré les immenses confiscations faites par la Révolution. L'État lui laissa scrupuleusement, en 1905, les édifices et les biens mobiliers servant au culte, mais il reprit 520 millions de francs sur tout le territoire et près de 40 millions à Paris. Cette fortune, dans la capitale, était constituée principalement d'immeubles (19 millions de francs) et de rentes sur l'État (15 millions), tout comme le patrimoine d'un riche bourgeois. Ces biens avaient été acquis par don et par héritage : depuis le haut moyen âge, des croyants terrorisés par la peur de l'enfer léguaient une partie de leur patrimoine pour blanchir leur conscience. Dans la plupart des cas, il était stipulé que ces legs serviraient à des institutions charitables, mais l'Église avait d'autant plus négligé cette action sociale que l'État, depuis un siècle, avait commencé à s'en charger. Les biens confisqués servirent pour la plupart à la construction d'écoles ou d'hôpitaux, déchargeant d'autant le budget de la Ville.

La loi de 1897 échoua à remettre de l'ordre dans les finances municipales, et particulièrement dans celles de la Ville de Paris. Aussi bien n'était-ce pas son but. Comme pour construire le métro, il fallut au moins quarante ans de discussions pour réformer très médiocrement la fiscalité parisienne : le conflit, toujours le même, entre les intérêts de Paris et ceux des notables de province qui dominaient l'Assemblée retardait les décisions et les biaisait en faveur de la province. Contrairement à ce qu'on pourrait croire, les propriétaires parisiens n'eurent pas le dernier mot : les taxes municipales furent réformées à la Chambre, sans eux et contre eux. Même à Paris, ils ne représentaient plus le groupe dominant : l'essor du commerce, l'essor de la grande industrie à partir de 1900 les repoussaient au second plan. Les centimes additionnels (partie des impôts nationaux qui revenait à la Ville) le montrent bien (1900).

Centimes additionnels (en millions de francs)	
Portes et fenêtres	7
Cote personnelle et mobilière	14
Foncier bâti	20
Patente	26

Les producteurs dominaient désormais les propriétaires.

Désastre en banlieue :
le mitage du paysage (1890-1930)

Ainsi, dans la région parisienne, la propriété foncière perdait sa primauté. C'était assurément une marque de progrès économique, dans la mesure où les activités commerciales à Paris et industrielles en banlieue devenaient primordiales. Malheureusement, en se désintéressant des questions foncières, la société parisienne condamnait le développement de la banlieue.

La grande industrie à Paris

La longue crise qui avait ralenti l'économie pendant près de vingt-cinq ans, après la défaite de 1871, se termina dans les années 1890. Dès 1896, les activités reprenaient fortement, mais dans des conditions nouvelles. Si, pendant la crise, le nombre des entreprises et des ouvriers avait stagné, les investissements furent considérables. La capacité de production augmenta beaucoup, en même temps que la productivité : le nombre des machines installées doubla presque, mais leur puissance quadrupla. En dix ans (1896-1906), l'industrie changea et progressa plus que durant les vingt-cinq années précédentes. Le nombre des ouvriers augmenta de 22 % (648 000 en 1906) ; celui des grandes entreprises (plus de 500 ouvriers) doubla presque. L'innovation jouait son rôle habituel en début de cycle : les industries de l'électricité, du gaz, du pétrole et de l'automobile étaient alors les activités de pointe que la région parisienne attirait tout naturellement avec sa main-d'œuvre hautement qualifiée. Le personnage même de l'ouvrier changeait, ainsi que l'image qu'il donnait au public :

> Le personnage qui parlait ainsi était un homme dans la force de l'âge, de trente à trente-deux ans environ. Son visage énergique était barré d'une forte moustache noire, et de son front large, carré, s'enlevaient les ondulations d'une cheve-

lure soignée, collée aux tempes et à la nuque avec une évidente recherche.

Ce connaisseur [d'aérostation] était habillé simplement, mais avec une certaine élégance. Toutefois, quelques détails de goût médiocre trahissaient que le personnage en question n'était évidemment pas un homme du monde dans toute l'acception du mot, mais plutôt un de ces ouvriers de la génération moderne, élégant, presque distingué, de bonne tournure. Pour ne pas être un snob, ce n'était pas un voyou [1].

Un double mouvement faisait de Paris le centre de l'innovation dans l'industrie française : d'une part, les établissements qui travaillaient dans des secteurs traditionnels (en particulier, le textile, et surtout le vêtement) quittèrent la capitale pour aller s'établir en banlieue, voire en province (le nombre de grands établissements installés dans Paris avait atteint un maximum en 1872 : 489 ; puis ce nombre décrut régulièrement : il n'était plus que de 307 en 1914). D'autre part, des entreprises nouvelles continuaient de naître à Paris, et des firmes provinciales venaient s'y installer lorsqu'elles se modernisaient et s'engageaient dans des productions nouvelles : la mécanique de précision, l'électricité, l'automobile et l'aéronautique naissantes vinrent, jusqu'en 1900, chercher dans la capitale la main-d'œuvre hautement qualifiée dont elles avaient besoin. Ce serait cependant une erreur de négliger, à l'autre extrémité de l'éventail social, la vaste main-d'œuvre, peu qualifiée mais fort compétente et bien plus nombreuse, qui assurait les milliers de petites tâches nécessaires à la vie d'une capitale : les chiffonniers, les récupérateurs et les petits artisans qui trouvaient « des millions dans la boîte aux ordures [2] ».

Que penseriez-vous de gens qui jetteraient cinquante mille francs à la boîte aux ordures [...] tous les jours ? Cette prodigalité est commune à tous les Parisiens. C'est eux qui, au bout de l'année, se trouvent avoir jeté à la voirie plus de dix-sept millions. [...]

Qui ne se souvient de l'époque, encore récente, où chaque maison, le soir, déversait sur la chaussée le tas de ses

1. P. Souvestre et M. Allain, 1961, *Les Amours d'un prince*, p. 342.
2. Les citations suivantes sont tirées d'un article, qui porte ce titre, des *Lectures pour tous*, 1907, p. 265-271.

ordures, que chiens et voitures éparpillaient de tous côtés ?
[…] M. Poubelle rendit une ordonnance célèbre prescrivant à
chaque maison de la capitale de garder chez elle ses ordures,
dans une grande boîte en zinc, jusqu'à l'heure matinale où
les tombereaux de la voirie passeraient les enlever.

Les chiffonniers protestèrent ; ils étaient 40 000. L'administration leur permit de s'entendre avec les concierges, et le
chiffonnier acheta désormais (de 40 à 300 francs) son droit
au travail :

> Il consiste à pouvoir pénétrer dans un nombre déterminé de
> maisons vers 5 heures du matin, une heure environ avant le
> passage des tombereaux de la Ville, afin de prendre dans la
> boîte commune tout ce qui semble utilisable […] le chiffon-
> nier doit, en retour, sortir cette boîte sur le trottoir, après son
> travail fait. [Le chiffonnier habite] d'ordinaire à Charonne, à
> la Glacière ou hors de l'enceinte de Paris, à Clichy par
> exemple.
> Il commence par chercher dans sa récolte de quoi dîner : gras
> de jambon, peaux de gigots et de rosbifs, trognons de choux,
> œufs rejetés comme douteux, os sur lesquels il reste un peu
> de viande. Tout cela va s'engloutir dans une marmite, en
> compagnie des croûtes de pain, et mijotera pour faire un
> nourrissant pot-au-feu.

Tout est récupéré, comme l'explique un chiffonnier :

> Ces croûtes [de pain avariées], mon cheval n'en a pas voulu,
> mes poules non plus. Je les vends à des charcutiers un sou le
> kilo. Ils […] les font rôtir, ce qui leur enlève leur mauvaise
> odeur […] ils les réduisent en poudre […]. Cela leur fait de
> la chapelure pour saupoudrer vos jambons. Il reste dans le
> brûloir une poudre noire, presque impalpable. Le charcutier
> la revend à son tour à des industriels spéciaux qui vous en
> font de la poudre dentifrice et de la chicorée extra.
> Le second sac contient une sorte de pâte brune, qui est du
> marc de café recueilli dans les poubelles des restaurants :
> « Je revends ce marc à un industriel qui en refait du café
> neuf. Il le fait sécher, y ajoute un peu de vrai café en poudre
> (5 %), du seigle brûlé et du caramel fondu ou de la mélasse.
> Il n'y a plus qu'à mettre dans des étuis de papier d'argent et
> livrer à la clientèle. »

Les têtes de faisan ou de perdrix étaient revendues 15 centimes à des restaurateurs qui les plaçaient sur leurs terrines
de gibier pour en assurer l'authenticité. La profession était
bien organisée et ne se distinguait guère des autres métiers :
un « maître chiffonnier » achetait leur récolte, une fois celle-
ci triée, aux fouilleurs de poubelles et redistribuait les
trouvailles aux industriels et aux artisans. Le « cambrurier »
utilisait les vieilles semelles, en en rognant les bords, pour
faire des chaussures neuves :

> Dans la semelle d'homme, il découpera une semelle de
> femme, et dans celle-ci, une semelle d'enfant… Il y a ainsi
> des semelles et des contreforts qui se promènent, pendant
> plusieurs années, de pied en pied, renveloppées chaque fois
> dans un mince cuir neuf. Paris compte une soixantaine de
> cambruriers ; les plus importants d'entre eux occupent de dix
> à douze ouvriers, gagnant une moyenne de 5 francs par jour,
> et produisant 500 000 semelles et contreforts […]. On ne
> perd pas même les œillets et les clous… Le sol est balayé et
> un aimant, promené sur les résidus, attire les clous et les
> œillets de fer et les sépare du cuivre.
> Tout ce que Paris produit de détritus animaux s'en va, par
> masses énormes, dans les usines d'Ivry, pour y être desséché-
> ché, mis en poudre et rendu ainsi assimilable au sol [comme
> engrais]. Ces usines dont on sent, les soirs d'été, la puanteur
> se répandre sur la capitale, reçoivent jusqu'aux râpures de
> corne que les maréchaux-ferrants enlèvent aux sabots des
> chevaux, jusqu'aux vieux chevaux de fiacre crevés […].
> C'est un spectacle effroyable que celui de ces monceaux
> d'ossements, où pend encore une viande pourrie, et qui
> s'entassent dans les terrains vagues de ces usines… Avec ces
> os, on va faire toutes sortes de choses. Des femmes, assises
> devant une courroie sans fin qui les fait défiler devant elles,
> y pêchent au passage tous ceux qui seront envoyés, en guise
> d'ivoire, aux fabricants d'objets de tabletterie. Dans les
> omoplates et autres os plats, on taillera, à l'emporte-pièce,
> des boutons de culotte ou des branches d'éventail ; les os à
> moelle feront des ronds de serviette et les os de côtelettes des
> manches de brosses à dents […].
> Le lapin pour fourrures est traité avec mille égards ; sa peau
> est émincée, grattée, assouplie et finalement, – sauf pour
> les lapins blancs qui, tels quels, deviennent « hermines »,
> – plongée dans des baquets de teintures variées qui en feront
> des peaux de chinchilla, de loutre, de renard bleu, etc.

Rien ne vaut, paraît-il, le lapin de France. L'Europe et même l'Amérique sont nos tributaires pour ces fourrures et il y a à Paris des coupeurs de poils qui « traitent » par jour 15 000 peaux de lapin [...].

Le démêloir retire chaque jour 50 kilogrammes de cheveux de la tête des habitants de Paris, et les chiffonniers les revendent à maint fabricant de postiches au prix de 4,50 francs à 6 francs la livre. Les boîtes à sardines et à conserves diverses sont vendues par le chiffonnier au prix de 3 francs les 100 kilos à un « dessoudeur » qui les jette dans un immense brasier où l'étain qui soudait ces boîtes fond et se détache de la tôle. Cet étain est revendu 18 et 20 francs les 100 kilos, et ressoudera de nouvelles boîtes. Les petites plaques de tôle, bien aplaties et nettoyées, s'en vont chez les fabricants d'articles de Paris, de jouets d'enfants, de boutons en étoffe. Quant aux bouteilles cassées, on les broie, on les pile et on en fait du papier de verre. [...]

La vaisselle à filets d'or [...] s'en va à la boîte à ordures. Le chiffonnier recueille soigneusement ces débris et les revend 3 francs les 100 kilos aux « laveurs de porcelaines » qui arrivent à en retirer 4 et même 5 grammes d'or.

Au-delà de son intérêt anecdotique, ce texte témoigne d'une « belle époque » où le niveau de vie était fort bas, le travail très mal rétribué, et la fraude largement répandue. Le lien était étroit entre les activités de l'industriel qui fabriquait des fourrures ou des brosses à dents et celles du chiffonnier qui jouait un double rôle : approvisionner les producteurs en matières premières, mais aussi relier la ville, où l'on consomme, à la banlieue, où l'on produit.

A l'aube du XXe siècle, la situation changea de nouveau. La grande industrie, même la plus moderne, quitta décidément Paris : le nombre d'entreprises diminua dans tous les secteurs, et cette perte de substance fut désormais irrémédiable. A partir de 1900, la vocation de Paris devint décidément celle d'une ville de services et non plus d'industries. Les seules activités industrielles qui y gardaient du poids (confection, arts graphiques) étaient plus proches de l'artisanat que de l'industrie lourde. C'était là un phénomène considérable, la fin de ce grand mouvement d'industrialisation de Paris qui avait commencé à la fin de la Restauration, et surtout avec la monarchie de Juillet. C'était la marque à la fois d'une croissance solide de l'industrie en France et d'une cer-

198 Paris, histoire d'une ville

taine perte de pouvoir de la capitale. La politique d'hygiène,
qui devint importante à la fin du siècle, repoussa aussi ces
grands ateliers qui constituaient des sources désastreuses de
pollution. Enfin, la nouvelle politique de transports (l'ouverture du métro, mais surtout le développement de tramways
joignant Paris à la banlieue) facilita ces changements de
localisation. A partir de 1900, les voies d'eau reprirent une
importance qu'elles avaient perdue, sous le Second Empire,
avec l'essor des chemins de fer. La moitié des combustibles
et des matières premières lourdes, la majeure partie des boissons et surtout des vins arrivaient à Paris par la Seine et le
canal Saint-Martin. Ce n'est pas par hasard si de nombreuses
aventures du terrible Fantômas ont lieu dans les entrepôts de
Bercy : la Halle au Vin, par son importance et par son rôle,
alimentait alors les mythes populaires. L'industrie parisienne
se regroupait autour de trois pôles, tous liés à des voies de
transport, et surtout à des voies d'eau : le quartier de la
Villette, qui comptait plus de 20 entreprises importantes ;
Charonne et Picpus, avec les gares de chemin de fer et les
bassins sur la Seine, en amont (18 entreprises), et où se
concentraient aussi les chiffonniers ; et surtout les bassins
d'aval, dans les quartiers d'Auteuil et de la Muette (29 entreprises). Les quartiers périphériques rassemblaient cette industrie : en fait, elle était en train de glisser vers la banlieue
qui, plus que la ville même, devint, à partir de 1900, le véritable pôle industriel français, alors que Paris demeurait le
centre de la petite entreprise.

L'essor de la banlieue

Si la banlieue s'industrialisait rapidement, elle demeurait
encore, à la veille de la Grande Guerre, principalement agricole. Nous disposons heureusement d'études monogra-
phiques extrêmement détaillées sur la vie des paysans qui
cultivaient la terre près de la capitale [1]. Le relief et l'histoire
avaient déterminé deux types d'agriculture très différents : la
grande culture, dans les plaines et sur les plateaux ; la petite,
dans les vallées qui les entaillent.

1. Cf. les analyses curieuses de J. Durieu, 1910. Consulter aussi J. Bastié, 1965 ; et M. Philipponneau, 1956.

Les plateaux et les vastes plaines qui entouraient Paris furent défrichés par les monastères et étaient consacrés depuis longtemps à la grande culture. La terre était riche mais lourde. Le travail en était difficile et réclamait des moyens puissants (un ou plusieurs chevaux devant la charrue), c'est-à-dire de gros investissements. Les cultures principales étaient la betterave à sucre, le blé, l'avoine. Les propriétés, très vastes, étaient dans les mains d'aristocrates ou de grands bourgeois qui habitaient Paris et venaient rarement visiter leurs terres : ils en confiaient l'exploitation à de grands fermiers, ou plutôt des *gentlemen-farmers*. Instruits, entreprenants, au fait des méthodes modernes de production, ceux-ci étaient les vrais maîtres de la terre. Ils affichaient souvent une morgue qui leur valut le titre sarcastique de « noblesse du fumier » et mariaient leurs enfants dans les grandes églises de Paris. Ils communiquaient d'ordinaire avec leurs ouvriers agricoles par l'intermédiaire de commis. L'ouvrier passait pour une brute solide mais ivrogne, guère capable de réflexion : « C'est une bête de somme incomparable qui peut sans faiblir travailler, à l'occasion, de 3 heures du matin à 8 ou 9 heures du soir[1]. » Ces « brutes » savaient cependant s'organiser, créer un syndicat et obtenir une nette augmentation de salaire lors de grèves calmes mais efficaces, comme en 1906. Une bonne partie de ces ouvriers étaient belges ; d'autres venaient du nord de la France. Dans cette population groupée en gros bourgs, le cabaretier jouait un rôle considérable : assez instruit, indépendant des grands fermiers qui achetaient leur vin à Paris, il vivait en symbiose avec les ouvriers, qui étaient ses meilleurs clients. Il les conseillait, jouait souvent le rôle de meneur de grève, tout en sachant limiter « raisonnablement » leurs revendications : c'était aussi un possédant.

Parmi ces trois types sociaux (le propriétaire, le fermier et l'ouvrier), le fermier jouait le rôle principal. Le propriétaire absentéiste semblait voué à un rôle régulateur utile, mais effacé et ingrat : lorsque les salaires agricoles augmentaient ou que le prix des betteraves baissait, le fermier, dont le profit diminuait, se retournait vers le propriétaire et obtenait une réduction du fermage. Ainsi, les propriétaires « emmagasi-

1. J. Durieu, 1910, p. 333.

nent la richesse pendant les périodes de prospérité, grâce à leur faculté d'économie, pour la restituer à la collectivité en temps de crise[1] ». Même si cette vue idyllique est exagérée, elle était répandue, ce qui explique sans doute que les grands propriétaires, lassés d'immobiliser leur fortune dans des fermes qui rapportaient peu et des parcs qui ne rapportaient rien, commencèrent, un peu avant la guerre, à les vendre à des promoteurs ou à les lotir eux-mêmes. Durieu décrit l'une de ces fermes modernes de grande culture, à 25 kilomètres de Paris : elle s'étendait sur 120 hectares et produisait du blé et de la betterave, ainsi que de l'avoine pour la consommation locale. L'hectare valait de 3 000 à 4 000 francs, et se louait 100 francs par an : le propriétaire n'en tirait donc que 2 % environ alors que l'intérêt du grand-livre (obligations d'État) était de 3 %. Cette ferme utilisait en permanence une vingtaine d'employés. Au total, dans la même commune, les 3 000 hectares cultivables rapportaient chaque année environ 300 000 francs aux propriétaires, autant aux fermiers, et près de 900 000 francs à leurs ouvriers, qui étaient quinze fois plus nombreux.

Toute différente, la petite culture fut développée par et pour le marché parisien, qui exigeait et payait à hauts prix des produits de première qualité. C'étaient principalement des vergers de coteaux, sur les flancs des vallées. La spécialisation était si ancienne qu'elle donna naissance à des noms de fruits et de légumes : pêches de Montreuil, asperges d'Argenteuil, petits pois de Clamart. En fait, le poirier remplaça l'asperge en 1910 à Argenteuil, et Clamart ne produisait plus de petits pois, car une autre caractéristique de cette agriculture était sa souplesse, sa rapidité d'adaptation à des goûts ou à des procédés nouveaux. Certains villages de la banlieue produisaient même des orchidées, vendues dans toute l'Europe. Ces petits agriculteurs vivaient à flanc de coteau dans des gros bourgs qui pouvaient avoir jusqu'à 8 000 habitants, mais qui curieusement manquaient de commerces et de services un peu luxueux : Paris était trop proche et sa concurrence écrasante. Les habitants avaient presque tous une excellente instruction technique, que leur donnait régulièrement le professeur départemental d'agriculture dans ses

1. *Ibid.*, p. 393.

conférences itinérantes. Surtout, ils étaient quotidiennement en contact avec les autres producteurs et les consommateurs grâce au marché des Halles où ils allaient chaque jour. Durieu accompagne l'un de ces cultivateurs :

[Départ à 2 h du matin, dans une charrette. Traversée des bourgs silencieux] puis, ce sont les terrains vagues des barrières, le profil des fortifs, la grille de l'octroi avec l'inévitable employé, à moitié endormi, le falot à la main, qui vérifie je ne sais quelles paperasses obligatoires.

Enfin nous sommes en règle, [...] et nous reprenons notre course dans les rues qui mènent aux Halles [...].

Une rumeur monte des rues voisines, de longues files de charrettes débouchent de tous côtés se dirigeant vers les Halles [...]. Nous voilà bientôt au milieu du brouhaha du carreau ; il est alors nécessaire de remplir toutes sortes de formalités et notamment de louer les 4 ou 5 m^2 de terrain sur lesquels nous allons déposer notre marchandise [des fruits : poires, pommes, pêches, abricots].

A côté des redevances municipales, il y en a une foule d'autres qui font vivre une nuée de gens plus ou moins utiles, toute la population grouillante des Halles [...], une femme s'empare de la bride du cheval. C'est l'employée du concessionnaire des rues voisines [...] pour le droit de stationnement des voitures pendant le marché. La femme se chargera du cheval pendant 3 heures ; cela coûte 1 franc pour le concessionnaire et 0,50 f de pourboire [...], le « fort des Halles » a seul le droit de décharger nos produits. Du bout des doigts, il dépose sur la chaussée les 30 ou 40 paniers de 10 kg chacun que nous apportons : coût : 1,50 F [...] Le malheureux producteur est pressuré de tous côtés.

Mon compagnon m'indique un à un tous les villages et leurs spécialités [...] nous voilà entourés au point de ne pouvoir bouger. [Certains] ont loué de la chaussée, place meilleure et plus chère parce qu'elle est plus passagère ; les autres, relégués sur le trottoir par raison d'économie, ne vendent guère qu'après les premiers. Les acheteurs commencent à circuler et à s'interpeller dans le langage de la Halle, où le tutoiement est de rigueur [...], les marchés se traitent avec tout l'attirail de ruse et de trucs habituels : faux départs, feintes colères subitement calmées par une baisse d'un sou [...].

Deux types dominent. L'un est la revendeuse des pavillons, spéculateur spécialiste qui est un type urbain : verbe haut, geste en l'air, prompte au coup de gueule, dévisageant l'homme et la marchandise pour s'efforcer de deviner les

paniers truqués, ceux où les beaux fruits s'étalent à la surface et qui cachent la mauvaise marchandise au fond ; l'autre
est le producteur, le rural debout au milieu de ses paniers,
calme et placide, résistant avec entêtement à l'assaut des
baissiers. A huit heures, la cloche sonne, toutes les marchandises doivent être rapidement enlevées et chacun reprend au
grand trot le chemin de son village [1].

La petite culture était plus aléatoire qu'il n'y paraît. Les
prix fluctuaient beaucoup, bien plus que dans l'élevage ou
dans la grande culture : les petits pois pouvaient tomber de
50 à 8 francs les 100 kilos en moins d'une heure, les navets
de 5 francs à 40 centimes. Il y fallait des nerfs solides et peu
ou pas de main-d'œuvre salariée. En été seulement, le culti-
vateur était obligé d'embaucher des travailleuses saison-
nières, des Bretonnes souvent, et surtout des Lorraines.

Les deux types de culture s'opposaient nettement l'un à
l'autre, mais tous deux étaient apparus et subsistaient grâce à
l'énorme capitale toute proche. La proximité de Paris et des
Halles entraîna la spécialisation de la petite culture, et même
celle de la grande, qui commençait. La capitale avait fourni
les capitaux nécessaires aux grandes fermes des plateaux et
assurait un marché immense à leurs produits agricoles. Par
sa richesse, elle favorisait les produits de première qualité et,
en multipliant les contacts humains, contribuait à la modernisation et accroissait la souplesse de production. Les grands
territoires agricoles qui entouraient Paris faisaient étroitement partie de la banlieue, et la population dominante,
grands propriétaires aristocrates ou fermiers embourgeoisés,
était plus qu'à moitié parisienne. La capitale étendit son
influence et occupa la banlieue principalement par les chemins de fer, mais leur tracé avait été déterminé vers 1840,
bien avant que Paris dépassât ses fortifications, ce qui eut
des conséquences importantes. Les ingénieurs des Ponts et
Chaussées, comme Talabot ou Palonceau, qui choisirent les
premiers itinéraires sortant de Paris venaient, entre 1810 et
1840, de construire le réseau principal de canaux français.
Obsédés par la recherche de pentes très faibles, ils ne prirent
guère en compte des fonctions commerciales encore peu
développées : ils placèrent ainsi les lignes dans les vallées,

1. *Ibid.*, p. 282 *sq.*

souvent à mi-coteau. Lorsque les Parisiens commencèrent à
envahir la banlieue, ils cherchèrent tout naturellement les
endroits les plus accessibles, près des gares, c'est-à-dire le
long des talus des vallées, sur les terres de la petite culture
intensive. Du point de vue économique, c'était un non-sens,
car le prix des terres de petite culture potagère était très élevé
(de 20 000 à 80 000 francs par hectare) et plus près de celui
des terres construites (à Ivry : 200 000 francs par hectare) que
de celui des domaines des plateaux (2 000-5 000 francs par
hectare). Une autre conséquence fâcheuse fut l'absence de
lotissements quelque peu planifiés. Les terres de coteaux
étaient très morcelées. Vendues une à une par les petits propriétaires, elles ne pouvaient donner lieu à une organisation
d'ensemble et ne pouvaient porter que de petites maisons
disparates. Si les premiers pavillons à jardinet apparurent au
milieu du XIXᵉ siècle, c'est après 1890 et surtout dans les vallées qu'ils se multiplièrent. Les plateaux furent lotis plus tard
et différemment. Au début du XXᵉ siècle, les grands propriétaires commencèrent à suivre la mode des bains de mer et à
préférer avoir des maisons à Nice, à Cannes ou à Deauville.
Biarritz avait déjà été lancé sous le Second Empire. Chasser
près de Paris devenait de moins en moins facile. Les bois
étaient peu rentables et les parcs coûtaient cher. Enfin, investir dans un immeuble rapportait plus de 6 % l'an, dans une
grande ferme moderne, moins de 2 %. Les bois et les parcs
des grands plateaux furent donc les premiers lotis, juste
avant la Grande Guerre, grâce au développement des transports. Les terres agricoles des grandes fermes le furent plus
tard, après 1919.

Les vingt années qui précédèrent la guerre correspondirent
à l'âge d'or des transports en commun[1] : le trafic de banlieue
bondit. Le gouvernement décida de prolonger, contre l'avis
du conseil municipal qui en craignait la concurrence pour
son métro tout neuf, le chemin de fer d'Austerlitz jusqu'à la
gare d'Orsay, en plein centre de Paris (1898-1900). De nouveaux modes de tarification contribuèrent au développement : la carte hebdomadaire fut mise au point entre 1900 et
1905. La première ligne ferrée qui ne fût pas radiale, mais
reliât entre elles différentes communes de banlieue, fut

1. Cf. J. Bastié, 1965, fondamental.

construite en 1900 : un tramway électrique joignit Boulogne
à la porte de Vincennes. Le premier autobus automobile fut
mis en circulation en 1907. Utilisé à Paris, il était encore plus
utile en banlieue, où les distances était plus grandes. On
construisit même un chemin de fer local destiné uniquement
à desservir la banlieue sud : l'Arpajonnais. Mis en service en
1894, il reliait le Châtelet à Arpajon en passant par Chilly-
Mazarin et Longjumeau, mais ne prenait des passagers qu'à
partir du carrefour de l'Odéon. Son office principal était de
desservir les Halles, un souci constant de la municipalité. Il
ne cessa de fonctionner qu'en 1936. Ces lignes de transport
favorisaient nettement la banlieue ouest, sans doute parce
que le relief y est plus doux, surtout parce qu'elle comprenait des villes importantes (Saint-Germain-en-Laye, Versailles…) qui justifiaient à elles seules ces investissements.
La banlieue est, en revanche, souffrit de la présence de plateaux d'accès plus difficile, et la Brie ne possédait pas, près
de Paris, de centre urbain important. Jean Bastié fait remarquer que la même inégalité joua cinquante ans plus tard,
quand on construisit les premières autoroutes autour de
Paris : d'abord à l'ouest, puis au sud, accentuant la dissymétrie dont souffre tant, aujourd'hui, la capitale.

L'occupation de la banlieue fut l'œuvre des trente années
qui précédèrent l'ouverture du conflit. Paris se débarrassait
de fonctions indispensables, mais qui occupaient trop de précieux espaces : des entrepôts, des dépôts, des prisons, des
gares de triage, des réservoirs d'eau, sans compter l'importance des ouvrages militaires (forts, bastions et batteries).
Les communes environnantes furent envahies par ces équipements lourds, souvent polluants, indispensables à une
grande ville mais qu'elle ne veut pas sur son sol. On a vu de
nombreuses industries quitter Paris et s'installer en périphérie sur des terres moins coûteuses : la banlieue sud reçut ainsi
des industries chimiques qui provenaient du quartier du
Marais. La banlieue nord, reliée aisément par canaux et par
voies ferrées avec les régions les plus industrielles de France
(le Nord et l'Est), développa une industrie plus lourde. Mais,
surtout, la banlieue vit naître à partir de 1900 une grande
industrie mécanique et chimique qui ne dépendait plus de
la capitale, grandit de façon indépendante et lui apporta
enfin une certaine autonomie. Le tournant du siècle marque

le moment où la banlieue parisienne commença enfin à atteindre la maturité. Malheureusement, ce développement rapide s'effectua dans l'indifférence complète : les autorités parisiennes méprisaient la banlieue et lui tournèrent le dos, au point d'éviter soigneusement que le métro n'y parvînt. Les conseils généraux des départements entourant Paris n'eurent guère d'audace ni de moyens, et le gouvernement s'en désintéressa. C'est ainsi que la banlieue, abandonnée à elle-même, grandit trop vite, en pleine anarchie :

> Une des fautes de la Troisième République fut d'avoir, entre 1880 et 1930, laissé la banlieue se transformer toute seule alors qu'il eût suffit, sans débours, d'édicter des lois précises d'urbanisme [...] destinées à gouverner une croissance désordonnée. Rien ne fut prévu : ni l'extension des voies de circulation, ni la sauvegarde des espaces verts, ni la ségrégation des zones industrielles et résidentielles, ni l'isolement de chaque commune par rapport à sa voisine. Il en résulta un immense gâchis où des pavillons de toutes formes, de tous styles, médiocres quand ils ne sont pas hideux, trop rapprochés les uns des autres, pourvus de jardins de dimensions microscopiques, se mélangent à des usines, à des voies de chemin de fer, à des ensembles administratifs, tandis qu'édifices et parcs, réserves de place, de verdure, d'air, centres touristiques, exemples de beauté et d'harmonie, disparaissent, dépecés, démembrés, morcelés, défigurés et finalement anéantis [1].

Paris, reine du monde : 1889-1930

Le mitage de la banlieue s'expliquait en partie par l'abandon où la capitale l'avait laissée depuis 1860, mais aussi par une raison plus grave encore, l'absence d'une politique urbaine cohérente pour résoudre les deux grands problèmes de l'agglomération : la pénurie de logements et l'insuffisance des transports. Paris n'en rayonnait pas moins sur le monde :

---

1. J. Hillairet et D. Poisson, 1956.

Les défauts de sa planification urbaine ne l'empêchèrent pas de devenir le foyer principal des contacts internationaux bouillonnants qui caractérisent la fin du XIXe siècle et le début du XXe[1].

La capitale française attacha son nom à la Belle Époque et dominait sa rivale, l'autre ville : Vienne. Cette primauté internationale, après l'éclipse des années de guerre, Paris la retrouva en 1920, encore renforcée par le prestige de la victoire, et l'exerça jusqu'à la grande crise de 1931.

Le mythe de la Belle Époque

Paris en 1900 était déjà en retard sur les autres grandes capitales, mais les privilégiés ne s'en rendaient pas compte et le mythe de la Belle Époque a fait oublier les graves lacunes de l'urbanisme parisien. Était-elle si belle, cette époque, pour ceux qui l'ont vécue et n'ont pas, comme repoussoir, connu la guerre et les bouleversements qu'elle provoqua ? On imagine des valses, du luxe, des petites femmes chez Maxim's, la paix[2] : ce sont là des clichés répandus par les romans et le théâtre, mais sont-ils faux ? On ne peut chasser de l'esprit la belle phrase de Talleyrand : « Qui n'a pas vécu avant la Révolution ne connaît pas la douceur de vivre. » Un témoin contemporain, et étranger, a écrit :

> Nulle part [...] on n'a pu éprouver plus heureusement qu'à Paris la naïve et pourtant très sage insouciance de vivre ; c'est là qu'elle s'affirmait glorieusement dans la beauté des formes, la douceur du climat, la richesse et la tradition[3].

On voudrait pouvoir déterminer s'il n'y a là que de la nostalgie, ou bien quelque vérité : une telle recherche dépasserait le cadre de cet ouvrage. Contentons-nous d'éclairer

1. A. Sutcliffe, 1981, p. 162.
2. Cf. *Le Parisien chez lui...*, ouvrage anonyme, 1976 ; M.-C. Bancquart, 1979 ; R. Burnand, 1951. Les évocations littéraires : Ch.-L. Philippe, 1905 ; A. Billy, 1951 ; F. Carco, 1954. Sans oublier les aventures passionnantes du terrible Fantômas, publiées entre 1912 et 1914 : P. Souvestre et M. Allain, 1961.
3. S. Zweig, *Le Monde d'hier*, Belfond, 1982, p. 157.

quelques grands thèmes : le luxe et la misère, les « petites femmes de Paris », la violence et l'insécurité.

Le département de la Seine concentrait 24 % de la richesse française. En lui joignant la proche banlieue (Seine-et-Oise), la proportion atteignait 27 %, soit autant que les cinquante départements les plus pauvres. Les différences sociales étaient considérables. Quelques indications en donnent une idée : à la fin du XIXe siècle, 55 % des inhumations étaient faites dans le corbillard des pauvres. Les deux tiers des logements étaient loués, en 1878, moins de 300 francs, un loyer très bas. Loua, à partir des types de convoi funèbre (voir figure 15), répartit les habitants en deux catégories : les riches/aisés représentaient 27 % de la population, les pauvres/indigents 73 %. Dans le VIIIe arrondissement, il y avait 8 pauvres pour 10 riches ; dans les XIIIe, XIXe ou XXe, 7 ou 8 pauvres pour 1 riche [1]. Encore eût-il fallu tenir compte de la mortalité des riches, inférieure à celle des pauvres. La mortinatalité était plus élevée à Paris que dans les campagnes, mais guère plus forte que dans les villes de province : sur 1 000 naissances, 44 mort-nés en France, 68 à Paris, 85 à Bruxelles, 95 à Saint-Étienne. Le luxe était marqué, dans les appartements, par la profusion de la décoration, la multitude des objets, l'enfermement des pièces par de grands rideaux, des tentures, des peintures :

> un escalier droit, entre des murs peints de couleur sombre et d'où tombaient des étoffes orientales, des fils de chapelets turcs et une grande lanterne japonaise suspendue à une cordelette de soie [...]. Elle l'avait fait asseoir près d'elle dans un des nombreux retraits mystérieux qui étaient ménagés dans les enfoncements du salon, protégés par d'immenses palmiers contenus dans des cache-pot de Chine, ou par des paravents auxquels étaient fixés des photographies, des nœuds de ruban et des éventails. [...] Mais quand le valet de chambre était venu apporter successivement les nombreuses lampes qui, presque toutes enfermées dans des potiches chinoises, brûlaient isolées ou par couples, toutes sur des meubles différents comme sur des autels, [...] elle avait surveillé sévèrement du coin de l'œil le domestique pour voir s'il les posait bien à leur place consacrée. Elle pensait qu'en

1. T. Loua, 1882.

en mettant une seule là où il ne fallait pas, l'effet d'ensemble de son salon eût été détruit. [...] En lui montrant tour à tour des chimères à langue de feu décorant une potiche ou brodées sur un écran, les corolles d'un bouquet d'orchidées, un dromadaire d'argent niellé aux yeux incrustés de rubis qui voisinait sur la cheminée avec un crapeau de jade [...][1].

Odette de Crécy, à la fois riche et un peu vulgaire, représente l'une des héroïnes du Paris 1900. Les grandes cocottes, appelées aussi les « grandes horizontales », constituaient l'un des traits les plus marquants de la Belle Époque, peut-être parce qu'elles étaient moins nombreuses ou moins visibles au milieu du XIXe siècle et qu'elles disparurent après que la Grande Guerre eut ruiné les rentiers[2]. Avant Haussmann, la prostitution parisienne était affaire de voirie : la police devait canaliser les désirs comme elle canalisait la circulation. La prostituée du XIXe siècle, qu'avaient attirée dans la capitale les grandes migrations d'ouvriers, était encore une femme de l'ombre, enfermée dans des maisons « closes », et à laquelle les autorités publiques interdisaient la rue par peur d'une double contagion : physique, car elle apportait la maladie ; morale, car elle poussait au vice. Les grandes percées d'Haussmann, en ouvrant Paris, avaient éclairé les voies publiques, assuré une meilleure sécurité et moralisé le trottoir. Les « filles » y revinrent, d'autant que le recul de la morale religieuse les faisaient paraître moins coupables. Près de 300 bordels illustraient Paris sous le Second Empire ; il n'en restait plus que 47 en 1900. Et pourtant, les « petites femmes de Paris » attiraient les étrangers, même les plus illustres (comme le célèbre prince de Galles), et connotent la Belle Époque d'une atmosphère de galanterie et de luxe[3]. Les prostituées, au tournant du siècle, apparaissaient ainsi, quand elles réussissaient, comme des femmes-spectacles, fascinantes et luxueuses : les bien-pensants se plaignaient de les voir étaler les signes de leur succès. En même temps, la peur des maladies vénériennes augmentait dans la mesure où les fils de la bourgeoisie prenaient l'habitude de fréquenter les « filles » : la santé de celles-ci devenait une question

1. M. Proust, *A la recherche du temps perdu*, Gallimard, t. I, p. 220-221.
2. J.-P. Aron, 1980.
3. Lire, dans P. Souvestre et M. Allain, 1961, *Les Amours d'un prince*.

grave. Comme la médecine de l'époque, reprenant le message religieux sous un discours scientifique effrayant, menaçait les bourgeois des suites catastrophiques de la syphilis et de la masturbation, les prostituées acquéraient une dimension enivrante et terrifiante à la fois de volupté et de mort. Connues au XIXᵉ par les amants qu'elles ruinaient, elles devenaient célèbres au XXᵉ par les dangers qui les entouraient. Avec l'amélioration du niveau de vie, même dans la classe ouvrière, le recrutement des « filles » se tarit, et la traite des Blanches apparut. La prostituée eut moins à satisfaire les épanchements populaires, et davantage les perversions de bourgeois raffinés : la « fille » habile devint un article de luxe, aussi typique du raffinement parisien que les produits de la mode ou les parfums. L'attirance de la Ville lumière était largement due à la réputation de ses lieux de plaisir et à la tolérance générale qui leur permettait de subsister [1]. Du fait de la peur du cocuage, si répandue dans la petite et moyenne bourgeoisie qu'elle fournissait le thème principal des comédies du temps, les femmes mariées étaient soumises à un discours normatif qui les condamnait à la vertu : l'érotisme devenait la spécialité des professionnelles. Mais les vaudevilles montrent que les femmes commençaient à se libérer et ne pratiquaient la vertu que si elle était partagée [2]. Les cocottes constituaient une anomalie sociale, source de la fascination qu'elles exerçaient. Elles dépendaient non pas de souteneurs, mais de marchandes à la toilette, de décorateurs, de tapissiers qui vantaient leurs charmes auprès de leurs clients et les plaçaient. Cette prostitution avait sa hiérarchie : au-dessous de la « grande horizontale » (dont certaines avaient une intelligence et une sensibilité remarquables, si l'on en juge, par exemple, par les Mémoires de Lyane de Pougy), se trouvaient les « soupeuses », qui égayaient les dîners et que l'on pouvait recruter au bal de l'Opéra [3] ou bien au promenoir des Folies-Bergère (que l'on appelait, pour cette raison, le « marché aux veaux »). En dessous dans la hiérarchie, mais non pas dans le

---

1. Les ouvrages typiques et particuliers d'André Lorrain, les textes délicieux de Pierre Louÿs ou les romans contournés de Huysmans permettront de se faire une idée assez juste des charmes de Paris 1900.

2. Cf. *On va faire la cocotte*, pièce inachevée de G. Feydeau.

3. Cf. *Séance de nuit* (1897), de G. Feydeau.

charme, les demoiselles de magasin qui allaient aux bals publics (bal Mabille, petits bals de barrière) jouaient un rôle d'intermédiaire social : pauvres, elles refusaient d'ordinaire les ouvriers et s'intéressaient occasionnellement aux fils de bourgeois. Plus bas encore, les danseuses habiles et scandaleuses du Moulin-Rouge qui fascinaient Toulouse-Lautrec. Et puis, tout en bas, les « pierreuses » des fortifications et toutes les ombres de la rue, par milliers… Les « biches » qui avaient de la chance et du talent parvenaient parfois à se lancer, surtout si leur nom s'entourait de la réputation d'un grand amour tragique. Elles franchissaient alors, à une vitesse vertigineuse, les échelons de la société. On les croisait dans une calèche de grand luxe, logées dans un hôtel avenue du Bois :

> Cette Isabelle de Guerray, Fandor l'avait connue jadis, au moment où, jeune institutrice sortant de Sèvres, elle avait été mêlée à une histoire assez confuse et pas tout à fait orthodoxe, avec un jeune homme de famille qui s'était suicidé pour elle. L'institutrice était lancée. Elle était célèbre dans le monde de la haute bicherie. Elle y avait fait son chemin [1].

La prostitution de haut vol fut de toutes les époques, mais elle ne s'étala jamais aussi publiquement, ne fut jamais à la fois aussi spectaculaire ni aussi répandue que dans le Paris du tournant du siècle : Zola, dans *Nana*, en a fixé le type et décrit l'évolution. Elle atteignait aussi, d'une autre façon, les gentilshommes « décavés » qui savaient vendre leurs titres et leur élégance à une riche héritière ; ainsi, Boni de Castellane, qui ruinait avec grande allure son épouse américaine en soupirant : « Il est si triste de ne pas avoir d'argent ; s'il fallait en plus ne pas en dépenser ! » D'une certaine façon, la prostitution jouait pour les femmes en 1900 le rôle qu'avait joué pour les hommes l'Église du moyen âge : dans des sociétés hiérarchisées et cloisonnées, ces institutions ont représenté le seul canal démocratique, la seule voie permettant à des roturiers pauvres d'atteindre rapidement un échelon social élevé.

Mais, tout en bas de l'échelle, la prostitution s'accompagnait de violence. A vrai dire, les rues de Paris étaient beau-

---

1. P. Souvestre et M. Allain, 1961, *Un roi prisonnier de Fantômas*, p. 11.

coup moins dangereuses en 1900 qu'elles ne l'avaient été durant le XIXᵉ siècle : les immigrés ruraux s'étaient, dans tous les sens du terme, « urbanisés ». L'opinion crut cependant à un renouveau de la violence parce que de nouvelles formes de criminalité firent leur apparition : l'anarchiste essaya de terroriser pour des raisons politiques, l'apache effraya en rendant manifeste un trouble social. Les premiers apaches apparurent à Belleville, un haut lieu de l'histoire de Paris. L'affaire de Casque d'or, en 1902, émut l'opinion et commença à créer un mythe [1]. Les apaches formaient une « chevalerie du pavé parisien » : organisés en groupes (des gangs avant la lettre), ils essayaient de s'approprier des quartiers, de délimiter, souvent par des batailles sanglantes, leur territoire, comme si ces fils d'ouvriers voulaient reconquérir leur Paris. Les femmes jouaient dans ces groupes un rôle capital : prostituées, mais très libres, elles étaient les égales des hommes. Les apaches avaient le culte du corps, de la beauté : ils suivaient assidûment des cours de gymnastique, respectaient principalement la force physique, se faisaient tatouer des signes de reconnaissance étranges. Avec un code de l'honneur fort strict, ils avaient leurs propres tribunaux et cultivaient le culte du chef. Désireux avant tout de sortir du prolétariat, ils apportaient un très grand soin à leur habillement, à leur coiffure : les journaux bourgeois les accusèrent souvent d'être efféminés. En fait, dans une société ouvrière grisâtre qui n'offrait aucun espoir, ils cherchaient la distinction et la « gloire » : beaucoup rêvaient d'avoir une voiture et de faire la une des journaux. Ce qui troubla le plus la société bourgeoise, ce fut non pas tant la gravité du banditisme apache que ses aspects nouveaux : ces fils de pauvres cherchaient non seulement à voler, mais aussi à être reconnus. Ils attaquaient la bourgeoisie non pas pour survivre, comme les misérables de la monarchie de Juillet, ou pour la détruire, comme les anarchistes, mais pour l'imiter. Une telle attitude nous est familière aujourd'hui ; elle était alors à peu près incompréhensible et bouleversa l'opinion :

---

1. Cf. P. Drachline et C. Petit-Castelli, 1990 ; ainsi que le film de Jacques Becker, *Casque d'or* (1952).

On ne peut se défendre d'un frisson d'épouvante quand on constate la rapidité avec laquelle augmente, depuis quelque temps, le nombre des malfaiteurs qui terrorisent Paris et sont, à certaines heures, les maîtres incontestés de régions entières de la capitale. [...] Ce n'est qu'un cri de tous côtés : Paris est en proie aux apaches ! [...] il est bien vrai [...] que certains quartiers excentriques de la capitale et certaines régions de la banlieue ne présentent plus une suffisante sécurité. Saint-Ouen, Clichy, la plaine Saint-Denis, [...] et dans Paris même, le quartier Mouffetard, le quartier Popincourt, le quartier de la Gare, le quartier Clignancourt, les quartiers de Belleville et de Charonne, sont autant de foyers d'apacherie. Un quartier du centre est même sérieusement contaminé : le quartier Saint-Merri, dans le 4ᵉ [...] ; celui qu'on désigne sous ce nom [d'apache] d'un pittoresque horrible est presque toujours très jeune : il a de 16 à 25 ans. Perverti dès l'enfance, il est surtout « crâneur ». L'expérience lui manque pour tenter de grands coups. [Et cependant, la bande des Hérissons de Suresnes attaque en janvier 1910 deux bistrots, tue les tenanciers et blesse trois agents...] [...] les plus hardis de ces malfaiteurs sont généralement les plus instruits. Où et comment vivent ces gredins ? [...] les apaches n'ont presque jamais de domicile fixe : ils logent en garni [...] afin de dépister la police. Ils prennent leurs repas au restaurant : les apaches des Halles, rue Tiquetonne et rue Coquillière [...]. Ils passent la soirée dans les bars du faubourg Montmartre, des Halles, de la place Maubert ou dans les théâtres des boulevards extérieurs. Le phonographe et le cinématographe, les « mélos » de quinzième ordre et les « revues » de music-hall n'ont pas d'amateurs plus assidus. Vers 2-3 heures du matin seulement, quelquefois à l'aube, l'apache rallie sa chambre d'hôtel. Couché tard, il fait la grasse matinée jusqu'à midi, et la rue lui appartient de nouveau jusqu'au lendemain.

Un seul quartier du centre est livré aux apaches : le sinistre quartier Saint-Merri. Entre le boulevard du Temple, la rue Rambuteau et la rue des Lombards prolongée par la rue de la Verrerie [le plateau Beaubourg aujourd'hui], imaginez dix ou douze pâtés d'ignobles masures, desservis par un labyrinthe de ruelles sordides. Autant de ruelles, autant de coupe-gorge, et le long de ces boyaux tortueux, noirs, sales, fétides, où une voiture à bras circule difficilement, où les détritus s'accumulent et dont les pluies font des cloaques, ce ne sont qu'assommoirs, louches officines de brocanteurs et de prêteurs sur gages, innommables hôtels borgnes avec cette inscription, toujours la même, sur leur lanterne :

ON LOGE À LA NUIT
CHAMBRE ET CABINET DEPUIS UN FRANC

> Quant aux assommoirs ou débits à tonneaux, ou, plus sim-
> plement, « tonneaux », installés dans des façons de sous-sols,
> l'atmosphère en est si épaisse, si chargée d'effroyables
> relents, la lumière y est si parcimonieusement distribuée en
> plein jour que, à moins d'être un habitué, on est pris de nau-
> sée au moment d'en franchir le seuil, et qu'on a toutes les
> peines du monde à percer l'opaque brouillard au milieu
> duquel s'agitent les larves humaines qui forment la clientèle
> de ces lieux d'horreur [...]. [A la terrasse des brasseries]
> l'apache dominait. Ici et là, il plastronnait dans son costume
> sorti de chez le bon faiseur, et on le reconnaissait encore à sa
> large casquette anglaise, qui a remplacé la petite casquette
> verte de l'an passé, à ses bottines jaunes, à ses bagues de
> doublé, à son cou libre de faux col et de cravate, surtout, à la
> coupe de ses cheveux, toujours taillés à la dernière mode de
> l'endroit [1].

La bourgeoisie était particulièrement choquée par la liberté
réelle des femmes apaches, et par le mépris que vouait
l'apache aux travailleurs, ouvriers ou employés qui respectaient la morale bourgeoise. Son oisiveté malhonnête, son
parasitisme renvoyaient l'image inversée de l'éthique du travail que l'on enseignait alors si soigneusement. Mais, en
même temps, quel prestige : l'apache terrifiait les pères et les
mères de famille, mais faisait rêver d'aventures et d'amours
sauvages les jeunes filles de bonne famille comme l'ingénue
libertine de Colette. Par son culte du chef, de l'élégance, de
l'oisiveté, et aussi par son soin de reconquérir un territoire
dans une ville où il n'avait pas sa place, l'apache de 1900
annonçait une forme de déviance très moderne : Paris, de ce
point de vue, était en avance sur son temps.

La période précédant immédiatement la guerre, à Paris, ne
parut-elle « belle » que par nostalgie, et par contraste avec
les horreurs du conflit ? Peut-être, mais l'adjectif est justifié
aussi par l'étonnant bouillonnement d'idées, de goûts, d'efforts qui agitaient la ville et annonçaient la naissance du

---

1. *Lectures pour tous*, 1912, p. 303-312.

XXᵉ siècle. Ce n'est point ici le lieu de retracer les bouleversements de l'art avant 1914 : les premiers efforts du cubisme,
la transformation de l'architecture, les divagations des styles
passant en quelques années d'un extrême à l'autre, les nouvelles tendances musicales, les craquements de la littérature,
tout annonçait une époque nouvelle. La Grande Guerre ne
fut pas l'occasion de ces transformations. Au contraire, elle
les arrêta d'abord, et les dévia ensuite, vers davantage de
pessimisme et de nihilisme. Paris en 1910 était un des deux
creusets où se formait, en Europe, le nouveau siècle.

L'autre ville : Vienne, capitale de Kakania

L'autre ville, à la fois concurrente, modèle opposé en
miroir et rivale de Paris dans ce bouillonnement artistique et
intellectuel, était alors Vienne[1]. La capitale autrichienne fut
modernisée à peu près à la même époque que Paris, mais
dans des conditions bien différentes : la vieille ville (Altstadt) concentrait la Cour impériale, l'aristocratie, la haute
Église, la grande bourgeoisie et des commerces principalement de luxe. A la différence de Paris, aucun bâtiment, ou
presque, n'y avait été construit avant la fin du XVIIᵉ siècle :
non pas qu'il y ait eu un grand incendie, comme à Londres,
mais parce que l'aristocratie était assez fortunée pour reconstruire périodiquement ses palais et les adapter au goût
moderne. Vienne resta longtemps une ville provinciale, à
l'écart des grands mouvements européens : en 1843, un
guide touristique pouvait citer 200 hôtels à Londres, mais
2 seulement à Vienne. Les fortifications qui entouraient la
ville furent conservées plus tard qu'à Paris, ce qui offrit une
précieuse zone de terres libres quand l'empereur décida de
les démolir et de les ouvrir aux constructeurs, en décembre
1857. En 1860, les libéraux prirent le pouvoir à la municipalité de Vienne et, pendant trente ans, marquèrent profondé-

1. L'ouvrage de D. J. Olsen, 1986, que nous suivons, est excellent ;
C. E. Schorske, *Fin de Siècle Vienna, op. cit.*, est essentiel. On consultera
aussi E. Nielsen (ed.), *Focus on Vienna 1900*, Munich, W. Fink Verlag,
1982, vol. 4 ; et S. Toulmin *et al.*, *Wittgenstein's Vienna*. Admirable peinture de la capitale de Kakania *in* R. Musil, *L'Homme sans qualités*, Paris,
Éd. du Seuil, 1979. Consulter aussi V. Tissot, 1878.

ment la grande expérience de rénovation de la ville. Comme à Paris, le pouvoir politique assuré a été la condition de la rénovation, même s'il fut, à Vienne, plus libéral qu'à Paris. L'anneau de terres laissées libres fut occupé par une vaste avenue, la Ringstrasse (l'Anneau), bordée de grands édifices publics (musées, opéra, université, Parlement...), et par de grands édifices résidentiels. Comme à Paris, les travaux aggravèrent la séparation entre le centre (Altstadt) et la banlieue (Vorstadt), mais de manière tout à fait différente. Il n'y eut pas de démolitions dans la vieille ville où les prix des terres était trop élevé, et qui ne comptait guère de taudis. La population ouvrière, plus pauvre qu'à Paris, était logée, fort mal, loin du centre, dans les banlieues modernes. La Ringstrasse joua le rôle de tampon, accueillant souvent la bourgeoisie nouvelle. L'architecture même opposait Paris et Vienne. Les Autrichiens semblaient surtout préoccupés de représentation : la façade des immeubles et leur escalier principal étaient particulièrement luxueux, essayant d'imiter la splendeur des palais princiers. Derrière, les appartements, d'ordinaire très petits, ne comprenaient le plus souvent qu'une cuisine et une chambre, parfois une petite pièce supplémentaire chez les favorisés. Il n'était pas rare, pour des célibataires, de louer, dans un appartement, un lit placé dans un fond de couloir *(Bettgeher)*. L'allemand parlé à Vienne avait peu de mots pour distinguer les pièces : on utilisait *Zimmer*, le terme général, parfois *Wohnzimmer* (chambre d'habitation) ou *Kabinett*, pour une petite pièce supplémentaire. Paris tenait ainsi le milieu entre Londres, où les ouvriers mêmes disposaient de logements assez vastes, pourvus d'un grand nombre de pièces spécialisées, et Vienne, où les bourgeois même aisés s'entassaient dans des logements minuscules. Mais les façades viennoises étaient impressionnantes et les escaliers que l'on montait pour atteindre ces logements exigus offraient le faste d'un palais. Alors que les familles britanniques se morfondaient poliment dans des résidences confortables d'apparence modeste, les Parisiens allaient au café et au restaurant et les Viennois, dans l'unique pièce de leur appartement, essayaient de donner des réceptions fastueuses. A Paris, l'hôtel particulier tournait le dos à la rue, regardant vers un jardin privé. A Vienne, les façades des demeures aristocratiques formaient la rue. Vienne avait

ainsi le charme d'une ville de piétons où toutes les activités
intéressantes étaient concentrées dans le centre et dans
l'Anneau. Haussmann s'était évertué, et ce fut l'un de ses
grands mérites, à assurer l'homogénéité de ses bâtiments,
du détail des balcons au dessin des grandes avenues. En
revanche, la construction de la Ringstrasse fut conçue sans
cohérence, sans effort pour en relier les bâtiments ou les carrefours à la vieille ville. Otto Wagner, chargé de planifier
l'extension de la capitale autrichienne après 1893, dessina
des avenues concentriques, parallèles à la Ringstrasse, et de
grands axes les coupant et convergeant vers le centre où,
cependant, ils ne pénétraient pas. Vienne se développait ainsi
selon un parti opposé à celui de Paris : alors qu'Haussmann
avait ouvert, dans le centre, de grandes avenues qui s'arrêtaient aux portes car il avait négligé la planification de la
banlieue, Vienne construisit, au tournant du siècle, un réseau
d'artères en banlieue qui s'arrêtaient à l'Anneau et ne pénétraient pas dans la vieille ville, soigneusement épargnée.

Mais les rapports étroits ne s'arrêtent pas là : Vienne ne
donnait pas seulement l'image renversée du plan de l'agglomération parisienne. Elle représentait aussi l'autre centre culturel de l'Europe avant la Grande Guerre : moins brillant
peut-être, moins prestigieux que Paris, mais plus profond et
plus chargé d'indications prémonitoires. La vie culturelle
viennoise, tout comme la parisienne, se déroulait en grande
partie dans les cafés : ceux de Vienne étaient aussi fameux
que ceux de Paris, mais tinrent sans doute une plus grande
place. Ils ne favorisaient pas seulement les relations sociales : ils jouaient plutôt le rôle de salles de discussions, de
laboratoires d'idées, intermédiaires entre la frivolité brillante
des cafés parisiens et la fréquentation solide et répétée des
clubs londoniens. Le pouvoir intellectuel de Vienne tenait
surtout à la variété de l'Empire et à la petitesse même de la
ville. Carrefour des civilisations latine, germanique, slave et
turque, sans oublier les Magyars, plus exotiques encore,
l'Empire austro-hongrois était l'antithèse même de la République française, l'une des nations les plus homogènes et les
plus centralisées du monde. Paris attirait des artistes du
monde entier, surtout d'Europe, mais le véritable creuset où
se débattaient les grandes idées et où s'ébauchaient les tendances nouvelles était Vienne. Les Parisiens ne semblent pas

avoir pris conscience, alors, de la concurrence de la capitale autrichienne, obsédés qu'ils étaient par la puissance de l'Allemagne et par la richesse de Londres ou de New York. Ils ne se sont guère doutés que les décennies suivantes allaient être marquées principalement par ce qui s'élaborait à Vienne : l'essor de la psychanalyse ou les enseignements du physicien Mach ; l'antisémitisme violent de l'Église autrichienne et les idées confuses du clochard Adolf Hitler ; la naissance de formes artistiques nouvelles : poétiques avec Hugo von Hofmannsthal, musicales dans les partitions de Schönberg, picturales sous les pinceaux de Klimt, et surtout d'Oskar Kokoschka et d'Egon Schiele, architecturales dans les dessins de Loos ; l'apparition, enfin, d'une nouvelle philosophie, fondée sur l'analyse du langage par Wittgenstein. Peu de métropoles ont autant produit, et des idées aussi différentes, que la Vienne de la Belle Époque.

Elle impressionne non point tant par le nombre de talents qui y vivaient que par l'audace et, plus encore, par la variété de leurs innovations. Il semble que seule la capitale d'un empire aussi incohérent pouvait les contenir. Quelles plus grandes différences, par exemple, qu'entre les trois architectes Sitte, Wagner et Loos, pourtant contemporains ? Sitte publia *Der Städtebau...* en 1889, Otto Wagner gagna en 1893 le concours pour le développement de nouveaux quartiers à Vienne, et Adolf Loos exprima dès 1898 les idées qu'il reprendra, en 1908, dans son fameux pamphlet, *Crime et Ornement*. Ils publiaient à peu près au même moment, mais leurs idées étaient opposées et annonçaient quelques-unes des principales tendances du XXe siècle. A l'opposé d'Haussmann, Sitte souhaitait que l'artiste recréât le monde que les adeptes de la science et du commerce, des déracinés, avaient détruit en même temps que les mythes anciens qui avaient fait vivre les peuples. Moins ambitieux pour l'urbaniste, il se résignait à abandonner aux ingénieurs le dessin des grandes artères urbaines et des quartiers nouveaux pourvu qu'on lui laissât ménager des places fermées de taille humaine et des espaces verts où l'homme pût rêver. Bien différent, Otto Wagner n'hésitait pas à accorder le rôle principal aux transports, la bête noire de Sitte. S'opposant d'une autre façon à la pratique haussmannienne, il se désintéressait de la vieille ville, qu'on n'osait détruire, et planifiait la périphérie

en proposant une banlieue viennoise faite de quartiers tous
semblables, contenant chacun son centre et ses espaces verts,
inscrits dans un vaste réseau de routes de rocade, parallèles à
l'Anneau, et de voies radiales dirigées vers le centre. Alors
que l'architecture parisienne n'avait pas reculé devant les
clins d'œil historiques, les allusions à des styles passés,
Wagner refusait radicalement tout historicisme et fondait son
œuvre sur la vie moderne : *Der Zeit ihre Kunst, der Kunst
ihre Freiheit* (« A chaque époque son art, à chaque art sa
liberté »). Son slogan, *Artis sola domina necessitas*, soumet-
tait l'art à la nécessité, qui signifiait chez lui l'efficacité de
l'homme moderne. Loos, plus radical que Wagner et bien
loin du classicisme haussmannien comme de l'Art nouveau
de Guimard, rejetait toute ornementation : il voulait construire des bâtiments et dessiner des objets qui fussent purement fonctionnels. Dans *Crime et Ornement*, il montrait que
l'évolution de la culture avait correspondu à l'élimination de
l'ornementation des objets pratiques. Le bâtiment qu'il édifia
sur la Michaelplatz provoqua une polémique d'une incroyable violence (1910-1912). Alors que le nouveau règlement
d'urbanisme français (1893) permettait aux architectes parisiens de dessiner des façades mouvementées, bombées de
fenêtres protubérantes et ornées de sculptures, Loos reprochait à ses compatriotes leur goût excessif du décor. Il comparait Vienne à ces faux villages de bois et de carton qu'avait
jadis fait construire Potemkine pour donner au tsar l'illusion
de visiter une riche région de Russie.

   Au moment où Paris était bouleversé par l'affaire Dreyfus,
la capitale autrichienne était agitée par des controverses et
des mouvements violents qui remuaient plus profondément
encore les fondements de la culture européenne. La fin du
pouvoir des libéraux, qui avaient gouverné la ville pendant
quarante ans, exprimait la profondeur de la crise. Karl Lue-
ger, chef des chrétiens-sociaux, régna sur Vienne après 1897.
Fortement soutenu par l'Église catholique, il s'opposait violemment aux ouvriers de la banlieue et aux banquiers « apa-
trides », dans des discours d'un antisémitisme inouï. Il fit
édifier en ville un monument à Coch, l'un des pires antisé-
mites. Les artistes aussi hésitaient entre le retour aux valeurs
du passé et l'adaptation au monde moderne. En 1897, les
meilleurs se séparèrent des artistes officiels en créant le

mouvement Sécession, afin de provoquer un nouveau « printemps de l'art » viennois (leur journal s'appelait *Ver Sacrum*) et d'ouvrir la ville à l'Art nouveau. Gustav Klimt dirigeait le mouvement. Alors que l'Exposition parisienne de 1900 avait exalté les techniques modernes et illustré la croyance au progrès, l'Exposition viennoise de 1908, organisée pour le jubilé de l'empereur et présidée par Klimt, montra surtout comment Vienne pouvait rassembler les contradictions qui déchiraient l'Empire : des représentants de communautés rurales défilèrent en habits traditionnels qui remontaient parfois au XIIe siècle, cependant que le Kunstschau, l'exposition artistique, voyait triompher l'avant-garde. Alors qu'à Paris celle-ci s'exprimait uniquement dans l'art, bouleversant la poésie, la peinture ou la danse, l'avant-garde viennoise mettait en cause les fondements de la société. Refusant le moralisme traditionnel, elle tentait de restaurer les instincts dans leur crudité : c'était une affirmation de l'érotisme, un dépassement des limites. Oskar Kokoschka exposait *Die traümenden Knaben* (« Les jeunes gens en train de rêver »), qui fit scandale. Schönberg, la même année, émancipait la dissonance et rejetait la tonalité en publiant *Le Livre des jardins suspendus*. Un tel bouillonnement n'allait pas sans tensions ni déchirements. Durkheim, comparant Vienne à Paris, remarquait que la capitale autrichienne battait tous les records de suicides et y voyait comme « un laboratoire complet de problèmes sociaux ». Musil[1] a exprimé le bouillonnement des idées, les contradictions de la société, la frustration des artistes et des intellectuels, l'inquiétude sourde qu'ils commençaient à ressentir.

La prééminence de Vienne fut probablement due à la combinaison fragile de deux qualités contradictoires fort différentes de celles qui assuraient le prestige de Paris. Les intellectuels viennois étaient assez nombreux et assez divers pour se partager en cercles formés autour de personnalités remarquables : les journalistes Kraus et Bahr, les écrivains Altenberg, Schnitzler et Hugo von Hofmannsthal, les musiciens Schönberg et la famille Wittgenstein, les architectes Wagner et Loos. Cependant, la ville étant une petite capitale, ces cercles de personnalités ne s'ignoraient pas mais, au con-

1. R. Musil, *L'Homme sans qualités, op. cit.*

traire, s'interpénétraient : tel qui fréquentait un cercle assistait aussi assidûment aux soirées d'un autre. Les idées nouvelles avaient ainsi assez de liberté pour se former et de canaux pour circuler. Comme la politique restait un domaine réservé à la Cour, l'intelligentsia se réfugiait dans les discussions esthétiques et philosophiques. Les étudiants, à Vienne, adoraient encore l'impressionnisme alors qu'ils étaient à Paris symbolistes, anarchistes ou socialistes. Il en résultait une apparence de frivolité que démentaient les œuvres. L'éclat de la capitale autrichienne dépendait d'un équilibre très fragile entre l'opposition des cultures nationales et leurs relations plus ou moins étroites. En revanche, celui de Paris, plus durable mais plus superficiel, était fondé sur des bases autrement solides : une forte unité nationale, permettant d'accueillir sans trop d'hésitation des artistes étrangers. Mais, n'en déplaise aux Parisiens, le véritable centre culturel de l'Europe et sans doute du monde, en 1910, était Vienne. Il était nécessairement éphémère. La capitale autrichienne fut ruinée à la fin de la Grande Guerre, non par des destructions mais, ce qui fut bien pire, par le démantèlement de l'Empire. L'Autriche, perdant les six septièmes de sa population, ne sut plus que faire, après 1918, d'une telle métropole. Vienne offrit l'exemple probablement unique, en Europe, d'une grande capitale réduite en quelques années, avec d'affreux bouleversements, au rang de ville de province, et Paris reprit pour une dizaine d'années son rôle de capitale intellectuelle.

La capitale française souffrit peu de la Grande Guerre. Elle joua pourtant un rôle stratégique capital, au début de la bataille : lorsque Moltke, suivant maladroitement le plan von Schlieffen, engagea l'immense mouvement tournant qui devait déborder l'aile gauche française, Joffre, méconnaissant les renseignements qu'un espion mystérieux, le Vengeur, avait vendus à l'état-major, poussa ses troupes en Lorraine, tombant dans un piège dont il connaissait cependant les détails[1]. L'armée allemande progressa jusqu'à la Marne et dut décider du sort de Paris. Von Schlieffen avait prévu une aile droite très forte qui devait être capable de traverser la Seine au sud de Rouen et de déborder la capitale des deux côtés sans trop s'en inquiéter : Paris, nécessairement ville

1. Général Lanrezac, *Le Plan de campagne français*, Paris, Payot, 1920.

ouverte, devait être occupé sans difficulté et ne présentait aucun intérêt militaire. Mais Moltke réduisit considérablement la force de l'aile droite et décida de masquer Paris par un rideau de troupes tout en poussant la Ire armée allemande vers le sud-est. On a souvent souligné la position stratégique de Paris, d'où Galliéni sut lancer à temps la VIe armée française en contre-attaque dans le flanc allemand. A vrai dire, le rôle de Paris fut décisif surtout parce que c'était un nœud de voies ferrées, comme le reconnurent plus tard les généraux allemands :

> Mais ce qui constituait un grand danger, c'était le fait que l'ennemi pouvait rameuter des forces de beaucoup supérieures grâce à son excellent réseau ferré aboutissant à Paris et les rassembler également plus au nord pour nous envelopper une fois que nous serions tombés dans la défensive à l'est de Paris et que nous lui aurions rendu toute liberté d'action [1].

Les chemins de fer furent encore plus utiles lorsqu'il fallut transporter, dans la « course à la mer », plusieurs centaines de milliers d'hommes de la Lorraine vers l'Artois. L'ancien choix de Louis-Philippe, qui avait concentré tout le réseau français à Paris, fut, en faisant de la capitale un carrefour stratégique unique, l'une des causes principales de la victoire française. Hormis les bombardements de la « Bertha », trois canons de faible calibre mais de très longue portée qui tirèrent des obus sur la capitale en 1918, Paris sortit de la guerre à peu près intact, auréolé, dans le monde, de la gloire que confèrent la victoire et la défense de la liberté, comme le proclamaient les journaux. Les artistes étrangers trop novateurs pour être reconnus dans leur pays, ou persécutés pour leurs opinions ou leur origine, furent encore plus nombreux à émigrer à Paris. Pour l'Amérique, à qui la guerre avait apporté la prospérité, le voyage à Paris devint une marque de culture et l'assurance du plaisir.

---

1. Von Kuhl, *La Campagne de la Marne en 1914*, Paris, Payot, 1927, p. 190.

Montparnasse et les « années folles »

Les émigrés contribuèrent à la splendeur du Paris des années folles et à la grandeur de Montparnasse. Mais la formation de ce quartier avait commencé avant la guerre et mérite d'être analysée : c'est un excellent exemple des mécanismes qui constituent un quartier et lui donnent son caractère unique. Revenons donc au début du siècle[1] : Montparnasse, en 1900, ne constituait pas encore un quartier. Cette partie sud de Paris gardait son caractère campagnard qui valut à l'église, construite pourtant au XIXe, le nom de Notre-Dame-des-Champs. Là s'étendait jadis l'immense parc du château du Luxembourg qui englobait l'Observatoire, des lieux si isolés que la Restauration avait choisi cet endroit pour y fusiller discrètement le maréchal Ney en 1815. La partie appartenant au XIVe, au sud du boulevard Montparnasse, formait encore, au début du XXe siècle, un espace étonnamment rural, avec des champs de blé, des prairies d'élevage, de grandes fermes, de très nombreuses écuries, des entrepôts. Plus densément construite, la partie nord, dans le VIe, était habitée par des familles d'artisans, des bourgeois, des peintres déjà, mais « pompiers », solennels, bien en Cour, et aussi des professeurs de la Sorbonne, attirés par le calme du quartier et la proximité du Quartier latin. L'ensemble était tranquille et retiré : un grand nombre d'établissements religieux, avec de vastes jardins entourés de murs ; des écoles privées, d'ordinaire catholiques, parfois protestantes ou laïques (École alsacienne), mais toujours bourgeoises. Montparnasse devait son calme à sa situation, à la limite sud de Paris, mais la même cause produisit un peu plus loin un effet contraire. Le mur des Fermiers-Généraux avait été construit là en redan afin de laisser hors de Paris le cimetière Montparnasse : la barrière était donc proche et la rue de la Gaîté avait vu se développer, dès la fin du XVIIIe siècle, des tavernes et des guinguettes où l'on pouvait consommer de l'alcool sans payer les taxes de l'octroi. Tout

---

1. Cf. J.-P. Crespelle, 1976, ainsi que l'ouvrage admirablement illustré de B. Klüver et J. Martin, 1989.

un ensemble de restaurants, de bistrots, de théâtres et de bals avaient formé là un quartier de plaisir, célèbre et mal famé. Quartiers calmes et bourgeois au nord, le long de la rue d'Assas, lieux de plaisir au sud avec les caf'conc' de la Gaîté, vastes espaces à moitié ruraux et bon marché le long du boulevard : Montparnasse manquait d'unité en 1900. Un premier centre éclot au carrefour Port-Royal, avec la Closerie des lilas, dont l'attraction auprès des étudiants et des artistes était renforcée par le rayonnement du bal Bullier, en face. Au débouché du Quartier latin, à l'écart des embouteillages de la rue des Écoles, la Closerie attira des poètes et devint au début du siècle un centre littéraire : Moréas puis Paul Fort en furent les piliers. Bullier et la Closerie étaient connus depuis le début du XIXe. Il fallut cependant la croissance de Paris pour que l'on cherchât un lieu de réunion plus tranquille, à l'écart, un contact entre le Quartier latin et la campagne. Montparnasse, en 1910, était à la Closerie, où se rassemblaient des écrivains.

En 1911, l'inauguration du boulevard Raspail, projeté par Haussmann mais terminé cinquante ans plus tard, entre le boulevard Montparnasse et la rue de Vaugirard, fit basculer le quartier en donnant une nouvelle importance au carrefour Vavin. A la même époque, les peintres commençaient à quitter Montmartre, un quartier devenu trop célèbre et que le tourisme défigurait. Le même mouvement qui avait conduit Courbet puis les impressionnistes sur la Butte, pour y chercher la campagne et des logements point trop chers, attira des peintres à Montparnasse : ils pouvaient trouver des logements médiocres mais très bon marché derrière la gare, dans les quartiers de Plaisance, de Montsouris, de Vaugirard, qui devinrent ainsi des annexes un peu éloignées de Montparnasse. En 1905, un philanthrope acheta des terres à bas prix en bordure de la ville, rue de Dantzig, et y créa, en utilisant des restes des constructions de l'Exposition internationale, un centre pour les artistes : la Ruche. Cent quarante ateliers loués à bas prix accueillirent toute une population de peintres qui convergeaient, le soir, vers Montparnasse. Enfin, l'influence des music-halls et des théâtres de la rue de la Gaîté s'étendit jusqu'au carrefour Vavin. La transition fut rendue plus facile par les contacts étroits qui rapprochaient à l'époque des littérateurs comme Apollinaire ou Max Jacob, des peintres comme Picasso ou des sculpteurs comme Zadkine. Les contacts furent facilités par les cafés : le Dôme, fréquenté principalement par les Allemands, et surtout la Rotonde (dont le propriétaire, Libion, savait accueillir les peintres décavés et fermer les yeux quand ils volaient un croissant) jouèrent un rôle capital. Les femmes, auteurs, peintres ou modèles, tenaient une place centrale, beaucoup plus importante, grâce à la libération des mœurs, que dans le cercle des impressionnistes montmartrois, quarante ans auparavant. Le personnage de Kiki est exemplaire : cette fille vive et libre connut la plupart des noms célèbres de Montparnasse et avec bien d'autres, par ses amours, ses jalousies, ses disputes et ses raccommodements, contribua à cimenter le cercle du carrefour Vavin. La revue dirigée par Apollinaire après 1912, *Les Soirées de Paris*, fut l'expression la plus complète de cette synthèse entre différentes formes d'art en Montparnasse. Attirées par le prestige culturel de la capitale, des colonies scandinaves et allemandes s'y étaient installées depuis le début du siècle. De nombreux artistes juifs d'Europe de l'Est, chassés par les persécutions religieuses et racistes, les avaient rejoints : beaucoup plus que Montmartre en son temps, Montparnasse fut le lieu de réunion de tout ce que l'Europe comptait d'intellectuels et d'artistes en train de percer. Les Russes bolcheviques qui fréquentaient les cafés de Montparnasse (Lénine, moins que la légende ne le rapporte ; Trotski, plus souvent sans doute) furent remplacés après 1917 par des Russes blancs. Ainsi se forma l'école de Paris, avec des peintres étrangers comme Soutine, Chagall, Modigliani... Le cercle montparnassien était plus large, cependant : d'autres peintres, comme Foujita, des sculpteurs comme Brancusi puis Calder, des poètes et des romanciers (Ezra Pound, Hemingway, Miller...) l'agrandirent aux dimensions du monde.

La Grande Guerre changea tout cela. Après 1920, les peintres les plus connus quittèrent Montparnasse, la plupart parce qu'ils avaient réussi et pouvaient voyager. Apollinaire, Modigliani, Pascin étaient morts. En revanche, l'influence de la rue de la Gaîté se renforça et Montparnasse devint, au cours des années folles, un centre du plaisir. En 1923, la Rotonde changea de propriétaire et de décoration ; le nouveau patron repoussa les peintres pauvres et chercha à attirer

les bourgeois. Créé la même année, le Jockey devint rapidement l'un des centres de la vie nocturne ; ainsi du Sélect
(1924), un café qui restait ouvert toute la nuit, et du Sphinx,
un bordel créé boulevard Edgar-Quinet, si luxueux et si bien
tenu qu'il est entré dans la légende. En 1927, s'ouvrait la
Coupole, symbole, jusqu'à il y a peu, de Montparnasse et qui
pourtant annonçait la fin de la vie brillante du quartier : la
crise de 1929 brisa l'essor du carrefour Vavin et amorça un
lent déclin qui dura jusqu'à la fin de la Seconde Guerre mondiale.

L'essor et les transformations de Montparnasse montrent
comment un quartier peut évoluer de façon presque dialec-
tique : sa position marginale, près de la barrière d'Enfer, fut
la cause principale à la fois de sa vie calme à la fin du XIXe,
des soirées agitées de la rue de la Gaîté et du glissement des
intellectuels, autour de 1900, vers la Closerie. Les tentatives
de l'avant-garde, liant les différentes formes d'art entre elles,
le déclin rapide de Montmartre, l'ouverture du boulevard
Raspail expliquent la venue d'artistes si nombreux et si
variés au carrefour Vavin. Le succès même de ces artistes, et
le prestige croissant du quartier, entraîna une mutation inévitable après la Première Guerre. Trois causes principales semblent avoir déterminé l'évolution : d'abord, la fréquence et la
multitude des contacts entre des populations d'origine, de
mœurs et de culture différentes venues de toutes les parties
de l'Europe (Crespelle indique que plusieurs des modèles
peints par des peintres qui étaient eux-mêmes souvent des
immigrés étaient des filles d'origine napolitaine vivant dans
des familles encore patriarcales) ; contacts aussi entre des
quartiers différents par leur architecture, leur histoire, leur
contenu social : la rue d'Assas bourgeoise, la tradition intellectuelle du Quartier latin, le carrefour Port-Royal encore
agreste, les quartiers pauvres de Plaisance, les mauvais garçons de la Gaîté. Ensuite, apparaît l'importance des glissements : intellectuels de la Closerie venant peu à peu au carrefour Vavin, influence de la Gaîté s'étendant progressivement
vers le boulevard Montparnasse, migration des peintres de
Montmartre vers la rive gauche ; la formation progressive
de ce quartier doué d'une forte personnalité fut le résultat de
mouvements différents qui se rencontrèrent heureusement au
moment favorable en un même endroit, le carrefour Vavin.

Enfin, la condition capitale semble être la liberté (liberté de mouvements, de migration, d'idées, liberté des mœurs) qui permit aux couples de se former, de se séparer, de se lier de nouveau, avec le rôle essentiel joué par les cafés, lieux de réunion du XXᵉ siècle comme l'étaient les salons du XVIIIᵉ ; liberté économique, aussi, assurée par un coût faible de l'habitat qui permit à des artistes débutants de se loger dans Paris. Montparnasse naquit de la conjonction heureuse de conditions parfois contradictoires au moment favorable : de quoi faire réfléchir les aménageurs chargés aujourd'hui de créer et d'« animer » les centres dans les villes nouvelles ou les banlieues en crise et que l'on commençait, au début du siècle, à appeler des « urbanistes ». Le nom apparut en même temps qu'une grave crise du logement qui devait durer un demi-siècle.

La crise du logement et les débuts de l'urbanisme

Préférant suivre le marché plutôt que de s'y opposer, Haussmann n'avait guère songé à construire pour les ouvriers. Leur nombre augmenta plus vite que celui des logements qu'ils pouvaient louer : les bas loyers doublèrent entre 1860 et 1900 (figure 20). D'ailleurs, des besoins nouveaux réclamaient une meilleure qualité des logements et entraînaient un coût plus élevé. Les investisseurs se détournaient de l'immobilier : le revenu moyen d'un logement parisien en 1880 était de 6 000 francs par an, mais le montant variait beaucoup selon les quartiers[1]. Sur 84 000 immeubles, 45 000 rapportaient moins de 3 000 francs par logement. Plus de la moitié (978 sur un total de 1 834) des loyers élevés (supérieurs à 10 000 francs) se trouvaient dans le VIIIᵉ arrondissement. Jean Bastié[2] note qu'en proche banlieue le coût d'un pavillon augmenta de 400-500 à 700-800 francs-or entre 1885 et 1910, puis de 10 % encore entre 1910 et 1914. La crise économique avait comprimé la hausse jusqu'en 1890. Elle n'en fut que plus rapide ensuite, car l'offre ne suivait plus la demande : on construisit 90 000 logements à moins

1. Cf. T. Loua, 1880.
2. 1965.

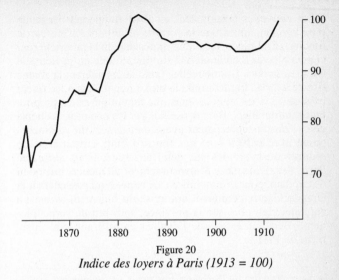

Figure 20
Indice des loyers à Paris (1913 = 100)

de 500 francs de loyer pendant la décennie 1890-1901, et seulement 50 000 au cours de la suivante (1900-1911). Indice sûr de la crise, le nombre de logements vacants diminuait rapidement : 42 000 en 1899, 31 000 en 1906, 21 000 en 1908 et 10 800 seulement en 1911 (figure 21).

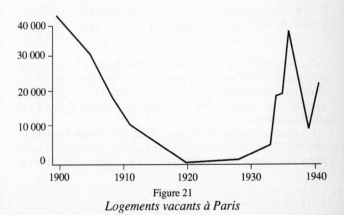

Figure 21
Logements vacants à Paris

Les nouvelles taxes votées en 1901 frappèrent beaucoup plus les immeubles que la fortune mobilière (2,5 % sur le foncier). En France, le revenu imposable de la propriété foncière s'élevait à quelque 633 millions[1]; elle en payait déjà 24 % en impôts. Les nouvelles taxes augmentèrent la charge fiscale à 29 %. En déduisant le passif hypothécaire, ce furent près de 43 % de leurs revenus que durent payer les propriétaires immobiliers. Bien conseillés par les banques, les bourgeois français cherchaient avant tout la sécurité : ils achetaient avec perspicacité des fonds d'État, surtout ceux de régimes aussi solides que celui des tsars. C'est ainsi que Paris, deuxième place d'investissement du monde, manquait de capitaux pour l'immobilier : les années qui précédèrent la Grande Guerre connurent une crise du logement aiguë. La capitale, bien plus que la province, souffrait de surpeuplement. Bertillon essaya de l'évaluer en utilisant le recensement de 1911[2] :

Nombre de Parisiens par types de logements		
Surpeuplés (< 1/2 pièce/personne)	234 000	8,4 %
Insuffisants (entre 1/2 et 1 pièce/personne)	968 000	34,5 %
Suffisants (1 pièce/personne)	836 000	29,8 %
Assez grands (entre 1 et 2 pièces/personne)	467 000	16,7 %
Très vastes (2 pièces/personne et +)	297 000	10,6 %

Ainsi, près de la moitié de la population parisienne était mal logée : il manquait plus de 50 000 logements à Paris. La situation était pire en banlieue, où la population croissait plus vite. On vit se multiplier le nombre des garnis et des locations meublées.

L'opinion s'inquiétait de cette crise. De grands bourgeois, suivant la tradition positiviste française, se réunirent pour créer un centre de recherche et de débats sur la ville

1. Cf. F. Galtier, 1901.
2. J. Bertillon, 1912.

moderne : Jules Siegfried, imprégné de l'exemple de la cité ouvrière de Mulhouse, construite au début du Second Empire, et ancien maire du Havre, Émile Cheysson, président de la Ligue anti-alcoolique, et le comte de Chambrun fondèrent en novembre 1894 le Musée social. Cette institution eut un très grand succès : organisant des débats, offrant des bourses d'études pour des voyages à l'étranger, se divisant en sections spécialisées pour mieux cerner les différents problèmes urbains, elle contribua plus que toute autre à faire émerger l'idée d'un urbanisme, d'une planification de la ville. Paris était, bien sûr, le principal champ d'étude. Sous l'action de Siegfried, un bâtiment de l'Exposition de 1889 avait été consacré à l'économie sociale et aux logements ouvriers : il en sortit la création en 1890 de la Société française d'habitations à bon marché (HBM). Le financement des HBM fut quelque peu facilité par la loi Siegfried (30 novembre 1894), qui accorda des déductions fiscales aux investissements fonciers en HBM et permit la participation d'associations charitables ; les bénéficiaires devaient être des personnes non propriétaires vivant de leur salaire ou de leur travail. En 1897, le congrès de la propriété bâtie proposa d'ouvrir une caisse de secours pour les loyers ouvriers : alimentée par des cotisations de locataires et de propriétaires, elle devait se substituer aux locataires défaillants. Le roman populaire parisien s'en empara, preuve de la gravité de la crise. La capiteuse maîtresse de Fantômas, lady Beltham, est la trésorière d'une œuvre de ce genre :

> Elle faisait partie d'une société charitable de femmes du grand monde riche, qui avait pour but de venir en aide aux familles pauvres et nombreuses, de même aux ouvriers, aux malades. Cette société charitable payait les loyers des miséreux, mais en partie seulement. Chacun, pour faire preuve de bonne volonté, devait mettre une somme. Cette dame passait le matin du terme, prenait l'argent, puis on n'avait plus à s'occuper de rien et le lendemain elle apportait la quittance [1].

La loi Strauss (12 avril 1906) améliora le financement des sociétés d'HBM : les communes, les départements, la Caisse des dépôts purent leur accorder des prêts, mais les crédits

---

1. P. Souvestre et M. Allain, 1961, *La Livrée du crime*, p. 67.

ouverts, même à Paris, restèrent faibles. La loi Ribot prit une autre voie en essayant de retenir les paysans à la campagne pour lutter contre l'exode rural, la grande inquiétude de l'époque : les travailleurs acquirent le droit d'acheter une terre avec des prêts bonifiés (consentis à 2 % par l'État, qui empruntait à 3,5 %) et de ne construire que plus tard. Les deux Chambres furent poussées à l'action par l'acuité de la crise. Des familles d'ouvriers défilaient dans les rues de Paris, entraînées par un certain Georges Cochon qui avait créé un syndicat de locataires : elles protestaient contre les loyers trop élevés en tapant sur des casseroles, ce qu'on appela le « raffut de saint Polycarpe [1] ». Les députés discutèrent en 1912 le rapport Bonnevay qui aboutit enfin au vote d'une loi (23 décembre 1912) : celle-ci permettait la création de cités-jardins et le mélange de résidences et de commerces, élargissait la loi Siegfried sur les HBM et créait les offices publics d'HBM. Retardés par la guerre, ceux-ci édifièrent entre les deux guerres des logements à bas loyers : l'OPHBM de Paris produisit 22 000 logements entre 1920 et 1939.

Les logements pour les ouvriers n'étaient pas seulement rares et coûteux, mais aussi malsains. Depuis le milieu du XIXe siècle, des intellectuels attiraient l'attention sur l'insalubrité des habitations parisiennes. Ils s'en étaient davantage préoccupés que les ouvriers qui y logeaient, qu'obsédait plutôt le montant des loyers. Au tournant du siècle, avec les travaux de Koch identifiant le bacille responsable de la tuberculose, cette maladie fut enfin reconnue comme une véritable catastrophe urbaine. On créa en 1893 le « casier sanitaire » des immeubles : leur état de salubrité devait être répertorié régulièrement, ce qui, à défaut d'action plus vigoureuse, constituait un premier pas [2]. A la suite d'une longue campagne d'Ambroise Rendu, la municipalité reconnut en 1905 l'existence d'« îlots insalubres » (surtout dans les vieux quartiers des Arcis et de Maubert), mais elle manquait d'outils pour les assainir. Le projet de loi Siegfried, dont le but était d'améliorer la santé publique dans les villes, avait été proposé dès 1886. Rejeté, repris, longuement amendé par des

1. J. Bastié, 1965.
2. Cf. les études de P. Juillerat, 1906*a* et *b*, et P. Juillerat et A. Filassier, 1916.

majorités de députés ruraux qui n'en voyaient pas l'urgence, il ne fut voté qu'en 1902 : la loi reprenait, avec trente ans de retard, les principales stipulations des lois britanniques de 1872. C'était la première mesure législative importante prise pour assurer la salubrité des villes françaises depuis le vote de la loi Melun (1850). Le bouleversement des idées commençait cependant à produire quelque effet dans le domaine de l'aménagement urbain : un nouveau Code de la construction fut décrété en 1902-1903, sous la pression des architectes et des propriétaires fonciers. Il permettait d'accroître la hauteur des immeubles, et fut utilisé avec excès pour construire les îlots lotis sur les deux côtés du Champ-de-Mars, après l'Exposition de 1900. Les critiques contre ces élévations et celles contre le retrécissement du Champ-de-Mars se joignirent pour réclamer, dès 1904, une refonte du Code[1]. Des intérêts privés se réunirent pour fonder la Société du Nouveau Paris (1903), présidée par Eugène Hénard, afin surtout de protéger les investissements fonciers dans la capitale, en négligeant de nouveau la banlieue. Celle-ci grandissait cependant, et le paysage s'enlaidissait autour de la capitale. Charles Bauquier, député radical, fonda à Paris en 1901 la Société pour la protection des paysages de France. Attirant surtout de grands bourgeois, cette société soutint les efforts de Bauquier pour produire une loi classant et protégeant les paysages, comme la loi de 1837 avait classé et tant bien que mal protégé les monuments historiques. La loi Bauquier (21 avril 1906) fut assortie de sanctions trop faibles pour être efficaces.

Le soin nouveau des paysages, le souci de la salubrité, les inquiétudes devant la croissance rapide de la banlieue, tout devait attirer l'attention sur les espaces verts. Déjà, lorsque le conseil municipal avait voté une taxe sur les parcs et jardins, en 1902, afin de diminuer la charge de l'octroi, des protestations s'étaient élevées. L'argument démagogique selon lequel cette taxe pèserait sur les parcs privés et les grandes fortunes ne suffit pas à atténuer les critiques : les temps changeaient. Des mouvements fort différents joignaient leurs efforts pour la sauvegarde et la multiplication des espaces verts. Les jardins ouvriers de l'abbé Lemire avaient eu pour

1. Consulter l'excellent A. Sutcliffe, 1981.

but de maintenir la cohésion familiale et d'assurer à l'ouvrier, avec la production à bon marché de ce dont il avait
besoin, une protection contre les excès du système commercial et, plus généralement, contre les maux de la ville ; il
s'agissait davantage de santé morale, loin des vices de la
capitale, que de santé physique. Le mouvement tint son
congrès à Paris en 1903. Toute différente, l'Association des
cités-jardins de France (1903), sous l'impulsion de Georges
Benoit-Lévy, essayait de développer en France des idées
beaucoup plus britanniques, insistant davantage sur l'autonomie des familles et sur le contact, nécessairement bénéfique, avec la nature. Les ouvrages de Benoit-Lévy, à partir
de 1904, touchèrent surtout les intellectuels ; ils ne semblent
pas avoir eu beaucoup de lecteurs dans le public populaire,
ni d'influence sur les milieux politiques. Un troisième mouvement, plus profond et typiquement français, recommandait
le retour à la terre en opposant les campagnes fertiles et
sages aux villes modernes, excessives et folles : transposition
étrange d'un *O fortunatos nimium agricolas* du règne d'Auguste à celui du petit notable français de province. Il est
caractéristique cependant d'une tendance profonde et
constante de la politique française qui devait durer jusqu'au
régime de Vichy et bien après encore, jusqu'à nos jours. Le
chantre de cette bucolique était Jules Méline, entré dans
l'histoire de la Troisième République pour l'ensemble de lois
protectionnistes en faveur des paysans qui portent son nom[1].
A Paris, ces mouvements se combinèrent pour discuter
l'aménagement des fortifications, un thème qu'il fallut quarante ans pour épuiser. Chose exceptionnelle, les relations
n'étaient pas mauvaises alors entre la municipalité et l'État,
représenté par l'habile préfet de la Seine, Justin de Selves.
Hénard proposa d'établir une ceinture verte (1903) : oubliant
à nouveau la banlieue, il ne concevait l'aménagement des
fortifications que pour donner un poumon à Paris[2]. Le débat
s'élargit après 1905 et provoqua la création d'une « section
d'hygiène urbaine et rurale » en 1908, dans le cadre du
Musée social : on commençait à discuter d'environnement et
d'écologie au sens que ces termes ont pris aujourd'hui. Jules

1. J. Méline, 1905.
2. E. Hénard, 1909.

Siegfried déposa en juillet 1907 un projet de loi pour aménager les fortifications de Paris : une commission supérieure d'aménagement, sous la tutelle du ministère de l'Intérieur, serait chargée d'établir un plan d'extension de Paris qui prévoirait les axes de communication, ménagerait des espaces verts, conserverait les forêts domaniales et vérifierait que les règles d'hygiène publique étaient bien observées par les propriétaires privés. Cette commission devait avoir autorité hors de Paris, dans une zone de 10 kilomètres au-delà des fortifications. La proposition Siegfried jetait les bases d'un urbanisme moderne : le public ne s'y intéressa pas, les députés non plus. L'État et la Ville ergotèrent sur le prix des fortifications sans pouvoir se mettre d'accord. Bauquier proposa une loi un peu différente (janvier 1909) : les villes (de plus de 10 000 habitants) devraient établir des plans d'extension et d'embellissement. Son projet et un troisième, élaboré par Chenal, furent reçus avec la même indifférence. Avec une patience méritoire, Cornudet reprit les trois projets de Siegfried, Chenal et Bauquier, en fit une synthèse et la soumit à nouveau à la Chambre, en juin 1914 ; voté par les députés en 1915, le projet fut enterré par le Sénat jusqu'en 1918. Finalement, la loi Cornudet fut promulguée en février 1919. Les principaux débats dans les deux Chambres avaient porté sur la préservation de la beauté principalement des paysages et accessoirement des espaces verts. Les deux grands problèmes parisiens, l'embouteillage des transports et la crise du logement, n'avaient suscité aucun intérêt chez les élus. La loi Siegfried fut la première grande loi d'urbanisme en France : elle enjoignait aux villes de préparer dans les trois ans des projets de développement, d'embellissement et d'extension ; de contrôler les rues, les espaces verts, les bâtiments publics ; de veiller aux règles d'hygiène, à la distribution d'eau et aux égouts. Elle ne prévoyait aucune ressource financière pour couvrir ces dépenses ni aucun moyen de contraindre les propriétaires : une mesure d'expropriation que Siegfried avait voulu introduire fut vigoureusement écartée. Privée de moyens de contrainte, la loi ne fut pour ainsi dire pas appliquée. Elle aurait pu jouer, cependant, un rôle fondamental dans l'organisation de la banlieue parisienne en train de s'étendre.

Le conseil municipal essayait toujours d'aménager les for-

tifications : 600 hectares de terrains militaires et 700 hectares grevés de servitudes offraient une occasion unique. L'un de ses membres les plus actifs, Louis Dausset, proposa (1908) de les démolir pour construire à leur place un boulevard circulaire bordé de bâtiments résidentiels et doublé, vers l'extérieur, d'une ceinture verte. Le conseil trouva le projet trop ambitieux mais lui reprocha surtout d'empêcher, en détruisant le mur, la perception de l'octroi et de faciliter le déménagement des Parisiens vers la banlieue : les prix fonciers n'allaient-ils pas s'effondrer ? Dausset proposa alors de border les espaces verts par un chemin de ronde éclairé la nuit...
Le besoin d'aménager Paris se faisait cependant sentir avec plus de nécessité. Dausset suggéra (1910) d'établir un plan d'extension qui engloberait la banlieue, ce qui était tout à fait nouveau et presque révolutionnaire. Le préfet créa en 1911 une « commission d'extension de Paris » qui produisit en 1913 un excellent rapport contenant les plans des routes et des espaces verts qu'il faudrait développer[1]. Les espaces verts devaient être portés de 223 hectares à 333 grâce à l'ouverture de nouveaux jardins dans Paris, en particulier autour de l'École-Militaire, et surtout par la création de la ceinture verte sur la zone militaire : un anneau de 34 kilomètres de long sur 350 mètres de large. En utilisant aussi les forts détachés en avant des fortifications et la zone de servitudes qui entourait chacun d'eux, on pourrait reboiser une cinquantaine d'hectares à l'emplacement de chaque fort, et même établir une promenade continue de 17 kilomètres de long couvrant 1 400 hectares entre Nogent et Aubervilliers. Au total, la commission prévoyait 600 hectares de jardins sur la zone, 1 400 hectares de ceinture verte au nord-est, deux promenades à Colombes et à Thiais de 1 650 hectares, et l'ouverture d'une douzaine de parcs : 4 320 hectares à créer et à joindre aux 2 500 hectares existants, ce qui offrirait aux Parisiens et aux banlieusards 16 mètres carrés de jardin par personne alors que Londres n'en accordait que 5,5 à ses habitants. Le projet était grandiose et réalisable, mais il heurtait tant d'intérêts que les membres de la commission senti-

---

1. Le rapport de cette commission, dû principalement à la plume de Marcel Poëte, contient un remarquable résumé historique de la croissance de Paris : cf. Commission d'extension de Paris, 1913.

rent le besoin d'en affirmer la nécessité. Déplorant l'ordonnance de 1847 qui avait permis de construire en avant du
mur d'octroi, la commission affirmait :

> Une erreur semblable sera évitée lors de la suppression de
> l'enceinte actuelle. [...] On ne laissera pas cette fois gas-
> piller une telle richesse. Une convention est signée entre la
> Ville et l'État, qui n'attend plus que la sanction du pouvoir
> législatif [1].

La guerre et plus encore le mélange habituel d'indifférence
et de corruption ruinèrent les espoirs de la commission : la
ceinture verte fut oubliée. L'abandon de ce projet fut sans
doute l'un des plus grands scandales de l'urbanisme parisien.
On laissa les constructeurs la grignoter puis la recouvrir
complètement [2]. Après la guerre, et pour pallier la pénurie de
logements, une loi (1919) revint sur le projet et réserva un
quart de la zone à la construction d'habitations. Tout n'était
pas perdu cependant, mais l'administration tergiversait. Un
syndicat de zoniers, occupant illégalement les terrains de la
Ville, supplia, menaça et obtint, dans l'indifférence générale,
le vote d'une loi (4 août 1926) qui déclassait les terres de la
zone et les rendait constructibles : le prix des terres bondit
d'une dizaine de francs le mètre carré à plusieurs centaines
de francs, et la Ville dut dépenser beaucoup pour racheter,
afin de construire quelques squares et la voirie nécessaire,
une petite partie des terres qu'elle avait tenues en main et
abandonnées si légèrement. La montée des prix rendit de
plus en plus difficile l'expropriation : industries et grands
immeubles furent construits impunément sur la ceinture
verte mort-née. La loi Lafay (7 février 1953) sonna le glas
de ce beau rêve. La grande promenade continue qui devait
aligner des parcs de Nogent à Aubervilliers, sur 17 kilomètres, fut aussi furtivement lotie et construite. On insiste
souvent, pour la déplorer, sur la forte densité démographique
de l'espace parisien, mais on oublie d'ordinaire que les projets aisément réalisables qui auraient permis de desserrer cet
espace avec de grands jardins ont été, entre les deux guerres,

---

1. *Ibid.*, p. 95.
2. Cf. Boyer, repris *in* R. Franc, 1971, p. 137-144.

silencieusement ruinés et abandonnés, dans l'indifférence générale, sous l'effet simultané de l'incurie et de la corruption.

Les efforts en faveur de l'aménagement urbain ne manquaient pas cependant : Marcel Poëte commença en 1903 au Collège de France son cours sur l'histoire de Paris. Les ouvrages de science-fiction, ou plutôt de politique-fiction, de H. G. Wells furent traduits en français entre 1904 et 1910 et attirèrent l'attention sur l'évolution future des grandes villes. La Société française des urbanistes fut créée en 1911 (le mot même d'« urbaniste » apparut en France en 1910). Quelques-uns des meilleurs urbanistes mondiaux étaient français (Hénard, Tony Garnier, Jaussely, Prost…) : ils travaillaient à l'étranger. La carence des pouvoirs publics, leur indifférence envers les grands problèmes urbains gênaient toutes les grandes villes françaises, mais particulièrement Paris, où les difficultés étaient de loin les plus grandes et où le manque de logement et l'étouffement des transports n'empêchaient pas la croissance de l'agglomération. Les efforts de grands bourgeois éclairés, des associations multiples, les nombreux projets de lois destinées à combler les lacunes les plus criantes se heurtèrent régulièrement, plus qu'à l'indifférence, à l'hostilité d'une Chambre et surtout d'un Sénat principalement ruraux qui ne voulaient pas considérer les questions urbaines ni dépenser pour Paris. Comme la protection de la propriété privée restait le souci principal, la capitale manqua toujours des moyens qui lui étaient nécessaires. Paris, en 1914, était en retard de trente ans sur les autres grandes villes du monde : le grand centre de l'aménagement urbain était passé en Allemagne. Pourquoi une telle lenteur et un retard si important sur les autres grandes capitales voisines, retard qui ne fit que s'accentuer jusqu'à la grande dépression de 1930[1] ? La cause la plus évidente tient à l'insuffisance du cadre légal : la plupart des projets proposés par des pionniers comme Siegfried ne furent votés et transformés en lois qu'après des tergiversations, des hésitations et des repentirs qui faisaient perdre des années. Un procédé largement utilisé par les Chambres afin de faire avorter un projet trop utile pour qu'on osât le combattre en plein jour consistait à nom-

---

1. Cf. P. Merlin, 1982*a* ; et J. Vaujour, 1970.

La Ville lumière (1890-1930)   237

mer une commission d'étude et à reporter indéfiniment la discussion de la proposition de loi, jusqu'à la fin de la législature : l'élection d'une nouvelle Chambre annulait automatiquement les anciens projets et tout était à reprendre. La meilleure manière, cependant, de ruiner les efforts d'aménagement consista surtout à vider les lois de toutes les mesures de contrainte qui y avaient été incluses. Les textes votés purent être impunément violés ou plus simplement oubliés ; la plupart restèrent inappliqués, faute de sanctions suffisantes. La loi Cornudet (1919), par exemple, obligeait les lotisseurs à établir un plan et un programme d'aménagement, à demander un permis de construire, à raccorder les lots mis en vente à la voirie, mais, comme le projet avait été soigneusement purgé de toute sanction, elle ne fut pas appliquée. On n'a pas assez étudié ce travail de sabotage patient, constant et efficace dont se sont rendus coupables les députés et, avec bien plus d'acharnement encore, les sénateurs. Pourquoi tant d'efforts pour priver les lois d'urbanisme de toute efficacité ? On devine l'action de groupes de pression et l'on se doute que la corruption n'était pas rare, mais l'explication la plus intéressante est à chercher ailleurs : dans l'opposition des intérêts parisiens et de ceux des campagnes. La pression démographique des migrants arrivant en banlieue, la gravité de la crise du logement dans la région parisienne, l'essor des industries nouvelles dans la « ceinture rouge », la montée rapide des prix fonciers, l'ampleur même du problème, tout justifiait à Paris une législation ferme, un contrôle sévère même, et des sanctions dissuasives. A la campagne, en revanche, la pression démographique était incomparablement plus faible et tendait même à diminuer, le foncier bâti moins important que les terres agricoles, les contrôles moins justifiés et moins bien acceptés. Autour de Paris, le sol était un bien traité sur un marché capitaliste où s'établissait son prix ; à la campagne, la terre était chargée d'une valeur sentimentale immense, sans commune mesure avec son prix et son rapport. Il était difficile de faire des lois qui satisfassent les besoins de la banlieue parisienne, en pleine urbanisation, sans heurter les intérêts des petits bourgs de province, en plein sommeil.

Une autre raison expliquant le retard de l'urbanisme parisien est à chercher dans la médiocrité du travail des parlementaires qui rédigèrent des textes de loi en dépit du bon sens. Quelles qu'en fussent les causes (précipitation, incompétence ou mauvaise volonté calculée), des lacunes étonnantes laissèrent aux spéculateurs des failles où ils ne manquèrent pas de s'engouffrer. Entre 1902 et 1924, les lotisseurs profitèrent ainsi d'un vide juridique fâcheux : la loi de 1902 n'exigeait l'autorisation de bâtir que dans les communes de plus de 20 000 habitants, peut-être par désir, comme toujours, d'épargner à la province des contraintes pourtant nécessaires autour de Paris. Dans les petites communes de la banlieue parisienne, il fut ainsi licite, pendant vingt ans, de lotir et de vendre des terres sans avoir assuré ni leur desserte ni leur viabilité ; les acheteurs devaient ensuite se retourner vers leur maire pour demander que la commune construisît des routes, des égouts, amenât l'eau et l'électricité, dépenses considérables que les petites municipalités avaient bien de la peine à faire. Le laxisme de la loi, acceptable peut-être dans des bourgs anciens déjà équipés, fut désastreux en banlieue parisienne : ce fut la grande période du développement anarchique d'une banlieue pavillonnaire sordide et des « mal-lotis », si nombreux que le terme, au sens d'abord étroit, passa dans le langage courant. La crise du logement dans la région parisienne, dont on vu plus haut l'extrême gravité, expliquait la facilité avec laquelle les lotisseurs vendaient leurs parcelles mal équipées.

Le retard pris par la législation et la pénurie de logements étaient déjà très grands, en 1914, quand le conflit éclata : il ne fit que les aggraver. La mobilisation ayant été décrétée le 2 août, une loi accorda dès le lendemain aux locataires un moratoire repoussant de trois mois le paiement des loyers : on croyait alors à une guerre courte. Le moratoire fut renouvelé en février 1916 : des propriétaires refusèrent alors de payer l'impôt. Le gouvernement dut promettre de rembourser les impayés « après la victoire » : une promesse qui aurait coûté 1 milliard de francs-or ; elle ne fut pas tenue. Des décrets prorogèrent ensuite le moratoire de trois mois en trois mois jusqu'en 1918.

L'opinion française, à l'instar de ses dirigeants, se rendait mal compte, après l'armistice, de l'immensité des pertes subies en hommes et en richesses. Pendant une dizaine d'années, les Français entretinrent le rêve, bien utopique, de

« revenir comme avant ». La guerre, cependant, avait été ruineuse : en ajoutant aux pertes militaires (1,3 million de tués) la surmortalité civile (200 000) et la sous-natalité (déficit de naissances : 1,4 million), Alfred Sauvy estime les pertes humaines à près de 3 millions[1]. La France avait aussi perdu 55 milliards de francs-or et devait plus de 18 milliards à ses alliés. Décimée, la population avait fortement vieilli (13,5 % de Français avaient plus de 60 ans, contre 9 % en Allemagne et en Grande-Bretagne, et 7 % en Russie et aux États-Unis). Il fallait reloger 1 million de personnes. La place de la capitale dans la nation s'était considérablement accrue. La Première Guerre accéléra fortement l'évolution de l'économie et de la société françaises : les migrations vers Paris étaient restées fortes, cependant que les campagnes se vidaient et vieillissaient encore plus vite. L'effet des déplacements de troupes ainsi que de travailleurs pour les industries de guerre avait été renforcé par de véritables hécatombes dans les rangs des conscrits venus des zones rurales. Si la France avait perdu, en tués et disparus, 9,9 % de la population masculine active en 1913, cette proportion n'était que de 8,2 % dans les transports et de 8,8 % dans l'industrie (beaucoup de soldats mobilisés avaient été maintenus à l'arrière pour la production de guerre), mais atteignait 10 % dans l'agriculture. La campagne française avait ainsi doublement perdu sa jeunesse, tuée au front ou déplacée vers les grandes villes, surtout vers Paris. Les fabrications de guerre furent en effet installées principalement dans la région parisienne. Le choix peut paraître étrange : il témoignait, dans l'état-major français, d'une assurance qui semble téméraire si l'on songe à la vigueur de l'offensive allemande du printemps 1918 qui perça le front et s'approcha pour la seconde fois des murs de la capitale. C'est que les industries mécaniques nouvelles (camions, chars, avions, artillerie) réclamaient une main-d'œuvre qualifiée : elle se trouvait principalement à Paris. La nécessité de produire vite et en grandes séries accentua la concentration industrielle, surtout dans la banlieue. Le gouvernement « faisait la guerre » et ne lésinait pas sur les prix.

---

1. Cf. son excellent ouvrage que nous utilisons ci-après : Alfred Sauvy, *Histoire économique de la France entre les deux guerres*, Paris, Fayard, 1965, 3 vol.

La guerre attira à Paris une formidable industrie mécanique :
le nombre des ouvriers travaillant dans l'industrie automobile passa, en France, de 108 000 en 1914 à 1 280 000 en
1932. Les besoins de la défense nationale transformèrent les
usines Renault de Billancourt et Citroën de Javel de petits
ateliers mécaniques en grandes entreprises modernes. La
même croissance favorisa les établissements Hotchkiss
(grands fabriquants de mitrailleuses), Salmson (installés près
de Renault, au Point-du-Jour), Panhard, et bien d'autres.
Certes, Berliet profita aussi, à Lyon, des commandes militaires, mais la capitale eut la plus grosse part. L'existence du
principal carrefour ferroviaire à Paris joua aussi un rôle
considérable. Tout contribua ainsi, malgré la proximité dangereuse de la ligne de front, à concentrer le gros de l'effort de
guerre dans la capitale. Elle s'en trouva considérablement
renforcée dans les années 1920. Le conseil général de la
Seine avait pris conscience de ses progrès et de ses besoins
criants : il prépara, en 1919, un ambitieux projet d'aménagement du Grand Paris qui prévoyait la création de zones
industrielles bien organisées en banlieue, de trois villes nouvelles (Chambourcy, La Courneuve et Rungis) et d'un réseau
express régional ; c'était, avec quarante ans d'avance, le projet qui fut réalisé par la Cinquième République à la fin des
années 1960. Ce plan remarquable, inspiré d'expériences
anglaises et suédoises, échoua devant l'opposition du Sénat
qui refusa au département les crédits nécessaires : les campagnes passaient bien avant la capitale. Un autre projet autoroutier, dû à André Citroën, connut le même sort.
  La crise du logement, principalement dans l'agglomération
parisienne, devint dramatique avec le retour des soldats
démobilisés. Mais alors qu'il fallait de toute urgence procé-
der à d'immenses investissements immobiliers, l'inflation
ruinait l'épargne privée et le blocage des loyers la détournait
des investissements fonciers. Envisageons d'abord l'évolution globale du sort des épargnants, puisque leurs capitaux
pouvaient glisser d'un placement à l'autre selon le changement des taux. La guerre avait coûté si cher que le gouvernement, après l'armistice, dut choisir entre trois politiques :
rembourser scrupuleusement les dommages de guerre et les
emprunts divers conclus pendant le conflit, en particulier les
bons de la Défense nationale, ce qui aurait écrasé l'écono-

mie sous une charge de près de 55 milliards de francs-or, soit
15 mois de revenu national 1913[1], et sacrifié l'avenir pour
apurer les comptes passés ; déclarer la banqueroute et renier
sa parole : une solution impensable, à l'époque surtout ; ou
bien enfin rembourser exactement les dettes, mais en monnaie dévaluée, ce qui, en fait, revenait au même mais était
infiniment plus facile à faire accepter. Plus sans doute par
faiblesse et par ignorance que par machiavélisme, l'État
choisit ou plutôt se laissa imposer la dernière solution, la
meilleure car elle ne chargeait pas trop l'avenir. Mais elle
consistait à ruiner les épargnants, qui perdaient leur fortune –
une perte dérisoire, il est vrai, auprès des millions de vies
sacrifiées. Au total, Alfred Sauvy[2] estime la perte des créan-
ciers des collectivités publiques à près de 1 000 milliards de
francs 1928, soit 3 ans 4 mois de revenu national 1928, et les
pertes de revenu des porteurs de créances publiques à quelque 37 milliards (1,5 mois de revenu national). En moyenne,
les fortunes privées furent amputées, entre 1913 et 1929, de
plus de moitié. Les valeurs à revenu fixe (obligations, bons,
hypothèques) subirent les plus grandes pertes : leurs cours
chutaient, exprimés dans une monnaie qui, elle-même, baissait. En juin 1926, les portefeuilles d'obligations avaient
perdu 90 % de leur valeur 1913. Le plus étonnant est que les
portefeuilles d'actions, qui représentaient des actifs réévalués naturellement par l'inflation, baissaient aussi, contre
toute logique, tant l'opinion de l'époque était surprise par
des glissements monétaires encore inouïs. Les porteurs de
titres étrangers, particulièrement recherchés par les petits-
bourgeois avant la guerre, avaient perdu, en 1926, les trois
quarts de leur patrimoine.

Les propriétaires fonciers auraient dû être à l'abri de
cet effondrement puisqu'ils possédaient des biens réels
(les périodes d'inflation favorisent les investissements immobiliers), mais le blocage des loyers les ruina aussi
radicalement[3]. La loi du 9 mars 1918 prolongea le moratoire,
l'étendit à tous les locaux résidentiels, professionnels et
commerciaux construits avant 1914, et interdit aux proprié-

1. *Ibid.*, vol. 1, p. 31.
2. *Ibid.*, vol. 1, p. 291 *sq.*
3. Cf. F. Marnata, 1961.

taires d'augmenter le loyer, de résilier le bail, de demander l'éviction de leurs locataires. Beaucoup de loyers avaient augmenté illégalement : l'Union confédérale des locataires organisa dans les rues de Paris une grande manifestation (29 juin 1919) pour obtenir le maintien du blocage. Ainsi commença une limitation des loyers qui devait durer trente années, arrêter pratiquement la construction de logements et même l'entretien des immeubles, et qui transforma la pénurie en véritable catastrophe. Le loyer légal était fixé au montant du terme « exigible le 1er août 1914 ». Les loyers, en 1919, étaient donc les mêmes qu'à la déclaration de guerre, mais le franc avait déjà perdu les deux tiers de sa valeur. La rente foncière était d'autant mieux bloquée que le moratoire fut étendu peu à peu et finit par concerner également les immeubles construits entre les deux guerres. En 1922 seulement, les loyers purent être augmentés de 5 % (loi du 31 mars) pour couvrir les frais d'entretien d'un immeuble, mais il s'agissait de 5 % du loyer de 1914 : comme les prix, depuis lors, avaient déjà triplé, il est douteux que cette augmentation couvrît celle des frais d'entretien. Quant au revenu net, déjà faible en 1911-1913, ce qui expliquait la pénurie croissante de logements des années d'avant guerre, il restait encore divisé par trois. Comme les propriétaires ne signaient plus de nouveaux baux, une loi, en 1923, les autorisa à augmenter les loyers, dans les nouveaux contrats, pour prendre en compte l'augmentation des impôts, le taux de crédit et les coûts d'entretien, mais en fixant un plafond de 75 %. En même temps, plusieurs lois assurèrent mieux encore le maintien des occupants dans les lieux. Les baux longs (plus de neuf ans) conclus avant la guerre n'avaient jamais été réévalués : en valeur réelle 1925, les loyers étaient tombés au cinquième (21 %) de leur montant en 1913. Une loi (6 juillet 1925) permit de les réévaluer de 75 % : un loyer ancien de 100 en 1913 augmenta donc de 21 à 36 et resta encore au tiers de sa valeur initiale. Les baux expirant entre 1927 et 1931 purent être renouvelés avec une augmentation de 100 % (loi du 1er avril 1926) : un loyer de 100 en 1913 était tombé à 19 et pouvait être réévalué à 38. Les capitaux privés n'avaient plus aucun intérêt à s'investir dans l'immobilier, les crédits publics restaient gravement insuffisants et la banlieue était abandonnée aux spéculateurs.

La situation devint si grave que les Chambres furent enfin obligées de voter des lois moins inefficaces : les années 1924-1928 marquent un tournant. Le mécontentement des mal-lotis avait grandi au point d'inquiéter les politiciens : une nouvelle loi (1924) obligea à déposer en mairie le plan des nouveaux lotissements et interdit toute vente de parcelle avant l'approbation que devait donner une commission départementale. Afin de corriger les erreurs passées, et après des élections difficiles, la loi Sarraut (1928) ordonna le réaménagement des lotissements défectueux commencés avant la loi de 1924 et la construction de la voirie et des réseaux d'eau et d'électricité qui manquaient ; cet effort d'équipement fut à peu près terminé en 1933. Le besoin d'aménager la région parisienne amena la création (décret du 24 mars 1928) du comité supérieur d'aménagement et d'organisation générale de la région parisienne. Le CSAOGRP, appelé souvent plus simplement le CSARP, était rattaché au ministère de l'Intérieur, ce qui montrait bien que son rôle était plus politique qu'économique ou social. Il ne comptait pas moins de 84 membres, ce qui l'affaiblissait d'autant, et devait veiller à l'application des lois de 1919 et 1924. Très malthusien, il songea principalement à limiter la croissance démographique de la région parisienne, plus qu'à en aménager le développement. Les faibles crédits disponibles, et l'audace qui manquait encore davantage à cette époque, ne permettaient plus d'envisager de vastes transformations comme celles d'Haussmann. Le Corbusier proposa bien en 1927 de raser tout le centre de Paris et d'y construire une forêt de tours soigneusement alignées, mais personne ne songea à réaliser cette idée extrême : heureuse époque où les moyens manquaient aux architectes pour se faire connaître.

La reconstruction fut à peu près achevée en 1928. Alors, la question du logement reçut un début de solution, qui, malheureusement, tourna court : Loucheur, homme politique enthousiaste aux idées audacieuses et devenu populaire (il était surnommé « Tout-en-or »), proposa dès décembre 1921 un projet ambitieux. Il voulait construire 500 000 logements en dix ans ; le lopin de terre et la maison auraient été inaliénables ; le coût, pour l'État, était estimé à 250 millions de francs par an. La banlieue de Paris était destinée à recevoir le gros de ces constructions : le nombre de ses habitants croissait rapidement alors que le reste de la population française stagnait. Le recensement de 1926 montra l'urgence d'une politique en faveur du logement dans la capitale : 1 Parisien sur 4 vivait dans une demi-pièce ; 320 000 personnes habitaient dans des garnis, soit 100 000 de plus qu'en 1912. La tuberculose faisait des ravages : 4 200 décès pour 100 000 habitants en un an dans le IVe arrondissement. La loi Loucheur fut finalement votée le 13 juillet 1928 : elle prévoyait sur cinq années la construction en France de 200 000 logements HBM et de 60 000 logements à loyer moyen. Le texte imposait des limites au prix de revient des bâtiments et aux loyers ainsi que le respect des principes élémentaires d'hygiène. Le projet était devenu trop modeste : à elle seule, la région parisienne avait besoin de 200 000 logements. Les HBM étaient désormais destinées aux « personnes peu fortunées vivant principalement de leur salaire » : les artisans disparaissaient de la société française, les ouvriers et les petits employés y devenaient les plus nombreux. La loi provoqua un essor étonnant du crédit immobilier. Les dépôts décuplèrent en France entre 1927 et 1929, mais cela ne suffit pas : en 1932, ils représentaient un total de 1 milliard de francs, cependant les constructeurs en réclamaient le double. Plus de 50 000 logements furent construits autour de Paris, près de 130 000 dans toute la France.

Ainsi, en 1929, on pouvait penser que la crise du logement allait être résolue : l'indice de la construction à Paris[1], tombé à 13 en 1919, était remonté à 30 en 1921 et à 100 entre 1924 et 1926. La reconstruction était terminée ; le franc, qui s'était effondré après la guerre, avait été stabilisé par Poincaré au cinquième de sa valeur or (1928) ; la construction repartait grâce à la loi Loucheur. A vrai dire, l'urbanisme parisien restait gravement déficient. Les lotisseurs agrandissaient la banlieue en tache d'huile, dévorant de vastes espaces ruraux pour les couvrir de petites maisons médiocres, mal équipées et mal construites. Ils profitaient du développement des chemins de fer autour de Paris, de la multiplication des lignes de banlieue, et aussi d'une première vague de décentralisation industrielle. Au lieu des cités-jardins souhaitées par Loucheur, un monde pavillonnaire médiocre entoura la

1. *Ibid.* : voir figure 23, p. 255 ; indice 100 en 1913.

capitale. Du moins, l'économie semblait repartir, la société, avec la paix, retrouvait la prospérité, Paris attirait du monde entier des touristes ravis : tout recommençait presque comme avant. C'est alors que la Grande Dépression vint frapper l'Europe et la lancer dans des dangers bien plus terribles.

4

Atermoiements et velléités
(1929-1952)

Faisant le bilan des années 1930, Sauvy écrit :

> Investissements tombés à un niveau très bas, matériel vieux
> et périmé, logements en particulier, monnaie dépréciée de
> plus de 60 %, rentiers et retraités durement touchés par la
> hausse des prix, finances publiques délabrées, encaisse-or
> diminuée de 7 %, population vieillie, natalité en recul, le
> bilan est défavorable sur la plupart des postes […]. Ces huit
> années stériles, les Français en souffriront dans leur avenir
> plus que dans leur présent […]. Ignorance et malthusia-
> nisme, facteurs fondamentaux, trouvent tous deux un appui
> ou une confirmation dans une attitude d'isolement [1].

Après 1930, la France connut huit années désastreuses suivies de six années de guerre et d'occupation, puis d'une hui-
taine d'années de reconstruction : plus de deux décennies qui
pesèrent particulièrement lourd dans l'histoire de la capitale.
Les gouvernements successifs essayèrent pathétiquement de
s'attaquer à des problèmes qu'ils ne comprenaient pas avec
des outils archaïques alors que l'opinion publique, raisonnant comme à la Belle Époque, au temps du franc stable et
de la France rurale, applaudissait le « bon sens » démagogique et aggravait les difficultés qu'elle voulait résoudre
en favorisant des politiques malthusiennes. La région parisienne, la partie la plus moderne de la France et qui se développait le plus vite, souffrit plus que toute autre de ces efforts
absurdes pour freiner l'évolution et limiter la production de
richesses, parce que la stagnation générale des investissements atteignit davantage une métropole en pleine croissance

1. A. Sauvy, *Histoire économique de la France entre les deux guerres*,
op. cit., vol. 2, p. 466, 468 et 470.

et qu'aux troubles économiques qui épuisaient le pays
s'ajoutèrent des politiques menées par des régimes différents
qui tous, au nom de la morale, tournaient également le dos à
l'évolution économique.

Une conjoncture toute nouvelle

Les sociétés européennes se rendirent mal compte de
l'ampleur des changements qu'avait apportés la Grande
Guerre. La France, le pays relativement le plus épuisé et le
plus vieilli, eut encore plus de peine à s'adapter. Alors que
l'opinion croyait, en 1928, avoir retrouvé l'équilibre et la
prospérité, la Grande Dépression ruina l'économie mondiale
et, avec un retard de deux ans, l'économie française. Puis
l'Europe fut précipitée dans la guerre.

Les séquelles de la guerre et la Grande Dépression

Lorsque Poincaré quitta le pouvoir, en 1929, la France
semblait rétablie dans son rang : l'Allemagne, avec Strese-
man, préparait une entente et consolidait la paix ; en 1928, la
reconstruction était achevée, le franc stabilisé. La grave crise
du logement paraissait, grâce à la loi Loucheur, en voie de
résolution. Un an plus tard (novembre 1929), Tardieu lança
un ambitieux plan d'équipement contenant des mesures
favorables à la construction de routes et de logements : il
comptait relancer le bâtiment en supprimant la taxe foncière
à la première mutation et en accordant des dégrèvements fiscaux sur l'impôt foncier. On s'attaquait enfin aux pénuries
apparues dès 1900 à Paris et que le conflit européen avait fait
oublier. L'euphorie des années folles, cependant, était illusoire : les conséquences de la guerre n'étaient pas encore
liquidées. La dette publique pesait très lourdement, malgré
l'inflation qui, en dix ans, de 1919 à 1929, avait réduit la
valeur du franc de 70 % et diminué d'autant la valeur réelle
de cette dette : elle représentait encore 38 % du budget en
1930 contre 21 % en 1913. La crise de 1929 fut d'abord due

à un réajustement à la baisse des prix mondiaux. L'économie mondiale repartait, en 1931, quand la livre sterling, soumise à des pressions trop fortes, céda : Londres dévalua fortement sa monnaie, abandonnant l'étalon-or (21 septembre 1931) et accentuant du même coup la baisse excessive des matières premières qui étaient cotées en livres et dont les prix nominaux ne changèrent guère. La crise mondiale, qui semblait s'atténuer, repartit de plus belle, jusqu'à la Seconde Guerre mondiale.

La crise ne fit pas que ralentir la production. Elle troubla profondément les esprits et fit réapparaître une tendance fondamentale de la société française, le malthusianisme économique (c'est-à-dire l'effort pour détruire des richesses), alors que le malthusianisme démographique (la restriction du nombre des naissances) sévissait depuis longtemps. La première forme était déjà apparue en 1892, avec les lois protectionnistes de Méline qui essayaient d'atteindre ce but commun à tous les gouvernants français : le soutien des prix agricoles, bien qu'il entraînât un coût de la vie plus élevé pour les citadins. Le niveau de vie s'était nettement élevé dans toute la France depuis le début du siècle, mais les salaires journaliers semblent avoir augmenté un peu moins vite à Paris que dans les autres villes françaises :

	1914	*1921*	*1931*	*Rapport salaire/prix*
Indice du salaire journalier[1] :				
Paris	100	342	648	1,121
autres villes	100	400	710	1,228
Prix de détail (France)	100	324	578	1

La crise, entre 1929 et 1935, affaiblit les entreprises les plus fragiles, accentua les concentrations et renforça, comme c'est son effet ordinaire, les activités modernes, urbaines ou protégées par des cartels. En revanche, elle appauvrit les

1. Prud'hommes, *in* Sauvy, *op. cit.*, vol. 1, p. 501-505.

campagnes, que le protectionnisme avait laissé endor-
mies dans leur archaïsme : le rendement moyen du froment
était de 13,6 quintaux à l'hectare en 1911-1913, moitié
moindre qu'en Hollande ou en Allemagne ; en 1931, après
vingt années pendant lesquelles les techniques avaient progressé plus vite qu'à n'importe quel autre moment de l'histoire, il était encore de 13,8 quintaux. De 1929 à 1935, les prix
des produits finis baissèrent de 35 %, ceux des produits semi-
finis de 44 % et ceux des matières premières (et en particulier
des produits agricoles) de 52 % en moyenne. Après le protectionnisme, les massacres de la guerre et le vieillissement, la
crise acheva de ruiner les campagnes françaises. Mais, au lieu
d'y voir l'occasion d'une modernisation vigoureuse et
d'applaudir à l'exode rural, ce transfert de main-d'œuvre de
secteurs archaïques vers des secteurs en essor, toute la politique de l'État consista à tenter de freiner l'exode en pénali-
sant les villes qui prospéraient, et principalement Paris.

Les gouvernements, face à la crise, menèrent des politiques contradictoires aussi malheureuses les unes que les
autres. La déflation engagée par Germain Martin (gouvernement Flandin, avril 1934) et surtout par les décrets Laval
(juillet, août et octobre 1935) eut pour principale conséquence la formation du Front populaire. La gauche prit le
pouvoir en juin 1936 et commença une politique toute différente. Alfred Sauvy fait ainsi le bilan des années 1936-
1938[1] : la production nationale baissa de 4 % à 5 % à cause,
principalement, de la diminution du temps de travail (la production allemande, dans le même temps, croissait de 17 %) ;
les prix bondirent et le franc s'affaissa de 57 % ; la consommation des ménages resta à peu près stable, mais les investissements reculèrent de près de 11 %, handicapant l'avenir.
La bonne foi de Léon Blum n'est pas en cause, mais les
effets de la politique de gauche furent désastreux, comme
l'avaient été, naguère, ceux des politiques de droite. Au
cours de cette période difficile, Paris souffrit surtout de la
pénurie de logements, qu'une politique démagogique transforma en catastrophe, et d'une ségrégation sociale croissante,
lourde de menaces.

1. *Ibid.*, vol. 2, p. 295.

Crise de l'épargne et pénurie de logements

L'évolution de l'épargne est cruciale pour une ville comme Paris : c'est elle qui détermine l'importance des investissements privés et publics, ainsi que la construction de logements. Les deux grandes vagues d'inflation qui suivirent les deux guerres mondiales ruinèrent l'épargne placée en valeurs à revenu fixe et asséchèrent les circuits du crédit immobilier. Par ailleurs, les loyers restèrent bloqués puis contrôlés étroitement pendant une cinquantaine d'années. Il en résulta la plus formidable crise du logement que la France moderne ait connue. Certes, tout le territoire national fut ainsi touché, mais Paris bien plus que les autres villes françaises, parce que la capitale souffrait déjà, depuis 1900, d'une pénurie de logements qui ne put ensuite que s'aggraver, et parce qu'elle resta, pendant ce demi-siècle, le principal lieu d'attraction des migrants français et étrangers. La population de l'agglomération augmenta régulièrement pendant toute la période cependant que la construction, et même l'entretien, des logements était ralentie et parfois arrêtée : une conjonction désastreuse qui mérite une étude plus détaillée.

L'inflation avait ruiné les rentiers. La crise inversa légèrement cette tendance en touchant davantage les salariés : Alfred Sauvy[1] estime que, entre 1930 et 1935, les salaires perdirent 6 % de leur pouvoir d'achat, les actions 3 %, mais que les retraites gagnèrent 46 % et les revenus fonciers 12 %. Cette reprise, due à la déflation mondiale, était loin de rattraper les pertes précédentes et fut rapidement annulée par l'inflation française. Comment évoluait le patrimoine immobilier ? Il est bien difficile de le savoir : les immeubles parisiens étaient alors dans les mains de grands propriétaires ou de sociétés immobilières. La copropriété individuelle n'existait guère encore : elle n'apparut, timidement, qu'à la fin des années 1920. Le revenu des immeubles, étroitement contrôlé, tomba rapidement au-dessous du coût d'entretien. En toute rigueur, la valeur de nombreux logements était nulle ou même négative puisque le revenu qu'en tiraient leurs pro-

1. *Ibid.*, vol. 2, p. 137.

priétaires ne couvrait pas les dépenses nécessaires. Dans ces conditions aberrantes, payer pour acheter un immeuble supposait un pari sur l'avenir, l'espoir que les loyers seraient libérés un jour et que la propriété foncière deviendrait de nouveau une source de revenus. Ces parieurs courageux durent attendre plusieurs décennies, pendant lesquelles la construction connut le marasme et l'entretien des immeubles fut gravement négligé.

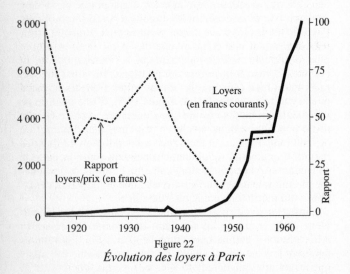

Figure 22
Évolution des loyers à Paris

De nouvelles prorogations du moratoire des loyers et du maintien dans les lieux furent votées en 1929 ; elles devaient s'étendre jusqu'en 1939 pour les loyers les plus bas. Les baux anciens purent augmenter de 150 % en 1930 : leur valeur, qui était tombée de 100 (1913) à 17, remonta à 42. Après 1931, les propriétaires furent autorisés à majorer les loyers de 15 % chaque année, mais la crise empêcha pratiquement les augmentations entre 1933 et 1937. Laval abaissa autoritairement, dans ses trains de décrets, les loyers de 10 %. Les charges payées par les locataires ne devaient pas dépasser le tiers du loyer ; comme celui-ci était maintenu artificiellement bas, les propriétaires durent les assumer eux-mêmes. En 1938 encore (loi du 31 décembre 1937), les loyers furent limités à celui de 1914 multiplié par 2,8 : un loyer de 100 tombé à 17 remontait à 42, limite déjà fixée par la loi de 1930. En francs courants (figure 22), les loyers augmentèrent lentement jusqu'en 1922, plus rapidement pendant la prospérité des années 1920, puis fort lentement jusqu'à la guerre. Mais ces valeurs absolues n'ont pas beaucoup de sens en ces années de grande inflation ; le rapport des loyers aux prix de détail est plus véridique. A la fin de la Grande Guerre, exprimés en fonction du coût de la vie, les loyers étaient tombés au tiers de leur valeur de 1913, qui était déjà trop faible pour rémunérer suffisamment le capital immobilier : on a vu (figure 20) que les loyers, après avoir nettement baissé, étaient, en 1913, à peine revenus au niveau de 1885. Les mesures successives de revalorisation eurent pour effet de remonter un peu le niveau des revenus immobiliers dans la capitale : malgré une rechute entre 1925 et 1928, ils atteignirent en 1934 les trois quarts de leur valeur 1913. Puis ils s'effondrèrent jusqu'à la guerre, avec les trois dévaluations successives du Front populaire puis celle du gouvernement Daladier. En valeur relative, ils étaient revenus au tiers des loyers 1913 au moment où la guerre éclatait. Bloqués derechef durant le conflit, puis pendant les années de reconstruction, ils tombèrent, en 1948, à 16 % de leur valeur 1913. Or le coût de la main-d'œuvre et des travaux du bâtiment avaient augmenté plus vite que le coût de la vie, le progrès économique consistant à diminuer la valeur des objets produits industriellement en grande série et à augmenter celle du travail humain. Encore très artisanale jusqu'aux années 1950, l'industrie du bâtiment avait vu ses salaires augmenter et ses prix s'accroître encore plus vite parce que les matières premières (ciment, brique, bois, verre…) manquèrent cruellement jusqu'en 1952. Le parc de logements parisiens fut ainsi largement négligé entre les deux guerres et laissé complètement à l'abandon entre 1938 et 1950. Comme il était déjà quantitativement insuffisant en 1913, que les migrations vers la capitale n'avaient pas cessé pendant cette période de quarante ans et avaient fortement accru les besoins, et que le retard qualitatif (manque de salles de bains, de w.-c., façades négligées, etc.) était encore plus grand, on conçoit l'ampleur du problème du logement à Paris dans les années 1950 :

jamais encore, même sous la monarchie de Juillet, il n'avait été aussi écrasant.

La construction de logements avait bien repris à la veille de la Grande Crise. L'extension des chemins de fer dans la banlieue, entre les deux guerres, améliora l'accessibilité de petites communes éloignées où le sol était bon marché, et attira des lotisseurs autour des gares. Le mouvement fut accéléré par une première vague de desserrement des industries parisiennes, qui s'installèrent le long des canaux et des voies ferrées. Ainsi, s'étendit largement, entre les deux guerres, ce « monde pavillonnaire » qui était apparu dès la fin du XIXe siècle, construit de façon anarchique, à bon marché et sans goût, et qui caractérise encore aujourd'hui la plus grande partie de la banlieue parisienne. Face à une demande excédentaire et à des loyers bloqués, les lotisseurs construisaient à moindre prix des maisons médiocres que les candidats au logement s'arrachaient faute de choix. L'absence de règles d'urbanisme ne s'explique pas seulement par la négligence traditionnelle des députés envers la capitale et des autorités parisiennes envers la banlieue : des contraintes n'auraient pas manqué d'accroître le coût de la construction et de limiter encore une offre de logements déjà insuffisante. En 1932, une quarantaine de milliers de logements avaient été construits dans la région parisienne grâce à la loi Loucheur. Votée en 1928 pour cinq ans mais victime de la crise, celle-ci ne fut pas reconduite en 1933. En 1934, le gouvernement, aux abois, supprima la plus grande partie des crédits destinés à la construction. L'indice de la construction à Paris [1] avait fléchi un peu à 75 en 1930, était remonté à 93 en 1932, puis s'était affaissé jusqu'à 23 en 1938. En outre, très peu d'entreprises, à la différence d'autres pays européens, logeaient leurs employés : dans la région parisienne, 4 000 travailleurs seulement sur 500 000. Après 1934, les retraits excédèrent les dépôts en caisses d'épargne, ce qui tarit le financement des HBM. De plus, un quart des emprunteurs faisaient défaillance : le système de crédit, fondamental pour assurer des logements décents, était mal organisé et insuffisant. Au total, la France bâtissait en moyenne, avant la Seconde Guerre mondiale, 90 000 logements par an, alors que l'Allemagne et l'Angle-

---

1. Cf. F. Marnata, 1961 : figure 23 ; indice 100 en 1913.

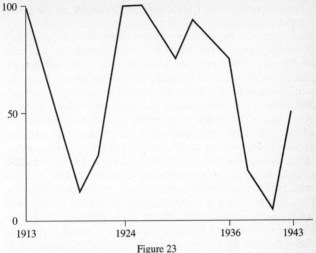

Figure 23
Indice des constructions nouvelles à Paris

terre en construisaient bon an mal an près de 200 000. Le nombre de logements vacants à Paris, qui, de 9 000 en 1913, était tombé à presque 0 en 1920, et était resté très faible jusqu'en 1934, manifestant la gravité de la pénurie, bondit à 35 000 entre 1934 et 1938 (voir figure 21) : la protection totale des locataires, assurés de leur maintien dans les lieux, et l'effondrement relatif des loyers dissuadaient les propriétaires de louer. Ainsi, non seulement la demande augmentait à Paris et la construction diminuait, mais une partie croissante des logements disponibles, si anxieusement recherchés, était soustraite à la location. Même dans les HBM, 1 appartement sur 5 était inoccupé en 1934, mais 200 000 personnes vivaient à Paris dans des garnis. L'État essaya de diminuer le coût du crédit à la construction (décrets-lois des 25 août 1937 et 17 juin 1938) en prenant à son compte une part des intérêts des emprunts contractés pour construire un logement : la bonification pouvait atteindre la moitié des intérêts et durer jusqu'à quinze ans. Ces mesures ne furent pas inutiles mais elles arrivaient en 1938, trop tard.

La crise du logement, si profonde et si durable, aggrava fortement la ségrégation sociale en opposant de plus en plus nettement, dans la capitale, les « beaux quartiers » de l'ouest aux quartiers populaires du nord, de l'est et du sud-est ; à la ville de Paris, les banlieues qui l'entouraient ; à la région parisienne, la province et les campagnes françaises. Jadis, les rentiers formaient à Paris un groupe social varié, certains fort riches, d'autres presque pauvres, mais avec des traits communs. On a vu qu'ils se répartissaient en 1886 dans la plupart des quartiers et assuraient une certaine homogénéité à la capitale (voir figure 11). Ruinés par les périodes successives d'inflation, ils furent remplacés, dans la structure sociale de la ville, par les retraités, plus homogènes, avec des retraites plus semblables, qui vivaient ainsi plus concentrés, ce qui contribua à accroître la ségrégation. Le blocage des loyers eut le même effet : dirigé principalement contre les jeunes, les immigrés récents, les nouveaux venus, il maintint dans les lieux les gens en place en limitant le brassage de la population. Plus grave encore, ce contrôle sévère entraîna, comme d'habitude, des pratiques illégales : « dessous-de-table » pour tourner la limitation des loyers, « denier à Dieu » offert aux concierges par des candidats au logement qui leur demandaient de signaler les déménagements éventuels et les appartements vides, « reprises » fictives et « pas-de-porte » qui permettaient au propriétaire de faire payer très cher une mauvaise moquette et des rideaux défraîchis afin de rattraper une toute petite partie du loyer qu'il ne pouvait réclamer. Toutes ces pratiques malhonnêtes eurent pour effet de majorer le prix initial d'un bail et de chasser de Paris les ménages pauvres et jeunes. Certes, une fois entré dans les lieux, l'heureux privilégié payait peu (moins de 10 % de son revenu en moyenne, quand les voisins européens consacraient à leur logement près du tiers de leurs revenus), mais la dépense initiale réclamait des capitaux importants immédiatement disponibles, facteur supplémentaire de ségrégation. Ajoutons le rôle des relations et du « piston » qui n'ouvraient la porte des logements vacants qu'aux candidats dûment recommandés : toute l'organisation du marché du logement à Paris, pendant cinquante ans, eut pour effet, malgré des buts prétendument sociaux, de favoriser et d'aggraver la ségrégation sociale dans la capitale.

Où allaient les jeunes, les ménages pauvres, les nouveaux venus dépourvus de ressources ? Dans la banlieue, ou plutôt dans les banlieues, car la pénurie de logements fut telle qu'elle entraîna aussi des phénomènes de ségrégation entre des communes périphériques relativement favorisées, aisément accessibles, et des communes isolées, sans liaisons commodes avec Paris. Ce n'est pas un hasard si les seuls investissements dans les transports eurent lieu dans les belles banlieues ouest et sud-ouest : autoroute de l'Ouest, ligne de Sceaux. Hormis ces deux tracés de quelques kilomètres, aucune ligne nouvelle ne fut construite entre Paris et sa couronne ni en banlieue. Le principal effet de cette carence fut d'accentuer la différence des prix fonciers entre la capitale et ses environs, renforçant de cette nouvelle manière la ségrégation. La négligence presque complète des transports, le manque d'investissement dans les équipements publics pendant cinquante ans aggravèrent ces disparités.

L'opposition Paris-banlieue se renforça au point d'aboutir à la formation d'une « ceinture rouge » dont les votes socialistes et communistes menaçaient les bourgeois de la capitale : les élections de 1935 permirent au parti communiste de conquérir un grand nombre de mairies de banlieue. Cette ceinture qui effrayait était due aussi aux progrès de la grande industrie autour de Paris. Certes, au cours des années 1930, le gouvernement décentralisa à Toulouse une partie de l'industrie aéronautique pour la soustraire à d'éventuelles attaques allemandes, mais ce déménagement, qui permit le développement d'une industrie aujourd'hui considérable, eut, avant la Seconde Guerre, des effets encore limités. Multiplication des grandes installations industrielles, accroissement de la population, crise dramatique du logement, ségrégation accrue, investissements négligés, mitage d'une banlieue abandonnée à elle-même et qui grandissait dans l'anarchie et la laideur : où était l'urbanisme parisien qui aurait dû organiser et harmoniser ces mouvements désordonnés ? Il commençait, bien timidement, à prendre forme, grâce aux efforts méritoires de quelques pionniers.

Les premiers balbutiements de l'urbanisme parisien

Les premiers efforts pour organiser rationnellement l'espace parisien remontent au tournant du siècle, mais les propositions de la commission pour l'extension de Paris, faites en 1913, avaient été emportées dans le tourbillon de la guerre. La violence de l'inflation après 1918, le désarroi provoqué par la crise mondiale entraînèrent d'autres retards.

Le plan Prost (1934)

La loi du 14 mai 1932 décida enfin la préparation d'un projet d'aménagement de la région parisienne. Cette « région » était délimitée par un cercle de 35 kilomètres autour de Paris : environ une heure de déplacement avec les moyens de transport de l'époque. Le cercle enfermait 657 communes, une région de 3 800 kilomètres carrés, ce qui était considérable (rappelons cependant que le district de Paris des années 1960 couvrira 12 000 kilomètres carrés). Novatrice [1], la loi exprimait la volonté de l'État de reprendre en main l'aménagement de la région parisienne (un souci largement oublié depuis la commission d'extension de 1913) et définissait cette région de façon plus géographique qu'administrative, avec un intérêt nouveau pour la réalité sociale et économique. Elle mettait en place deux niveaux d'aménagement : des plans communaux et un projet régional chargé de les coordonner. Le projet, opposable aux tiers et préparé par des enquêtes publiques, devait être approuvé par une loi. Un premier projet, présenté le 14 mai 1934, prit l'appellation de « plan Prost », du nom de son principal responsable. Il comportait deux volets principaux : d'une part, le contrôle des zones non bâties dans la région afin de préserver des espaces libres et de conserver des sites remarquables : 75 000 hectares autour de Paris, huit fois la superficie de la capitale, étaient ainsi protégés. Dans ce but, il proposait un zonage des

---

1. Cf. P. Merlin, 1976 et 1982*a* et *b*.

communes de la banlieue selon leur type et leurs activités et déterminait en assez grand détail les règlements de construction et les principes d'utilisation du sol. D'autre part, le plan Prost s'attachait principalement à développer les transports, surtout les transports routiers, en prévoyant cinq autoroutes qui devaient rayonner autour de Paris. Pierre Merlin remarque que le plan autoroutier, à lui seul, occupait plus de la moitié du projet et que le développement des transports en commun servait surtout d'alibi : le métro devait être prolongé en banlieue, vers Saint-Germain-en-Laye et vers Boissy, préfigurant déjà la ligne B du RER. En fait, le but principal du plan était de limiter la croissance de la région, l'extension des lotissements et la densification de Paris. Il négligeait gravement la banlieue et s'attachait surtout à préserver les futurs « embellissements » de la capitale, forme un peu surannée d'urbanisme. Texte capital, il marquait le début de l'aménagement rationnel de la région parisienne, mais, par ses contradictions, représentait bien les hésitations d'une époque de transition préparant son premier grand projet : moderne, parce qu'il envisageait toute la région et non plus seulement la ville de Paris, à vrai dire peu concernée, il n'en réduisait pas moins la banlieue, comme d'habitude, à la portion congrue ; attachant une importance primordiale aux transports (un souci plus caractéristique du XXe siècle que du XIXe), il préservait principalement les sites, comme l'on se souciait, au XVIIIe siècle, d'embellissements. Les protestations les plus nourries vinrent de certaines communes de banlieue et de propriétaires fonciers qui refusaient que l'on bloquât des terres en arrêtant les lotissements et la construction. Le plan Prost fut finalement approuvé par un décret bien tardif (22 juin 1939) confirmé par la loi du 24 août 1941.

Il demeura le seul plan d'aménagement de la région parisienne jusqu'en 1960[1]. Le besoin d'un nouveau plan se faisait pourtant sentir : dès 1936, des maires de la banlieue parisienne avaient proposé que le département de la Seine eût des limites élastiques, grandissant avec la zone urbanisée. Les efforts des gouvernements Daladier et Reynaud, avant la débâcle, pour mettre sur pied une politique nationale d'urba-

1. Cf. l'excellente analyse de J. Vaujour, 1970.

nisme furent poursuivis sous Vichy [1]. Le régime du maréchal Pétain jeta les bases d'une planification régionale : création d'un commissariat aux travaux de la région parisienne attaché à la délégation générale à l'Équipement, et surtout loi du 15 juin 1943, qui fonda l'urbanisme en France. Vichy décida de coordonner le plan Prost et un nouveau plan plus vaste, étendu aux trois départements de la Seine, de la Seine-et-Oise et de la Seine-et-Marne. La loi créa aussi un service d'aménagement de la région parisienne (le SARP) appuyé par un comité consultatif (le CARP). Jean Vaujour remarque que ces institutions embryonnaires n'avaient pas pour but d'améliorer les conditions de vie à Paris, mais étaient plutôt le premier résultat du mouvement régionaliste, largement antiparisien, qui correspondait à l'idéologie de la révolution nationale. Quelles qu'en eussent été les raisons, le régime de Pétain jeta les bases de l'aménagement de la région parisienne, ce qui souligne davantage l'incurie de la Troisième République et l'indifférence de la Quatrième. Le plan d'aménagement de la région parisienne (PARP) que devait mettre au point le CARP ne fut jamais approuvé. Constamment modifié, retardé par la guerre, il ne fut qu'une transition avortée entre le plan Prost et le PADOG (plan d'aménagement et d'organisation), qui devait être approuvé en 1960. La préparation de ces documents prenait tant de temps et les événements, à cette époque cruciale de l'histoire européenne, avançaient si rapidement que le plan Prost connut à peine un commencement de réalisation et que le PARP, plus ambitieux, fut obsolète avant même d'avoir été mis en discussion. En 1946, le SARP fut rattaché au nouveau ministère de la Construction et de l'Urbanisme. La Quatrième République ne fit rien pour continuer l'effort d'aménagement de la capitale. Au contraire, toute la politique du ministère, surtout sous Claudius-Petit, consista à brimer Paris au profit de la province. Peut-être cette inaction avait-elle pour but de rendre les conditions de vie si difficiles, dans la capitale, que les flux migratoires s'inverseraient et que Paris, au lieu d'attirer, repousserait sa population.

Du grand réseau de transport proposé par Prost, et déjà

---

1. Création d'une délégation générale à l'Équipement national (loi du 6 avril 1941).

insuffisant en comparaison de ceux qui entouraient alors les villes américaines ou même allemandes, la Troisième République agonisante ne parvint à réaliser qu'une partie infime : la ligne de Sceaux fut inaugurée, de Saint-Rémy-lès-Chevreuse au Luxembourg, en 1939 ; l'autoroute de l'Ouest ne fut ouverte qu'en 1941 : la colline accouchait d'une souris. On construisit, à l'occasion de l'Exposition de 1937, le palais de Chaillot, qui remplaça avantageusement l'ancien palais du Trocadéro. La plupart des lignes de métro s'arrêtaient encore aux portes de la ville, suivant le parti choisi, contre la banlieue, en 1890. Il est vrai que l'acuité de la crise économique, la violence des luttes politiques et la marche angoissante vers la guerre accaparaient les meilleurs esprits.

Paris à l'heure allemande

Le désastre de mai-juin 1940 fut si rapide que Paris, déclaré ville ouverte, n'eut pas à souffrir de la guerre. Aussi bien, le principal souci du général Weygand, nommé général en chef après la percée allemande, fut moins de combattre l'envahisseur que d'éviter un soulèvement social dans la capitale, tant les souvenirs de la Commune, chez ces vieux généraux, étaient encore vivaces. La crainte était pourtant bien peu justifiée : les socialistes n'y avaient jamais pensé, et les communistes ne voulaient rien faire qui pût déplaire à l'alliée de l'URSS. Les Allemands s'installèrent dans Paris occupé : théâtres et cinémas furent réquisitionnés et offrirent des spectacles choisis ; de nombreux restaurants devinrent des « foyers du soldat » allemand. L'occupant, dans sa furie antisémite, changea le nom de certaines voies : le boulevard Pereire devint ainsi pour quelques années le boulevard Édouard-Drumont... Plus symbolique encore, les horloges furent réglées sur l'heure de Berlin, avec deux heures d'avance sur le soleil : Paris vivait littéralement à l'heure allemande [1].

Dans une économie désorganisée par la guerre et ruinée

---

1. On consultera principalement G. Walter, 1960 ; et H. Le Boterf, 1974. Voir aussi P. Audiat, 1946, plus anecdotique. Lire, sur la collaboration et la résistance à Paris, les deux volumes de H. Michel, 1982.

par les prélèvements de l'occupant, les grandes villes et la capitale manquèrent bientôt des produits les plus nécessaires. Le rationnement fut particulièrement rigoureux à Paris : les cartes d'alimentation n'assuraient guère plus d'une semaine de nourriture par mois. La ration journalière moyenne du Parisien tomba à 850 calories par jour. Le taux de mortalité, qui était, dans la capitale, de 12‰ en 1937, augmenta de moitié et passa à 17,8‰ en 1943[1] ; le nombre de tuberculeux augmenta d'un tiers pendant les années de guerre ; la mortalité s'accrut, dans le département de la Seine, de 24 %. En novembre 1944, dans les écoles primaires de Paris, on mesura un déficit de croissance de 7 centimètres pour les garçons, de 11 centimètres pour les filles[2]. Il fallait recourir au marché noir, ce qui accentua fortement les disparités sociales : non seulement parce que certains s'enrichirent rapidement (sujet de nombreux romans et films après la guerre[3]), mais surtout parce que les ménages étaient très inégalement armés pour se procurer leur nourriture. Les riches pouvaient payer, mais aussi tous ceux qui produisaient des objets immédiatement utilisables : en temps de guerre, le troc, forme archaïque du commerce, redevenait important. Des ouvriers qui pouvaient se procurer des pneus, des pièces mécaniques, des vêtements, les échangeaient facilement à la campagne contre des denrées alimentaires. Ceux qui pâtirent le plus furent les salariés des services (employés, fonctionnaires) et les retraités qui n'avaient rien à échanger. Tout un réseau informel et clandestin de relations directes entre la capitale et les fermes s'établit peu à peu, court-circuitant les villes moyennes, qui n'avaient plus guère de rôle à jouer. Les années de guerre produisirent ainsi un bouleversement social qui ne profita pas seulement aux riches des beaux quartiers. Plus grave encore, la pénurie générale des Parisiens, opposée à la prospérité relative des campagnes, alimenta une rancœur contre les paysans qui survécut à la Libération. Le rationnement fut improvisé hâtivement et très mal organisé :

1. R. Aron, 1954, p. 591.
2. H. Amouroux, *La Vie des Français pendant l'Occupation*, Paris, Arthème Fayard, 1961, p. 183.
3. Le mythe du « BOF », commerçant enrichi par son commerce de « Beurre, Œufs, Fromages », date de cette époque : cf. J. Dutourd, *Au Bon Beurre, Scènes de la vie d'occupation*, Gallimard, rééd. « Folio », 1982.

> Un chargé de mission revient de Marseille, le 16 juillet 1941, en annonçant que 96 000 tonnes de denrées de toutes espèces, plus ou moins avariées à la suite d'un trop long stockage, sont définitivement perdues[1] !

Il produisit de graves inégalités et fut aggravé par la très mauvaise organisation des transports – fréquemment bombardés, il est vrai, à partir de 1944. Les paysans ne manquèrent jamais de nourriture. Au contraire, les années de guerre furent pour eux l'occasion d'une immense revanche sur les villes et la capitale :

> Pendant ces jours d'août [1944] où le beurre coûte 1 000 francs le kilo à Paris, il vaut 30 francs au Mans puisque la pénurie des transports maintient le ravitaillement sur les lieux de production. Pendant ces semaines tragiques pour les consommateurs parisiens, la région de Clermont-Ferrand est excédentaire en produits de toute nature, le beurre et le fromage s'accumulent dans le Cantal, la viande est enfin délivrée, un peu partout dans les campagnes, sans tickets[2].

Les départements agricoles furent les seuls, après 1942, où les naissances excédèrent les décès. Henri Amouroux remarque que, pendant la guerre, la mortalité diminua de 11 % dans certains départements de l'Ouest et que, d'une façon générale, le nombre de calories consommées par les paysans français augmenta, mais que, en janvier 1942, la mortalité de la population parisienne dépassait de 46 % le niveau moyen des années 1932-1938[3]. L'agriculture, abandonnée depuis un siècle à un archaïsme croissant, redevenait soudain la principale source de richesses. En revanche, toutes les villes furent atteintes par les pénuries : Paris, à cause de son vaste marché et de sa richesse, supporta mieux le marché noir et souffrit moins que des capitales régionales comme Lyon, Marseille, Montpellier... Les Parisiens ont sans doute exagéré les bénéfices que retirèrent les paysans de

1. H. Amouroux, *La Vie des Français sous l'Occupation*, *op. cit.*, p. 172.
2. *Ibid.*, p. 178.
3. *Ibid.*, p. 183.

la misère urbaine, mais il est certain que ces quelques années terribles creusèrent plus profondément le fossé qui séparait déjà la capitale de la campagne française, d'autant plus que le régime vichyssois, largement méprisé à Paris, eut pour politique principale de favoriser les paysans.

L'occupation épargna à la capitale la révolution nationale qu'imposa Pétain en zone libre. Tout un aspect de cette nouvelle politique était dirigé contre les villes[1]. La révolution nationale, branche française de la grande famille des régimes autoritaires qui dominèrent l'Europe au cours des années 1930 et 1940, fut, comme ses congénères, antidémocratique, mais, à la différence du mouvement allemand, profondément chrétienne. Robert Aron lui reconnaît deux sources : l'Action française et le personnalisme chrétien. L'Action française souhaitait donner l'autonomie aux régions et aux corps de métier, ce qui débouchait sur une politique de corporatisme et de décentralisation très poussée. Le modèle, largement idéalisé, était celui des provinces de la France d'Ancien Régime, avec leurs franchises, leurs privilèges locaux et leurs parlements. Le mouvement de Maurras, refusant le nivellement des droits qu'occasionnait le capitalisme, souhaitait reconstituer une nation faite d'alvéoles emboîtées socialement (groupes dotés de privilèges différents) et spatialement : paroisses, provinces, patries. Dans un espace aussi hiérarchisé, il n'y avait pas de place pour une grande métropole qui grandissait trop vite, travaillait largement avec l'étranger et étendait son influence directement sur tout le pays, court-circuitant les villes moyennes et les corps intermédiaires : opposée à la centralisation, au capitalisme et aux influences cosmopolites, l'Action française fut un mouvement, en un sens, antiparisien. Le personnalisme était une réaction chrétienne au collectivisme et à l'étatisme, faisant profession de défendre les droits de la famille contre un État de plus en plus envahissant. Les personnalistes voulaient transférer des pouvoirs importants aux échelons intermédiaires et reprenaient pour devise une phrase tirée d'un discours prononcé en 1869 au congrès républicain : « Ce qui est

1. Cf. R. Aron, 1954. Sur la nouvelle administration urbaine, consulter *La Vie municipale*, Paris, Société d'éditions économiques et sociales, Paris, 1943.

national à la Nation, ce qui est régional à la Région, ce qui est communal à la Commune. » Poussant à la décentralisation, ils aboutissaient, en ce qui concernait Paris, et par des voies différentes, à une politique proche de celle de l'Action française. Le chantre de l'aménagement du territoire, et le plus virulent des antiparisiens, Jean-François Gravier, adopte dans son pamphlet[1] des idées typiquement maurrassiennes, reprenant même à son compte (p. 210) le slogan des personnalistes : « Ce qui est national… » Il y a là l'indice d'une forte continuité entre l'idéologie pétainiste et une bonne partie des idées qui ont fondé, jusqu'à nos jours, la politique d'aménagement envers Paris : continuité tout à fait intéressante qui semble n'avoir guère attiré l'attention.

Le « retour à la terre » fut l'une des grandes politiques du gouvernement de Vichy : à la lutte contre l'exode rural s'ajoutait le culte traditionaliste de la terre, fondement de la patrie et des racines nationales, qui rejoignait le *Blut und Boden* des nazis et justifiait le repli sur soi et le rejet de l'étranger, particulièrement du Juif, cet archétype du déraciné :

> Je hais les mensonges qui vous ont fait tant de mal. La terre, elle, ne ment pas. Elle demeure votre recours. Elle est la patrie même. Un champ qui tombe en friche, c'est une portion de la France qui meurt. Une jachère de nouveau emblavée, c'est une portion de France qui renaît[2].

Dix jours après avoir pris le pouvoir, Pétain désignait les campagnes comme l'une des bases de son nouveau régime. Allant plus loin, le projet de révision constitutionnelle souhaitait ramener la France à une économie purement agraire :

> La vie économique de notre pays va connaître une orientation nouvelle ; intégrée au système continental de la production et des échanges, la France redeviendra, d'ailleurs à son avantage, agricole et paysanne au premier chef[3].

1. J.-F. Gravier, 1972.
2. Discours de Ph. Pétain le 25 juin 1940.
3. Projet du 9 juillet 1940.

Dans le nouvel ordre européen projeté par les nazis et accepté par Pétain, l'Allemagne devait assurer le gros de la production industrielle et contrôler l'organisation générale, la France se cantonnant dans sa production agricole. Paris n'aurait pu que dépérir rapidement dans un pareil partage des tâches, et c'était bien là l'un des buts majeurs du retour à la terre : renverser l'exode rural et ramener aux champs les paysans fourvoyés dans l'enfer urbain.

Les efforts des gouvernements Daladier et Reynaud, avant la débâcle, pour mettre sur pied une politique nationale d'urbanisme furent poursuivis sous Vichy moins pour aménager les grandes villes que pour les réduire[1]. Les paysans français furent les seuls actifs autorisés à élire librement leurs représentants et à s'administrer eux-mêmes. L'État français leur fit confiance et ne les contrôla que de loin. Le régime, à l'inverse, se méfiait fort des villes. Les conseillers furent élus dans les villages mais nommés dans les centres de plus de 2 000 habitants (loi du 16 novembre 1940). Les conseillers des villes étaient ainsi choisis par le gouvernement sur des listes établies par le préfet ou par le ministre, pour les plus grandes, qui devaient obligatoirement comporter un père de famille nombreuse et une femme qualifiée par son activité dans des œuvres de bienfaisance privées, d'ordinaire chrétiennes. Le régime pétainiste, s'il avait subsisté après la guerre, aurait certainement retiré à la capitale le peu de libertés que la Troisième République lui avait laissé. Occupé, Paris était géré d'une façon encore plus contraignante par les nazis, avec la complicité d'une bonne partie des autorités françaises : les grandes rafles de Juifs, celle dite « du Vel' d'Hiv' » en particulier, furent accomplies par la police parisienne avec un tel zèle qu'elle arrêta même les enfants et les bébés, ce que la Gestapo n'avait pas prévu[2]. Pétain choisit Vichy comme capitale en partie parce que cette ville d'eau offrait un grand nombre de chambres et d'appartements libres, mais le gouvernement aurait pu trouver autant de

1. Création d'une délégation générale à l'Équipement national (loi du 6 avril 1941) et surtout institution d'une politique d'aménagement intercommunal qui jeta les bases de l'urbanisme réglementaire français (loi du 15 juin 1943).
2. Voir P. Webster, *Petain's Crime*, Londres, McMillan, 1990 ; ainsi que H. Michel, 1982.

locaux dans une grande ville comme Marseille : au-delà de l'explication utilitaire, la crainte des populations urbaines joua probablement un rôle. Elle n'était guère justifiée, cependant, en temps de guerre, alors que les esprits affolés demandaient aux autorités établies, quelles qu'elles fussent, de les rassurer : le maréchal Pétain visita Paris le 26 avril 1944 et y reçut un accueil enthousiaste. 500 000 Parisiens l'applaudirent et le cardinal Suhard l'accueillit avec faste aux portes de Notre-Dame. Quelques mois plus tard, le général de Gaulle fut reçu à son tour à Paris par le même cardinal, aussi respectueux, et par une foule aussi nombreuse et aussi fervente, formée sans doute en partie des mêmes personnes. Paris ne savait plus à quel sauveur se vouer. A la Libération, la capitale était dans un état pitoyable : les difficiles problèmes que posaient, avant la guerre, le retard des transports, la crise du logement, la mauvaise organisation de la banlieue avaient été très profondément aggravés par le conflit, l'occupation, les privations, les bombardements alliés – surtout sur les banlieues industrielles et les gares de triage (les grands bombardements de La Chapelle et de Villeneuve-Saint-Georges avaient laissé beaucoup de ruines) – et cinq années d'abandon.

Paris n'a pas brûlé, mais...

En 1944, le haut commandement américain décida que les armées alliées progressant vers l'est contourneraient la capitale et la prendraient en tenaille afin d'éviter des combats de rue qui auraient été sanglants et désastreux pour la ville. Hitler donna bien l'ordre de miner et de faire sauter les principaux bâtiments, comme il l'avait fait en Pologne, mais le général allemand von Choltitz désobéit et ainsi sauva Paris. Le soulèvement des résistants, rejoints dans les derniers jours par la police parisienne et soutenus par l'avance rapide de la division Leclerc, libéra Paris. La capitale avait peu souffert des opérations militaires en comparaison d'autres villes françaises (Brest, Royan...) et de grandes villes européennes, affreusement bombardées (Rotterdam, Rome,

Milan, Londres, Coventry…) ou même pratiquement rasées (comme tant de villes polonaises, russes ou allemandes). Un cinquième, cependant, du patrimoine bâti national avait été détruit : il manquait en France 2 millions de logements. Les industries parisiennes (constructions mécaniques, électriques, automobiles en particulier) avaient travaillé pour l'occupant et avaient été bombardées. Les services (magasins, banques, sociétés de commerce), sous l'Occupation, avaient dépéri. Comme à la fin de la Première Guerre, il fut décidé (loi du 28 octobre 1946) que les dommages de guerre seraient intégralement remboursés pourvu que les bâtiments détruits fussent reconstruits à l'identique : c'était revenir à la situation passée et se priver d'un outil puissant pour remodeler le territoire.

La misère occasionnée par la guerre s'était ajoutée à l'abandon dans lequel la capitale avait été laissée depuis le début du siècle et à l'affaissement général du pays entre les deux grands conflits. Saignée à blanc par la Première Guerre, la France avait souffert, après 1930, d'une natalité déclinante et d'une mortalité particulièrement élevée qu'expliquaient le vieillissement, l'alcoolisme et la tuberculose : un taux de 15,2‰ contre 14,1 en Italie et 11,6 en Allemagne. L'augmentation brutale des naissances qui suit classiquement les fins de guerre et les retrouvailles des couples séparés fut plus énergique et dura plus longtemps que prévu : il est probable que le Code de la famille de Paul Reynaud (1939) montrait enfin son utilité. Le nombre des naissances en 1946 fut énorme (800 000), et se retrouva en 1947 et 1948 ; il diminua ensuite, mais plus lentement que dans les autres pays européens. La population française augmenta entre 1946 et 1951 de 400 000 personnes par an. Vingt années d'après-guerre suffirent pour qu'elle passât de 40 à 50 millions alors qu'un siècle avait à peine réussi à l'augmenter de 30 millions à 40. Elle en fut rajeunie : les moins de 20 ans, qui ne formaient que 30 % de la population en 1936, en constituaient 36 % en 1962. Les aides familiales de toute sorte, en 1953, représentaient en tout 12 % du revenu national : une masse tout à fait considérable. Les besoins de logement et d'équipement avaient donc augmenté notablement, mais l'incurie des années 1930 puis le conflit mondial avaient laissé un immense retard. La reconstruction était une tâche urgente et gigantesque : il fallait moderniser l'économie française, édifier 2 millions de logements dans un pays qui en construisait 90 000 par an avant la guerre, et, pour cela, attirer les capitaux qui se détournaient des placements fonciers depuis trente ans que les loyers avaient été constamment bloqués.

Les responsables, et particulièrement Claudius-Petit, ministre de la Reconstruction de 1948 à 1953, menèrent curieusement des politiques qui ne furent pas sans rappeler celles de la fin de la Troisième République et du gouvernement de Vichy, dont les résultats n'avaient pourtant guère été convaincants. Ils continuèrent à fixer autoritairement les loyers (loi de 1948), ce qui détourna les capitaux des placements fonciers. Conservant, dans une situation pourtant différente, la méfiance vichyssoise envers la capitale, Claudius-Petit mit sur pied un ensemble de mesures en grande partie malthusiennes destinées à l'affaiblir au profit de la province : il s'inspirait largement du fameux plan Abercrombie (1943-1944) qui eut pour but de diminuer la population du centre de Londres en l'entourant d'une ceinture verte, et de concentrer le développement futur de l'agglomération dans dix villes nouvelles construites à bonne distance (à 35 kilomètres environ du centre). C'était oublier cependant que la structure urbaine de Paris, ville très concentrée et séparée de sa banlieue dès l'apparition de celle-ci, n'avait guère de points communs avec celle de Londres, beaucoup plus étendue et où aucune distinction notable ne séparait le centre de la banlieue. On a vu précédemment combien l'urbanisme britannique, au XIXe siècle, s'opposait au plan haussmannien, l'un reposant sur la maison individuelle et les longs déplacements en train, l'autre sur la concentration dans le centre d'immeubles bourgeois. Quelles que soient les préférences que l'on pouvait ressentir pour une structure ou pour l'autre, elles étaient si différentes qu'il était pour le moins audacieux d'appliquer à Paris des solutions qui n'avaient pas encore fait leurs preuves à Londres. L'histoire de l'urbanisme parisien est une suite de périodes anglomaniaques séparées par de longs moments d'inaction. Claudius-Petit tenta de limiter les extensions d'usines dans la banlieue parisienne en utilisant d'abord la négociation avec les chefs d'entreprise. Le ministère finança en province l'équipement de zones industrielles chargées de recevoir de nouvelles activités, mais les crédits consacrés à ces actions furent inférieurs aux demandes. La direction à l'Aménagement du territoire (service du ministère à ne pas confondre avec la DATAR, créée en 1963) finança ainsi 57 opérations qui permirent de décentraliser plus de 20 000 emplois, mais ce résultat intéressant est ambigu car on ne sait pas exactement quels emplois furent déplacés de Paris vers la province (ce qui n'ajoutait aucune richesse et risquait plutôt de diminuer la productivité) et quels emplois avaient été créés, qui constituaient un gain net.

La loi de 1948

Paris eut sa juste part du renouveau démographique, mais il ne fit d'abord qu'aggraver les difficultés de logement. La population parisienne augmentait de quelque 50 000 personnes par an (379 000 habitants de plus entre 1946 et 1954), alors que l'ancienne population était déjà très mal logée et que les immeubles avaient été négligés pendant vingt-cinq ans, puis laissés à l'abandon durant le conflit. 100 000 logements, dans la capitale, étaient insalubres ; 90 000 garnis, déclarés inhabitables, étaient encore habités. La moitié, presque, des logements parisiens se trouvait dans des conditions déplorables : pas de w.-c., pas de salle de bains. La tuberculose continua ses ravages au lendemain de la guerre : sur 100 000 personnes, elle en tuait chaque année 33 dans le quartier des Champs-Élysées, 142 en moyenne dans les divers quartiers de Paris, mais 877 parmi les locataires des hôtels meublés[1]. Comme le coût de la construction avait augmenté plus vite que le coût de la vie, la rentabilité des logements parisiens s'était effondrée (voir figure 22) : le rapport loyer/prix (100 en 1913) était tombé au plus bas en 1948 (8,7). En mesurant son revenu locatif de cette façon relative, un propriétaire recevait, après la guerre, douze fois moins qu'au cœur de la Grande Crise, au moment où ses revenus avaient déjà fortement baissé depuis 1913 ; or, en 1913, ils étaient insuffisants pour entretenir l'investissement foncier. Plus grave encore, le contrôle des loyers, non content de pro-

1. Cf. P. Guinchat *et al.*, 1981.

voquer la pénurie, avait renforcé les inégalités : les loyers des grands appartements de luxe, dans les VIIIᵉ et XVIᵉ arrondissements, purent échapper en partie à la réglementation ; les autres, en francs constants, baissèrent considérablement. L'effondrement des loyers avait donné une importance croissante aux charges et au coût de chauffage qui pouvaient augmenter plus librement : en 1948, ces deux postes en étaient venus à représenter plus de la moitié du coût de logement. Comme ils dépendaient de hasards techniques (chauffage central ou individuel, au charbon, au pétrole ou à l'électricité ; qualité de l'installation, de l'entretien de l'immeuble), ils variaient considérablement d'un bâtiment à l'autre, et de façon tout à fait injuste. Les Parisiens, après plusieurs décennies, s'étaient habitués à vivre dans des logements vétustes, très mal équipés, et à consacrer moins de 10 % de leurs revenus à leur logement, alors qu'en situation de marché libre les ménages dépensent d'ordinaire entre 25 et 35 % de leurs revenus pour se loger[1]. Les jeunes et les nouveaux arrivants étaient les grandes victimes de la pénurie : en 1953, la moitié des jeunes couples parisiens étaient hébergés chez leurs parents et 15 % vivaient dans une chambre meublée.

Contraint d'agir, mais continuant dans le droit fil des lois foncières votées depuis trente ans, le gouvernement fit adopter la loi du 1ᵉʳ septembre 1948, qui avait pour but :

> la détermination d'un loyer juste, tenant compte de la rentabilité d'un capital investi, de la nécessité de l'entretien, des frais de gestion, du service rendu et, dans sa finalité, du rapport devant exister entre les loyers et les revenus. A l'aveugle loi de l'offre et de la demande, se substitue la notion de rémunération d'un service.

Due à Claudius-Petit, ministre de la Construction, cette loi devenue fameuse, et qui s'applique encore aujourd'hui à certains logements parisiens, refusait les mécanismes de marché et persistait, comme par le passé, à réglementer le logement d'un point de vue purement moral : le loyer d'un appartement de deux pièces dépourvu de luxe devait coûter 4 % du

---

1. La part du revenu consacrée au logement, qui était de 17 % en 1914, était déjà tombée à 5,5 % en 1939 (voir A. Sauvy, *Histoire économique de la France entre les deux guerres*, *op. cit.*, vol. 2, p. 376).

salaire d'un manœuvre de l'industrie des métaux. Il s'agissait, comme on avait tant de fois tenté de le faire au cours des décennies précédentes, de fixer le « juste prix » d'un service, de déterminer un revenu foncier « honnête », d'attribuer à chacun son « dû » : par le MRP, les démocrates-chrétiens étaient au gouvernement, mais, à gauche, les radicaux, les socialistes et même les communistes, oubliant Engels, se fondaient sur le même raisonnement moral, plus religieux qu'économique ou social.

Entrée en application le 1er janvier 1949, la loi classait les immeubles en quatre catégories subdivisées en sous-catégories, selon les qualités de leur construction et de leurs équipements. Du plus luxueux au plus misérable, l'éventail était large : Paris fut l'une des rares villes où toutes les sous-catégories furent utilisées. La loi, bien sûr, s'appliquait à toute la France, mais elle avait été rédigée particulièrement pour la capitale, où les besoins, le coût du sol et de la construction, et la valeur des logements étaient beaucoup plus élevés que dans n'importe quelle autre ville française. La valeur locative était fixée en fonction de la surface, mais, tenant compte de la disposition des lieux, de l'état de l'immeuble, d'avantages particuliers (chambre de bonne, cave, pièce mansardée, etc.), cette surface était d'abord « corrigée », puis « pondérée ». Fixé par décret, le prix de base du mètre carré était dégressif : les dix premiers devaient être loués de 140 à 85 francs (catégories I à IV), les suivants de 85 à 40 francs, ce qui, curieusement, avantageait les grands appartements et pénalisait les jeunes ménages vivant dans une seule pièce. Pour déterminer ces prix de base, le ministre avait simplement, si l'on peut dire, majoré le coût de la construction de 4,25 % : 1,75 % pour les frais généraux et les impôts fonciers, plus 1,5 % représentant les frais d'entretien et de réparation, et 1 % supplémentaire pour rémunérer le capital investi. Le texte de la loi reconnaissait que le revenu attribué au capital (1 %) était faible, mais il affirmait que le coût de la construction allait baisser, après 1948, ce qui augmenterait d'autant ce revenu. En fait, le texte supposait implicitement la stabilité du coût de la vie : une hypothèse improbable au moment où le gouvernement, dans ces années d'après guerre, acceptait une forte inflation et laissait filer la monnaie. La question des prix, pourtant, était d'importance si l'on voulait que les capitaux s'investissent de nouveau dans l'immobilier. Les gouvernements successifs hésitèrent. Un décret (9 août 1953) lia le prix de base du mètre carré au SMIG, lui-même fonction du coût de la vie, mais une loi ultérieure (26 juin 1957) supprima ce lien. Or, entre 1948 et 1958, le coût de la vie avait presque doublé. Le législateur, si tatillon lorsqu'il s'était agi de « corriger » la surface d'un placard, avait été si timide pour fixer les loyers que la valeur locative « juste » ne devait être atteinte que par des majorations semestrielles de 20 % jusqu'en 1954 : les loyers anciens pouvaient ainsi tripler en six ans. Mais, soit incompétence, soit mauvaise foi, l'augmentation totale ainsi accordée, de près de 200 %, ne permettait pas d'atteindre le « loyer juste » promis : au lieu de tripler les loyers, il aurait fallu les quintupler pour retrouver la situation de 1913. Tout semble donc indiquer que le ministre lui-même ne croyait pas aux objectifs que se fixait sa loi : elle ne les atteignit pas et ne pouvait les atteindre. La loi laissait cependant libres les loyers des appartements construits après 1948 : le début d'une ère nouvelle.

Ce fut la dernière loi importante dans cette longue série de textes qui, justifiés d'abord par la guerre, commencèrent avec le moratoire d'août 1914, bloquèrent les loyers pendant quarante-cinq ans, créèrent la plus grave pénurie de logements que Paris ait connue et retardèrent d'un demi-siècle la modernisation du parc. Lois typiques d'un pays de vieux, appuyées sur la morale, tournant le dos aux règles économiques élémentaires, elles servirent de fait à maintenir les privilèges des gens en place et à marginaliser dans des chambres sordides les jeunes et les immigrants. Les films de l'époque montrent bien la misère, la crasse et le retard effarant dont souffrirent les appartements parisiens jusqu'aux années 1960 ; les romans aussi.

Le Paris de Léo Malet

La crise du logement, seule, expliquait qu'une gagneuse de la catégorie de Marion demeurât dans un immeuble aussi vétuste et prolétarien. Enfin, peu importait. Je ne venais pas pour le décor. Aucun de ceux qui montaient chez elle n'était attiré par le décor. La concierge, dans sa loge située au fond

d'une petite cour intérieure, ne s'intéressait pas à autre chose
qu'à la vaseline harmonique prodiguée par sa radio. Je gra-
vis un escalier, raide mais propre… A l'extrémité du couloir,
une porte béait, agitée par un courant d'air intermittent…
C'était un débarras ou quelque chose comme ça, prenant
jour par un vasistas aux carreaux cassés et qui aurait exigé
trop de réparations pour être rendu habitable. Les sacs de la
défense passive, en place pour la prochaine, s'empilaient
dans un coin, recouverts de pacifique poussière [1].

Léo Malet collabora au *Guide de Paris mystérieux* publié
par Tchou en 1966. Auparavant, il avait commencé d'écrire
Les Nouveaux Mystères de Paris en 1952. Un siècle après
Eugène Sue, il s'intéressait non plus uniquement au cœur de
la ville, mais à tous les arrondissements : Haussmann était
passé par là, Paris avait grandi et toute la ville formait désormais le centre d'une vaste métropole. Mais, après la guerre,
elle était encore pleine d'échoppes et d'artisans ; en plein
cœur de Saint-Germain, rue des Quatre-Vents :

[Je] pénétrai dans l'immeuble. Au sortir de la fournaise
qu'était la rue, sous ce soleil de juin, le couloir humide et
sombre possédait toutes les séductions. L'odeur de sciure
fraîche chatouillait agréablement les narines. Par la porte
ouverte à l'extrémité du couloir, on apercevait une partie de
la cour où était installée la menuiserie-ébénisterie. Des
ouvriers s'y agitaient, sifflotant une rengaine en vogue […].
Le chant soyeux d'une varlope manœuvrée avec entrain
répondait aux stridulations de la scie électrique [2].

Près des limites de Paris, derrière les gares, se trouvaient
encore des zones peu construites, comme une campagne sordide :

La rue Nationale dégringolait en pente assez rapide vers le
boulevard de la Gare, et le passage des Hautes-Formes
s'ouvrait à gauche… Le pavage spécial, cahotique et en dos
d'âne, comme sous l'ancien régime, était conçu pour venir à
bout des grolles les mieux conditionnées […]. Le long des
caniveaux, des eaux sûrement savonneuses stagnaient […].

1. L. Malet, 1985, vol. 1, *Des kilomètres de linceuls* (1955), p. 574.
2. *Ibid.*, *La Nuit de Saint-Germain-des-Prés* (1955), p. 786.

> De droite à gauche, ce n'étaient que pavillons d'une modestie confinant à l'humilité, à un étage, rarement deux, parfois bâtis directement sur la rue, le plus souvent au fond d'un jardin ou plus exactement d'une cour [1].

La crise du logement, encore en 1955, nourrissait un marché noir des locaux, typique des périodes de rationnement :

> Le propriétaire de la baraque, qui logeait porte de Vanves dans un immeuble plus reluisant, n'avait pu fournir de renseignements utiles sur les locataires envolés. [...] Les locaux en ruine avaient vu se succéder des quantités de personnes, se cédant en cascade les logements, à mesure qu'elles trouvaient quelque chose de mieux. Le journaliste se permettait une digression sur la crise du logement, exposant qu'il existait des quantités de maisons comme ça dans Paris, où les citoyens les plus honorables ne sont pas en règle, parce qu'ils ont aménagé dans des lieux cédés par des amis, lesquels jouissaient déjà de ces lieux par la grâce du premier locataire au nom duquel les quittances continuent à être établies [2].

Fuyant les chambres de bonne exiguës ou les appartements de leurs parents où ils devaient encore vivre, les jeunes ne pouvaient se rencontrer que dehors, dans des lieux publics. L'Amérique, riche, puissante et libératrice, avait apporté les derniers avatars du jazz dont avaient rêvé, sous l'Occupation, les « zazous » et qui, avec Cab Calloway, se transformait en be-bop et en rock : où pouvait-on en jouer sinon dans des boîtes, et où celles-ci pouvaient-elles se trouver sinon dans les seuls lieux encore disponibles, les vieilles caves de Paris ? Alors qu'aux États-Unis le puritanisme avait contribué à cacher les boîtes de jazz dans les soubassements des maisons où l'on « plongeait » comme dans un enfer (les *dives*), à Paris, c'était principalement la crise du logement qui ouvrait les caves et chassait les jeunes de chez eux. Pour des raisons identiques, les ouvriers avaient fui leurs taudis, à la fin du XIXe siècle, et, comme dans *L'Assommoir*, s'étaient retrouvés dans les bistrots. Ouvertes pendant l'« âge d'or de Saint-Germain-des-

---

1. *Ibid.*, vol. 2, *Brouillard au pont de Tolbiac* (1956), p. 272.
2. *Ibid.*, vol. 1, *Les Rats de Montsouris* (1955), p. 908.

Prés », les caves tranchaient encore avec les coutumes des habitants, petits-bourgeois venus jadis dans un quartier endormi et restés à cause du (et grâce au) blocage des loyers :

> Le chemin conduisant à la fameuse Cave-Bleue était semé d'embûches. On buttait d'abord contre les boîtes à ordures qui attendaient les boueux sous le porche du passage Dauphine… Devant la porte basse, une foule compacte se massait, vociférant et poussant des cris d'animaux. Il pleuvait sur tout le monde, mais comme ça ne semblait pas suffisant, de temps à autre, d'une fenêtre d'un étage supérieur, le contenu d'un seau de flotte, dans le meilleur des cas, venait apporter sa note fraîche, accompagnée des malédictions de l'expéditeur qui aurait bien aimé dormir un peu… Qu'est-ce qu'ils devaient payer comme note de flotte, les locataires du coin… Jouant des coudes et gueulant pour imiter tout le monde et ne pas nous faire remarquer, nous abordâmes bientôt à l'entrée du seuil du saint des saints… On descendait alors un escalier étroit. Ensuite, on suivait les méandres d'un boyau humide, laissant des souvenirs suspects aux épaules qui heurtaient les parois… On débouchait dans une pièce assez vaste, voûtée, emplie d'une fumée à couper au couteau. Ça sentait nettement le moisi… et ce n'était pas pour autant silencieux. Aussi bien au bar qui s'érigeait dans un angle qu'aux tables de bois grossier disposées en désordre autour d'un espace réservé à ceux que chatouillait le jitterburg, s'encaquaient comme des harengs des consommateurs des deux sexes et de différentes conditions, allant du bohème moderne au cinéaste nanti, en passant par la starlette à l'affût et la touriste mûre en quête de sensations inédites… Des couples envahirent la piste de terre battue et donnèrent au profane l'impression de vider une querelle de ménage [1].

La même raison, le manque de place dans les logements, explique aussi peut-être le rôle capital que, dans cet après-guerre bouillonnant d'idées nouvelles, les cafés jouèrent dans la création littéraire et artistique : Café de Flore, Deux Magots, Lipp, et tant d'autres où Sartre écrivait ses manuscrits sur un coin de table en draguant une fille à laquelle, parfois, il laissait un autographe. Ce n'est pas ici le lieu d'évoquer les grands noms du Paris d'après guerre, quand Gréco chantait et que Boris Vian se tuait en jouant de la trompette

---

1. *Ibid.*, *La Nuit de Saint-Germain-des-Prés*, p. 752.

au Tabou, le modèle sans doute de la Cave-Bleue décrite plus haut par Léo Malet.

Malgré le pétillement de la vie artistique et intellectuelle, Paris était devenu une capitale sale, difficile à vivre, extrêmement en retard même sur des voisines qui, comme Londres ou tant de villes allemandes, avaient été bien plus durement bombardées. L'intervalle d'une génération avait été perdu, depuis 1929, dans les atermoiements, les velléités, les erreurs, par peur des changements, par l'attachement le plus étroit aux petits droits plus ou moins bien acquis, par malthusianisme. Entre 1913 et 1960, rien ne changea à Paris, ou si peu : 8 kilomètres d'autoroute construits à l'ouest, et autant de chemin de fer suburbain dans la vallée de Chevreuse, avaient aidé à mieux desservir quelques belles banlieues, mais la ceinture verte qui devait donner à Paris trois fois plus de parcs qu'à Londres avait été peu à peu grignotée, construite, puis elle avait disparu sous le ciment et les briques, sans plan, sans bonne raison. Des îlots déclarés insalubres depuis trente ans étaient encore debout et habités en 1960. Les Halles devaient toujours être déplacées et encombraient encore le centre de la ville. La banlieue avait grandi, certes, mais sans être mieux organisée. Sans métro, elle restait toujours aussi mal reliée à Paris. On pourrait continuer ainsi pendant des pages la liste des projets abandonnés et des espoirs déçus ; peu d'époques, dans l'histoire de la capitale, offrent l'exemple d'autant d'occasions manquées : la Troisième République était un régime de notables provinciaux. Il est vrai aussi que l'histoire internationale avait été effroyable.

La reconstruction de la France était à peu près terminée en 1952[1]. Les HLM avaient remplacé les HBM (loi du 21 juillet 1950). Les offices publics d'HLM purent emprunter aux caisses d'épargne (loi du 24 mai 1951). Des conditions favorables à la construction de logements furent ainsi établies, mais en 1952, Antoine Pinay étant Premier ministre, la France ne construisit que 82 000 logements, un chiffre cinq fois inférieur au chiffre allemand et aux seuls besoins de l'agglomération parisienne. La pénurie devint telle que tout explosa pendant le dur hiver 1953-1954. Il fallut alors changer radicalement de politique.

1. Cf. l'ouvrage de P. Guinchat *et al.*, 1981.

5

Un nouvel haussmannisme
(1953-1974) ?

L'hiver 1953-1954 fut particulièrement rude. Des clochards moururent de froid, ainsi qu'un enfant dans une famille mal logée. Un couple se suicida, laissant un mot expliquant que sa misère était devenue insupportable. Un prêtre, l'abbé Pierre, devint soudain célèbre en alertant l'opinion : les pouvoirs publics ne purent plus fermer les yeux quand il organisa un campement quai Henri-IV. La politique malthusienne du logement n'était plus supportable. Son abandon entraîna, quelques années plus tard, celui de la politique d'aménagement qui, en limitant l'essor de Paris, était aussi critiquable. Tout bascula ainsi, mais par grands pans qui lâchèrent à des moments différents. Trois questions, pourtant étroitement liées, furent traitées à des rythmes différents : la pénurie de logements, la rénovation des quartiers de Paris, l'aménagement de la région parisienne et du territoire français. Sur ces trois points, les politiques évoluèrent de façons différentes et parfois contradictoires, ce qui rend l'histoire de cette période particulièrement confuse. Il est ainsi nécessaire de prévoir entre les chapitres 4 et 5 une transition « en biseau », l'ancienne politique continuant dans un domaine alors qu'elle était déjà remplacée, dans un domaine voisin, par une politique contraire.

Le gouvernement Mendès France s'efforça de mieux limiter la croissance de la capitale : s'inspirant d'une loi britannique de 1947, il décréta (5 janvier 1955) qu'un agrément ministériel préalable serait nécessaire pour construire, dans la région parisienne, des bâtiments industriels de plus de 500 mètres carrés. Le gouvernement appliquait ainsi à l'aménagement de l'espace la méthode des contingents longuement utilisée par la politique douanière et condamnée généralement par les économistes. Un nouveau décret (30 juin

1955) étendit la procédure de l'agrément préalable aux établissements relevant de l'État. Des « primes spéciales d'équipement » furent versées pour contribuer à l'industrialisation de zones de province définies comme critiques. Pour attirer les capitaux vers des investissements en province, le décret créait des sociétés de développement régional (SDR) qui pouvaient emprunter sur le marché public et investir dans des sociétés locales : ce fut sans doute la seule mesure heureuse, car elle créait des richesses au lieu d'en détruire ; leur action fut largement bénéfique. Un premier découpage de la France en régions fut préparé : le désir si vif de favoriser les intérêts locaux produisit un grand nombre de régions (22) que l'on trouve aujourd'hui trop petites. La ville de Paris avait été négligée pendant plusieurs décennies ; la fin de la Quatrième République vit quelques changements : Bernard Lafay proposa au conseil municipal, en décembre 1954, la préparation d'un plan d'action afin d'utiliser les derniers espaces libres de la capitale et de raser les îlots insalubres encore debout. Un commissaire à la construction et à l'urbanisme, Pierre Sudreau, fut nommé en 1955 et chargé de préparer un nouveau plan d'aménagement et d'organisation de la région parisienne, le PADOG, mis en chantier en 1956 sous la direction de M. Gibel et approuvé par le décret du 6 août 1960. Le but principal de ce plan, suivant la tradition, était de figer la construction parisienne pour limiter la croissance de la capitale. Il est vrai que l'augmentation de la population dans la ceinture rouge de la banlieue inquiétait également les différents régimes. Sans doute aussi espéraient-ils contribuer, en diminuant la population parisienne, à résoudre la question du logement, qui restait aiguë dans la capitale, sans rétablir les mécanismes de marché, toujours impopulaires.

Claudius-Petit avait quitté le ministère en 1953. La faiblesse continuelle du franc, la fin de la guerre d'Indochine et le début, en 1954, d'une nouvelle guerre en Algérie détournèrent l'attention des politiques. Après le changement de régime, en 1958, l'aménagement du territoire, et particulièrement de la région de Paris, évolua de façon tout à fait contradictoire : le ministère Sudreau continuait la politique dirigée contre Paris cependant qu'un nouveau venu plein d'enthousiasme, Paul Delouvrier, entamait bientôt une politique con-

traire pour favoriser le développement rapide de l'agglomération. La contradiction entre ces politiques opposées et
menées simultanément fut encore compliquée par l'attitude
de certains grands commis qui, soucieux d'abord de servir
l'État et de plaire à leurs chefs, n'hésitèrent pas à mener des
actions contraires selon le poste qu'ils occupaient : Pierre
Sudreau fut ainsi, comme commissaire à la construction de la
région parisienne (1955), l'homme qui entama avec énergie
une politique d'extension conduisant aux grandes transformations de Paris, de la place d'Italie à l'opération de la
Défense. Il sut ensuite, comme ministre de l'Équipement,
poursuivre la politique d'aménagement de Claudius-Petit, de
1958 à 1962 : la loi du 2 août 1960, typiquement malthusienne, imposa des redevances coûteuses sur la construction de locaux industriels dans la région parisienne (de 50 à
100 francs par mètre carré) et créa des primes pour récom-
penser la destruction d'usines, ce qui rappelait fâcheusement
les primes versées en 1931 aux agriculteurs pour qu'ils arra-
chent leurs vignes. En même temps, les gouvernements successifs engloutissaient des dizaines de milliards de francs
1991 pour soutenir une sidérurgie archaïque, comme ils
avaient naguère soutenu la culture du chanvre (en 1932, afin
de produire des « toiles d'avion » !), la sériciculture (1930-
1931) et jadis, au XIXᵉ siècle, la marine à voile ou la garance.
En fait, l'augmentation des prix du sol en banlieue contribua
sans doute autant à détourner des entreprises vers la province. En 1960, les surfaces industrielles autorisées en
région parisienne ne représentaient plus que 10 % environ du
total national. Entre 1961 et 1966, on détruisit plus de locaux
commerciaux dans Paris et alentour (352 000 mètres carrés
par an) qu'on n'en construisit (295 000 mètres carrés).

Dès le début des années 1950, la politique de construction
changea radicalement et connut, après 1955, un essor exceptionnel. La rénovation de la capitale commença à peu près
au même moment, mais le changement de régime de 1958
amena un nouveau personnel de technocrates et de banquiers
qui imprimèrent aux transformations un rythme beaucoup
plus rapide après 1960.

Enfin, une politique du logement

Au début des années 1950, Paris était bordé de bidonvilles (on employait plus souvent le terme de « taudis ») où s'entassaient des familles pauvres mais non pas misérables qui ne parvenaient pas à trouver de logement. Aux portes de la capitale, derrière les gares, le long des voies, partout où des terres restaient quelque temps inoccupées, des constructions de tôle et de carton apparaissaient. Heureusement, une nouvelle politique destinée à favoriser la construction commençait à prendre forme depuis trois ans.

Les grands ensembles

Tout changea après que Claudius-Petit eut été remplacé au ministère de la Construction par Courant (1953). Adoptant pour la première fois une vue globale, le plan Courant améliora le financement de la construction, engagea les entreprises du bâtiment à se réorganiser et à moderniser leurs méthodes, et prépara le desserrement de la banlieue parisienne. Une loi institua les LOGECOS, logements économiques qui se répandirent particulièrement dans les banlieues : en 1963, on en avait construit plus de 200 000 autour de la capitale. Les entreprises employant plus de 10 salariés durent consacrer 1 % de leur masse salariale au financement de logements pour leur personnel (décret du 9 août 1953). Les entreprises du bâtiment étaient mal équipées, avec des machines vétustes, et manquaient de main-d'œuvre : il était indispensable de les rationaliser, de les industrialiser et de les concentrer. Des efforts techniques importants les amenèrent à utiliser davantage les éléments préfabriqués. On passait du stade artisanal à la production industrielle, ce qui abaissa considérablement les coûts : il fallait encore 3 600 heures de travail pour construire un logement en 1957 ; il n'en fallut plus que 1 200 en 1959[1]. La France était encore en 1954 la

1. Cf. P. Guinchat *et al.*, 1981.

championne, en Europe, du surpeuplement (concernant un quart des logements) et de l'inconfort (un cinquième des logements n'avaient pas l'eau courante; les deux tiers manquaient de cabinet de toilette; les trois quarts, de salle d'eau). Il est vrai qu'à Paris les bains-douches publics étaient nombreux, mais encore insuffisants; heureusement, la population ne les fréquentait pas trop souvent. Pendant une décennie, le ministère essaya de construire beaucoup et vite, sans trop se préoccuper de la qualité des bâtiments ainsi édifiés. Construire de grandes quantités de logements d'un coup était nettement plus économique et plus rapide : on construisit des « grands ensembles » (plus de 500 logements). Les promoteurs étaient variés : publics ou semi-publics (SCIC, OPHLM…), ou privés (sociétés d'HLM, SACI…)[1]; l'État apportait une aide considérable au financement. La plupart des logements étaient loués. On commença à Sarcelles : une filiale de la Caisse des dépôts, la SCIC, y édifia 13 000 logements au cours d'une seule opération (1954). Ce fut le plus connu des grands ensembles (le premier, à vrai dire, avait été construit dès 1947 à Clamart, mais il méritait à peine son nom : les bâtiments y étaient encore assez bas, de trois à quatre étages). Malheureusement, pour mieux tirer les prix, la SCIC avait négligé de construire des équipements. La « sarcellite », cette maladie des habitants des grands ensembles, venait d'un sentiment d'isolement, d'abandon au milieu de grandes barres monotones, de frustration devant les longs déplacements qu'il fallait faire pour simplement s'approvisionner. Des protestations éclatèrent dès 1955 contre ces opérations gigantesques et mal conçues.

Les ZUP dans la banlieue parisienne

La loi-cadre du 7 août 1957 contraignit les sociétés immobilières à prendre en compte les équipements de base. Elle fut complétée par un décret de décembre 1958 qui créa les ZUP : délimitées par arrêté ministériel, les « zones à urbaniser en priorité » eurent pour rôle de réserver des terres assez

1. Cf. P. Merlin, 1976, p. 298 *sq.*

vastes pour construire un grand nombre de logements, mais aussi, à la différence des grands ensembles, de prévoir et de localiser d'avance des équipements nécessaires aux futurs habitants. Les concessionnaires des ZUP pouvaient obtenir des subventions de l'État et des avances du FNAFU (Fonds national d'aménagement foncier et d'urbanisme). Le nombre de logements construits bondit. En 1969, la région parisienne comptait une douzaine de ZUP, toutes localisées à une trentaine de kilomètres de Paris, et une centaine de grands ensembles comprenant 300 000 logements où vivaient près de 1 400 000 personnes. Un architecte, Émile Aillaud, gagna le Grand Prix 1960 du Cercle d'études architecturales en construisant d'immenses barres qui, pour ajouter quelque fantaisie primesautière à ces ensembles lugubres, se tordaient dans le paysage : il les appela poétiquement les « Courtillières » (à Pantin : 1 700 logements) ; d'autres, plus réalistes, les baptisèrent les « Nouilles ». Aillaud prétendait bâtir la « ville civilisée ». De 1955 à 1965, on construisit des centaines de milliers de logements pour rattraper le temps perdu : la quantité importait bien plus que la qualité. Il fallait effacer un demi-siècle de négligence, loger la population des taudis et accueillir un flux accru de nouveaux arrivants. L'effort était compliqué par deux phénomènes nouveaux : la montée des prix du sol et l'importance des migrations vers Paris (dues à l'exode rural, que les politiques précédentes avaient retardé et qui fut alors particulièrement violent, et au retour en France de plus de 1 million de pieds-noirs chassés d'Afrique du Nord). Certes, la majorité d'entre eux s'installa dans le Midi, mais un certain nombre vinrent à Paris. Cet apport considérable et rapide de main-d'œuvre supplémentaire – et, dans le cas des pieds-noirs, de main-d'œuvre qualifiée avec des capitaux – contribua largement à l'essor que la France, contrairement aux sombres pronostics des malthusiens, connut au cours des années 1960.

Mais un effet direct fut d'enchérir le sol dans la banlieue et davantage encore à Paris même. Le prix de la terre doubla dans la capitale en dix ans ; il augmentait aussi en banlieue de près de 10 % l'an. Comme le sol en venait à coûter plus cher que le bâtiment qu'il portait, les architectes se mirent à dessiner des constructions plus hautes : les années 1960 furent l'époque des tours. Les banlieues nord, nord-est et sud-est furent ainsi couvertes de « forêts de tours » dont les défauts apparurent vite. Les équipements restaient insuffisants et la vie collective se dégradait rapidement. On voyait se former des gangs de jeunes, le vandalisme et l'insécurité se répandre. On observa même l'apparition d'une prostitution de voisinage qui choqua tout particulièrement l'opinion, parce qu'elle était le fait de petites-bourgeoises qui cherchaient autant à se distraire qu'à se procurer de l'argent. Jusqu'en 1965, on ne construisit guère que des grands immeubles collectifs alors que les enquêtes successives montraient que les deux tiers des candidats au logement rêvaient d'une maison individuelle. En 1969, les ZUP furent remplacées par les ZAC (zones d'aménagement concerté), qui ouvraient les grandes opérations d'urbanisme aux capitaux privés. L'État espérait ainsi que la construction suivrait mieux les désirs des ménages et, surtout, se débarrassait en partie d'un fardeau qui avait été très lourd. L'habitat individuel commençait à prendre le pas sur le collectif. Le ministre Chalandon lança en mars 1969 un concours de maisons individuelles à bon marché : les fameuses « chalandonnettes » dont les défauts de construction troublèrent bien des habitants de banlieue. L'institution des prêts d'épargne-logement en 1970, la création de l'ANAH la même année, puis du plan Construction, au ministère de l'Équipement, en 1971, dans le but de moderniser les méthodes de construction et d'inventer de nouvelles formes d'organisation urbaine, inaugurèrent une nouvelle période d'urbanisation moins hâtive et plus réfléchie. Le marché du logement, même à Paris, commençait à trouver son équilibre. Le retard avait, en gros, été rattrapé. La circulaire Guichard (1973) insista sur la nécessité d'assurer une bonne qualité aux logements construits et marqua la fin de la politique des grands ensembles.

Ils sont aujourd'hui l'objet de toutes les critiques, depuis que le « mal des banlieues » intéresse l'opinion, mais furent fort appréciés des jeunes ménages qui y emménagèrent il y a trente ans [1]. Auprès des taudis et des bidonvilles que cinquante ans d'incurie avaient multipliés, les logements des grands ensembles marquaient un immense progrès : ils étaient plus grands que le logement français moyen, mais

1. Cf. CINAM, citée *in* P. Merlin, 1982*a*.

avec des pièces plus nombreuses et plus petites. Le confort y
était satisfaisant, très supérieur à celui des logements parisiens du temps (w.-c., salle de bains, en général chauffage
central, ascenseur). Les ménages peuplant les grands ensembles étaient nettement plus jeunes et avaient plus d'enfants que la moyenne nationale ; presque tous étaient actifs
et salariés. Les loyers étaient intermédiaires entre ceux des
logements neufs et des logements anciens. Les trois quarts
de leurs habitants pensaient, en 1964, que les avantages
l'emportaient sur les inconvénients ; 90 % s'estimaient
confortablement logés [1]. Les grands ensembles furent sans
doute, à l'époque, un succès. Conçus comme une réponse
provisoire à une pénurie de logements dramatique, ils
n'étaient pas construits pour durer : « tout le monde à
l'époque s'accordait à penser qu'au bout de trente ans, les
nouvelles générations politiques inventeraient un nouveau
cadre de vie [2] ». Avec le désir de loger des ménages hors des
bidonvilles, Lae attribue aux grands ensembles un autre but,
plus ambitieux :

> [celui de] dépasser la vieille coupure entre vie rurale et vie
> urbaine, entre le village et le faubourg ouvrier [...]. Foyer de
> civilisation d'où naîtra un nouveau monde de sociabilité, le
> grand ensemble offrira une base de réflexion et une méthode
> pour reloger les ouvriers qualifiés, les employés et les
> couches moyennes, enfin réunifiés dans une société égali-
> taire... Ce thème de la cohabitation va donc bien vite deve-
> nir le second problème des grands ensembles, sous l'image
> du grand brassage des classes sociales, brassage d'où doit
> naître l'homme moderne [...]. Le grand ensemble fait émer-
> ger la *figure de l'Animateur* et par lui le renouveau de la cul-
> ture de masse... La puissance publique, *via* les équipements
> collectifs, est mise en avant dans l'organisation des relations
> sociales et se trouvera mise en cause directement lorsque ces
> mêmes équipements se révéleront déficients. Ce sont alors
> les années 1970, lorsque sévira la dénonciation de ce *monde
> artificiel, favorisant la ségrégation sociale, l'entassement
> des populations, la transformation du citoyen en simple rési-
> dant* [l'auteur souligne], que l'État sera mis au pilori en

---

1. Cf. *La Vie des ménages de quatre nouveaux ensembles...*, 1964.
2. J.-F. Lae, « La naissance des grands ensembles », *Libération*, 5 juin
1991, p. 5 ; cf. aussi R. Kaës, *Vivre dans les grands ensembles*, 1963.

> même temps que la Caisse des dépôts qui finance ces
> constructions [...]. L'utopie des grands ensembles retombe
> ainsi comme un soufflé, dix à quinze ans après leur
> construction [...] il s'est exercé un filtrage : [...] un tiers
> d'ouvriers, un tiers d'employés, un tiers de cadres moyens,
> les plus bas revenus se trouvant rejetés dans le logement pro-
> visoire [...] on remet désormais en cause ce rôle de filtre
> [...] lorsque n'est plus assurée la mobilité sociale initiale des
> années 1960 et que les habitants sont perçus comme des
> déprédateurs [...].

Outre ces critiques sociologiques, on souligne aujourd'hui
les erreurs des urbanistes dans la localisation des ensembles
de logement et celles des architectes dans leur conception.
L'enclavement semble être le principal défaut de ces quartiers, à l'écart des grandes voies commodes, loin des emplois
et des endroits où l'on se rencontre : ils furent édifiés où les
terres n'étaient pas trop coûteuses, dans les « chutes », si l'on
peut dire, du tissu urbain de banlieue, sur les plateaux, alors
que les anciens centres et les grands axes récents avaient été
construits sur les talus bordant les vallées. Quant aux architectes, très influencés encore par la charte d'Athènes, on leur
reproche d'avoir supprimé les rues qui servaient de lieux de
rencontres publics et gratuits pour les remplacer par les allées
des centres commerciaux qui ne jouent plus le même rôle :

> la grande surface étant vouée à la consommation, les non-
> consommateurs en sont exclus par les soins de vigiles
> consciencieux. Exclus du centre commercial, donc exclus
> des rues. [...] Pour les habitants des grands ensembles, la rue
> est devenue privée [1].

En outre, la population des grands ensembles a complètement changé depuis trente ans : souvent étrangère, elle ne
peut plus espérer gravir l'échelle sociale aussi rapidement
que le faisaient les jeunes ménages français des années 1960.
L'insuffisance des équipements collectifs est un autre défaut
souvent reproché à ces vastes zones de logements : les promoteurs firent toutes les économies qu'ils purent. Du moins,

---

1. Cf. l'intéressant article de O. Piron, « On leur a volé la rue », *Libération*, 27-28 juillet 1991.

les bidonvilles disparurent, et les habitants de la région parisienne furent mieux logés, dans une agglomération qui croissait rapidement, qu'ils ne l'avaient été depuis cinquante ans : l'effort fut exceptionnel et concerna aussi la vieille ville.

La modernisation de Paris

Un grand mouvement de transformation du vieux Paris commença vers 1955[1] : de nouveaux acteurs entrèrent en jeu dès que l'investissement immobilier fut redevenu rentable ; des quartiers anciens furent tour à tour rénovés, comme par un mouvement tournant qui, en vingt ans, transforma tout le centre historique des sept premiers arrondissements, et de grandes réalisations, dans les arrondissements périphériques, modifièrent davantage le paysage urbain que ne l'avaient fait les cinquante années précédentes.

Nouveaux acteurs et nouveaux enjeux

Après le vote de la loi de 1948, les loyers commencèrent à rattraper une partie du terrain perdu depuis trente ans : ils triplèrent en francs constants. L'investissement immobilier redevenait rentable. La demande était immense : on commença à la satisfaire là où elle était le plus solvable, dans les beaux quartiers de l'ouest. Jean Bastié fait remarquer que l'on demandait autant de permis de construire en une semaine dans le XVIe, un arrondissement déjà bien pourvu, qu'en six mois dans le XIe, où les logements manquaient. Un nouveau personnage apparut, promis aux enrichissements rapides et à la vindicte populaire : le « promoteur » remplaça le constructeur. Il ne se contentait plus du travail technique d'édification d'un bâtiment, mais aussi, et peut-être plus encore, des rapports avec les banques, afin d'obtenir un financement, et avec les autorités publiques, pour solliciter

---

1. Cf. L. Chevalier, 1977, qui en donne un témoignage prolixe et indigné ; les citations qui suivent sont extraites de cet ouvrage.

les autorisations nécessaires. L'administration ne fut pas cruelle avec les promoteurs : elle accordait assez libéralement les dérogations nécessaires, surtout dans les beaux quartiers, et leva, en mars 1956, la vieille interdiction qui limitait à 31 mètres la hauteur des immeubles. Le PADOG établit des contraintes partout afin de limiter la croissance de Paris et de figer son évolution. Dans la capitale, toute opération d'urbanisme devint à peu près impossible, à moins d'une dérogation. Les services publics acquirent ainsi un pouvoir discrétionnaire qui aurait pu ouvrir la voie à une immense corruption si l'administration française, surtout dans le domaine de l'urbanisme, n'avait pas toujours été parfaitement incorruptible. Le coup d'Alger de mai 1958 et l'établissement de la Cinquième République changèrent le personnel dirigeant. Louis Chevalier souligne le rôle croissant des technocrates et des énarques à partir de la fin des années 1950, au moment où les mathématiques remplacèrent le latin comme filtre social dans l'enseignement français : « Le règne de De Gaulle fut celui des technocrates » (p. 129). Il distingue les premiers des seconds. Les technocrates étaient en général des polytechniciens, qu'Alain appelait des « pythagoriciens tristes » et qu'il décrivait ainsi : « Révolutionnaires au fond, tous absolus et inflexibles dans leur pensée, et conservateurs dans le fait, et souvent catholiques, mais sans aucune théologie » (p. 122) ; Chevalier ajoute : « Peut-être tous ces pythagoriciens ont-ils trop peu de peine à obéir. » Il est moins indulgent envers les énarques :

> Lorsque je débutais rue Saint-Guillaume, mon ami Jacques de Bourbon-Busset […] m'avait prévenu qu'ils ne savaient pas grand-chose. C'était peu dire. Débarquant de la rue d'Ulm, je frémis de constater qu'ils ne savaient rien. Mais après tout, pour occuper de hauts postes dans la fonction publique, à plus forte raison pour succéder à leurs parents, tant de science, et si tôt amassée, était-elle si nécessaire ? (p. 137).

Le nouveau régime accordait une place considérable aux réseaux informels de personnages divers unis par l'amitié, l'esprit de corps, les souvenirs de la Résistance, ou parfois par des liens moins avouables mais plus solides encore. Le

« pantouflage » commença à cette époque à se répandre : des fonctionnaires qui avaient servi l'État dans des postes où ils contrôlaient des intérêts privés passaient au service de ces mêmes intérêts. Juges et parties, il fallait toute leur moralité pointilleuse pour leur éviter de trahir l'un de leurs employeurs. L'énorme effort de construction entamé à ce moment donna, à partir de 1960, un rôle immense aux grandes banques qui finançaient les promoteurs privés mais étaient toutes contrôlés par l'État. Intérêt public et intérêts privés se pénétrèrent ainsi d'une infinité de manières et pour le plus grand bénéfice de tous, ou du moins de certains. On se serait cru revenu au temps de Saccard et des grandes opérations immobilières du Second Empire, comme si l'aménagement de Paris, au lieu de suivre des plans soigneusement calculés et fidèlement exécutés, avançait par à-coup, avec de longues périodes d'incurie séparées par de brefs accès de fièvre où toutes les barrières lâchaient.

Louis Chevalier, qui condamne cet immense effort de rénovation, en cherche les causes dans le snobisme, la passion nouvelle pour l'automobile, la faiblesse des Assemblées et la corruption des administrateurs. Il reste une cause bien plus profonde qui agit dans toutes les grandes villes et constitue le moteur principal de leur évolution : la contradiction entre les prix du sol et les loyers. Les villes américaines, changeant bien plus rapidement que les métropoles européennes, en témoignent plus clairement. Les vieux logements du centre, avec le temps, répondent de moins en moins aux exigences des occupants et sont moins recherchés : leurs loyers stagnent ou baissent, ce qui attire dans le centre des populations plus pauvres qui paient peu et mal. Les propriétaires négligent alors l'entretien d'immeubles qui leur rapportent trop peu ; ceux-ci se dégradent. Ainsi s'engage un cercle vicieux où la baisse ou la stagnation des loyers est à la fois cause et conséquence de la dégradation des immeubles. Cependant, le centre de la ville est l'endroit le plus accessible et, pour cette raison, le plus recherché : le sol y est plus coûteux qu'ailleurs et ce prix s'élève à mesure que la ville grandit et s'étend, car l'avantage relatif que l'on trouve à s'installer au centre s'accroît à mesure que la durée moyenne des trajets augmente. Dans les grandes villes des États-Unis, des familles misérables, souvent noires ou latinos, vivent très

mal, dans des immeubles en ruine, sur des terres dont le prix
ne cesse de monter : le capital s'apprécie alors que le revenu
s'effondre. Tôt ou tard (tôt aux États-Unis, tard en Europe),
des opérations de rénovation (*urban renewal*, traduit parfois
aux États-Unis par *negro removal*) viennent chasser les habitants pauvres, raser ou réparer les immeubles, et augmenter
les loyers qui reviennent à des niveaux en accord avec le prix
du sol. Classique et à peu près universel, c'est ce mécanisme
nécessaire, bien plus qu'une sorte de conspiration que l'on
aurait pu éviter, qui explique la grande rénovation qui bouleversa Paris entre 1955 et 1974. Elle fut d'autant plus violente
que les loyers avaient plus longtemps stagné : la grande spéculation foncière des années 1960, la destruction de plusieurs
quartiers et le bouleversement du paysage parisien sortent en
droite ligne du long blocage des loyers, de la stagnation du
réseau de transport, de la vétusté et de l'insalubrité des logements qu'avaient légués les régimes passés. La longue incurie des décennies précédentes ne justifie pas, et excuse
encore moins, la grande spéculation des années 1960, mais
elle l'explique fort bien.

La « réhabilitation [1] » du vieux Paris

Saint-Germain-des-Prés fut l'un des premiers quartiers du
centre où une transformation sociale se produisit : le mouvement culturel qui avait suivi immédiatement la fin de la
guerre précéda la spéculation foncière en mettant ce quartier
en lumière. Il avait déjà, avant 1939, été choisi par des intellectuels et ses cafés avaient joué le rôle de salons de l'avant-
garde littéraire, surtout surréaliste, à la fin des années 1930,
alors que Montparnasse, devenu sans doute trop mondain,
commençait à décliner. On manque d'une étude détaillée
pour expliquer comment le centre culturel glissa du carrefour

---

1. « Réhabiliter » est devenu un terme technique du jargon des urbanistes : il désigne la modernisation, de fond en comble, de bâtiments
anciens dont on conserve la structure et les façades. « Rénover » désigne
un processus de démolition-reconstruction qui transforme complètement
un quartier. La « réhabilitation » conserve l'aspect du patrimoine, la rénovation modernise radicalement.

Vavin vers la rue Saint-Benoît, en évitant, plus surprenant encore, le Quartier latin. La raison de ce glissement tient peut-être au fait que les nouveaux intellectuels (les surréalistes, les communistes, les existentialistes, les anarchistes, et tant d'autres qui refusaient les étiquettes) n'étaient pas des universitaires traditionnels, mais plutôt des hommes de lettres liés étroitement à l'édition (Jean Paulhan, Marcel Arland), des professeurs en froid ou même en rupture avec l'Université (comme Merleau-Ponty, Sartre ou Simone de Beauvoir), des écrivains fortement influencés par la littérature américaine (Léo Malet ou Boris Vian). Doués de fortes personnalités, ils se plaçaient d'autant plus à la marge de l'intelligentsia traditionnelle qu'ils tendaient à l'anarchisme et à l'antimilitarisme, alors que celle-ci avaient donné des gages sûrs et répétés au régime pétainiste. L'essor du quartier fut favorisé, plus que par tout autre facteur, par la présence des principales maisons d'édition qui s'y étaient installées depuis le XIXᵉ siècle. Saint-Germain attirait déjà des hommes de lettres avant la guerre : Maurras fréquentait assidûment le Café de Flore. Mais la légende du quartier, avec ses aspects iconoclastes, date de l'immédiat après-guerre. Elle correspondait à un rejet des élites traditionnelles dont beaucoup avaient plus ou moins gravement « collaboré ». Le livre et la revue prenaient le pas sur la chaire, l'écrit sur la parole, le texte subversif sur le cours institutionnel, la pensée sur l'institution. Des hommes nouveaux apparaissaient en littérature, élevés hors du sérail, et qui choquaient violemment en bouleversant les coutumes : Boris Vian fut mis à l'index pendant plusieurs années pour avoir publié, sous un pseudonyme, un pastiche de roman noir américain (*J'irai cracher sur vos tombes*, de Vernon Sullivan). L'érotisme était non plus refoulé sous le manteau et toléré comme un repoussoir honteux de la morale chrétienne, mais cultivé avec un immense talent par Georges Bataille, Pieyre de Mandiargues, le Scandinave Schade, Alain Robbe-Grillet et la mythique Pauline Réage. Le plus remarquable peut-être fut le mélange des genres que cette époque pratiqua mieux que toute autre : philosophie et romans érotiques pour Bataille, philosophie, politique, cinéma, théâtre et littérature pour Sartre, jazz, rock, chansons traditionnelles et cinéma, théâtre et roman, essais et nouvelles policières pour Vian ; les mêmes hommes brillaient dans les formes les plus différentes. Engagés dans la critique politique et morale des années précédentes, les intellectuels de Saint-Germain débordaient les cadres traditionnels et s'emparaient, sans apercevoir sans doute le danger, de la position magistrale et sentencieuse qu'occupaient jadis l'Église et l'Académie, naguère l'Université, et que leur alliance avec Pétain leur avait fait perdre momentanément. Le rôle des cafés et des caves, mêlant les personnalités, multipliant les discussions et les échanges d'idées, rapprochant les genres les plus différents, fut sans doute capital. Rarement un quartier de Paris imprima aussi fortement son caractère sur l'art et la pensée d'une époque ou, plus exactement, correspondit aussi étroitement aux besoins d'une époque. De ce point de vue, le faubourg Saint-Germain était trop occupé de ministères, le Marais trop éloigné des maisons d'édition, la colline Sainte-Geneviève trop liée aux institutions universitaires, la rive droite trop affairée.

Saint-Germain en fut profondément transformé. Le quartier était formé de bâtiments en général médiocres, construits à bon marché hors de l'enceinte de Charles V, sous la juridiction de la puissante abbaye. Au-delà de la vieille porte qui occupait la place actuelle de l'Odéon, s'étaient établis pendant le moyen âge des boucheries (les rues de la Petite-Boucherie et de l'Échaudé en rappellent le souvenir), où l'on abattait le bétail venu par la rue de Vaugirard avant de faire entrer la viande dans la capitale, ainsi que des tripots et des bordels, autour du fameux marché Saint-Germain. Les grands hôtels particuliers de l'aristocratie furent construits plus tard, aux XVIIᵉ et XVIIIᵉ siècles, et plus loin, aux portes de la capitale, dans le faubourg, près des Invalides. La partie proche de l'église Saint-Sulpice fut occupée pendant tout le XIXᵉ siècle par des magasins de piété, des couvents et par le Grand Séminaire, et fut la patrie des bondieuseries de l'« art sulpicien » : Saint-Simon le décrivait comme l'un des quartiers les plus morts, les plus mornes et les plus endormis de la capitale. C'était encore le cas sous le Second Empire : dans *Le Club des Valets de cœur*, Ponson du Terrail y fait se retirer son héroïne repentie, Baccarat, à l'ombre calme des soutanes et des cornettes. L'essor de l'après-guerre changea tout. Mis à la mode, devenu le quartier le plus libre, le plus délicieusement choquant et le plus intelligent de Paris, Saint-

Germain attira une population jeune, aisée, brillante, qui cohabita pendant vingt ans avec les anciens habitants du quartier : petits employés, retraités et dames patronnesses. Le mélange social était étonnamment hétérogène. Les prix augmentèrent avec la demande, ce qui contribua à altérer la population : les anciens résidents, assez pauvres, ne pouvaient plus payer les réparations et les améliorations que votaient les nouveaux propriétaires ; en outre, ils étaient poussés à partir par l'agitation croissante du quartier et attirés par les prix qu'on leur offrait pour leurs appartements, prix dont ils n'auraient jamais osé rêver. La transformation du quartier fut ainsi l'effet d'un mécanisme spontané de marché, mû par des forces puissantes, mais qui prit plus d'une quarantaine d'années : en 1989 encore, des couples âgés vivant chichement d'une petite retraite occupaient des appartements très mal équipés dans des immeubles dont les vendeurs réclamaient 50 000 francs du mètre carré.

Le quartier du Marais se trouvait dans une situation analogue, mais changea beaucoup plus vite. Ancien quartier aristocratique, centre de la vie parisienne bâti de magnifiques palais au XVIIe siècle, il commença à être délaissé par ses aristocratiques habitants quand la Cour se transporta à Versailles. Après la tourmente de la Révolution et les bouleversements de l'Empire, l'aristocratie légitimiste revint plutôt habiter ses hôtels du faubourg Saint-Germain, plus récents et disponibles. Des armées d'artisans avaient occupé les palais depuis la fin du XVIIIe, divisé leurs pièces immenses, construit des échoppes dans les vastes cours et les écuries : le Marais, au XIXe siècle, en était venu à ressembler au quartier Saint-Antoine, logeant des artisans et des petits commerçants. Épargné par Haussmann, le quartier manquait de grandes avenues, et aussi de communications commodes, puisque les lignes de métro furent construites en général sous les grands axes haussmanniens. Le Marais, entre les deux guerres, était un quartier à moitié populaire de petits employés et d'artisans, mêlés à quelques aristocrates qui y vivaient encore. Maigret, le héros de Simenon, fonctionnaire typique de rang moyen, vécut sur la noble place des Vosges à la fin des années 1930, avant de déménager vers un quartier guère plus populaire, le boulevard Richard-Lenoir. L'une de ses aventures commence sous ses fenêtres, place des Vosges ;

des aristocrates étrangers, ainsi que des employés du quartier, sont directement mêlés à une affaire d'espionnage :

> Les premiers étages de la place des Vosges sont habités par de gros bourgeois et par des gens du monde [...] le soir, la foule était plus dense sur la place, la foule de tous les petits artisans des rues voisines qui venaient prendre le frais autour des quatre fontaines [1].

Et ailleurs :

> La rue des Francs-Bourgeois, dans le quartier du Marais, conservait encore quelques hôtels historiques qui abritaient maintenant une foule de ménages besogneux, petits artisans pour la plupart, beaucoup originaires de Pologne, de Hongrie ou de l'ancienne Lituanie [2].

La transformation du Marais commença dès les années 1950, mais elle avançait lentement. La loi de 1948 avait bien libéré les loyers dans les constructions neuves, mais non pas dans les immeubles anciens : y investir n'était toujours pas rentable, mais le développement de la copropriété permettait au promoteur qui achetait un vieil hôtel très dégradé, le débarrassait de ses ateliers et autres excroissances, le nettoyait et le revendait par appartements, de faire des bénéfices. La loi Malraux (1962), qui favorisait grandement la conservation du patrimoine, poussa dans ce sens et accéléra considérablement la vitesse avec laquelle les hôtels du Marais furent « réhabilités ». La montée des prix des beaux immeubles entraîna l'augmentation de ceux des médiocres : en vingt ans, le Marais fut complètement transformé. Les vieux hôtels aristocratiques, nettoyés et ravalés, dégagés des murs qui les enfermaient, exposés à la vue, furent transformés en musées ou, hélas, en bâtiments administratifs, ou encore revendus par appartements à de riches ménages dont la venue transforma le quartier. Les magasins suivirent : restaurants offrant de la « nouvelle cuisine », boutiques de vête-

---

1. G. Simenon, *L'Amoureux de Mme Maigret* (1939), in *Œuvres complètes*, Éd. Rencontres, 1967, vol. IX, p. 160.
2. G. Simenon, *Maigret se défend* (1939), *ibid.*, vol. X.

ments à la mode, théâtres. Le quartier, aujourd'hui, a gardé
son aspect calme et un peu provincial, mais il est devenu
beaucoup plus coûteux et a recouvré son prestige, tirant vers
l'est le centre de gravité de la ville. Comme à Saint-Germain,
des ménages populaires y habitent encore, mais ils en sont
progressivement chassés, comme leurs arrière-grands-pères
avaient été menacés de l'être par Haussmann. Le Marais a
été « réhabilité », mais au prix d'une transformation sociale
profonde.

Le quartier des Halles fut transformé encore plus brutalement. Pendant plusieurs siècles, il avait constitué le
souci principal des souverains quand ils s'intéressaient à leur
capitale. Le déplacement du grand marché central était une
question qui avait agité le conseil municipal en 1840 ; contre
Lanquetin, Rambuteau avait choisi la solution la plus conservatrice et la plus prudente : le laisser en place. Napoléon III
l'avait modernisé en construisant de vastes halles de fer et
de verre. On discuta de nouveau du sort des Halles entre les
deux guerres, sans rien résoudre. Au contraire, le gouvernement commença, en 1930, à exproprier des immeubles
autour du marché afin de l'agrandir, au risque d'aggraver les
problèmes qu'il posait. Dès la Libération, le préfet reprit la
question sans imposer cependant le déménagement :

> Une réorganisation complète et rationnelle des Halles devrait
> être décidée sans délai, sur l'emplacement et dans des condi-
> tions susceptibles d'assurer : l'unité de temps et l'unité de
> lieu dans la présentation des marchandises, afin de permettre
> la régularité du marché, l'approche et la circulation accélérée
> des marchandises et leur manutention aux moindres frais,
> des conditions d'hygiène élémentaire [...][1].

La Cinquième République reprit la question avec davantage de moyens. Les halles de Baltard, construites pour alimenter Paris quand l'agglomération comptait 2 millions
d'habitants, ne suffisaient plus à une métropole de plus de
7 millions. Deux reproches principaux leur étaient adressés :

---

1. Le préfet Pelletier au Conseil économique du 8 juin 1944, cité
in L. Chevalier, 1977, p. 237 ; l'unité d'action, implicite, n'était pas men-
tionnée.

elles créaient d'effroyables embouteillages – mais Chevalier, qui déplore amèrement leur disparition, rappelle qu'aux heures de pointe de la circulation, matin et soir, leur trafic était très faible – et elles n'assuraient pas le fonctionnement efficace et honnête d'un marché par une circulation instantanée des informations. Leur déplacement devait libérer 2,5 hectares au cœur de Paris : une opportunité exceptionnelle qui ne semble pas, curieusement, avoir été envisagée avant 1960. Une ordonnance prise très tôt après l'installation du nouveau régime (dès janvier 1959) ordonna le déménagement des Halles en 1966. De très nombreux projets furent préparés. Michel Debré décida en 1959 d'installer le commerce de gros de la viande à la Villette ; celui des autres denrées, en 1962, à Rungis. Les communistes proposèrent de remplacer le grand marché central par un marché de détail et de demi-gros, ce qui eût conservé au quartier son activité principale. Que faire des terres libérées ? Chose incroyable, on ne commença à s'en préoccuper qu'en 1963, en partie sous la pression de la SEMAH (Société d'études pour l'aménagement des Halles, créée cette année-là) : un architecte et un urbaniste (projet Rotival-Lopez) proposèrent alors à la Ville de détruire et de reconstruire toute une partie du vieux centre, sur 19 hectares, sortant largement du cadre des Halles. Le conseil municipal, choqué, refusa. La question devenait chaque jour plus urgente : avec le départ progressif des activités traditionnelles, le quartier se transformait en un bidonville inquiétant. De l'autre côté du boulevard Sébastopol, sur l'ancien plateau des Arcis-Beaubourg, souvent cité dans les chapitres précédents comme l'un des plus anciens et des plus misérables quartiers de Paris, subsistaient plusieurs milliers de logements déclarés insalubres depuis quarante ans et toujours habités : certains vieillards y vivaient encore sous les combles, sans électricité, au cours des années 1960. On polémiqua pendant quatre ans à propos de l'étendue du périmètre à rénover. On discuta s'il fallait conserver les pavillons de Baltard ou les raser. Chaque ministre réclamait l'espace libéré pour ses services : Malraux, ministre de la Culture, voulait y construire une école d'architecture ; Debré, ministre des Finances, y transporter son ministère afin de libérer le Louvre. Le Premier ministre, Georges Pompidou, ancien cadre bancaire, soutenait Debré. Le général de Gaulle

cherchait quel monument y construire. Les communistes se
contentaient de blocs d'HLM. Qui songeait aux Parisiens ?
Lors d'un conseil restreint tenu à l'Élysée en 1967[1], de
Gaulle décida, contre la majorité des ministres participants,
d'installer les Finances aux Halles. Le conseil municipal,
élu, réclama des espaces verts et limita les futures constructions à 30 mètres de hauteur (certains architectes proposaient
des tours de plus de 200 mètres). Il semble que de Gaulle,
lassé, ait abandonné la décision à Pompidou, que les ministres, trop divisés, n'aient pu trancher, et qu'il revînt au
conseil municipal de décider en dernier lieu. Enfin, le public
fut admis à voir les projets qu'on lui réservait. Ce fut une
levée de boucliers. Les associations, celle des Champeaux en
particulier, protestèrent et ne furent pas sans émouvoir
quelque peu l'opinion publique. En mars 1968, le conseil,
conforté, rejeta tous les projets : l'époque était à la contesta-
tion. Une commission d'élus (commission Capitant), aidée
de l'APUR et d'une mission d'urbanisme (groupe Max
Stern), prépara un schéma directeur pour tout le centre de
Paris, sur la rive droite. Leur projet regroupait des commerces et des équipements publics dans un forum souterrain,
au-dessus d'un nœud principal de communication : la station
RER reliée au réseau métropolitain. Le projet fut adopté, en
1969, par le conseil, mais aussitôt bloqué par le gouvernement qui hésitait à construire le nœud central du RER, trop
coûteux. Après mai 1968, les pavillons vides de Baltard
furent utilisés pour des expositions spontanées et du « théâtre
révolutionnaire », ce qui poussa l'État à trancher plus rapidement. Après un an d'hésitation, en juillet 1969, le nouveau
président, Georges Pompidou, décida d'installer à Beaubourg le musée d'art moderne qui devait être construit
d'abord à la Défense et qui porte son nom. Un ministre, Chalandon, remit cependant en question le projet en proposant
d'étendre les espaces verts tout en supprimant la plupart des
équipements prévus. La proposition fut populaire (certains
dirent « démagogique »), mais le projet n'était plus rentable.
Finalement, le gouvernement choisit un compromis : agrandir un peu les espaces verts, réduire un peu le nombre des
commerces du Forum, et celui des logements sociaux pré-

1. R. Franc, 1971, p. 151 *sq.*

vus. A qui étaient destinés ce Forum et ses dizaines de boutiques ? Pompidou avait déclaré :

> Je veux qu'il y ait des commerces, des hôtels, des équipements de toute sorte. S'il n'y avait qu'un grand espace vide, il serait vite comblé par soixante mille jeunes hippies qui s'y rassembleraient [1].

Le Forum était ainsi prévu pour attirer des milliers de clients en évitant en même temps les jeunes, trop peu fortunés et trop contestataires : c'était oublier le rôle des lignes du RER qui y amènent directement les jeunes des banlieues. Aujourd'hui, la contradiction est évidente entre la population qui fréquente les galeries et celle à laquelle s'adressent les commerces. Les vigiles essaient d'éviter que les jeunes ne s'accumulent dangereusement près de la FNAC, par exemple, en arrosant périodiquement les marches qui entourent la cour centrale afin qu'ils ne puissent s'y asseoir, mais les difficultés des commerçants, la rotation rapide des baux, la dégradation progressive du niveau des magasins montrent bien que le centre commercial ne répond pas aux besoins et aux possibilités de la clientèle qu'attire le Forum. Faut-il s'en étonner quand les projets d'urbanisme préparant la « réhabilitation » réclamée depuis si longtemps d'un quartier aussi crucial ont été faits si tard, et dans un tel désordre ? Du moins, le résultat principal fut atteint, même si personne ne semble l'avoir cherché, ni même y avoir songé : le niveau des loyers, quand ils furent libérés, les baux commerciaux, les prix des appartements firent plus que décupler en une quinzaine d'années, mettant à nouveau la rente foncière en accord avec le prix du sol. L'enchérissement fut encore accentué par la construction de la gare « Châtelet-Les Halles » qui fit de l'ancien carreau des Halles le principal nœud de communication de toute l'agglomération, le débouché naturel des banlieues et le point le plus accessible de Paris. Avec un siècle de retard, le nœud central qu'avait prévu Flachat aux Halles, sous le Second Empire, et qu'avait réclamé le conseil municipal en 1872, mais que l'opiniâtreté des Académiciens avait déplacé au Châtelet, était enfin réa-

1. Cité *in* R. Franc, 1971, p. 159.

lisé, mais après que le grand marché central eut déménagé...

La « réhabilitation » du vieux centre, c'est-à-dire l'enchérissement de la rente foncière et la transformation sociale des quartiers, fut ainsi menée à bien de façon tournante et avec une vitesse accélérée : Saint-Germain, quartier endormi de petits rentiers transformé de manière principalement spontanée, mit quarante ans pour devenir l'un des plus actifs et des plus recherchés de la capitale. Le Marais perdit ses artisans et ses employés en une vingtaine d'années, sous l'influence personnelle de Malraux. Les Halles changèrent encore plus profondément et plus vite : plus que de « réhabilitation », c'est de rénovation qu'il faudrait parler. En moins de quinze ans, l'un des quartiers les plus misérables et les plus populaires de Paris est devenu coûteux, central, envahi par les magasins à la mode (moins au Forum que le long de la rue Étienne-Marcel et autour de la place des Victoires) et les bureaux. Il est probable qu'aucun des ministres et des présidents qui autorisèrent ces transformations n'eut conscience de la nature et de l'importance des changements qu'ils provoquaient : ils ne semblent avoir cherché qu'un peu de salubrité, des constructions prestigieuses, et beaucoup de profit pour les promoteurs – attitude d'architecte, d'administrateur ou d'entrepreneur, mais non d'urbaniste. Les dommages sociaux provoqués par la rénovation des Halles furent considérables. Il ne paraît pas que les hauts responsables se fussent inquiétés des ménages pauvres et surtout des vieillards relogés en banlieue, loin de leurs emplois et de leurs amis : les troubles provoqués par la rupture des liens sociaux dans la vie de personnes âgées qui ne pouvaient les rétablir rapidement furent cependant considérables. En revanche, la théorie du complot capitaliste des spéculateurs immobiliers, chère au cœur de certains marxistes français [1], ne tient guère : elle prête aux acteurs de ces grandes transformations un goût du lucre qui est certain, mais aussi une connaissance des données, des faits et des mécanismes urbains qui est bien plus douteuse. Du moins peut-on leur reconnaître de l'enthousiasme et de grands appétits, car, non contents de participer à la « réhabilitation » du vieux centre, ils transfor-

1. Cf. J. Lojkine, 1972.

mèrent plus radicalement encore les arrondissements périphériques.

Rénovation dans la périphérie

Le mur des Fermiers-Généraux jouait encore un rôle en
1960. L'administration prit l'habitude d'appeler « périmètre
sacré » les sept premiers arrondissements qu'il avait jadis
délimités et de traiter les arrondissements périphériques plus
brutalement que ces quartiers centraux. Il ne s'agissait plus
de « réhabiliter », mais de rénover, c'est-à-dire de détruire les
vieux immeubles, de remodeler le réseau de transport, de
transformer les fonctions et de changer de fond en comble la
population résidente. Une des premières opérations, à la Villette, fut un désastre, au moins pour les contribuables et pour
le prestige du régime. En revanche, si l'on peut dire, certains
entrepreneurs et quelques politiciens firent des profits énormes
en y construisant d'immenses abattoirs. Remplaçant d'anciens entrepôts, ces abattoirs n'auraient pu donner aucune
vie nouvelle aux quartiers qui les entouraient. Au contraire,
leur taille immense ne pouvaient qu'aggraver l'isolement de
cette partie misérable de Paris : du point de vue de l'urbaniste, le projet était stupide et dangereux. Il ne pouvait être
rentable car Paris n'avait pas besoin de telles installations
éloignées des Halles et, ce qui était un comble, à l'opposé du
marché central prévu à Rungis. Michel Debré tenta bien de
couper en deux le commerce de gros pour justifier les installations de la Villette en y déplaçant le marché aux viandes,
mais c'était fragmenter les Halles centrales. Il fallut finalement reconnaître que les abattoirs étaient inutiles et les
détruire à peine terminés (1970). La corruption s'en mêla
davantage que dans d'autres projets, favorisée sans doute par
la taille des nouvelles installations et par leur inutilité. Le
coût total passa de 174 millions de francs à plus de 1 milliard : un record de dépassement. Ces abattoirs si coûteux ne
furent jamais utilisés, ce qui est extraordinaire ; les responsables de ce désastre ne furent jamais connus, ce qui l'est
moins. Les journaux, certains du moins, lancèrent des accu-
sations : rumeurs sans fondement puisque tels politiciens
dont les noms furent plusieurs fois cités occupent encore

aujourd'hui des places importantes dans deux des grands partis politiques français. La justice, craignant sans doute de commettre une erreur judiciaire, avança très lentement et ses recherches s'arrêtèrent bientôt. Du moins, aucun innocent ne fut condamné.

Une autre opération, relevant davantage de l'urbanisme, fut engagée à Montparnasse. Entre 1959 et 1968, la vieille gare, qui avait amené tant de petites Bretonnes à la prostitution et à la tuberculose, fut détruite et reconstruite en arrière, dégageant une vaste surface à aménager. Cette opération, répétée à la gare de Lyon, ne changeait guère les implantations décidées par la monarchie de Juillet, mais ouvrait à la construction, et à la spéculation, des hectares de terre très coûteuse. Le conseil apprit le projet incidemment, lors d'une communication de Pierre Sudreau, commissaire à la construction. Le ministère avait d'abord prévu, en 1957, une tour de 150 mètres, financée par Air France et destinée à loger les bureaux et une partie du personnel de la compagnie. Les capitaux étaient ainsi, indirectement, publics. En 1959, la tour projetée fut surélevée à 170 mètres, malgré l'opposition de Jules Romains[1]. Le conseil municipal décida, en 1965, que la tour ne devait pas être visible depuis l'esplanade des Invalides : il essayait ainsi de protéger le paysage parisien, mais ne s'inquiétait pas des effets que devait nécessairement avoir un bâtiment aussi vaste sur le quartier environnant. Le préfet de la Seine, sans tenir aucun compte de la décision du conseil, porta (en 1967) la hauteur de la tour à 200 mètres afin d'accroître la surface de bureaux et la rentabilité de l'entreprise. La tour fut précédée, sur la place du 18-juin-1940, d'un centre commercial important. Les trottoirs du boulevard Montparnasse furent fortement réduits pour augmenter la capacité de la voie centrale : ouvrir de grandes artères à l'automobile paraissait alors prioritaire.

Les autres opérations furent bien plus considérables : en deux endroits de Paris, sur le front de Seine, à Beaugrenelle (29 hectares), et entre la place d'Italie et Tolbiac (87 hectares), des îlots entiers furent rasés et de hautes tours élevées, qui contenaient principalement des logements, ce qui était tout nouveau à Paris. Il ne s'agissait pas, comme on l'a pré-

1. Cf. L. Chevalier, 1977, p. 231.

tendu, d'imiter l'Amérique (car les Américains travaillent dans des tours, mais y logent très rarement), mais plutôt les grands ensembles de la banlieue qui pénétraient ainsi dans Paris. La hauteur des tours, à vrai dire, était mieux justifiée à l'intérieur de la ville, où le prix du sol était beaucoup plus élevé, que dans les banlieues éloignées où l'on avait cons-truit tant de grands immeubles, mais d'autres aspects étaient extrêmement fâcheux. L'effet esthétique sur le paysage pari-sien fut presque unanimement considéré comme désastreux ; les Parisiens s'y sont habitués depuis ou, du moins, résignés. Le changement de population fut radical : dans le quartier de la place d'Italie, les nouveaux appartements eurent beaucoup de peine à trouver des acquéreurs. La chance des promoteurs fut d'édifier ces tours au moment où la guerre du Vietnam faisait rage : ce furent principalement des Vietnamiens, et des Chinois de Saigon (Cholon), qui vinrent s'y installer. Ils étaient peut-être moins rebutés que les Parisiens par cette architecture nouvelle ; surtout, ils avaient moins le choix. Les tours de la place d'Italie furent ainsi à l'origine d'une véri-table Chinatown, la plus grande de Paris aujourd'hui et la seconde de l'agglomération. Un quartier indochinois était apparu, entre les deux guerres, autour de la place Maubert, mais il avait été limité par la hausse rapide des prix fonciers après 1955. La construction de la ville nouvelle de Marne-la-Vallée, coïncidant avec la fin désastreuse de la guerre du Vietnam, attira aussi, presque dix ans plus tard, une troisième concentration de familles asiatiques, plutôt des Cambodgiens et des *boat-people*. Les grandes concentrations ethniques de la région parisienne marquent ainsi les liens étroits entre l'histoire de la décolonisation et celle de la capitale.

La construction d'un vaste quartier d'affaires à la Défense fut l'une des grandes pensées du règne du général de Gaulle [1]. Deux buts se mêlèrent dans ce projet : la construc-tion de bureaux, pour répondre aux besoins croissants de l'agglomération ; et la prolongation du fameux axe des Champs-Élysées qui s'étendait de la Bastille à la porte Maillot. Ce second but avait intéressé la Troisième Répu-blique : en 1932, le conseil municipal avait lancé un con-cours d'architecture pour aménager l'axe allant de l'Étoile au

1. *Ibid.*, p. 222 *sq.*

rond-point de la Défense. Après la guerre, en 1954, le Syndicat professionnel de la mécanique proposa la construction à la Défense d'un palais des Industries, mais le conseiller du XVe s'y opposa, craignant que ce palais ne concurrençât le parc des Expositions de la porte de Versailles. Le projet fut repris et modifié : en 1957, la construction du CNIT fut décidée, marquant le début de la transformation de la Défense. Les buts avaient changé peu à peu. De l'aménagement purement architectural d'une longue perspective, le choix s'était porté sur un centre d'exposition. Finalement, on proposa de construire là le second quartier d'affaires de Paris. La prospérité de la décennie 1955-1965 faisait sentir le manque de bureaux modernes et il n'était pas possible d'agrandir le quartier d'affaires traditionnel, autour de l'Opéra. La solution trouvée consistait à édifier un grand quartier d'affaires en banlieue, où l'espace était libre et peu coûteux, et à le relier à l'ancien centre de l'Opéra par une ligne rapide : calculée en temps, la distance Opéra-Défense n'était plus que d'un quart d'heure, autant que pour aller de l'Opéra au carrefour Haussmann. Paris pouvait de cette façon avoir son « Manhattan » sans bouleverser ses quartiers traditionnels. Le site choisi (900 hectares dans la plaine de Montesson, entre deux cimetières, à l'entrée d'une zone de bidonvilles et des grands ensembles de Nanterre) fut critiqué : on voulait faire d'une pierre deux coups et prolonger l'axe est-ouest tout en construisant des bureaux. Pis encore, le nouveau quartier ne pouvait qu'aggraver la dissymétrie entre est et ouest qui inquiétait la municipalité depuis 1840 ; mais ces considérations d'urbanistes n'inquiétèrent guère l'administration, qui se heurtait à deux difficultés. Il fallait attirer les sièges de grandes sociétés pour donner du prestige au nouveau quartier : Elf-Aquitaine, la plus grande entreprise française, fut la première à déménager ; elle n'avait rien à refuser à l'État, son propriétaire. Il fallait aussi éviter que le quartier ne fût vide après la fermeture des bureaux et que tous les employés n'utilisent le RER. On construisit donc des résidences en tour, décorées par des nuages peints, sans doute pour introduire un peu de rêve dans un paysage qui en manquait. Malgré les efforts de l'EPAD (Établissement public d'aménagement de la Défense), le nouveau quartier commença très lentement à se développer. Les tours surgirent après 1970 : on se rendit compte alors, mais un peu tard, qu'on les apercevait depuis la place de la Concorde et qu'elles formaient, vues de Paris, une toile de fond disgracieuse derrière l'Arc de Triomphe. Giscard d'Estaing, ministre des Finances, se rendit populaire en proposant d'en limiter la hauteur et de détruire le haut des tours déjà édifiées. Il était cependant mieux placé que quiconque pour savoir le coût d'une proposition aussi radicale : elle ne fut pas retenue, mais on réduisit la hauteur de la tour prévue par l'architecte Zehrfuss, qui devait atteindre 250 mètres. Près du rond-point de la Défense, Le Corbusier fut chargé de construire un vaste ensemble culturel qui devait comprendre un musée du XXe siècle (devenu plus tard musée du XIXe et installé dans la gare d'Orsay), un conservatoire de musique, l'École nationale d'architecture et d'autres équipements importants [1] : cet ensemble ne fut jamais bâti et Paris échappa à ce musée « plastique mobile » qui devait avoir l'« aspect de spirales indéfiniment extensibles ». Au total, plus de 1 million de mètres carrés de bureaux furent construits sur 110 hectares, doublant pratiquement la surface de bureaux déjà disponibles dans le quartier de l'Opéra. L'EPAD construisit prudemment, par tranches successives, vendant les bâtiments avant d'ouvrir de nouveaux travaux, ce qui explique aussi la lenteur du développement. Aujourd'hui, la Défense est devenue le principal quartier d'affaires de Paris, et l'opération est un succès. Il fallut près de trente années pour la réussir et en consolider les résultats. Le pari était audacieux : il s'agissait non plus de « réhabiliter », ni même de rénover de fond en comble un quartier, mais de transformer la structure de l'agglomération parisienne et de contribuer à sa croissance. L'opération de la Défense débouchait sur une véritable planification régionale destinée à s'opposer à la politique d'aménagement du territoire.

---

1. Cf. N. Boutet de Monvel, 1964, p. 122.

Delouvrier et le district de Paris

Le changement de régime, en 1958, ne modifia pas d'abord l'attitude des pouvoirs publics envers la capitale. Pierre Sudreau poursuivit, de 1958 à 1962, la politique d'aménagement de Claudius-Petit et fit voter la loi du 2 août 1960. Mais les besoins de plus en plus criants de la capitale, la prospérité revenue, la violence de l'essor économique conduisaient à une politique opposée. Sudreau, tout en établissant un plan qui interdisait à peu près toute construction à Paris, mettait en place les opérations brutales de rénovation citées ci-dessus. Jean Vaujour montre bien les principaux défauts de cette planification administrative : l'absence de conscience régionale, car, raisonnant davantage en architectes qu'en urbanistes, les aménageurs préparaient des opérations ponctuelles sans se soucier de leurs effets alentour ni de leur place dans la région ; le manque de coordination administrative entre les ministères, les 3 départements et les 1 305 communes formant l'agglomération, qui paralysait les décisions et faisait regretter l'effort de cohérence qu'avait osé Haussmann en annexant la banlieue et en créant huit nouveaux arrondissements ; enfin, l'absence de relations avec le public, pour lequel on planifiait sans le consulter ni même s'en soucier[1]. La nouvelle République sentit le besoin de coordonner l'administration locale : une ordonnance (4 février 1959) accorda pour cinq ans au gouvernement le droit de modifier par décret l'administration de la région parisienne. Ce fut une telle levée de boucliers que l'ordonnance ne fut jamais appliquée.

Des prévisions ambitieuses

Tout changea en 1961 : une loi (2 août 1961), complétée par deux décrets (octobre 1961), créa le district de Paris, institution coiffant toute la région (1 305 communes) et chargée

1. Cf. J. Vaujour, 1970.

de préparer l'aménagement, d'octroyer des aides financières, d'exécuter des travaux et de gérer les opérations nouvelles. La direction fut confiée, un peu malgré lui[1], à un haut fonctionnaire particulièrement honnête et dynamique, Paul Delouvrier. Une nouvelle période faste commençait pour la région-capitale. La ressource principale du district était la taxe spéciale d'équipement qui lui rapporta, entre 1962 et 1969, quelque 1,3 milliard de francs. Le district emprunta, pendant la même période, près de 300 millions. Ces sommes complétées par des subventions publiques, le district put dépenser en sept ans 2,668 milliards (1 milliard pour le RER, un autre pour les autoroutes, 250 millions pour les adductions d'eau et l'assainissement, etc.). La tâche principale de la nouvelle administration était de préparer un nouveau SDAURP (schéma d'aménagement et d'urbanisme de la région parisienne) puisque le PADOG était pratiquement caduc : sa prudence ne correspondait plus au désir de favoriser l'essor de Paris qui était celui de la nouvelle équipe. Le district établit des projections des besoins en l'an 2000[2] et les publia dans le Livre Blanc de 1963 : on supposa que le pouvoir d'achat, par rapport à 1962, serait doublé en 1985 et triplé en l'an 2000, que les emplois de bureau augmenteraient deux fois plus vite que les emplois industriels, que la demande de transport s'accroîtrait d'un tiers au moins, et que les progrès du temps libre quadrupleraient la demande de loisirs. Ainsi, même si la population parisienne restait constante, ses besoins grandiraient considérablement. Mais elle ne pouvait manquer d'augmenter : prolongeant le vigoureux essor démographique des années précédentes, le district prévit 70 à 75 millions de Français à la fin du XXᵉ siècle, et de 16 à 18 millions d'habitants dans la région parisienne ; on décida qu'il fallait ramener ce chiffre excessif à 14 millions. En trente-cinq ans, les naissances devaient excéder les décès de près de 3 millions. Même si les migrations s'équilibraient, si les venues à Paris étaient égales aux départs, la région devait compter 12 millions d'habitants en 2000. En fixant un objectif de 14 millions, le district supposait implicitement que la part de l'agglomération parisienne dans la population

1. Cf. R. Franc, 1971, p. 164 *sq.*
2. Cf. P. Merlin, 1976.

française tomberait de 30 % à 23 % : une estimation modeste
bien éloignée de l'impérialisme délirant dont l'accusa Gravier. Les « métropoles d'équilibre » et les grandes villes du
Bassin parisien devaient croître bien plus vite encore. Il allait
falloir satisfaire des besoins en pleine explosion : le nombre
d'automobiles circulant dans l'agglomération devait passer
de 1,6 million à 4, celui des déplacements serait multiplié
par deux, ainsi que les emplois dans les services. Le nombre
des logements nécessaires allait doubler aussi, et leur surface
quadrupler, car les ménages souhaiteraient être mieux logés
et en auraient les moyens : le pouvoir d'achat global devait
quintupler. Les prévisions étaient écrasantes : il fallait, en
trente ans, loger et servir 5 millions de nouveaux Parisiens,
construire 100 000 logements chaque année dans la région,
créer 2 millions d'emplois en plus, assurer chaque jour
20 millions de déplacements supplémentaires. Un tel développement impliquait le bouleversement de l'espace parisien. Rendu public en juin 1965, le SDAURP fut appliqué
sans avoir reçu force de loi. Il fut présenté de nouveau, après
avoir été modifié, en janvier 1969. Une nouvelle version fut
préparée en 1971, et finalement votée en 1975, au moment
où le schéma était devenu manifestement obsolète.

Une nouvelle organisation de l'espace

Le diagnostic qu'établit le district était consternant[1]. Au
début des années 1960, l'agglomération parisienne comptait
8 millions d'habitants et recevait 150 000 nouveaux migrants
chaque année. Elle n'avait qu'un centre où tout convergeait,
une organisation spatiale trop concentrée et sans souplesse.
Les transports en commun étaient archaïques (beaucoup de
voitures du métro qui brinquebalaient bruyamment le long
des voies aux courbes trop serrées avaient été fabriquées au
XIXᵉ siècle et roulaient depuis soixante ans) ; les lignes
s'arrêtaient presque toutes aux portes de la ville. Les communes de banlieue, où s'était concentrée la croissance, mal
reliées à Paris et encore plus mal entre elles, rassemblaient

1. Cf. l'excellent résumé de J.-P. Lecoin, « La metropoli parigina tra
passato e futuro », in *Roma, Parigi, New York*, 1985, p. 17-35.

près de 5,7 millions d'habitants. Les axes automobiles étaient surchargés. En soixante années, l'État et la municipalité n'avaient su construire que deux segments d'autoroutes de 29 kilomètres en tout (autoroutes de l'Ouest et du Sud) et la ligne de Sceaux ; aucun de ces trois axes ne pénétrait au centre de Paris. Tout était à faire après un demi-siècle d'incurie.

L'amélioration du réseau de transport était primordiale, et permettrait seule une extension de l'agglomération capable d'accueillir la croissance démographique prévue. Le district mit principalement l'accent sur les transports en commun, avec la prolongation en banlieue, d'ordinaire jusqu'aux mairies des communes limitrophes, des lignes de métro, et, surtout, la construction, en collaboration avec la SNCF, d'un réseau express régional (RER : 1961 ; le premier tronçon fut ouvert en 1969). Le premier projet de réseau régional remontait à 1922, mais rien n'avait été réalisé hormis la ligne de Sceaux. Les divers modes de transport parisiens furent regroupés dans un syndicat (STP : ordonnance du 7 janvier 1959). Le plus original fut de réaliser une collaboration entre deux services publics (RATP et SNCF) de statuts différents, qui, depuis la création du métro, avaient été à couteaux tirés (la RATP avait succédé à la TCRP, elle-même héritière de divers concessionnaires privés de lignes de métro, mais l'opposition entre les gestionnaires et les syndicats du métro, d'une part, et du réseau ferroviaire, de l'autre, durait depuis la fin du XIXe siècle). L'automobile, encore chère et rare, était devenue, pour les Français, l'objet d'un véritable culte : c'était l'époque où les concours de *L'Auto-Journal* obsédaient toute la France ; où Tati, avec *Mon oncle* (1958) puis *Playtime*, et Godard (avec *Week-End*) se moquaient de la nouvelle passion. Le plan prévoyait la construction de douze autoroutes radiales, afin de dégager Paris et de mieux relier la capitale aux banlieues, et de trois voies concentriques : un boulevard périphérique en déblai pour éviter les croisements, doublant l'ancienne ceinture dite « des Maréchaux », une deuxième autoroute périphérique (A86) et une troisième plus éloignée (A87). La traversée de Paris par les galeries souterraines du RER fut difficile et coûteuse : les entrepreneurs utilisèrent pour la première fois des « boucliers » qui devaient avancer rapidement, mais entre Auber et l'Étoile le bouclier

se bloqua et ralentit les travaux. Les ingénieurs de la RATP
sous-estimèrent gravement le trafic, surtout dans Paris, entre
la gare de Lyon et l'Étoile. A la station Châtelet-Les Halles,
la plus chargée, ils ne songèrent pas à prévoir un quai de
chaque côté des voitures, l'un pour la sortie, l'autre pour
l'entrée des voyageurs, ce qui aurait fait gagner beaucoup de
temps et permis des arrêts courts et sans bousculade (cet
oubli regrettable a conduit aujourd'hui la RATP à engager
des pousseurs aux heures de pointe, comme dans le métro de
Tokyo). Pour la première fois, un réseau à larges mailles,
allant jusqu'à 20 kilomètres de la capitale, était prévu et
commençait, chose extraordinaire, à être aussitôt construit :
le premier tronçon du RER fut ouvert en 1969. Un tel réseau
permettait enfin une organisation véritablement régionale de
l'agglomération.

Les villes nouvelles

Après 1960, il ne fut plus possible d'aménager en oubliant
la banlieue, comme on l'avait fait pendant presque un siècle.
L'aménagement devait nécessairement considérer la région
parisienne comme un tout : c'était le domaine ouvert à l'activité du district. Après avoir prévu une croissance aussi
rapide de la population, et un accroissement encore plus brutal des besoins en logements, en emplois, en transports et en
loisirs, les aménageurs devaient proposer des solutions. Dans
une agglomération abandonnée à elle-même si longtemps,
après que la démagogie eut gelé la construction, que l'incurie des notables ruraux eut oublié les équipements les plus
nécessaires, et qu'une véritable haine de la grande ville eut
pillé la capitale de ses activités et de ses emplois pendant
deux décennies, trouver des réponses raisonnables à des
défis aussi angoissants tenait de l'exploit. Les urbanistes qui
préparèrent le SDAURP[1] envisagèrent plusieurs solutions.
Laisser la ville grandir spontanément en tache d'huile,
comme elle l'avait fait au début du siècle, était la plus mauvaise : la croissance par coalescence aurait ruiné les rares

---

1. Cf. P. Merlin, 1976 ; J. Vaujour, 1970 ; M. Carmona, 1979.

espaces verts encore proches du centre, accrû la longueur des transports, enchéri uniformément les prix fonciers (qui, même dans le centre, sont fonction des prix à la périphérie et de la distance de cette périphérie au centre), occupé définitivement des espaces nécessaires aux lignes de transport et aux installations industrielles. Le mitage de la banlieue avait produit des résultats si désastreux que tout le monde voulait l'éviter. Aussi fut-il décidé de préserver l'axe de la Seine, en amont et en aval de Paris, avec les forêts et les terres agricoles qui le bordent, et de tracer deux axes parallèles au fleuve, au nord et au sud, le long desquels s'installeraient les nouveaux habitants de la région : cette solution permettait de prévoir des couloirs de circulation commode et de maintenir à proche distance des espaces verts et des plans d'eau toute la population urbanisée de l'Ile-de-France. Un dernier argument, rarement cité mais pressant, était l'économie que l'on réalisait ainsi : en construisant sur les plateaux, on occupait des sols ruraux encore bon marché. Les grandes voies de transport, ainsi que les industries et les cultures les plus précieuses (vergers), se trouvaient dans les vallées (voie fluviale, canaux, routes) et au flanc des coteaux (voies ferrées).

On songea à créer une seconde ville, un « Paris *bis* » qui aurait absorbé l'accroissement de population, mais où la fonder ? Loin de la vieille ville, cela aurait entraîné des difficultés de transport inextricables ; près de Paris, les deux villes se seraient vite rejointes : c'eût été retomber rapidement dans la croissance par coalescence. On s'orienta vers les villes nouvelles. Le principal exemple était celui des New Towns britanniques, qui influencèrent les urbanistes dans le monde entier après la guerre. Les villes nouvelles anglaises étaient volontairement petites (environ 60 000 habitants), éloignées de la capitale (d'une soixantaine de kilomètres), séparées de celle-ci par une ceinture verte de forêts et de champs cultivés soigneusement préservée, et leurs habitants devaient y trouver un emploi afin de limiter les déplacements. Les urbanistes français voulaient des villes nouvelles contenant une assez grande diversité de fonctions, d'emplois et de qualifications pour avoir une vie propre : elles devaient donc être grandes (150 000-300 000 habitants), avec un centre puissant et attirant, des activités nombreuses, sans lier nécessairement les emplois aux résidences. Ainsi, on ne put (et on ne voulut

certainement pas) suivre l'exemple britannique. Il fut envisagé de faire croître des villes secondaires du Bassin parisien
en y logeant les nouveaux venus (à Meaux, Melun, Mantes,
Corbeille…), mais leurs vieux centres ne pouvaient contenir
les services nécessaires à des habitants beaucoup plus nombreux et on jugea qu'ils n'étaient pas capables de grandir
suffisamment (une opinion critiquable, car c'est bien ainsi
que grandirent les villes : par une augmentation régulière des
fonctions et de la taille du vieux centre).

Le SDAURP prévoyait huit villes nouvelles autour de
Paris, le long des deux axes. Cinq furent construites. Des
missions d'aménagement furent mises en place dans chaque
ville entre 1966 et 1969, remplacées ensuite par des établissements publics d'aménagement (EPA ; Évry et Cergy, avril
1969 ; Saint-Quentin, octobre 1970 ; Marne-la-Vallée, août
1972 ; Melun-Sénart, octobre 1973) chargés de gérer les syndicats réunissant les nombreuses communes qui formaient
les villes nouvelles (16 communes à Cergy, 41 à Marne…).
La loi Boscher (10 juillet 1970) organisa l'administration des
villes nouvelles en offrant aux communes qui les constituaient le choix entre trois types d'association plus ou moins
étroite. Chaque ville nouvelle eut son caractère original :
l'agora d'Évry réunit, sur 50 000 mètres carrés de plancher,
des équipements publics (bibliothèque, salle de sports), des
restaurants, des cafés et deux immeubles de bureaux. Cergy
devait être desservie par une technique révolutionnaire :
l'aérotrain de l'ingénieur Bertin, qui, soulevé en lévitation
magnétique, était censé circuler sans frottement à grande
vitesse ; l'engin, surtout son nouveau « moteur linéaire », ne
fut jamais au point, et les habitants de la ville nouvelle
durent utiliser les banals trains de banlieue. Marne-la-Vallée,
la plus étendue des villes nouvelles parisiennes, fut organisée
comme un chapelet de communautés distinctes le long du
RER-Est, autour de chaque station. Le centre commercial
des Arcades, à Noisy-le-Grand-Mont-d'Est, est très vaste,
mais à plusieurs kilomètres des autres quartiers : l'automobile est indispensable. Un « campus scientifique » fut prévu
sur le territoire d'une ferme, à Noisy-Champs, qui doit
aujourd'hui recevoir la future université de Paris-XIV. Les
villes nouvelles servirent malheureusement aux architectes
de vitrines où exposer leur audace et leurs rêves, qui ressem-

blent trop souvent à des cauchemars. A Noisy-le-Grand, Ricardo Bofill construisit un immense bâtiment, le Théâtre, si réussi que le film de science-fiction *Brazil* l'a utilisé comme décor pour représenter une ville du futur, cauchemardesque, où règne une horrible dictature. Cinq cents mètres plus loin, les « camemberts » de Nunez, deux cylindres de six étages posés sur la tranche face à face, logent des réfugiés cambodgiens et quelques immigrés d'Afrique noire qui n'ont manifestement pas eu le choix de leur résidence. En revanche, plus loin de Paris, les paysages de Noisiel et du Luzard sont plus calmes et moins inhumains, tandis que la proximité du plan d'eau aménagé de Jablines peut être agréable, en été.

Bâties *ex nihilo* pour recevoir 3 millions de personnes, destinées à grandir vite et à contenir des équipements satisfaisants, les villes nouvelles étaient condamnées à financer pendant de nombreuses années des budgets dépassant leurs ressources : pendant longtemps, l'habit devait être trop grand. Les urbanistes s'en rendirent bien compte, mais l'État, refusant de trop dépenser pour la région parisienne, accepta seulement de couvrir le coût d'aménagement des terres achetées par les EPA, avant de les céder ou de les louer aux collectivités locales ou aux entrepreneurs privés. La politique des ZAD (zones d'aménagement différé, créées par une loi de 1962) donnait à la puissance publique un droit de préemption sur les centres des villes nouvelles et sur les terres à aménager prochainement : l'État pouvait ainsi acheter le sol au prix constaté avant la création de la ZAD, en accordant seulement une faible réévaluation. Cette procédure limitait la spéculation foncière : ceux qui, apprenant que des terres devaient être construites, les achetaient aux paysans en espérant les revendre bientôt beaucoup plus cher en étaient pour leurs frais. Le droit de préemption fut peu utilisé : il servit surtout à contrôler le prix du sol et eut un rôle principalement dissuasif. Les parcelles furent, en général, acquises à l'amiable ou par expropriation. Des prêts bonifiés de la Caisse des dépôts aidèrent à la construction de logements et de bureaux. La plupart des communes englobées dans une ville nouvelle connurent cependant de graves difficultés financières : il leur manqua les prêts à long terme et à faible taux qui avaient permis le financement des villes nouvelles britanniques. Les avances de trésorerie sur plusieurs années, consenties par l'État et le district, ne suffirent pas à couvrir les premières dépenses d'investissement pour des équipements qui, pendant plusieurs années, dépassèrent largement les besoins. L'État accepta, afin d'aider sans trop débourser, de modifier sa politique d'aménagement du territoire : la redevance, une sorte de pénalisation que devaient payer les entreprises qui s'installaient en région parisienne, fut diminuée de moitié sur le territoire des villes nouvelles. L'effet fut minime, mais il manifestait un important changement de politique.

La croissance acceptée

La vision ambitieuse de Paul Delouvrier, prévoyant un essor inouï pour la capitale, allait directement à l'encontre de l'effort constant pour limiter la croissance parisienne, qui sévissait, sous des formes différentes, depuis la période de Vichy (le premier comité d'aménagement avait été fondé à Reims en 1943). L'aménagement du territoire suivait ainsi une politique restrictive au moment où le gouvernement « réhabilitait » et rénovait Paris avec la vigueur brutale que l'on a vue et où le district préparait un schéma directeur résolument expansionniste. Pierre Sudreau, qui avait engagé, presque avec violence, la rénovation de Paris, faisait voter, une fois devenu ministre, la loi malthusienne de 1960. La cacophonie était à son comble dans un domaine où elle était particulièrement mal venue : celui de la planification.

Des réformes profondes mirent sur pied les organismes destinés à étudier et à favoriser la croissance de la capitale. Le décret qui avait approuvé le PADOG créa en même temps l'IAURP (Institut d'aménagement et d'urbanisme de la région parisienne ; 6 août 1960), centre de recherche sur la région (devenu depuis l'IAURIF, quand l'expression « Ile-de-France » remplaça celle de « région parisienne »). Georges Pompidou imposa la création de l'APUR (Atelier parisien d'urbanisme), association de services de recherche et d'étude attachée à la municipalité de Paris. L'Agence foncière et technique (décret du 14 avril 1962) eut pour mission d'exercer le droit de préemption et d'acquérir des terres en vue des opérations d'urbanisme. Comme l'avait fait Haussmann, le district réorganisa les cadres de l'administration parisienne en remplaçant les trois anciens départements par huit nouveaux (loi du 10 juillet 1964) qui épousaient les grandes divisions sociales et démographiques de l'espace parisien : le centre (Seine), la Petite Couronne (Hauts-de-Seine, Seine-Saint-Denis, Val-de-Marne) et la Grande (Yvelines, Val-d'Oise, Essonne, Seine-et-Marne). Les prévisions du SDAURP étaient très ambitieuses : en quelques années, les villes nouvelles auraient dû accueillir quelque 800 000 habitants et près de 5 millions en vingt ans. Les résultats d'efforts aussi contradictoires furent mitigés : chacun put se féliciter. Jean-François Gravier[1] se réjouit que les surfaces autorisées en région parisienne, au début des années 1960, aient représenté entre 8 et 13 % du total national, deux ou trois fois moins que ne l'aurait voulu le poids démographique de la capitale, et que les destructions de locaux commerciaux, entre 1961 et 1966, aient été supérieures aux constructions. Paris donna l'impression de stagner ou même de reculer. La presse quotidienne parisienne, qui représentait plus de la moitié de la presse française avant la guerre, n'en formait plus que le tiers en 1970. La province avait appris à créer et à développer des rencontres culturelles (festival d'Avignon). André Malraux, afin d'apporter la culture aux banlieues, multiplia les subventions aux théâtres qui s'y installèrent. Plusieurs acquirent une grande réputation : la Cartoucherie, le théâtre des Amandiers sont devenus aussi célèbres que les meilleures salles parisiennes, mais les mauvaises langues font remarquer que ce sont surtout des Parisiens qui les fréquentent. Entre 1950 et 1964, Jean-François Gravier estime, sans justifier son évaluation, que la province a reçu près de 350 000 emplois d'origine parisienne : le chiffre est considérable, mais plus de la moitié de ces emplois furent créés dans un rayon de moins de 200 kilomètres de la capitale.

Croissance de la région parisienne, augmentation des prix fonciers, affaissement de la population dans le centre et essor démographique de la périphérie, rejet vers les marges des activités industrielles polluantes, spécialisation croissante de Paris dans les activités de service et de direction, tout contri-

1. 1947 et 1972.

bua à élargir la zone d'influence de la capitale et à repousser plus loin de Notre-Dame habitants, bureaux et usines. Le bilan de la longue et coûteuse politique de décentralisation menée depuis 1947 n'est pas nul, mais on est en droit de penser que le desserrement des activités se serait produit de la même façon (plus lentement?) en l'absence de cette politique. Une grande agglomération évolue selon des lois internes qui ont été fréquemment observées : le centre tend à perdre sa population ; une couronne de forte croissance s'éloigne du centre comme les cercles concentriques d'une pierre jetée dans l'eau. Paris a ainsi offert l'aspect classique d'un centre (la ville proprement dite) qui, après 1910, s'est dépeuplé lentement (voir figure 19) ; d'une Petite Couronne qui grandit très vite entre les deux conflits mondiaux, arriva à maturité après la dernière guerre et commença, à partir de la fin des années 1960, à se stabiliser ; et d'une Grande Couronne encore rurale, peu dense, qui s'urbanisait alors très vite. Les activités industrielles de Paris, rejetées en banlieue dès la fin du XIXᵉ siècle, puis repoussées plus loin après la Seconde Guerre, furent progressivement déplacées, au cours des années 1960, vers les villes qui formaient les marges de la région (Rouen, Le Mans, Orléans, Reims) et qui devinrent bientôt des satellites de la capitale. Plus de la moitié des transferts d'emplois de Paris vers la province, ce dont se réjouit Gravier, furent l'effet de ce phénomène. Loin de marquer l'affaiblissement de Paris et l'indépendance croissante des autres villes, il manifestait au contraire l'influence grandissante de la capitale et l'extension de son pouvoir. La décentralisation de certaines grandes administrations, un serpent de mer dans la planification française, commença au cours des années 1960, mais consista principalement à déplacer de quelques kilomètres, vers la proche banlieue, des grandes écoles ou des universités. L'École polytechnique à Palaiseau, HEC à Jouy-en-Josas, l'École des ponts et chaussées à Marne-la-Vallée, six universités en banlieue ne correspondirent pas à un véritable déménagement des centres intellectuels français tel que beaucoup le réclamaient. L'agglomération parisienne continua à concentrer les grands centres d'enseignement ; leur déménagement eut seulement pour but de libérer des terres très coûteuses dans Paris et de les placer sur des sols bon marché où l'on pouvait, à bon compte, agrandir les bâtiments.

Une institution puissante avait pourtant été créée et dotée de moyens importants : la DATAR (délégation à l'Aménagement du territoire, décret du 14 février 1963). Elle versa des primes de développement aux villes les plus pauvres en activités modernes : le quart des primes alla au sud-ouest et au centre du pays. La DATAR tenta de favoriser la décentralisation du secteur tertiaire : en 1967, une prime spéciale de « localisation » fut versée aux services qui s'installaient hors du Bassin parisien ; politique plus habile de décentralisation non malthusienne, favorisant la province sans chercher à affaiblir Paris. Jean-François Gravier note cependant, un peu déçu, que les administrations essaimèrent (le CNET à Lannion, le CNES à Toulouse, etc.) non pas vers des lieux bien choisis, mais dans des villes que leurs maires, ministres ou « barons » du régime, voulaient favoriser. La création de 21 régions en France (décret du 14 mars 1964), puis de 5 OREAM (en 1966) pour favoriser le développement régional, enfin d'un groupe interministériel du Bassin parisien (en 1967) renforcèrent l'action régionale. Le Livre Blanc publié par le groupe interministériel en 1969 proposa de supprimer trois des villes nouvelles prévues, ce qui fut fait, et d'orienter seulement vers la région parisienne les activités qui ne pouvaient s'implanter loin de Paris. La DATAR choisit huit grandes villes qui devraient jouer le rôle de « métropoles d'équilibre » (Nantes, Bordeaux, Toulouse, Marseille, Lyon, Strasbourg, Nancy et Lille) et les favorisa par des aides particulières. A l'automne 1971, on limita encore la construction de bureaux dans la région parisienne en élevant la redevance à 500 francs le mètre carré. Quant à l'aide aux paysans, elle bénéficia, surtout après 1967, de crédits importants. La convergence de ces mesures successives eut un certain effet. Le recensement de 1968 montre que la région parisienne, depuis 1962, avait perdu des emplois (- 1,2 %) alors que la province en avait gagné (+ 4,2 %) : Paris perdait ses emplois industriels. Au cours des années 1960, la balance migratoire entre capitale et province fut à peu près équilibrée (voir figure 18), le nombre d'arrivées égalant celui des départs, mais ce furent principalement des jeunes qui vinrent à Paris, et des retraités qui en partirent. La capitale garda ainsi, et même accrut, son dynamisme : le solde naturel (différence entre les naissances et les décès) devint la principale source de croissance. Au total, les autres villes françaises, grandes et petites, se développèrent plus vite, cependant que les campagnes restaient stables.

Le régime gaulliste semble avoir ainsi pratiqué trois politiques d'aménagement distinctes, souvent contradictoires. D'une part, il poursuivit une action vigoureuse de développement régional, favorisant les grandes villes, sans avoir songé, semble-t-il, à l'appuyer sur la puissance de la capitale. Tout en en atténuant quelque peu les excès, cette politique continuait celle qui avait été pratiquée au cours des années 1940 et 1950, en considérant toujours Paris comme une force dangereuse dont il fallait contenir le dynamisme et non comme une alliée. D'autre part, sous l'impulsion des promoteurs fonciers, et justifiée par l'acuité de la crise du logement, une politique de « réhabilitation » et même de rénovation brutale changea en quinze ans la face de la capitale. Enfin, conduit avec talent et enthousiasme par Paul Delouvrier et le district, un vaste effort de réorganisation et d'aménagement de la région parisienne mit en place un réseau de transport moderne, créa des villes nouvelles et promit à Paris, à travers le SDAURP, un essor fulgurant. On ne sait à quoi auraient pu conduire des politiques aussi contradictoires si elles avaient eu le temps de produire tous leurs effets : les bases mêmes sur lesquelles elles avaient été établies s'effondrèrent vers 1970. Euphorie des constructeurs, politique d'aménagement dirigée contre Paris ou politique de Delouvrier favorisant l'essor de la capitale, toutes trois supposaient implicitement la poursuite de la croissance démographique et de l'expansion économique. Au moment même où ces politiques semblaient enfin au point, les trente années d'essor démographique et économique (les « trente glorieuses » de Fourastié : 1945-1975) prirent fin. Il est difficile d'isoler les causes d'un bouleversement planétaire. La guerre du Vietnam joua un rôle capital en conduisant le gouvernement Nixon à détacher le dollar de l'étalon-or (1971). Le premier grand choc pétrolier (1972), à la suite d'une nouvelle guerre entre Israël et ses voisins arabes, en fut en partie la conséquence et contribua à son tour à augmenter l'inflation. Le prix des matières premières monta rapidement sur tous les marchés, avec la chute du dollar. Beaucoup en déduisirent, assez naïvement, que le monde souffrait d'une pénu-

rie générale de produits de base. La poussée des idées écologistes, phénomène neuf et d'autant plus impressionnant, joignit à la pénurie des matières premières traditionnelles celle
de produits encore plus élémentaires : l'air, l'eau et, par
extension, le calme, la verdure, le silence. Les réflexes malthusiens, toujours prêts à resurgir en temps de crise, réapparurent partout. En France, les vieilles aigreurs envers la capitale y puisèrent de nouveaux arguments. La conjonction de
ces idées, originales parfois, archaïques souvent, formèrent
un puissant levier qui fit basculer la société française. Commencée en 1971, la crise fut la plus grave qu'ait connue le
monde occidental depuis 1929. La France, comme dans les
années 1930, se berça d'abord de l'illusion dangereuse
qu'elle pourrait échapper aux transformations importantes
qui s'annonçaient : « La France est un jardin. » Pourtant, la
natalité avait changé de régime à la fin des années 1960 et
baissa de 18 % entre 1972 et 1976, cependant que la production s'affaiblissait après 1968 : les pieds-noirs étaient inté-
grés, l'immigration ralentissait et le grand transfert des
ruraux français des campagnes vers les villes se terminait. La
population urbaine, qui avait augmenté très vite entre 1954 et
1968 (+ 19 %), n'augmenta plus que lentement ensuite : les
trois quarts des Français vivaient dans des villes. Enfin, la
crise morale de mai 1968 et les idées qu'elle répandit largement rendirent les métropoles impopulaires. Les intellectuels
barbus, déçus de n'avoir pu détruire la « société de consommation », quittaient Paris pour aller élever des chèvres en
Ardèche, mais des Français plus moyens, et bien plus nombreux, décidèrent aussi de revenir vivre dans des petites
villes. L'esprit du temps condamnait les grandes villes : on
retournait sinon à la terre, du moins à la campagne. Au
moment où de nouvelles politiques d'aménagement commençaient à modifier Paris, toutes les prévisions ambitieuses
qui les avaient justifiées s'effondraient. Les projets grandioses de Delouvrier avaient été établis en fonction des
données de l'époque précédente (1954-1962), les seules
disponibles (voir figure 19) : Paris avait alors gagné
433 000 habitants par croissance naturelle et 710 000 par les
migrations, soit un gain énorme de 1 143 000 habitants. Mais
pendant que l'on construisait les villes nouvelles destinées à
accueillir de nouveaux arrivants, la croissance s'arrêtait :

entre 1962 et 1968, le solde naturel de la population parisienne diminua un peu (402 000) et le solde migratoire baissa
de moitié (363 000 seulement). Capitale, cette transformation
de la démographie parisienne accompagnait la fin du gaul-
lisme. Le Général avait perdu le référendum que, non sans
quelque entêtement, il avait tenu à organiser contre le
pouvoir du Sénat (1969). D'une certaine façon, de Gaulle
essayait d'affaiblir le pouvoir des campagnes, surreprésen-
tées, et fort injustement, dans cette Assemblée. Son échec fut
un peu celui de l'aménagement parisien. Pompidou ne régna
que cinq ans, construisant des tours et des barres au moment
où l'opinion n'en voulait plus ; la réaction, à sa mort, n'en
fut que plus brutale.

6

Paris fin de siècle
(1974-2000)

En 1974, Paris était prêt, pour la première fois depuis un siècle, à accueillir des vagues de nouveaux arrivants et à croître de façon planifiée : tout semblait propice à un essor illimité quand éclata la plus grande crise économique qui ait secoué le monde depuis 1929 ; les « trente glorieuses » prenaient fin. En même temps, dans tous les pays développés, et particulièrement en France, l'opinion publique basculait d'un extrême à l'autre : l'écologie faisait brusquement son entrée. La politique d'aménagement de la région parisienne changea du tout au tout [1].

Le tournant des années 1970

La fin de la longue période de croissance qu'avait connue le monde depuis la fin de la Seconde Guerre mondiale eut des conséquences immédiates (aggravation du chômage, diminution des crédits, chute de la construction), mais aussi des effets profonds : d'anciennes tendances conservatrices dirigées contre la grande ville réapparurent, mêlées curieusement à des propositions originales.

1. On consultera particulièrement le début de la thèse de Michel Carmona, 1979, qui analyse de façon détaillée et claire cette période. Excellentes analyses dans *Données sociales, Ile-de-France*, INSEE, 1989. Diagnostics de droite : *Le Livre Blanc de l'Ile-de-France*, 1990 ; et de gauche : *Ile-de-France : pouvons-nous éviter le scénario-catastrophe ?*, 1990. Rapports sur le rôle de Paris : voir M. Albert, 1973 ; J. Beaujeu, 1974 ; Arrighi, 1982 ; et J.-F. Carrez, 1991. A. Ballut, 1987, est une source d'informations utile, ainsi que D. Noin, 1984.

La rupture : 1974

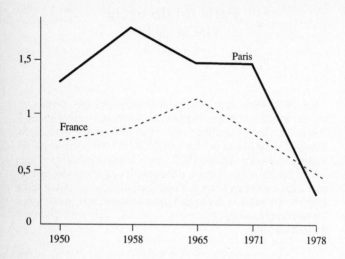

Figure 24
Taux de croissance démographique (pour 100)

L'opinion crut d'abord que la France échapperait à la crise ; le président élu en 1974, Valéry Giscard d'Estaing, entretint l'illusion. Pourtant, les conditions fondamentales changeaient. Ainsi, la natalité s'affaissait rapidement dans tous les pays occidentaux : en France, elle baissa de 18 % entre 1972 et 1976. La diminution de la croissance démographique parisienne avait commencé plus tôt (figure 24), avec l'amenuisement, surtout, des migrations (figure 18). De 1968 à 1975, le solde migratoire de la région parisienne était tombé à 114 000 ; il devint même négatif (−273 000) entre 1975 et 1982. Pour la première fois en France, et avec un retard de quinze ans sur les pays voisins, les thèmes écologiques jouèrent un rôle important dans l'élection présidentielle de mai 1974. La plupart des programmes électoraux

essayèrent d'attirer les nouvelles voix écologistes et traitè-
rent de l'aménagement de Paris. René Dumont, candidat du
parti vert, milita pour des actions plus modérées et davantage attachées à la qualité qu'à la quantité. Le candidat socialiste, François Mitterrand, joua de la même corde, mais le
plus habile fut Valéry Giscard d'Estaing, qui proposa un programme en dix-huit points destiné à transformer radicalement la politique urbaine :

> Point 7. Améliorer la qualité de la vie dans les villes en y
> réduisant les densités excessives, en empêchant la proliféra-
> tion des tours, en sauvegardant tous les espaces verts
> urbains, publics ou privés, et en établissant un plan de dix
> ans pour donner à chaque agglomération au moins 10 m ^{2} de
> parcs et de jardins publics par personne.
> [...]
> Point 9. Préserver les agglomérations des excès de l'automo-
> bile en donnant priorité aux transports en commun et en
> entreprenant un effort particulier pour le développement des
> rues piétonnes.
> [...]
> Point 18. En région parisienne :
> a) réexaminer les grands projets d'aménagement en tenant
> compte des préoccupations de l'environnement (voie express
> sur la rive gauche de la Seine, super-périphérique autour de
> Paris, autoroutes à travers la banlieue, opération des Halles);
> b) préserver intégralement les forêts et les espaces verts de
> Paris et de sa banlieue [1].

Giscard prenait le contre-pied de la politique gaulliste bien
que l'opposition des deux doctrines fût brouillée par le soutien que lui apporta Jacques Chirac. Il arriva en tête des candidats de la droite au premier tour, et gagna au second avec,
il est vrai, une majorité infime (50,80 %), mais le différend
avec François Mitterrand ne portait pas sur la politique
d'aménagement : les deux candidats du second tour était
également opposés à l'expansionnisme pompidolien. Alors
que les gaullistes, naguère, avaient mené une politique de
croissance, développant la production de biens de consommation, modernisant sans remords, utilisant avec fierté les
techniques modernes et menant à Paris une politique de

---

1. Cité *in* M. Carmona, 1979, vol. 1, p. 154.

grandeur, le nouveau président proposait une action opposée, faite de retenue et de modération, respectueuse des espaces naturels, préférant la « réhabilitation » à la rénovation, favorisant l'épanouissement individuel, et destinée principalement à brider la croissance de la capitale. L'opinion publique lui donna raison. La défense des espaces verts fut d'abord le point le plus visible : elle avait été préparée par un rapport solide et passionné établi en 1974 par Jean-Marie Poirier, un gaulliste devenu giscardien[1]. Mais la stratégie du nouveau régime à Paris était plus complète. Dès le 17 septembre 1974, Valéry Giscard d'Estaing envoya à son Premier ministre Jacques Chirac une lettre sur laquelle Michel Carmona insiste à juste titre, car elle résume la nouvelle politique parisienne. Le président y affirmait d'abord, dans un style quasi monarchique, qu'il déciderait lui-même de l'avenir de la capitale : « J'ai été conduit à prendre, avec les ministres intéressés, un certain nombre de décisions relatives à l'aménagement de Paris… » On ne voit pas que les maires aient été consultés, encore moins la population parisienne. L'aménagement de Paris suivrait des directions nouvelles : agrandir les espaces verts et les organiser en une hiérarchie, de la grande forêt au square de quartier, afin de construire une « trame verte » cohérente dont les éléments joueraient, dans l'agglomération, le rôle important de « zones naturelles d'équilibre ». Valéry Giscard d'Estaing désirait rendre toute sa valeur au patrimoine : alors que ses prédécesseurs gaullistes avaient multiplié les constructions neuves, le nouveau pouvoir voulait « réhabiliter » les bâtiments anciens, que ce fussent d'anciens monuments, comme la gare d'Orsay, ou de simples logements, surtout en banlieue, la grande oubliée des années précédentes. Enfin, le président, observant que Paris avait des équipements culturels pléthoriques, que la Petite Couronne en manquait et que la Grande en était dépourvue, s'engageait à les multiplier, surtout dans la périphérie de l'agglomération. A Paris même, il décida de terminer le musée Pompidou à Beaubourg (il était trop tard pour revenir sur le projet), de créer le Théâtre de la Ville ; et, en banlieue, de multiplier les maisons de la culture, les conservatoires de

---

1. Cf. J.-M. Poirier, 1974.

musique municipaux (près de 200 furent ainsi ouverts), de rénover la basilique Saint-Denis. La création, en 1974, d'une direction régionale des affaires culturelles devait organiser ces efforts.

Il était urgent de lutter contre la spéculation foncière qui avait fleuri depuis quinze ans et en partie déconsidéré le pouvoir gaulliste. Mis à part les affaires de corruption, qui restèrent tout aussi cachées, il s'agissait de récupérer la plus-value créée par de grands investissements publics : un nouveau théâtre, une nouvelle station de RER rendent plus attrayants les logements voisins. Leurs occupants jouissent de ces nouveaux avantages, mais n'en tirent pas profit, en régime de marché libre, car les loyers montent en même temps : les propriétaires sont les seuls gagnants. La loi foncière du 31 décembre 1975 institua un « plafond légal de densité » (PLD) fixé en France à 1, dans la capitale à 1,5. Un promoteur construisant une surface de plancher supérieure, à Paris, à une fois et demie la surface de sa parcelle devait payer une taxe correspondant à l'achat, à la collectivité, des mètres carrés ainsi utilisés en excès. Paris était défavorisé par certaines dispositions de la loi : en province, la taxe était reversée à la commune, mais la capitale n'en percevait que la moitié et la région un quart, le dernier quart allant au Fonds national d'équipement des collectivités locales. Dans le cas de hauts immeubles, fréquents dans la périphérie parisienne, la totalité de la taxe était versée au Fonds. Paris, par ce biais, subventionnait la France.

Le gouvernement rétablit la fonction de maire de Paris, qui avait disparu depuis 1800 : la capitale, après les profondes transformations sociales qu'elle avait connues, votait majoritairement à droite. Encore maintenue, cependant, hors du droit commun, elle resta soumise à une forte tutelle de l'État, les deux préfets continuant à prendre le gros des décisions. L'élection d'un maire unique fut une réforme de grande importance, mais elle fit courir deux dangers : personnage considérable, le maire de Paris risquait d'être un chef politique accordant plus d'attention à son destin national qu'à ses fonctions d'édile. Second défaut : la réforme négligeait, une fois de plus, la banlieue. Le maire de Paris représentait environ 2 millions d'habitants, moins du quart de l'agglomération. Une administration et un élu, communs à toute la région parisienne, eussent été autrement efficaces et puissants : c'est bien pourquoi la solution fut écartée. La région d'Ile-de-France, créée en 1976, et la préfecture de région essayèrent de jouer le rôle de coordinateur du Grand Paris que la mairie ne pouvait remplir, mais toutes deux manquèrent de pouvoirs et surtout de moyens : la préfecture de région elle-même, mieux pourvue que l'administration de la région, disposait en 1970 d'environ 200 collaborateurs, quand la municipalité de Paris employait 45 000 agents[1]. Les élections à la mairie (mars 1977) opposèrent Michel d'Ornano, bras droit du président, à Jacques Chirac. Celui-ci fut élu, ce qui montrait la puissance du néo-gaullisme à Paris, mais après avoir présenté un programme d'aménagement de la capitale beaucoup plus modéré que l'ancien projet UDR : il s'agissait non plus de favoriser la croissance par tous les moyens mais de la « discipliner » ; Michel d'Ornano voulait, lui, la « modérer ». Michel Carmona souligne finement l'opposition des deux termes. Les deux politiques, cependant, s'étaient beaucoup rapprochées : dans une capitale prise à contre-pied par l'évolution générale, toutes deux se souciaient surtout de rétablir les équilibres perdus.

A la recherche de l'équilibre perdu

Valéry Giscard d'Estaing avait annoncé clairement ses intentions : « Le temps du béton à n'importe quel prix est passé » ; et, à une autre occasion : « L'époque des villes gigantesques ou celle des organisations démesurées est révolue. J'ai contribué à y mettre un terme[2]. » Dès son investiture, le président décida de remettre à jour le SDAURP établi en 1965 par l'équipe Delouvrier qui avait organisé les grands investissements pendant une décennie sans avoir jamais été officiellement voté : ce document capital n'avait aucune valeur légale. Une revalorisation s'imposait, mais l'élection de 1974 permit une refonte complète. Les responsables de l'aménagement parisien furent donc amenés à modifier profondément leur propre projet, ce qu'ils firent avec une répu-

---

1. Cf. R. Franc, 1971.
2. Discours du 31 mai 1976, cité *in* M. Carmona, 1979, vol. 1, p. 167.

gnance compréhensible. De plus, entre les élus et le gouvernement, s'interposa peu à peu une administration régionale qui acquit un poids croissant. Ces changements expliquent pourquoi le nouveau SDAURP établi en 1974-1975 contenait bien des ambiguïtés et des contradictions.

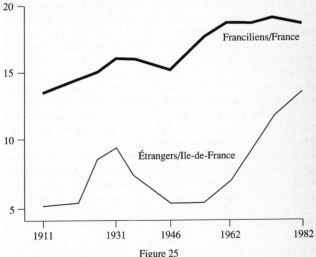

Figure 25
Poids relatifs dans la population française (pour 100)

Michel Carmona souligne quelques grandes nouveautés, et, d'abord, un intérêt nouveau pour Paris et sa banlieue traditionnelle, lié à une critique assez virulente des villes nouvelles. Les immigrés étrangers commençaient à paraître bien nombreux : en 1975, ils formaient 13 % de la population de la région et assuraient la moitié de son accroissement démographique (figure 25). Les villes nouvelles devaient accommoder cette croissance, mais le nouveau régime ne les aimait pas, leur préférant manifestement les villes moyennes anciennes. Il est probable qu'on les aurait supprimées si les travaux n'y avaient été déjà bien avancés. Le gouvernement réduisit leur nombre à cinq, décida de les terminer tant bien que mal et de les remettre dans le droit commun en dix ans,

en somme de leur faire perdre leur originalité et de les
oublier. A Paris, le schéma s'engagea à maintenir l'importance de la fonction résidentielle en limitant la prolifération
des bureaux, à stabiliser le nombre d'emplois (on n'envisageait plus, du moins, de les réduire) et à améliorer les conditions de vie ; il n'est pas sûr que ce dernier engagement
fût sincère. Une contradiction assez dangereuse apparut entre
la spécificité de Paris, nettement reconnue, et la nécessité
affirmée de lier étroitement la vie de la capitale à celle de sa
banlieue : le projet de 1965 et les idées nouvelles semariaient
mal. La protection et l'aménagement des espaces agricoles
et forestiers prirent une place considérable et toute nouvelle
dans le schéma. La situation était mauvaise mais non point
désastreuse : Paris et la Petite Couronne disposaient alors de
7,25 mètres carrés d'espaces verts par habitant, alors que
Rome en comptait 9 et Berlin 13. Le SDAURP sépara soigneusement les espaces naturels des axes de développement
de l'agglomération et dessina des « zones naturelles d'équilibre » pour fournir à la fois de l'oxygène à l'agglomération
et des espaces de repos et de promenade à sa population.
Pour éviter l'érosion progressive des espaces verts, les villes
moyennes de l'agglomération furent chargées d'accommoder la croissance démographique : on comptait moins sur les
villes nouvelles, et on refusait le grignotage des espaces
libres qu'avait entraîné la politique d'Albin Chalandon.
   Le projet pour les transports fut radicalement remanié.
Nombre de routes et d'autoroutes nouvelles prévues en 1965
furent abandonnées – en particulier les voies qui devaient
permettre aux autoroutes de pénétrer dans Paris (radiale
Vercingétorix, qui menait l'A10 de la porte de Vanves jusqu'à la gare Montparnasse afin de desservir la tour ; radiale
Denfert-Rochereau prolongeant l'autoroute du Sud jusqu'à
cette place) et la voie express rive gauche qui avait suscité
tant d'opposition qu'on avait songé à la faire passer dans un
tunnel souple immergé au fond de la Seine. Plus important
encore, le réseau prévu pour le RER devait être connecté à
celui de la SNCF (une mesure de bon sens qu'il avait fallu
attendre presque un siècle tant les deux réseaux s'étaient
opposés) et son tracé fut changé : deux lignes est-ouest au
lieu d'une (on y ajouta l'ancienne ligne de la SNCF longeant
la Seine) et, surtout, une seule ligne nord-sud croisant la

ligne A à la station Châtelet-Les Halles. Le projet de 1965 en prévoyait deux qui auraient coupé la ligne A plus à l'ouest, vers les Invalides, et plus à l'est, vers le pont d'Austerlitz, en joignant toutes les gares. Le changement était de taille : le nouveau tracé, qui fut réalisé, augmentait considérablement le rôle du centre-ville alors que l'ancien répartissait mieux dans Paris l'accumulation du trafic due aux correspondances. Le nouveau parti choisi en 1975 pour le RER combinait en outre ses effets avec ceux du tracé établi en 1900 pour le métro. Contrairement aux intentions initiales, la place du Châtelet et les Halles redevenaient le centre principal de l'agglomération et allaient attirer des voyageurs, grâce aux lignes du RER, depuis la banlieue éloignée, d'autant plus que les grandes autoroutes de rocade prévues en 1965, qui devaient relier les communes de banlieue entre elles, étaient abandonnées. Enfin, s'opposant de nouveau à la doctrine Chalandon, le SDAURP institua un contrôle des masses architecturales en élévation, en volume si l'on peut dire, afin d'épargner au paysage urbain le traumatisme que produisaient des tours trop hautes : l'architecture était surveillée et liée étroitement à l'urbanisme. Le texte préparé par l'administration reflétait le trouble dans lequel celle-ci se voyait plongée, contrainte de modifier profondément un schéma qu'elle avait préparé et qu'elle essayait d'appliquer depuis dix ans. Le projet organisa une hiérarchie de plans : le SDAURP à l'échelle de la région parisienne, des SDAU pour les principales villes de l'agglomération, des POS (plans d'occupation des sols) détaillés dans les principales communes. Chaque document devait se conformer aux prescriptions du document plus général :

Document	*Nombre*
SDAURP	1
SDAU, SDAU, SDAU, etc.	88
POS, POS, POS, etc.	826

Le projet présenté devant le conseil d'administration du district en mars 1975 fut l'occasion de polémiques aiguës entre gaullistes et giscardiens (l'opposition de gauche ne comptait que 3 élus sur 54). Finalement, le SDAURP fut approuvé le 1er juillet 1976, le jour où se mettait en place la région d'Ile-de-France. Les débats avaient permis aux gis-cardiens de préciser leur attitude envers Paris. Michel Ponia-towski, ministre de l'Intérieur et ami intime du président, recommanda une réduction des équipements publics dans la région parisienne afin de tarir les migrations vers Paris. Il s'agissait, sans oser le dire, de laisser péricliter la capitale afin d'en détourner les provinciaux et peut-être les Parisiens eux-mêmes, découragés :

> Jusqu'à une date récente, l'objectif était de faire face à l'accroissement des besoins dus à l'accroissement de la population. La conséquence en a été une « fuite en avant », l'équipement poursuivant la démographie et réciproque-ment, sans qu'on puisse espérer atteindre l'équilibre. J'at-tends de la modération à terme des besoins l'arrêt de cette course qui n'est profitable à personne[1].

Le ministre parlait de « modération des besoins », sur les-quels il ne pouvait agir : il fallait comprendre « modération des équipements », qu'il était en train de réduire. A cette époque, la région parisienne assurait, par ses impôts, près de 30 % des ressources de l'État.

La préparation du VIIe Plan (1976-1980) commença en 1975. Le diagnostic des difficultés de la région était assez sombre : la politique d'aménagement menée depuis douze ans par la DATAR avait affaibli la capitale en en chassant les industries (figure 26). Paris était devenu trop dépendant des activités tertiaires (voir tableau).

	Région parisienne		*France*	
	1969	*1973*	*1969*	*1973*
Personnel de production[2]	52,7 %	49,9 %	66 %	63,9 %
Emplois de service	46,4 %	49,2 %	33 %	35,4 %

1. Discours du 9 juin 1975, *ibid.*, p. 260.
2. Voir M. Carmona, 1979, p. 294.

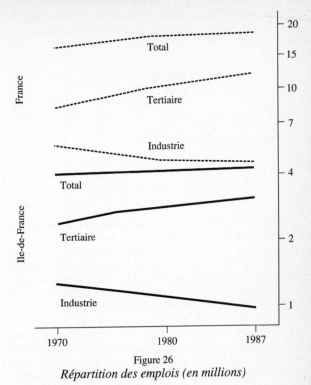

Figure 26
Répartition des emplois (en millions)

La crise qui commença en 1972 renforça cette spécialisation : entre 1971 et 1973, l'industrie parisienne perdit 42 000 emplois industriels et gagna 172 000 emplois tertiaires. Les progrès économiques qu'aurait pu faire l'Ile-de-France étaient regardés de nouveau d'un mauvais œil : alors que toutes les régions avaient créé des sociétés de développement régional (SDR) afin d'aider les entreprises locales, de les conseiller et d'y investir des capitaux en y prenant des participations, l'Ile-de-France ne fut autorisée qu'après les autres à créer sa SDR, la SOFIPARIL, qui commença à intervenir en 1978 ; il ne lui fut permis que de prendre des participations, toute autre forme d'aide lui était interdite. La procédure d'agrément imposée pour limiter la croissance des entreprises en Ile-de-France fut menée avec fermeté, malgré la crise :

Surfaces industrielles agréées en région parisienne[1] (en mètres carrés)	
1971	626 000
1972	747 000
1973	932 000
1974	581 000
1975	385 000

On estimait en 1972 que, si la procédure d'agrément n'avait pas existé, 2 500 000 mètres carrés auraient été construits dans la région. Des demandes furent présentées pour une surface totale de 1 100 000 mètres carrés ; 700 000 mètres carrés seulement furent agréés. A la redevance que durent payer ces heureux élus, s'ajouta une taxe de 1,7 % sur les salaires versés pour financer les transports. Ainsi, l'agrément réduisit des deux tiers la création d'entreprises à Paris et dans ses alentours. L'évolution des emplois en province montre qu'une large portion de ces emplois refusés furent créés à l'étranger plutôt que dans le reste de la France. Maurice Doublet, ancien préfet de la région d'Ile-de-France, déclare :

> Combien d'exemples pourrais-je citer de refus de constructions, d'implantations de sièges sociaux, d'entreprises, d'usines à Paris et dans l'Ile-de-France – hors des villes nouvelles – parce que la DATAR exigeait que ces implantations aient lieu à Toulouse, à Fos ou à Vierzon. Ce sont tous ces refus qui ont fait le bonheur de Francfort, de Bruxelles et de Londres [2].

Déterminer les rapports de Paris et de la France était devenu, lors du changement de régime, un thème brûlant.

1. *Ibid.*, p. 437.
2. CREPIF, 1991, p. 68.

Trois rapports successifs prirent des partis différents [1]. La
DATAR, essayant en 1973 de peser sur le nouveau SDAURP
et de limiter la croissance parisienne, commanda le rapport
Albert [2] : une enquête fut faite auprès de personnalités étrangères, mais celles-ci furent choisies de façon contestable et
leurs réponses furent triées, corroborant l'impression que
l'on voulait donner. Le rapport concluait que Paris était en
train de perdre sa prééminence culturelle et intellectuelle, et
que ce déclin était dû à la sclérose bureaucratique, à la dégradation du cadre de vie et à la destruction, par les grands travaux, du patrimoine ancien ; il convenait de moderniser les
infrastructures (téléphone, circulation…) sans altérer davantage le paysage urbain. On observait bien que le rôle de Paris
dans les relations économiques et financières internationales
était beaucoup trop faible, mais on ne songea pas à incrimi-
ner la politique d'aménagement passée. Le rapport recommandait au contraire de réduire les emplois parisiens et de
veiller avant tout à conserver à la ville cette aménité, cette
douceur qui avaient fait sa séduction au XIXe siècle. Pour
faire pièce au rapport Albert, la région commanda au Hudson Institute une autre étude [3] qui lui fut remise en octobre
1974. Envisageant la région parisienne, et non plus seulement la ville, ce deuxième rapport reconnaissait aussi le
déclin intellectuel de Paris dans le monde, mais jugeait que
le cosmopolitisme intense de la capitale était un atout puissant. Il insistait sur la croissance démographique et économique de la région et s'inquiétait des clivages qui semblaient
s'aggraver entre une moitié est pauvre et industrielle et une
moitié ouest riche qui concentrait les bureaux ; entre un
centre vieillissant en train de se vider, et suréquipé, et une
périphérie jeune, en plein essor mais gravement sous-équi-
pée. Finalement, le rapport peignait avec optimisme l'avenir
de la région et recommandait de maintenir la diversité
sociale dans la ville et la région en consacrant des crédits
importants à la lutte contre la spéculation foncière. Le mois
suivant (novembre 1974), Jacqueline Beaujeu publia un troi-

---

1. Présentation très claire *in* M. Carmona, 1979, que nous suivons de
près.
2. M. Albert, 1973.
3. Hudson Institute, 1974.

sième rapport, élaboré pour le comité consultatif économique et social, qui présentait des vues plus modérées que les travaux précédents[1]. Distinguant les échelles différentes de la ville, de la région et du Bassin parisien, l'auteur rappelait quelques faits fondamentaux. Entre 1850 et 1940, la région parisienne avait absorbé les neuf dixièmes de l'augmentation de la population nationale : tout le monde était d'accord pour limiter sa croissance, mais jusqu'à quel point ? et de quelle manière ? La région assurait un tiers des activités tertiaires françaises et de la consommation nationale, et payait 38 % de l'impôt sur le revenu. La décentralisation, entre 1950 et 1971, avait créé quelque 500 000 emplois en province, situés pour les deux tiers à moins de 300 kilomètres de Paris, c'est-à-dire dans le Bassin parisien. Il ne paraissait ni possible ni souhaitable d'essayer de casser ce puissant ensemble régional. Le rapport, prenant une position médiane entre les deux documents précédents, recommandait de diminuer les migrations alternantes, de préserver la variété sociale des quartiers de Paris et des communes de la région, et de stabiliser la population *intra muros* ou, à la rigueur, d'accepter une légère diminution. La politique d'aménagement, menée à peu près sans interruption depuis 1948, ne semble pas avoir été remise en question. Valait-il mieux investir là où la productivité était la meilleure afin de produire plus de richesses, c'est-à-dire dans la région parisienne, ou bien dans les régions les plus déshéritées, et quel coût supplémentaire une telle politique entraînait-elle pour la communauté nationale ? Cette question fondamentale ne fut pas posée, encore moins présentée à l'opinion publique. Les trois rapports différaient passablement, mais tous étaient implicitement convaincus qu'une région plus dynamique que les autres devait nécessairement être bridée. Le régime giscardien, ne doutant pas de l'accord général sur ce point, continua d'appauvrir furtivement la région parisienne :

> certains responsables de l'aménagement en région parisienne se demandent si, en fait, la politique de la DATAR ne repose pas sur un principe d'action plus insidieux mais combien plus efficace : afin de dissuader les provinciaux de s'établir à

1. J. Beaujeu, 1974.

Paris, et d'inciter les Parisiens à aller vivre en province, le meilleur moyen n'est-il pas de développer la qualité de la vie en province tout en laissant se dégrader le cadre de vie des habitants de la région parisienne ? Par conséquent, la véritable politique de la DATAR, en vue de provoquer le blocage du développement de Paris, consisterait à *faciliter la multiplication des problèmes dans la région parisienne* : crise de l'emploi, notamment en matière industrielle, difficultés de transport, difficultés dans le domaine du logement, accroissement des nuisances [1].

On ne peut qu'approuver Michel Carmona tout en remarquant qu'une telle politique remonte au moins aux années 1950, avant la création de la DATAR (dont la doctrine a beaucoup changé au cours des années), et qu'elle n'a pas cessé après les élections de 1981. Elle n'est pas celle d'un parti, mais plutôt une tendance générale acceptée par l'ensemble de la classe politique française. L'hypothèse de Carmona, si elle est confirmée, signifierait que des dirigeants ont organisé eux-mêmes le sabotage et l'appauvrissement d'une région capitale qui produit plus du quart de la richesse nationale et assure 30 % des ressources de l'État, TVA comprise. On ne peut expliquer une démarche aussi constante et aussi étrange par le seul jeu d'intérêts particuliers : il faut évoquer des ressorts plus obscurs, de nature idéologique. L'accord presque parfait contre Paris, dans la classe politique française, mérite une analyse fine qui reste encore à faire.

« Changer la vie » à Paris

Les socialistes prirent le pouvoir en mai 1981 afin de « changer la vie ». Il ne semble pas cependant qu'ils aient eu d'abord, en ce qui concerne l'aménagement urbain et la planification régionale, une politique bien différente de celle de leurs prédécesseurs. Ils entamèrent, en 1982, une politique de décentralisation qui transmit aux collectivités locales plus

1. Carmona, 1979, vol. 1, p. 590 (souligné par l'auteur même).

de responsabilités que de moyens, et se gardèrent soigneusement de redonner à la région parisienne l'autonomie dont
elle était privée depuis deux siècles. Ils s'attaquèrent aux
deux principaux problèmes parisiens, le logement et les
transports, et butèrent sur la crise des banlieues. Ils tentèrent
de développer une « culture populaire » et, surtout, voulurent
marquer leur époque par des monuments durables. La
gauche française, traumatisée par les échecs rapides du Car-
tel des gauches (1924), du Front populaire (1936) et aussi de
Salvador Allende, voulut construire des monuments impéris-
sables, *aere perenno*.

Les principaux problèmes parisiens

L'Union de la gauche fit montre de fermeté, sinon d'originalité, dans le domaine du logement. Les loyers, libérés,
avaient monté. L'opinion publique comparait les prix fonciers de Paris à ceux d'Angoulême ou de Rennes, et non pas
à ceux de grandes métropoles étrangères comme Londres
ou New York, et s'effarait de les voir deux fois plus élevés.
Bloquer de nouveau les loyers devait tenter les politiciens.
L'expérience de la Troisième République aurait cependant
dû les faire réfléchir, d'autant que le gouvernement italien
avait établi à son tour, dans les années 1970, un strict
contrôle des loyers et assuré le maintien des occupants dans
les lieux. La loi *Equo canone* (1978) avait eu les effets habituels : pénurie croissante de logements, multiplication des
pratiques illégales, impossibilité pour les jeunes et les nouveaux arrivés de se loger, sous-locations très coûteuses au
marché noir. Après l'expérience française de la Troisième
République, l'expérience italienne avait montré à quelles
distorsions perverses aboutit le blocage durable des loyers.
Depuis 1973 (en vérité, depuis 1914), les loyers ont toujours
été plus ou moins contrôlés : bloqués par le plan Barre
(1976), « encadrés » par la loi du 29 décembre 1977, bloqués
plus rigoureusement encore par la loi Quilliot (juillet 1982),
encadrés à nouveau en 1989, ils ont cependant augmenté
continuellement. La loi Quilliot fut particulièrement ferme,
rétablissant un blocage strict et garantissant le maintien des
occupants dans les lieux. La loi, comme toutes les précé-

dentes mesures foncières, visait principalement l'immobilier parisien : le nombre de logements proposés en location dans la capitale diminua de près d'un tiers en quelques mois. Comme, à la suite de la politique de rigueur décidée en 1983, l'inflation baissait fortement et que le gouvernement maintenait, dans ce but, des taux d'intérêts élevés, les investisseurs furent moins attirés par les placements immobiliers, refuge traditionnel contre la chute de la monnaie, et en furent détournés par les faibles rendements, d'autant que la Bourse, sous le régime socialiste, était florissante. Un appartement à Paris rapportait bon an mal an, avant 1981, de 3 à 5 %, déduction faite des frais d'entretien et des impôts. La loi Quilliot réduisit ce profit net à moins de 3 % et interdit au propriétaire de récupérer facilement son bien pour loger des amis ou des parents. L'investissement immobilier s'effondra, aggravant la crise du logement. Paul Quilès, successeur de Roger Quilliot au ministère de l'Équipement et du Logement, promit de poursuivre son œuvre, puis fit voter une loi plus libérale. Troisième mesure en sept ans, la loi Mermaz-Malandain (1989) revint en partie aux mécanismes de marché.

Le contrôle des loyers gêna les déménagements ; un effet pervers qui ralentit l'adéquation des logements aux besoins des ménages, car la réglementation ne permet guère d'augmenter les loyers que lors d'un changement de locataire : en 1990, alors que l'ensemble des loyers parisiens avaient augmenté en moyenne de 6,2 %, ceux qui venaient d'emménager payaient 18 % de plus que les locataires précédents. Les deux dernières lois (Quilès et Mermaz-Malandain) ont essayé de distribuer plus largement une information plus sérieuse sur les prix effectivement pratiqués. Un Observatoire du logement, géré par l'IAURIF, a reçu la mission de relever les prix de vente pratiqués dans Paris et sa banlieue.

Les conditions nécessaires au bon fonctionnement d'un véritable marché foncier ont donc commencé, petit à petit, à être satisfaites. Entièrement libres, à la différence des loyers, les prix de vente des logements ont beaucoup varié (figure 27, p. 338) : demeurés à peu près stables, en francs constants, entre 1979 et 1984, ils se sont envolés (indice INSEE : 100 en 1980, 208 au 1er janvier 1991) entre 1986 et 1991, pour s'affaisser ensuite de près de 20 % jusqu'en 1992.

Il s'agit d'un phénomène proprement parisien (figure 28,

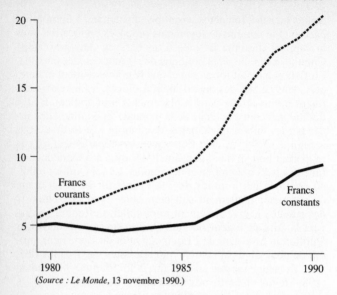

(*Source : Le Monde*, 13 novembre 1990.)

Figure 27
*Prix des logements au m² à Paris
(en milliers de francs)*

p. 339) : les prix moyens des logements ont décliné en France
à partir de 1987, alors qu'ils s'élevaient rapidement à Paris,
sous l'effet des investissements étrangers. Les Japonais, les
Anglais, surtout, mais aussi les Allemands et les Américains
ont acheté des immeubles entiers de bureaux et de logements.
Les deux courbes divergent : le rôle international de Paris est
en train de prendre le pas sur sa fonction de capitale nationale. La hausse a entraîné des effets importants. Les loyers
ont augmenté aussi, mais ils ne peuvent suivre les prix
d'achat des appartements : l'investissement immobilier dans
la capitale est de moins en moins rentable, d'autant que
l'inflation, depuis quelques années, est faible. Paris devient
de plus en plus une ville de cadres supérieurs et de professions libérales : entre 1962 et 1982, ces catégories ont augmenté de 40 % tandis que le nombre de ménages ouvriers
diminuait de 45 %. La principale cause d'augmentation des

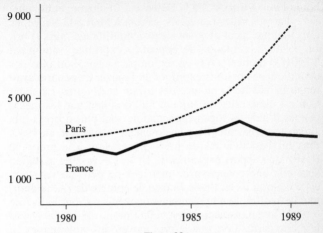

Figure 28
Prix des logements anciens au m²
(en francs constants)

loyers est l'immense retard accumulé pendant plusieurs décennies. Une autre cause est à chercher dans la concurrence des bureaux, qui se louent deux ou trois fois plus cher que les appartements. Même si la transformation de logements en bureaux est sévèrement limitée, les deux marchés ne sont pas totalement étanches. Les bureaux ont été en nombre insuffisant jusqu'à ces dernières années (ce qui a fait monter leurs loyers), à cause de la procédure d'agrément qui, pour favoriser la province, limitait plus ou moins sévèrement leur construction. L'abandon de ce contrôle a entraîné une véritable explosion de la construction, dont la violence est à la mesure du retard accumulé : l'Ile-de-France a gagné 5 millions de mètres carrés entre 1986 et 1989. Ils ont été construits surtout dans la Petite Couronne, particulièrement à l'ouest de Paris : les Hauts-de-Seine ont reçu 39 % des constructions en 1989 et plus de la moitié de l'accroissement du parc de bureaux total[1]. En 1990, plus d'un tiers des bureaux ont été construits dans le « croissant tertiaire » qui

1. Cf. le supplément à *Investir*, n° 882, 15 décembre 1990.

borde Paris à l'ouest, de la Défense à Boulogne, et un autre
tiers dans les villes nouvelles, surtout à Marne-la-Vallée, ce
qui indique peut-être un lent rééquilibrage vers l'est.
En 1989, la demande de bureaux « exprimée » atteignait
1 700 000 mètres carrés en région parisienne, soit plus des
deux tiers des besoins exprimés en France. La pénurie avait
rendu inévitable la montée des loyers et des prix. La situation est donc difficile aujourd'hui, d'autant que les mécanismes d'aide au logement social ne sont plus adaptés à la
situation parisienne. Le gouvernement a contraint, en 1990,
tous les bénéficiaires de prêts d'accession à la propriété
(PAP) à un apport personnel de 10 %. Les prix de la région
sont tels que beaucoup de ménages ne peuvent satisfaire
cette condition : en Ile-de-France, le nombre de PAP a diminué de moitié. Les prêts conventionnés aussi ont baissé de
9 % : le logement acquis doit coûter moins de 15 000 francs
le mètre carré, alors que le prix moyen des programmes en
accession dans les deux arrondissements les moins chers de
Paris (XIXe et XXe) est de 22 000 francs [1]. Le boom de la
construction de bureaux et surtout de logements, provoqué
par une longue pénurie, entraîne, depuis 1990, une crise :
l'offre est devenue supérieure à la demande. Le président des
promoteurs d'Ile-de-France « annonce une baisse des ventes
de 30 % au second semestre 1990 et un gonflement des
stocks de 15 à 20 % [2] ». A Paris, les ventes ont baissé de
34 % en 1990, de 70 % au dernier trimestre 1990 [3]. Le niveau
exceptionnellement élevé du taux d'intérêt réel (plus de 7 %,
déduction faite de l'inflation) décourage les acheteurs :
« Une hausse d'un point du prix du crédit immobilier rend
10 % des ménages insolvables [4]. » Au cours du premier
semestre 1991, le nombre de cessions immobilières enregis-
trées par les notaires a diminué de moitié.

Il n'y a plus guère de terres libres à Paris : on n'ose plus
démolir comme le faisait Haussmann. Des urbanistes ont
proposé de recouvrir les boulevards périphériques et les
voies de chemin de fer, comme on a commencé à le faire à

1. Cf. *Le Nouvel Économiste*, n° 761, 14 septembre 1990, p. 40.
2. *Le Monde*, 10 avril 1991.
3. *Ibid.*
4. Rapport de la société Auguste-Thouard, *ibid.*

la gare Montparnasse en construisant des immeubles de bureaux sur l'immense dalle qui recouvre les voies ; certains ont même suggéré de recouvrir la Seine. Seuls des organismes ou des administrations comme l'armée ou la SNCF peuvent encore libérer quelques espaces assez vastes, aussitôt érigés en zones d'aménagement différé (ZAD) où la puissance publique est en mesure de contrôler l'évolution des prix fonciers[1]. Cette procédure commode a été utilisée pour les projets des grands chantiers du président ; elle ne résout pas la question du logement social. La meilleure manière de loger des ménages modestes qui travaillent à Paris est d'améliorer les réseaux de transport afin que la banlieue soit commodément accessible : un réseau de transport « parfait », c'est-à-dire gratuit, sûr et rapide, tend à égaliser les prix fonciers dans toute l'agglomération. La question du logement est ainsi étroitement liée à celle des transports.

On s'attendait que la gauche, apôtre des transports en commun, les développât vigoureusement. Le parti communiste, entre 1981 et 1983, fut même responsable de ce secteur puisque Charles Fitterman devint ministre des Transports et qu'il nomma Claude Quin, notable du Parti, à la présidence de la RATP. Une fraction du coût de la carte Orange fut portée à la charge des entreprises, réforme souvent réclamée par des économistes libéraux[2]. L'interconnexion des réseaux de la RATP et de la SNCF fut poursuivie, mais la coordination des deux entreprises, en raison des différents privilèges dont jouissent leurs personnels, est encore très mal assurée : on est loin de l'étroite collaboration que certaines villes comme Toronto ont su organiser entre métro, tramway et autobus, et qui donne d'excellents résultats. Le réseau du RER et diverses prolongations du métro avancèrent selon les choix du SDAURP giscardien de 1975. On n'osa pas, cependant, s'attaquer aux principaux problèmes : le stationnement dans

1. En cas d'augmentation excessive, l'État a le droit de préempter une transaction, de s'emparer de la parcelle et de la payer au prix qu'auront estimé ses propres experts.
2. Une entreprise peu accessible doit, en marché de l'emploi concurrentiel, offrir à un employé, pour l'attirer, le salaire que lui verserait l'entreprise la mieux placée plus le coût supplémentaire du transport. C'est l'une des raisons principales du déficit habituel des transports urbains, qui met à la charge des contribuables des dépenses incombant aux entreprises.

Paris et la desserte de la banlieue. Limiter sévèrement le stationnement et multiplier les parkings souterrains est la meilleure solution, celle qu'ont retenue à peu près toutes les grandes villes du monde industriel : soit qu'elles interdisent l'accès au centre à certaines heures (Milan, Londres, Rome), soit qu'elles fixent des taxes de stationnement très élevées (New York). Le préfet de police relève, à Paris, non de la Ville, mais de l'État, et le pouvoir central, trop lointain, a toujours reculé devant des décisions impopulaires. Tolérant puis acceptant le stationnement sur les trottoirs, il a fait preuve continuellement d'une étonnante indulgence. Chacun des quatre grands partis français a été impliqué dans la politique des transports à Paris, directement ou indirectement ; tous ont fait preuve de ce qu'il faut bien appeler « démagogie », ou peut-être pour certains, soucieux d'affaiblir la capitale, « cynisme ».

Une réduction du trafic automobile dans Paris implique de grands investissements routiers en banlieue et un meilleur fonctionnement des transports en commun. Une grande partie des voitures qui encombrent Paris se rendent d'une banlieue à une autre et ne font que traverser le centre : l'abandon du « super-périphérique » qu'avait prévu le SDAURP de 1965 a eu des conséquences désastreuses. Des projets récents, proposés par de grands groupes privés de travaux publics (LASER, par les Grands Travaux de Marseille, ou HYSOPE, par Bouygues et SPIE-Batignolles), prévoient des liaisons de banlieue à banlieue au moyen d'autoroutes souterraines enfouies sous Paris mais sans aucune sortie intermédiaire dans la capitale. Les capitaux seraient purement privés, ce qui implique une opération rentable, mais la difficulté d'assurer la sécurité des véhicules et l'évacuation des gaz usés, les embouteillages créés à la sortie et à l'entrée de ces grands axes ont fait douter de ces projets. Les réseaux ferrés de la SNCF et du RER sont impressionnants et semblent doter Paris d'un des meilleurs systèmes de transport en commun au monde. Encore faudrait-il qu'il soit efficacement géré. Les banlieusards se plaignent de la vétusté des trains, de leurs perpétuels retards, de l'insécurité qui y règne, défauts devenus si fameux qu'ils ont servi de thème à plusieurs films[1].

---

1. Cf., par exemple, *Elle court, elle court, la banlieue* (Pirès, 1972).

Les grèves sont fréquentes et la productivité de la RATP est déplorable. Le prix du ticket couvre à peine un tiers du coût : la différence est comblée par des subventions de la région et de l'État (70 %), une aide à la capitale que lui ont continuellement reprochée les partisans de la décentralisation et que l'État, il est vrai, n'accorde pas aux autres villes. Malgré des prolongements courts et peu nombreux dans les communes de proche banlieue, le métro est resté un réseau proprement parisien : un grave défaut qui date de sa conception même. Deux nouveaux projets de la SNCF et de la RATP, préparés malheureusement sans grande coordination, devraient avoir un effet bénéfique (figure 29, p. 344).

EOLE, de la SNCF, reliera, en 1996, les gares de l'Est, du Nord et la gare Saint-Lazare : une liaison importante qu'avaient déjà recommandée le préfet de Paris sous le Second Empire, puis le conseil municipal en 1872. En 1995, la RATP doit ouvrir au public METEOR, une ligne souterraine parcourue par un métro sans pilote équipé par MATRA : cette ligne dégagera le sud-est de Paris en plein développement (Bercy, Tolbiac) mais gravement enclavé, et triplera bizarrement les tronçons du métro et du RER entre les Halles et la gare de Lyon. Ces deux lignes seront prolongées ultérieurement vers les banlieues nord-ouest et nord-est. Aujourd'hui, 87 % des banlieusards utilisent l'automobile pour se rendre dans une autre banlieue, tant les transports en commun y sont mal développés. Certaines communes périphériques vont enfin être reliées entre elles : la Seine-Saint-Denis construit un tramway de Bobigny à La Courneuve puis à la basilique Saint-Denis ; le premier tronçon a été inauguré en 1992.

Suivant la doctrine constante des aménageurs parisiens, le rôle des transports en commun est d'écrêter les pointes de trafic, d'assurer principalement les mouvements pendulaires, du domicile au travail[1] ; les autres déplacements (65 % du total) doivent être faits en automobile. En banlieue, la voiture est indispensable, ce qui pèse lourdement sur les budgets familiaux : le prix du logement n'y est pas très inférieur à celui de Paris si l'on cumule loyer et coûts de transport. Au moment où le gouvernement prépare un nouveau plan

1. P. Merlin, 1982*b*.

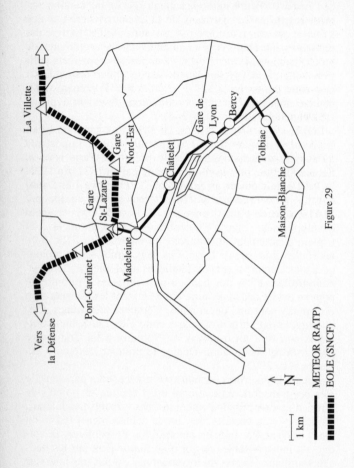

Figure 29

METEOR (RATP)
EOLE (SNCF)

La Villette

Vers
la Défense

Pont-Cardinet

Gare
St-Lazare

Madeleine

Gare
Nord-Est

Châtelet

Gare de
Lyon

Bercy

Tolbiac

Maison-Blanche

N

1 km

d'aménagement de la région parisienne, chaque autorité inté-
ressée tente de prendre date. Le département des Hauts-de-
Seine, le plus riche de la région, a proposé en décembre 1990
une « charte d'aménagement » prévoyant une rocade ouest
faite de voies souterraines reliant Orly à Gennevilliers par la
Défense qui seraient financées par des capitaux privés. Le
conseil régional a proposé à son tour, le 28 mars 1991, le projet ICARE : un réseau d'autoroutes souterraines à péage qui
entoureraient la capitale d'un anneau relié aux autoroutes
existantes et aux grands pôles de banlieue (villes nouvelles
comme Marne-la-Vallée ou centres nouveaux : Roissy, Orly,
La Défense-Gennevilliers). Long de 150 kilomètres, creusé à
50 mètres de profondeur, ICARE coûterait 60 milliards de
francs et sa construction durerait vingt-cinq ans ; préparé par
l'IAURIF et une filiale de la Caisse des dépôts, ce projet
gigantesque devrait recevoir 360 000 usagers à l'heure pour
un péage de 2 francs au kilomètre. Mais le conseil ne peut
donner qu'un avis consultatif et l'inclusion de ce projet dans
la programmation régionale n'est pas assurée.

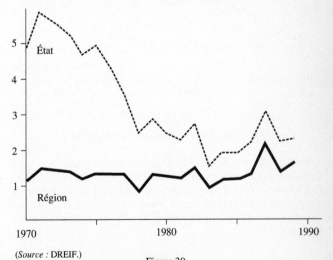

(*Source* : DREIF.)

Figure 30
*Investissements routiers
en Ile-de-France (en milliards de francs 1989)*

La politique d'investissement de l'État en région parisienne a radicalement changé après 1975 (figure 30) : la région a maintenu son effort et l'a même accentué après 1985, mais le budget national a divisé son aide par deux.

L'effet n'a pas tardé (figure 31) : depuis 1978, les encombrements s'aggravent chaque année alors que le réseau autoroutier de province assure correctement l'écoulement d'un trafic pourtant en augmentation.

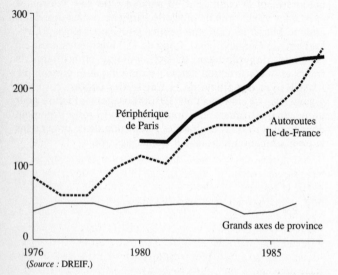

Figure 31
Encombrements (en milliers d'heures/km)

Tout se passe comme si la dégradation des transports dans la région parisienne avait été acceptée, peut-être même voulue. Certes, l'État a investi, depuis 1981, près de 30 milliards de francs supplémentaires à Paris, mais dans des projets somptuaires qui n'améliorent guère la vie quotidienne du Parisien.

Les grands chantiers du président

> Paris est une ville qui, dans l'après-guerre, n'a pas produit
> cinq bâtiments de classe internationale [...]. Le général de
> Gaulle s'intéressa principalement à l'aménagement du terri-
> toire ; la modernisation des Halles fut la seule question qui
> attira, à Paris, son attention. Pompidou n'eut qu'un projet : il
> décida la construction du centre Beaubourg très vite après
> son élection, vers décembre 1969 [...] ; c'est la venue au
> pouvoir de Valéry Giscard d'Estaing qui marque véritable-
> ment le départ de cette course aux « Grands Projets » que
> François Mitterrand devait mener à un niveau inégalé [1].

Valéry Giscard d'Estaing fut le premier à intervenir fortement, ouvertement et continuellement dans la planification
et la construction des grands projets, remplaçant les bâtiments d'affaires et le ministère des Finances prévus aux
Halles par un grand jardin, le Centre de commerce international projeté dans la gare d'Orsay par un grand musée du
XIXe siècle, réordonnant de façon plus classique, à la française, le parc de la Villette, et cachant la boule de la Géode,
trop moderne, à l'intérieur du musée des Sciences, choi-
sissant enfin pour la Défense un alignement de grands
immeubles couverts de miroirs (Tête Défense) que beaucoup
jugèrent trop traditionnels. On commença, après 1974, à parler de « fait du prince » et à critiquer un urbanisme d'embellissement que l'on compara à la politique des monarques
d'Ancien Régime. Il n'est pas sûr que ces critiques, venues
surtout de la gauche, mais aussi des gaullistes écartés du
pouvoir, aient déplu au président Valéry Giscard d'Estaing.
François Mitterrand créa la surprise en s'engageant personnellement, dès l'été 1981, dans ces grands projets. A la fin de
septembre, le nouveau président annonçait ses décisions :
déménagement du ministère des Finances pour créer un
« Grand Louvre », abandon du projet de la Tête Défense,

---

1. F. Chaslin, 1986, p. 13 et 15 (étude fondamentale qu'on utilisera ci-
après). Sur les grands travaux, on consultera aussi Ph. Urfalino, 1990 ;
G. Charlet, 1989 ; et les photos du numéro spécial de *Connaissance des
Arts*, 1989.

Projet	Décision/début construction	Inauguration	Architectes
Centre Beaubourg	1969	1977	Piano et Rogers
Musée d'Orsay	1979-1982	1986	Bardon *et al.*, Gae Aulenti
La Villette	1983		
Cité des sciences		1986	Fainsilber
Zénith		1984	Chaix et Morel
Parc et folies		1989	B. Tschumi
Cité de la musique		1990	C. de Portzamparc
Institut du monde arabe	1974	1987	J. Nouvel
Ministère des Finances (Bercy)	1981	1989	P. Chemetov
Opéra-Bastille	1981-1984	1989	C. Ott
Grande Arche de la Défense	1983	1989	Von Spreckelsen
Grand Louvre	1981-1983	1993	I. M. Pei
Bibliothèque de France (TGB)	1991	1996	D. Perrault
Centre de conférences internationales	1991	1995	F. Soler

Les grands chantiers des présidents (calendrier)

poursuite des travaux à Orsay et à la Villette (mais avec un peu plus d'audace : la Géode, retirée du musée où Valéry Giscard d'Estaing l'avait cachée, retrouvait sa place initiale dans un parc que l'on essayait moins de copier sur Versailles), construction d'une Cité internationale de la musique. Il annonçait aussi l'organisation d'une Exposition universelle à Paris en 1989 pour fêter le bicentenaire de la Révolution. Ainsi commençait, dès les premiers mois de son règne, une vague de grands travaux qui devait grandir, s'enfler, et aboutir, en 1991, à neuf chantiers gigantesques dont sept de conception nouvelle : il faut retourner un siècle en arrière, jusqu'au Second Empire, pour retrouver un tel effort architectural ; architectural, et c'est là que le bât blesse, car l'urbanisme semble bien négligé dans ce vaste programme.

Le musée d'Orsay fut inauguré sous la présidence de François Mitterrand, mais toutes les décisions importantes avaient été prises par Giscard d'Estaing : création d'un musée du XIXe dans l'ancienne gare, à la place du Centre de commerce international initialement prévu, place importante puis dominante dans la décoration interne accordée à Gae Aulenti en 1980. François Mitterrand joua un rôle plus important dans la réalisation de la Villette : il rétablit la Cité des sciences et de l'industrie, logée tant bien que mal dans la grande salle des ventes des anciens abattoirs, dans son état primitif et compléta son équipement pour lui permettre de jouer un rôle didactique. Le parc confié en 1983 à Bernard Tschumi fut conçu de façon très souple afin de pouvoir contenir des projets d'architectes différents. La cohérence devait être assurée par une quinzaine de pavillons, les « folies » :

> Disposées régulièrement, implacablement, aux intersections d'une grille théorique de 120 mètres, rouges, vives, elles sont les signaux du parc : elles en marquent la cohésion et la dispersion[1].

Un « sentier didactique » de 3 kilomètres serpente au milieu du parc de 30 hectares (les Tuileries en ont 33), reliant

1. F. Chaslin, 1986, p. 222.

des « jardins à thèmes », chacun confié à un architecte ou à un paysagiste différent. Les prétentions intellectuelles ne firent pas défaut dans le projet. Bernard Tschumi citait longuement Michel Foucault pour justifier ses folies et François Chaslin, dans le langage simple et un peu rude mais direct des architectes, écrit :

> C'est bien à la violence, au dérèglement, aux entre-chocs que recourt Bernard Tschumi dans l'élaboration d'une esthétique qui se voudrait active, faite de coïncidences hasardeuses, de combinaisons aléatoires, de manipulations délibérément contraires à la logique et aux habitudes de la composition architecturale, du même registre que l'Oulipo… [1].

Bref, un nouveau parc sans beaucoup d'espaces verts était ouvert au public. On renonça, à cause de son coût, à la grande salle de rock qui devait être construite au-dessus de l'échangeur de Bagnolet, mais François Mitterrand, qui y tenait, fit ouvrir le Zénith dans le parc de la Villette, construction provisoire qui semble avoir satisfait son public. Un grand centre musical avait été réclamé par la sœur du président Valéry Giscard d'Estaing, Mme du Saillant, que la danse passionnait. A la suite du changement de la famille régnante, on décida la construction d'une Cité de la musique qui héberge aujourd'hui le Conservatoire national. Avec ses divers équipements, parc et cités, sur 55 hectares, le complexe de la Villette est devenu le plus grand centre culturel de Paris. Le président socialiste hérita d'un dernier projet, éminemment politique, celui de l'Institut du monde arabe : mis sur pied dès 1974, il traîna treize ans. La France, en 1974, faisait les yeux doux aux producteurs de pétrole et avait, au Moyen-Orient, choisi un allié sûr : l'Irak. Le bâtiment de Jean Nouvel comprend une immense façade vitrée ouverte au sud. Pour éviter que l'on n'y étouffe en été, un ensemble complexe et très coûteux de diaphragmes commandés automatiquement tamise la lumière : un gadget fragile qui attira les plus vives félicitations à l'architecte. Dès 1990, l'Institut était déjà en déficit et changeait progressivement son

---

1. *Ibid.*, p. 223.

domaine d'activité. Les pays arabes qui devaient financer une partie de son fonctionnement ont très mal payé : certains ont oublié ; d'autres, comme l'Irak, la Syrie ou la Libye, ont voulu utiliser ce centre pour des expositions de propagande qui furent mal reçues. De tous les grands projets, ce fut celui dont la réalisation prit le plus de temps et qui a le plus manifestement manqué son but.

Mais les chantiers nouveaux ouverts par François Mitterrand sont encore plus importants. Passons rapidement sur la rénovation de la Grande Galerie du jardin des Plantes : ce beau vaisseau d'acier et de verre, construit en 1889 et qui hébergeait les grands squelettes des fameux dinosaures, avait été laissé dans un abandon scandaleux et avait dû être fermé en 1965. La galerie devrait être ouverte de nouveau en 1994. Le principal projet culturel, hormis l'achèvement de la Villette, fut la construction de l'Opéra-Bastille. Le projet était justifié par l'engorgement et la vétusté de l'Opéra de Garnier : non seulement il était difficile d'y trouver des places, mais la gestion y était toujours déficitaire malgré le prix élevé des billets. Angremy et Dittman, les premiers auteurs du projet[1], conseillèrent une salle vaste (2 500 places au lieu de moins de 2 000 au Palais-Garnier) et moderne, où l'on pourrait changer les décors facilement et rapidement, afin de programmer 300 représentations par an au lieu des 120 de l'ancien Opéra : on espérait ainsi multiplier les places proposées au public et en diviser le prix par deux. L'emplacement devait être vaste car on souhaitait doter l'Opéra de plusieurs scènes latérales de même taille que la scène principale afin de faire glisser rapidement les décors sur le côté ou en arrière, comme au jeu de taquin, pour changer rapidement de spectacle. Le choix de l'emplacement était crucial pour le fonctionnement du nouvel Opéra, et surtout par ses conséquences pour la ville et l'agglomération. On envisagea d'abord, à l'automne 1981, trois sites : la ville nouvelle de Marne-la-Vallée, la Villette et la Défense. Comme le bâtiment devait avoir une hauteur totale, sous le sol et au-dessus, d'une centaine de mètres, la Défense, au sous-sol très encombré, ne pouvait l'accueillir aisément. La Ville proposa des terres à Bercy. On envisagea aussi les Halles, la ZAC

1. Cf. Ph. Urfalino, 1990, très détaillé.

Citroën, un terrain à la porte Champerret, et le site de l'ancienne gare de la Bastille. L'APUR souhaitait depuis longtemps développer l'est parisien à partir du pôle de la Bastille et du canal Saint-Martin, et on y trouvait un nœud de lignes de métro intéressant, mais il n'était pas sûr qu'un opéra y fût le meilleur investissement. Le principal défaut de ce site était son exiguïté : il fallait faire des prodiges pour y loger un ensemble aussi vaste que l'Opéra. Le principal argument fut symbolique, pour ne pas dire sentimental :

> la Bastille était liée dans mon esprit, comme dans celui de l'équipe avec laquelle je travaillais, au 10 mai 1981. Plus tard, nous nous sommes amusés [...] à invoquer la symbolique de la Révolution française, mais c'est la victoire de la gauche qui nous a marqués. C'est le rassemblement et la fête, le soir du 10 mai, à la Bastille [...] que nous avions en tête. [Chaque site potentiel apporta ses arguments :] Marne-la-Vallée utilisait l'argument du rééquilibrage à l'est [...] ; le représentant de la Défense [...] semblait très influent [...]. Il voulait que la Défense reçoive un grand équipement culturel pour animer ce site un peu mort la nuit. [...] J'avais le sentiment que cela se jouerait entre la Villette et la Défense [...]. Marne-la-Vallée jouait les utilités en proposant des terrains absolument magnifiques mais à vingt kilomètres de Paris [...] ; pour la Bastille, les gens n'ont pas ri ou souri, mais ils n'ont pas pris notre proposition au sérieux... [1].

En février 1982, l'Élysée choisit le site de la Bastille. Le concours international d'architecture pour désigner un maître d'œuvre eut lieu en juin 1983 et reçut 756 projets, un nombre record. Le projet 222 fut retenu : « certains jurés reconnaissaient en lui le style d'un architecte de réputation internationale qui pour les uns était Meier, pour les autres Isozaki [...] les jurés cherchaient les grandes signatures [2] ». Le lauréat, à la déception générale, n'était pas Meier, mais un Uruguayen installé au Canada, Carlos Ott. Les mauvaises langues ont appelé cette énorme bâtisse serrée au bord de la place « l'hippopotame dans la baignoire-sabot ». L'auteur du projet avouait lui-même avec franchise : « Ce n'est une architecture

---

1. G. Charlet, responsable du projet, *in* Ph. Urfalino, 1990, p. 27 et 29.
2. Ph. Urfalino, 1990, p. 97.

ni néo-classique, ni post-moderne. C'est un projet fonction-
nel qui n'est pas essentiellement esthétique [1]. » Pour gagner
de la place, Ott élimina le foyer : des coursives hémicircu-
laires le remplacent sur plusieurs étages, ce qui reporte le
contrôle des billets aux portes de l'opéra (comme beaucoup
de spectateurs viennent en groupe et retrouvent à l'entrée
l'ami qui a les billets, des dizaines de personnes doivent
attendre dehors, sous la pluie, le grand escalier n'étant pas
protégé, et risquent de se manquer puisqu'il y a plusieurs
portes à trois niveaux différents). Mais le plus étonnant fut
sans doute l'affaire de la Tour d'argent, un vieux restaurant
du XVIIᵉ siècle, témoin de la prise de la Bastille, qui bordait le
terrain : il fut décidé qu'il serait conservé, ce qui diminuait la
surface utilisable et gênait considérablement la conception
de l'opéra. Cependant, une fois les fondations creusées, la
vieille bâtisse, perchée au bord d'un gouffre, parut près de
s'effondrer ; il fallut donc l'abattre puis, pour respecter les
engagements pris, la reconstruire à l'identique quelques
mètres plus loin. La victoire de la droite aux élections de
1986 remit tout en question : le gouvernement Chirac décida
de transformer l'opéra en un simple auditorium et de privatiser une partie du bâtiment. Le ministre de la Culture, François Léotard, annonça cependant le 17 juillet sa décision de
réaliser l'Opéra. Le Premier ministre lui infligea un démenti
quatre jours après : le projet d'opéra était bien abandonné.
L'Opéra-Bastille servit ainsi de prétexte pour vider une
vieille querelle. Finalement, Léotard gagna et l'Opéra fut
construit après maints retards : la péripétie avait coûté une
dizaine de millions [2].

Le projet du Grand Louvre, s'il passionna davantage l'opinion, aura sans doute moins d'effet sur le tissu urbain. Le
déménagement du ministère des Finances à Bercy a augmenté considérablement la surface de bureaux à l'est de
Paris mais n'a guère contribué à l'animation de ces quartiers.
En revanche, la Défense demeure l'exemple type du grand
projet d'urbanisme, et qui a réussi. La Grande Arche, ce
splendide objet architectural, a amélioré l'image du quartier
d'affaires en lui conférant davantage de prestige : l'inscrip-

1. Carlos Ott, *Art Press*, avril 1984.
2. Ph. Urfalino, 1990, p. 231.

tion presque immédiate de l'Arche dans les guides touristiques japonais est un indice qui ne trompe pas. La forme même du bâtiment de von Spreckelsen est ambiguë : énorme mais percé d'une immense cavité, il barre la longue perspective des Champs-Élysées tout en la laissant continuer au-delà. L'Arche est placée un peu de travers parce que les architectes ont dû chercher, dans un sous-sol percé de tunnels routiers et ferroviaires, où faire passer les fondations. Valéry Giscard d'Estaing avait souhaité que l'on fermât la voie de 12 kilomètres qui s'étend de la Bastille à la Défense, et avait choisi pour cela des bâtiments couverts de miroirs qui devaient la barrer en reflétant Paris au loin. Le choix de François Mitterrand montre combien il est difficile d'interrompre l'extension vers l'ouest de cette perspective qui domine l'histoire de Paris depuis deux siècles. Elle fut entamée par les derniers Bourbons, qui construisirent la place de la Concorde et ouvrirent les Champs-Élysées, mais tracèrent aussi le Cours-la-Reine dans une direction un peu différente : le choix entre les deux axes, vers la butte de l'Étoile ou le long de la Seine, restait à faire. Napoléon décida en écrêtant la butte et en projetant l'Arc de Triomphe, mais son choix n'était pas encore définitif : l'Empereur avait aussi projeté de construire un immense palais sur la butte Chaillot. Son neveu allongea le Louvre vers l'ouest, jusqu'à la Concorde. La Troisième République, en renonçant à reconstruire les Tuileries qui barraient l'axe du nord au sud, privilégia l'orientation est-ouest. Les républiques suivantes continuèrent le grand axe : la forme de la Grande Arche montre qu'il semble être devenu irrésistible. Après avoir voulu le fermer, on parle aujourd'hui de le poursuivre au-delà de l'Arche.

Paris s'étend vers l'ouest, alors que la ville était née au franchissement de la rivière par l'axe principal nord-sud, peut-être parce que Paris a occupé toute la cuvette et bute au nord et à l'est sur les bords des plateaux qui l'entourent ; ou plutôt parce que le glissement du centre vers le nord-ouest, depuis Napoléon Ier, n'a jamais été combattu. Les principaux chantiers du président, de l'Arche à Bercy en passant par la Bastille et la pyramide du Louvre, soulignent lourdement l'importance de l'orientation est-ouest. Les grands chantiers ont peut-être trop servi, parfois, à la gloire de certains architectes qui pouvaient déployer leur imagination et trop peu à la commodité de la population. Le dernier, celui de la Bibliothèque de France sur la future ZAC de Tolbiac, dont les travaux ont commencé à l'automne 1991, a dressé les chercheurs et les bibliothécaires contre lui. Le projet de Dominique Perrault, dont le coût total est estimé à 7 milliards de francs, est gigantesque : la Très Grande Bibliothèque devrait contenir 11 millions d'ouvrages rangés le long de 400 kilomètres de rayons, dont 260 kilomètres dans les 56 étages de quatre immenses tours de verre en forme de livres ouverts où seraient entreposés des documents que l'on pourrait voir de loin ; une idée tapageuse, mais qui semble malcommode et même dangereuse aux documentalistes, soucieux avant tout d'accéder facilement aux ouvrages et de les préserver du soleil [1].

Les grands travaux ont suscité de nombreuses critiques, mais de peu d'intérêt : beaucoup furent partisanes, les hommes de droite critiquant tous les projets de Mitterrand comme les socialistes, derrière Mitterrand, avaient combattu naguère ceux de Pompidou ou de De Gaulle. Certains, assez nombreux, ont déploré le coût des chantiers : une trentaine de milliards dépensés en un peu plus d'un septennat – une goutte d'eau auprès de l'océan des dépenses haussmanniennes, qui représentèrent une année du budget national (qui s'élève aujourd'hui à 1 400 milliards). La plupart des chantiers, hormis la TGB, ont eut des coûts analogues : environ 2,5 ou 3 milliards de francs. Le ministère des Finances prit soin, avec une vigilance exceptionnelle, d'empêcher les dépassements. Seule exception, on ne sait pourquoi : le siège du ministère des Finances à Bercy, dont le coût doubla au cours des travaux et qui revient à plus de 7 milliards de francs. Les critiques les plus virulentes attaquèrent l'esthétique des bâtiments : la Pyramide, en particulier, fut une source inépuisable de polémiques. Toutes ces critiques, trop subjectives, sont sans grand intérêt. En revanche, deux points méritent qu'on s'y arrête : était-il judicieux d'investir autant dans la capitale au moment où l'on proclamait la décentralisation ? Ces travaux spectaculaires ont-ils amélioré la vie dans Paris ? La première question est fondamentale : alors que durant quarante ans on a affaibli Paris au profit de la pro-

---

1. Polémique présentée dans *Le Monde*, 10 octobre 1991, p. 2.

vince au nom de l'équilibre et de la solidarité, était-il justifié
d'y investir aussi lourdement ? Chose étonnante, la question
ne fut guère posée ni discutée. Marcel Landowski, longtemps
directeur de la Musique au ministère, s'opposa dès le début
au projet de l'Opéra-Bastille pour diverses raisons, et en particulier par crainte de voir diminuer les subventions dont
bénéficiait l'action musicale en province. Mais le souci de la
solidarité servit plutôt à affaiblir les projets que l'on voulait
ruiner : une fois certains crédits nécessaires à l'Opéra-Bastille évalués, par exemple, des bureaux expliquèrent qu'il fallait en attribuer autant à la province pour maintenir l'équilibre, ce qui doublait les sommes nécessaires et permettait de
rejeter les demandes. Finalement, une trentaine de milliards
de francs ont été consacrés à la seule capitale sans attirer
de graves protestations des défenseurs attitrés de la province. Comment expliquer cette rare mansuétude ? La
gauche n'osait rien dire. Quant à la droite, son nationalisme
flatté par les projets, elle a choisi de critiquer l'esthétique
plutôt que la finalité et les effets des grands chantiers.

 Il lui aurait été facile, cependant, de les rapprocher des
embellissements auxquels procédaient jadis les rois. Tout
favorise cette analogie : le choix régalien des projets et des
détails architecturaux, même si, dans certains cas, des jurys
internationaux ont sélectionné l'architecte souverainement
(pour le musée Beaubourg, par exemple, et l'Opéra de la
Bastille) ; la préférence donnée à des bâtiments de prestige
plutôt qu'à des constructions d'une utilité quotidienne ; la
crainte de déchirer le tissu urbain, si bien que les grands
chantiers ont été ouverts dans des endroits déjà marqués,
hors de la vie de tous les jours, à la différence des travaux
d'Haussmann ou même de ceux de Rambuteau. On a pu dire
que ces grands chantiers concernaient davantage le ministère
du Tourisme que celui de la Culture ; certains urbanistes en
ont bien pris conscience et ont trouvé une manière habile de
les justifier : on ne pourrait plus, aujourd'hui, ouvrir de
grandes percées à la Haussmann. La puissance publique n'a
plus les moyens d'investir lourdement pour transformer un
quartier ; elle doit donc laisser agir les intérêts privés, mais
elle peut créer un choc, induire, par un investissement unique
bien placé, une transformation plus vaste qui se continuera
d'elle-même : la Grande Arche à la Défense, les bâtiments

prestigieux de la Villette, la masse de l'Opéra-Bastille changeraient ainsi l'image de leurs quartiers et induiraient des effets considérables, sans commune mesure avec les investissements réalisés. La thèse est intéressante et non sans mérite. Elle est faible cependant : elle repose sur la création et la modification d'une « image » de quartier, un terme à la mode dont les publicitaires abusent, mais qu'ils définissent mal et qu'ils ne savent guère évaluer. Personne ne sait encore prévoir les fameux effets induits et il ne semble pas que l'on se soit même soucié de les étudier en détail[1]. Les grands chantiers des présidents risquent d'apparaître en partie comme une régression assez fâcheuse vers le passé, peut-être aussi comme une fuite devant les véritables difficultés.

Paris à la veille de l'an 2000

L'approche du troisième millénaire provoque l'inquiétude : les pays industriels semblent engagés dans des transformations politiques, avec la dislocation de l'empire soviétique ; économiques, sous les coups de butoir de la concurrence japonaise ; idéologiques, car l'effondrement du marxisme provoque un vide immense où se précipitent, comme par appel d'air, les totalitarismes religieux. La France a profondément changé depuis vingt ans. Les industries traditionnelles sont entrées en crise les unes après les autres. Les grandes régions industrielles du Nord et de l'Est, les installations modernes du golfe de Fos dont Marseille était fière sont devenues autant de friches industrielles. La géographie française a basculé : le Sud-Ouest, naguère sous-développé, commence à paraître plus riche que le Nord-Est. Les agriculteurs, moins nombreux mais très bien organisés et violents, font soutenir, malgré la surproduction, les prix agricoles par les salariés des villes, qui paient au moins quatre fois : comme contribuables, en subventionnant la production agricole ; en tant que citadins, en achetant les produits alimen-

1. Il est étonnant qu'aucun chercheur n'ait été chargé de suivre en détail l'évolution des commerces ou des prix fonciers autour de chacun des grands chantiers.

taires à des prix nettement plus élevés que les prix mondiaux ; comme Européens, en couvrant les frais de stockage des excédents et en subventionnant les exportations ; comme assurés sociaux, enfin, en comblant, pour 20 milliards en moyenne, 45 milliards de francs certaines années, le déficit de la Sécurité sociale agricole[1]. Le nombre de chômeurs dépasse les 2,5 millions et, plus grave encore, semble stable : aucune politique sociale, de la gauche comme de la droite, n'est parvenue, depuis quinze ans, à faire baisser le taux de chômage au-dessous de 9 %. Toutes ces charges nouvelles pèsent sur les villes françaises et particulièrement sur la capitale. Paris souffre aujourd'hui de maladies anciennes (le manque de logements bon marché, l'embouteillage des transports) et d'une nouvelle pathologie : la crise des banlieues.

Les difficultés actuelles

Les difficultés des transports représentent une maladie récurrente dans l'histoire de Paris. La RATP et la SNCF ont engagé des opérations considérables qui vont nécessiter, d'ici la fin du siècle, d'immenses investissements (voir figure 29). Le seul déficit de la RATP atteint les 5 milliards de francs par an : l'État songe à confier à la région le soin de le combler, en lui accordant le pouvoir de coordonner l'ensemble des transports[2]. Des autoroutes souterraines devraient doubler le périphérique ouest entre la porte de Bagnolet et la porte d'Orléans, cependant que l'aéroport de Roissy, dont l'accès à la capitale est dangereusement embarrassé, devrait être bientôt desservi par une voie souterraine, mais le coût de ces nouveaux axes sera considérable et les capitaux privés hésitent à s'engager. Malheureusement, les projets d'amélioration du trafic ne considèrent que de nouveaux investissements dans des modes de transport anciens, manquant singulièrement d'imagination ou, peut-être, faisant preuve d'une exceptionnelle prudence. La simple moderni-

---

1. Cf. J.-D. Giuliani, *Marchands d'influence. Les lobbies en France*, Paris, Éd. du Seuil, 1991.
2. Cf. *Lettre de l'Expansion*, n° 1064, 1er juillet 1991.

sation du statut des taxis parisiens, qui date de 1937, a jusqu'ici fait reculer tous les responsables.

La crise du logement réclame autant de courage et en suscite aussi peu. Elle est principalement parisienne, les prix dans la capitale étant deux ou trois fois supérieurs à ceux relevés dans les grandes villes françaises. Bloqués pendant plusieurs décennies, les prix parisiens ont monté vigoureusement dès qu'ils furent libérés. En 1987, la hausse des loyers avant blocage (7,4 %) fut nettement supérieure à l'inflation ; après blocage, la hausse a été ramenée en 1990 à 6,2 %, encore le double de la hausse des prix. Malheureusement, le blocage ne profite qu'aux gens en place : pour les nouveaux locataires, la hausse a atteint jusqu'à 40 %. Certes, l'estimation est faussée par les grandes différences entre les loyers : beaucoup d'augmentations très fortes ont eu seulement pour effet d'amener un loyer ancien au niveau actuel. Le ministère des Finances, en 1992, continue de limiter l'augmentation des loyers à la croissance de l'indice de la construction, soit à un taux faible : 3 à 4 %. Un appartement parisien rapporte aujourd'hui à son propriétaire trois fois moins qu'une SICAV, avec beaucoup plus de soucis : faut-il s'étonner de l'insuffisance des investissements fonciers ? La distribution de la rente foncière dans la ville obéit à des mécanismes profonds, lents, et fait preuve d'une étonnante stabilité : la carte des prix fonciers, en 1989 (figure 32, p. 360), reproduit clairement le glissement vers l'ouest commencé au milieu du XIXe, la vague de construction d'Haussmann, la dissymétrie entre est et ouest, la concentration au nord-est des classes pauvres qu'avait si bien manifestée la Commune.

La meilleure solution consisterait à « aplatir » la rente foncière, à l'égaliser sur toute l'agglomération en améliorant considérablement l'efficacité des transports, ce qui renvoie au problème précédent : d'excellents transports en commun permettraient non seulement de voyager agréablement, mais, de façon indirecte et bien plus importante, d'étendre très largement les terres constructibles et d'égaliser les prix fonciers. Ils contribueraient aussi à atténuer considérablement le malaise des banlieues.

Les explosions de violence dans les banlieues ne sont pas des phénomènes proprement parisiens : d'autres grandes villes, comme Lyon, en ont souffert avant la capitale, mais la

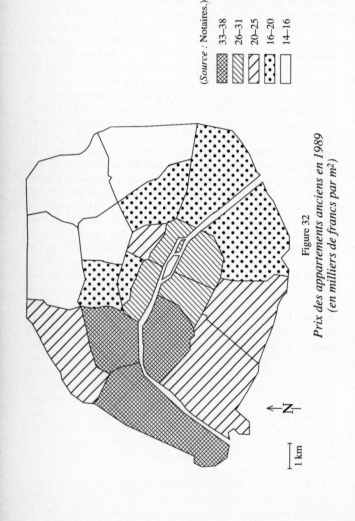

Figure 32
*Prix des appartements anciens en 1989
(en milliers de francs par m²)*

(*Source :* Notaires.)

	33–38
	26–31
	20–25
	16–20
	14–16

taille des banlieues parisiennes et leur structure anarchique,
résultat d'une longue négligence, les rendent plus inquié-
tantes. On a souvent présenté ces banlieues comme des ghettos inhumains, peuplés d'immigrés, où la vie serait un enfer :
« tour de Babel ethnique, logements dépréciés, population en
fuite, concentration de pauvres […], tous les clichés ont été
produits [1] ». Daniel Béhar, étudiant le Val-Fourré, quartier de
Mantes-la-Jolie secoué récemment par des émeutes urbaines,
montre que ces clichés sont parfois faux : 67 % des jeunes
ménages arrivés depuis un an dans le quartier ont moins de
35 ans ; 67 % sont français ; 82 % sont originaires de Mantes
et de sa région. Seulement 4 % des arrivants ont un revenu
inférieur au SMIC, 20 % gagnent plus de 10 000 francs par
mois. En 1989, 46 quartiers de la banlieue parisienne ont
bénéficié d'une procédure de « développement social des
quartiers » (DSQ). Une étude de l'IAURIF a essayé d'identifier, à l'aide du recensement de 1982, leurs points faibles [2] :
leur population était très jeune (40 % de moins de 20 ans),
souvent étrangère (un quart), et comprenait beaucoup plus
d'ouvriers (40 % au lieu de 27 %) et d'employés (36 %
contre 26 %) que l'Ile-de-France. La moitié des jeunes de
plus de 14 ans n'y possédaient aucun diplôme (un quart en
Ile-de-France). Les équipements publics, contrairement aux
idées reçues, y étaient « assez nombreux et diversifiés »,
mais les deux auteurs insistent sur l'isolement de ces quartiers. Le rapport Delarue [3] confirme cette conclusion : le mal
principal des banlieusards, et surtout des jeunes, est l'isolement, la « relégation » hors d'une société qui les comprend
mal et ne les aime guère, hors d'un marché du travail qui les
repousse, dans des espaces enclavés où ils se sentent prisonniers. L'architecture des grands ensembles ou des ZUP, rendue généralement coupable de tous les maux de la banlieue,
ne semble pas porter la responsabilité principale : il faudrait
plutôt déplorer que ces bâtiments, qui ont sans doute mal
vieilli, soient occupés par des ménages très différents de
ceux pour qui ils avaient été conçus. Il conviendrait surtout

1. D. Béhar, *Le Monde*, 14 juin 1991, p. 2.
2. C. Lelévrier et C. Noyé, « Quartiers en difficulté », *Regard sur l'Ile-de-France*, n° 12, juin 1991, INSEE.
3. J.-M. Delarue, *La Relégation*, Paris, Syros, 1991.

d'accuser les lieux où ils ont été construits : sur des plateaux où les terres étaient libres et peu coûteuses, mais à l'écart des vallées où passèrent les premières voies de communication, en marge des bourgs construits sur les talus, encerclés aujourd'hui par des voies ferrées et des autoroutes, loin de tout centre urbain. Le poids de la religion chez les immigrés maghrébins n'a pas peu contribué à accentuer leur isolement. Les émeutes qui se sont produites çà et là l'ont fortement aggravé : Édouard Leclerc a annoncé, par exemple, son intention de fermer « certains supermarchés dans des zones sensibles en raison des risques […]. [Il] demande une protection spéciale de certains centres commerciaux dès lors que la population étrangère dépasse le seuil des 20 %[1] ». Ainsi, plus que la pauvreté ou l'architecture des « barres », c'est toute la structure spatiale des banlieues qui est remise en question : ceux qui, entre 1900 et 1940, ont laissé s'étendre anarchiquement des lotissements inorganisés ont aussi une responsabilité écrasante. Les gouvernants s'inquiètent : le budget 1992 met à la disposition du ministre de la Ville un crédit de 1 130 millions de francs en autorisations de programmes et en dépenses ordinaires, soit une augmentation de 27 % par rapport à 1991. Le mal des banlieues n'a-t-il pas été exagéré ? Les méfaits de 200 casseurs dans une ZUP comptant 20 000 immigrés sont montés en épingle alors que le calme de 99 % de la population est passé sous silence ; la mansuétude des autorités laisse les troubles se propager. Tout se passe comme si des mouvements qui souhaitent exciter le racisme se rencontraient curieusement avec d'autres mouvements qui tiennent les grandes villes pour des enfers où l'homme se perd. Lorsque Daniel Béhar relève le cliché de la « métropole-Babel », il met en lumière un mythe puissant qui sous-tend l'histoire de la capitale depuis le début du XIXᵉ siècle. Les troubles des banlieues doivent être étudiés dans une critique globale des rapports entre les éléments de l'agglomération parisienne.

1. *Lettre de l'Expansion*, n° 1064, 1ᵉʳ juillet 1991, p. 6.

Paris et sa région

La région parisienne souffre de dissymétries graves entre l'est et l'ouest, entre le centre et la périphérie. Les limites régionales sont floues, parce qu'on n'a jamais voulu reconnaître l'influence puissante de Paris sur les villes du Bassin parisien. Enfin, la croissance de la région est vigoureuse mais toute la planification française, depuis des décennies, a eu pour but principal de la limiter.

La ville de Paris ne changera plus beaucoup dans les prochaines décennies ; aucune autorité n'ose plus toucher au bâti, et il n'y a plus guère d'espaces à libérer : seulement les gares et quelques terrains militaires. Les derniers projets possibles sont en voie de réalisation. L'aménagement des abords de la gare de Lyon a accumulé les tours de verre et multiplié les bureaux dans une partie de Paris qui en manquait cruellement. L'aménagement, devant la gare, de la place Chalon achèvera, à la fin de 1994, le projet : un parvis piétonnier en forme de demi-ellipse accueillera les passagers débarqués du TGV et recouvrira un vaste parking. Un peu plus loin, le Centre des métiers d'art sera construit le long d'une vaste promenade plantée d'arbres qui, longue de 4 kilomètres, joindra l'Opéra de la Bastille au bois de Vincennes en passant sur l'ancien viaduc qui longe l'avenue Daumesnil. Sous soixante voûtes du viaduc seront aménagés des ateliers pour des artisans du bronze, du tissu et du bois. Décidé en 1987, le Centre ouvrira en 1993. Les bords de la Seine seront complètement transformés : rive gauche, un nouveau Quartier latin bordera la Très Grande Bibliothèque (TGB). On y prévoit des logements pour 15 000 nouveaux habitants, des bureaux pour 50 000 employés, des dizaines de milliers d'étudiants dans un nouveau complexe universitaire et des milliers de chercheurs travaillant dans la TGB. Il ne restera de la gare d'Austerlitz qu'une grande verrière et l'arrivée souterraine des TGV sous une dalle de béton de 30 hectares : la grande coupure des voies ferrées qui isolait ce quartier depuis un siècle sera enfin cicatrisée. La Bibliothèque devrait être inaugurée en 1995 et le quartier entièrement aménagé en 2010, mais les polémiques que soulève la

364 Paris, histoire d'une ville

construction de l'immense TGB vont probablement en retar-
der l'achèvement. Rive droite, l'ensemble de Bercy, avec les
grands immeubles de bureaux entourant la gare de Lyon, le
ministère des Finances et le Centre omnisports, sera complété par un grand parc et par Bercy-Village, un quartier
international consacré aux vins et à l'alimentation.

A l'ouest, la porte Maillot recevra deux immeubles de
verre qui se feront face, de part et d'autre de l'avenue menant
à la Défense, mais ils ne dépasseront pas 35 mètres de haut :
on n'ose plus projeter de hautes tours dans Paris. Autres
espaces libérés, les anciennes usines automobiles. Les terrains occupés naguère par Citroën, à Javel, et par Renault, à
Billancourt, seront déblayés et construits, comme naguère les
terres des usines Salmson au Point-du-Jour ; le premier
forme la ZAC d'Issy. L'île Séguin paraît promise à devenir
une île sans voitures, destin piquant pour le berceau de
Renault [1]. L'allongement de la voie historique qui joint le
Louvre à la Défense est plus important encore. A peine la
Grande Arche a-t-elle fermé à moitié cet axe, en le laissant
entrebâillé, que l'on projette de le prolonger de 2 kilomètres,
jusqu'à l'île de Chatou, en traversant Nanterre par le milieu :
190 hectares qui commencent au pied de l'Arche, entre deux
cimetières, et continuent vers la Seine dans une plaine inon-
dable. Le projet, confié à Paul Chemetov, reste flou et prudent : l'autoroute parallèle à l'axe sera enterrée, un canal le
longera, bordé d'arbres, pour apporter l'indispensable touche
écologique. Jean Nouvel a proposé de construire une « tour
infinie », haute seulement de 400 mètres, tandis qu'une
nouvelle gare de TGV devrait être créée. Le disparate du projet est moins inquiétant que son opiniâtreté : le fameux axe
des Champs-Élysées dessiné par les Bourbons à la fin du
XVIIIᵉ siècle percera-t-il un jour la forêt de Saint-Germain
pour se poursuivre jusqu'à la mer ? Que devient le souci de
rééquilibrer Paris vers l'est ?

Le nouveau schéma directeur présenté en avril 1991
comme une « esquisse » semble oublier les orientations précédentes et proposer une stratégie nouvelle (figure 33).

1. Cf. le rapport préparé par M. Jean-Eudes Roulier pour le ministre de
l'Équipement, 1991.

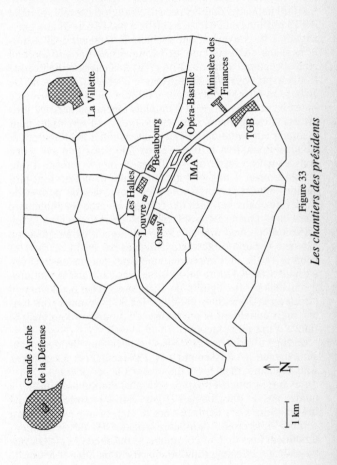

Grande Arche
de la Défense

La Villette

Les Halles
Louvre
Orsay
Beaubourg
IMA
Opéra-Bastille
Ministère des
Finances
TGB

N

1 km

Figure 33
Les chantiers des présidents

Les résultats du recensement de 1990 ont étonné : l'Ile-de-France continue de croître et a gagné 500 000 habitants en huit ans, non plus par migration mais par accroissement naturel. Comme celui-ci est vigoureux (on prévoit 100 000 habitants de plus par an), la région devrait atteindre les 13 millions en 2015. Ce chiffre a paru excessif aux aménageurs : le gouvernement souhaite le ramener à 12,3 millions, sans que personne ait expliqué pourquoi ce plafond était acceptable alors que l'on criait à la catastrophe lorsque l'on en prévoyait 11,5 millions[1]. L'objectif est donc de construire 65 000 logements, 1 million de mètres carrés de bureaux, et de créer 30 000 emplois chaque année. De gros efforts d'équipement sont nécessaires : par exemple, pour assurer l'alimentation en eau d'une pareille agglomération. Chaque Francilien utilise près de 300 litres par jour : une consommation totale de 3 millions de mètres cubes ; il faudra en trouver 1 million supplémentaire dans les vingt prochaines années. La difficulté n'est point tant de trouver de l'eau (les quatre barrages qui écrêtent les crues et alimentent Paris en emmagasinent 850 millions de mètres cubes, et on prévoit d'en construire un cinquième) que d'éviter que cette eau ne soit polluée : les eaux fluviales par les industries, les sources (40 % de l'approvisionnement) par les engrais des agriculteurs. Il faudra aussi traiter les eaux usées : aujourd'hui encore, les égouts de l'agglomération en déversent directement 20 % dans la Seine ; les 80 % restants sont traités, mais entraînent la production de nitrates qui polluent le fleuve d'une autre façon.

La zone d'influence de Paris s'est beaucoup étendue, occasionnant un accroissement des déplacements : les emplois sont au centre, mais les actifs vivent à la périphérie.

Les migrations alternantes sont plus nombreuses qu'il y a quinze ans, et plus longues (figure 34). Le centre de gravité des emplois s'est déplacé vers le sud, et non vers l'ouest comme on le croit d'ordinaire[2]. Ainsi, 70 % des Franciliens travaillent hors de leur commune de résidence ; 12 000 « turbo-cadres » effectuent quotidiennement un aller et retour de

1. Voir *Ile-de-France : pouvons-nous éviter le scénario-catastrophe ?*, 1990.
2. Consulter les études très riches en informations rassemblées par l'INSEE dans *Données sociales, Ile-de-France*, 1989.

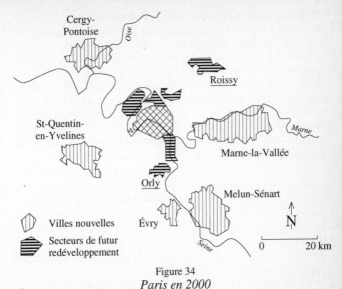

Figure 34
Paris en 2000

la Grande Couronne, où ils vivent, à Paris, où ils travaillent. Non seulement les transports doivent être adaptés à une tendance qui semble s'imposer rapidement, mais des besoins nouveaux apparaissent. Beaucoup de ces cadres louent un pied-à-terre à Paris pour y passer la nuit, au point que certains promoteurs avisés, devinant un marché naissant, commencent à proposer des résidences à mi-chemin entre l'appartement et l'hôtel, où les occupants occasionnels peuvent se restaurer et faire blanchir leur linge. Cette séparation du lieu de travail, fréquenté en semaine, et de la résidence, occupée pendant le week-end, marque un bouleversement sociologique et témoigne de l'extension de la région parisienne et de la complexité des liens qui en font l'unité.

Les idées commencent à changer : le nouveau schéma innove en définissant de nouveaux centres en banlieue (comme Massy[1]), ainsi que des « villes traits d'union »

1. Où un maire dynamique, ou peut-être mégalomane, a obtenu la gare de correspondance des TGV, puis construit un stade et un opéra gigantesques.

(Fontainebleau, Étampes, Melun, Rambouillet, etc.) afin de
favoriser leur croissance en marge de l'agglomération. La
DATAR souhaite désormais ouvrir l'Ile-de-France sur le
reste du Bassin parisien et utiliser ces villes anciennes pour y
fixer la population nouvelle. Une politique qui tranche avec
les anciens errements : les villes nouvelles avaient été justifiées, en 1965, par l'incapacité des noyaux anciens à recevoir assez de nouveaux habitants, et la région d'Ile-de-
France avait été dessinée en 1961 aussi petite qu'il était
possible afin de limiter le rayonnement de Paris. Les villes
nouvelles, cependant, ont réussi :

Les villes nouvelles en 1990				
Création	*Population prévue*		*Recensements*	
	1972	*1975*	*1982*	*1990*
Cergy-Pontoise (16-4-1969)	60 000	200 000	102 000	159 000
Évry (12-4-1969)	200 000	390 000	48 000	73 000
Marne-la-Vallée (17-8-1972)	130 000	340 000	153 000	211 000
Melun-Sénart (15-10-1973)	80 000	300 000	47 000	82 000
St-Quentin-en-Yv. (21-10-1970)	95 000	340 000	93 000	129 000

Les cinq villes nouvelles conservées, qui logeaient
134 000 personnes en 1962, en comptaient 654 000 en 1990.
Elles comprennent plus d'adultes, moins de jeunes et
de vieux que le reste de l'Ile-de-France. Certes, les prévisions initiales se sont révélées excessives. Ces villes devaient
attirer le quart des logements nouveaux : elles ont reçu,
en quinze ans, moins de 20 % de l'accroissement démographique de la Grande Couronne, pourtant plus faible que
prévu. Mais, au cours des huit dernières années, elles ont

accueilli un tiers des nouveaux habitants de la région (210 000 pour un accroissement de 587 000) et joué en grande partie le rôle qui leur avait été réservé. Mieux encore, elles ont acquis chacune des fonctions particulières et des images individuelles qui les distinguent. Le nouveau SDAURP souhaite développer de nombreux centres actifs autour de la capitale. Il ajoute aux villes nouvelles des « secteurs stratégiques » (Roissy, Orly, Seine-Saint-Denis, Seine-Amont) qui devraient absorber la population nouvelle, mais on voit mal comment ils pourront jouer le rôle confié naguère aux villes nouvelles sans en avoir les moyens.

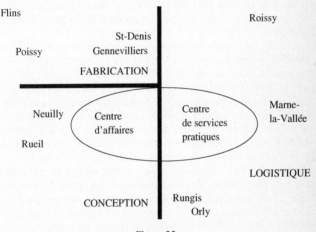

Figure 35
*L'agglomération
d'après Beckouche et Damette (1990, p. 30)*

Les nouveaux pôles prévus autour de Paris contribuent à former une organisation régionale où deux géographes croient voir une structure assez simple[1] : une « zone de production industrielle » au nord et au nord-est, une « zone de conception » (en fait, de services) à l'ouest et au sud-ouest, une « zone logistique » du nord-est (Roissy) au sud-est (Orly

1. Cf. P. Beckouche et F. Damette, 1990.

et Rungis). Ces trois zones prolongent en grande partie les anciens quartiers parisiens qui contenaient des industries (quartiers nord et nord-est), le centre d'affaires (quartiers de l'ouest) et des « services pratiques » : les anciens quartiers d'employés (IXe et X^e) et d'artisans, du Marais à la Bastille. L'agglomération tout entière serait ainsi en train de s'organiser, à une échelle gigantesque, suivant les directions du Paris ancien. Après quarante ans d'efforts pour déménager les industries de la capitale vers la province, l'État prend conscience de la nécessité d'appuyer l'économie parisienne sur une base industrielle solide. Christian Sautter, préfet de région, déclarait en 1991 : « La construction de bureaux ne peut être l'alpha et l'oméga de l'aménagement de l'Ile-de-France. » Un virage complet dans la politique d'aménagement.

Changement important aussi avec le vote, en juin 1991, de la loi d'orientation pour la Ville (LOV). Dans la région parisienne, la LOV devrait avoir deux effets principaux : préserver la diversité de l'habitat et le contenu social des quartiers en facilitant la construction de logements sociaux ; contrôler le prix des terres à urbaniser en supprimant les ZUP mais en étendant largement l'usage des zones d'aménagement différé (ZAD) : les prix des terres agricoles pourront être gelés en vue d'une urbanisation ultérieure. Les effets de la loi Rocard sur la solidarité financière entre les communes (avril 1991) devrait être encore plus importants : d'une part, la dotation que l'État verse traditionnellement aux communes pour les aider à fonctionner (DGF : dotation globale de fonctionnement) a été modifiée afin de privilégier les villes les plus pauvres ; d'autre part, un plan de péréquation propre à l'Ile-de-France va tenter d'assurer une meilleure solidarité fiscale entre les communes de la région parisienne. Les deux effets se combinant, la Ville de Paris devra payer 600 millions de plus par an : 200 millions (DGF) redistribués principalement en France, 400 autres (solidarité fiscale dans la région) destinés à des communes voisines, surtout de la Grande Couronne. Le budget de la Ville, d'environ 18 milliards, sera ainsi amputé de 3,3 %. En Ile-de-France, une cinquantaine de communes verseront environ un demi-milliard à une centaine de communes défavorisées : un transfert faible (5 %) pour un budget régional de 10 milliards consacrés principalement aux transports (4,2 milliards) et à la formation (4 milliards). La réforme Rocard est double : d'une part elle corrige les absurdités de la DGF qui aboutissait à favoriser particulièrement les communes les plus riches ; de l'autre elle établit une notion nouvelle de solidarité régionale, intéressante mais encore insuffisante au moment où l'on commence à reconnaître la solidité et l'étendue de la véritable région parisienne, qui dépasse largement les limites administratives de l'Ile-de-France et s'étend sur tout le Bassin parisien, de l'Artois à la Bretagne, de la Manche au Berry. Ainsi se trouve posée de nouveau une question épineuse : quelle place pour Paris dans la France actuelle ?

La place de Paris en France et dans le monde

Paris est tiraillé depuis un siècle entre deux politiques extrêmes : celle des communards, qui pensèrent extraire la capitale de la France rurale en proclamant son indépendance, et celle des champions de l'aménagement, comme Gravier, qui voudraient la réduire au rang d'un département comme les autres tout en lui faisant subventionner largement le reste du pays. Les deux positions paraissent aujourd'hui caricaturales : on a bien montré [1] que l'opposition était moins entre Paris et la province qu'entre différents niveaux urbains. Les grandes villes françaises combattent l'influence de la capitale, mais les villes plus petites s'abritent derrière le pouvoir parisien pour se protéger de l'hégémonie de bourgeoisies provinciales qui ne voient souvent dans la décentralisation qu'un moyen de mieux dominer leur arrière-pays. Il reste que la politique d'aménagement suivie en France depuis cinquante ans a consisté principalement à affaiblir la région parisienne au profit de la province qu'elle était censée éclipser. Les intérêts provinciaux ont tellement dominé la politique française, depuis la fin du XIXe siècle, et la politique d'aménagement, depuis la Libération, que les gouvernements successifs eurent, pendant longtemps, honte d'aider la capitale :

1. Cf. la table ronde organisée par le CREPIF, 1991.

Je me souviens d'un conseil restreint où il s'agissait du collectif routier. Un crédit très important devait être consacré soit à une voie routière qui devait être de toute urgence construite dans l'Ile-de-France, soit à la déviation d'un point dangereux sur la route Paris-Toulouse. Et c'est cette dernière opération qui fut finalement retenue.

Quand il s'agissait, en conseil restreint, d'obtenir un crédit pour le tronçon central du RER ou le prolongement du métro en banlieue, les Premiers ministres d'alors combattaient ces opérations, préoccupés de donner la priorité au métro de Lyon et de Marseille [1].

Après un ralentissement au cours des années 1970, la croissance de la capitale a repris pendant la dernière décennie, mais de façon tout à fait différente : les migrations n'alimentent plus aujourd'hui la région parisienne ; elles sont même devenues négatives. Le solde naturel, en revanche, est fortement positif : Paris grandit de lui-même. La politique d'aménagement destinée à limiter la croissance parisienne avait été justifiée, après la guerre, par le désir de permettre aux provinciaux de « vivre au pays ». En rendant les conditions de vie dans la capitale de plus en plus déplorables, la même politique aboutit aujourd'hui à en éloigner des Parisiens poussés à déménager en province. Le seul argument qui pourrait la modérer serait la crainte d'affaiblir la seule grande ville internationale que possède la France. Le rôle européen et mondial de Paris a-t-il souffert de la politique d'aménagement ?

Le rapport Carrez (1991) évalue le développement des fonctions tertiaires supérieures à Paris en 1990 et la place de la capitale française en Europe et dans le monde en interrogeant des chefs d'entreprise étrangers. Ses conclusions sont pessimistes : le prestige culturel de Paris est encore immense, mais il repose sur des atouts anciens et décline peu à peu. Les étrangers interrogés constatent que, depuis vingt ans, Paris n'est plus guère créateur en littérature, en philosophie ou dans les arts de la scène, et que la province n'a pas remplacé la capitale dans ce rôle. Dans le domaine politique, le poids de l'État français interdit la venue des nouvelles insti-

---

1. Maurice Doublet, ancien préfet de la région d'Ile-de-France, *in* CREPIF, 1991, p. 68.

tutions européennes que d'autres grandes villes comme Berlin, Prague ou Varsovie sauront attirer. Les services de niveau supérieur disponibles en Ile-de-France sont bons, parfois excellents (comme les services informatiques), parfois gravement déficients (par exemple dans les domaines de l'audit ou des professions juridiques). Les activités financières, naguère encore médiocres et trop étroitement contrôlées par la puissance publique, ont été heureusement modernisées depuis dix ans. Mais les fonctions de décision étrangères évitent toujours Paris : à la différence de ce qui se passe à Londres, Amsterdam, Bruxelles ou Francfort, peu de grandes sociétés internationales d'origine étrangère sont installées à Paris. La capitale paie chèrement une gestion municipale médiocre, sans imagination, aux pouvoirs très limités, il est vrai, et surtout cinquante années au moins de haine de la grande ville et quinze ans d'investissements à la dérive qui y ont rendu les conditions de vie difficiles et les relations humaines particulièrement tendues :

> Paris fait l'objet de critiques particulières : « taxis inexistants et sales quand par miracle on en trouve un », « les automobilistes et les garçons de café les plus mal élevés », « capitale mondiale de la déjection canine »… La dégradation des conditions de circulation en région parisienne et tout particulièrement des liaisons avec les aéroports (surtout Roissy) commence à faire l'objet de griefs répétés chez les dirigeants étrangers [1].

Lorsque la société IBM, prenant une décision lourde de conséquences, choisit de déplacer vers l'Europe l'une de ses grandes directions, elle l'installa dans les îles britanniques.

> Nous sommes mal placés en Europe en matière de quartiers généraux de sociétés internationales et notre pays est celui où les quartiers généraux installés sont les moins satisfaits de leur choix […] nous conservons l'image d'un pays dirigiste, d'une administration lourde et tatillonne, d'un système fiscal et social complexe et coûteux, et surtout d'un accueil au mieux indifférent, au pire hostile à l'égard des étrangers [2].

1. J.-F. Carrez, 1991, p. 38.
2. *Ibid.*, p. 107.

Les procédures utilisées par les aménageurs pour limiter la croissance parisienne ont une lourde responsabilité dans ce bilan pessimiste : la redevance et plus particulièrement l'agrément, qui fait dépendre les investissements étrangers de décisions administratives imprévisibles, souvent irrationnelles et rarement expliquées, ont eu un effet désastreux. Carrez note :

> [En ce qui concerne les pratiques administratives] la France a une image franchement détestable, qui contribue à la classer dans l'esprit des dirigeants économiques parmi les pays « du Sud »[1].

Le coût supplémentaire dû à la redevance peut être intégré par un entrepreneur étranger dans son estimation des frais d'investissement, mais l'arbitraire de l'agrément effraie. Politique d'autant plus absurde que l'administration, comprenant enfin le danger, a été amenée depuis quelques années à accorder libéralement aux étrangers les agréments qu'elle refusait aux entrepreneurs français. L'opposition entre l'incurie de l'administration centrale et les intérêts de l'agglomération parisienne est évidente :

> Le rétablissement, même partiel, même provisoire, de l'agrément sur les bureaux en Ile-de-France a été perçu comme le plus parfait signal adressé à l'étranger de la persistance de nos pratiques administratives les plus discrétionnaires. Cette mesure a été plus remarquée au Japon qu'en France, alors même qu'elle s'applique aux promoteurs et non à leurs clients ! L'ensemble de ces dispositifs est perçu comme la marque d'un esprit de fermeture. Et des dirigeants d'entreprise de taille mondiale viennent s'enquérir avec inquiétude de la manière de présenter leur dossier, d'intervenir auprès des administrations françaises, d'obtenir des bureaux un feu vert à leur projet, auprès de la DATAR, ou de consultants pour qui cette jungle est nourricière[2].

L'agrément est-il nuisible ? Faut-il donc le supprimer ? Le ministre de la Ville, Michel Delebarre, répondait récemment à un journaliste :

1. *Ibid.*, p. 36.
2. *Ibid.*, p. 37.

Surtout pas ! Cette procédure permet de négocier pied à pied
avec les grands groupes leur implantation en Ile-de-France
et en province. La supprimer serait un suicide pour l'action
de l'État. Autant supprimer mon poste ministériel…[1].

Quant aux « grands groupes qui veulent s'implanter en Ile-
de-France », Carrez écrit :

> La France ne vient qu'en 5e position pour les quartiers géné-
> raux de sociétés américaines et japonaises avec 99 implanta-
> tions (en très grande majorité parisiennes), après la Grande-
> Bretagne (332), la Belgique (196), les Pays-Bas (111) et la
> RFA (103) […]. Plus grave encore, la France est le pays dans
> lequel le taux de satisfaction des quartiers généraux améri-
> cains et japonais implantés est le plus mauvais : 72 % contre
> 80 % pour la RFA, 84 % pour la Belgique, 89 % pour la
> Grande-Bretagne et 92 % pour les Pays-Bas. La situation est
> également très négative si l'on considère l'avis des mêmes
> quartiers généraux sur les meilleures localisations possibles
> en Europe au-delà de 1992. La France est citée par 14 % des
> quartiers généraux, l'Allemagne par 17 %, les Pays-Bas par
> 33 %, la Grande-Bretagne par 40 % et la Belgique par 49 %.
> […] La France est menacée par une image médiocre, une
> attractivité faible et une insuffisante satisfaction des quar-
> tiers généraux déjà implantés, qui risquent donc de la quit-
> ter : le cabinet Peat Marwick en conclut que la priorité est
> moins de chercher à attirer de nouveaux centres de décision
> que d'éviter de perdre ceux qui sont aujourd'hui implantés
> chez nous[2].

Pour résister à la concurrence des métropoles européennes
et mondiales, Paris a développé de vastes espaces de bureaux. A ce propos, Carrez écrit :

> La critique des bureaux est plus souvent entendue en Ile-de-
> France que leur louange. La situation serait pourtant bien
> pire si la région-capitale en était dépourvue ou si une pénurie
> de bureaux faisait obstacle à son développement, qui est
> désormais pour les trois quarts tertiaire, tout en aggravant la
> hausse des prix[3].

---

1. *Le Monde*, 31 août 1991, p. 20.
2. J.-F. Carrez, 1991, p. 33-34.
3. *Ibid*., p. 44.

Les capitaux étrangers n'ont pas été fortement tentés, en 1989-1990, de s'investir à Paris (10 % seulement des ventes d'immeubles, 6 % de l'immobilier d'entreprise)[1]. Paris, en 1992, propose trop de bureaux, mais le marché est cyclique. Londres, avec les énormes investissements du projet des Docks, à Canary Wharf, par exemple, a construit bien davantage. Les loyers des bureaux neufs y ont baissé d'un tiers en un an. L'offre y est plus grande et le marché plus difficile qu'à Paris, mais les responsables des Docks expliquent avec sérénité que cette offre considérable et aujourd'hui excédentaire devrait permettre à Londres d'attirer des entreprises et de battre Paris dans la concurrence qui opposera les deux métropoles dès 1993. Le plus étonnant est que le gouvernement anglais ait pu laisser investir 90 milliards de francs de capitaux, privés il est vrai, dans la capitale, sans que la province proteste : la décentralisation britannique, qui avait servi de modèle dans les années 1950, ne fait plus recette.

On ne peut éclaircir ce tableau assez sombre en comptant sur les activités industrielles de l'Ile-de-France : cibles principales de la politique d'aménagement, les industries parisiennes, afin de ne laisser dans l'agglomération que des activités tertiaires, ont été déménagées en province, ou plutôt dans les villes du pourtour du Bassin parisien. On est en train de redécouvrir leur importance. A propos de Los Angeles, le principal journal économique britannique écrit :

> Les firmes industrielles commencent à quitter la région, se plaignant de l'attitude de l'État [de Californie] opposé aux entreprises, des routes embouteillées et du coût de la vie trop élevé. Beaucoup d'habitants souhaitent que des commerces et des services, plus propres, remplacent rapidement les industries polluantes. Cela pourrait bien être une erreur. Chaque emploi industriel induit deux autres emplois. Les usines offrent aux immigrants leur premier travail. Un déclin rapide du tissu industriel de la région pourrait conduire à une société dangereusement divisée, opposant une classe riche (principalement blanche) de producteurs de films, d'avocats et de cadres à une classe pauvre d'immigrants récents. Et si les industriels décident que Los Angeles leur est hostile,

1. Cf. « L'immobilier et la crise », *Le Nouvel Économiste*, n° 761, 14 septembre 1990, p. 36-42.

combien de temps faudra-t-il aux autres entrepreneurs pour aboutir à la même conclusion [1] ?

Il est piquant de voir la politique de « solidarité » renforcer les inégalités locales dans l'agglomération en essayant de diminuer les inégalités régionales au sein de la nation.

Les prix des logements parisiens ont beaucoup augmenté ces dernières années. Bien que, depuis avril 1990, la baisse ait commencé, le coût du logement à Paris est deux ou trois fois plus élevé que dans les autres villes françaises, mais il reste modéré si on le compare à celui des autres métropoles : New York, Los Angeles, Londres ou Tokyo. Le coût de la vie à Paris, sans compter les loyers, est aussi dans la moyenne : une enquête détaillée effectuée par l'Union des banques suisses [2] montre que les prix sont dans la moyenne des villes comparables, mais que le pouvoir d'achat est l'un des plus bas, à cause des prélèvements sociaux. Négligé par l'État (qui prélève pourtant en Ile-de-France près d'un tiers de ses ressources mais ne subventionne plus guère la capitale depuis quinze ans), proposé à la province en bouc émissaire, limité dans ses pouvoirs depuis deux cents ans, soumis aux décisions ministérielles ou présidentielles sans jamais avoir eu son mot à dire, épuisé par quarante ans de politique d'agrément qui ont tenté de ruiner son économie, toujours considéré comme la capitale française et non comme une métropole européenne, Paris aborde le XXIe siècle et l'ouverture du Grand Marché européen en position de faiblesse : en deux cents ans, sa position relative en Europe et dans le monde a considérablement reculé. Il est vrai que la France même a perdu du terrain depuis 1900, quand elle était l'un des deux banquiers du monde. Mais il est peu douteux que l'hostilité envers la grande métropole depuis le milieu du XIXe siècle et une longue politique tendant, depuis cinquante ans, à l'affaiblir ont joué un rôle capital.

---

1. *The Economist*, 27 juillet 1991, p. 57 (nous traduisons).
2. *Notices économiques UBS*, septembre-octobre 1991, p. 10.

Conclusion

La question des rapports de Paris avec le reste de la France est fréquemment apparue, dans les chapitres précédents, comme un leitmotiv : le thème est trop important pour être traité ici ; on essaiera seulement d'en indiquer les principaux aspects et d'en montrer l'importance dans l'histoire de Paris. La révolution de février 1848 semble avoir marqué le début de la rupture. L'application, effective pour la première fois en 1848, du suffrage universel, arracha à la capitale sa prééminence politique. L'attitude du pouvoir envers Paris a changé depuis deux siècles : jusqu'au début du XXe, l'État se soucia d'abord de limiter les pouvoirs d'une ville trop puissante et trop peu soumise en la maintenant constamment hors du droit commun et en lui ôtant toute autonomie. Les notables ruraux de la Troisième République, plus sûrs sans doute de leur légitimité, se contentèrent de laisser Paris dans l'abandon. Crainte et détestée par le régime pétainiste, la capitale fut soumise, après la Libération, à une politique d'aménagement du territoire qui eut pour principal but de l'affaiblir. Le chantre, sinon le théoricien, de cette politique anti-parisienne, fut Jean-François Gravier[1] :

> Ainsi, dans tous les domaines, l'agglomération parisienne s'est comportée depuis 1850, non pas comme une métropole vivifiant son arrière-pays, mais comme un groupe « monopoleur » dévorant la substance nationale. Son action a multiplié les incidences de la première révolution industrielle et stérilisé la plupart des économies provinciales en les privant de leurs éléments dynamiques. Qu'il s'agisse des centres de décision, des centres de conception ou des services rares,

---

1. J.-F. Gravier, 1972, p. 60 ; consulter aussi J.-F. Gravier, 1947, très peu différent. Critiques dans Robert (1987) et Marchand (2001).

Paris a confisqué les activités directrices et laissé au reste de
la France les activités subordonnées. Cette dépendance abso-
lue est bien le propre du régime colonial.

Paris et le Désert français est un ouvrage dont le succès
dépassa largement le cercle des spécialistes. Aucun article,
aucun livre ou colloque portant d'une façon ou d'une autre
sur l'agglomération parisienne, ne manque, depuis cinquante
ans, de le citer, presque toujours dans un sens favorable.
L'auteur a beaucoup joué sur les ambiguïtés, plaisant ainsi à
beaucoup d'opinions opposées : il attaque Paris, mais en plaignant les malheurs des Parisiens. Le nom même est utilisé
pour désigner tantôt la ville en l'opposant à ses alentours,
tantôt l'agglomération opposée à la province, parfois aussi
l'administration centrale de l'État. Gravier, maurrassien, propose des mesures de progrès au nom d'une idéologie conservatrice, nostalgique de l'Ancien Régime. Rejetant le malthusianisme démographique, il voit le salut dans des mesures
malthusiennes destinées à limiter le développement économique de la capitale. Tout à tous, il exprime une idéologie
pétainiste dans un langage de gauche et déteste les États-
Unis : quelle meilleure manière de plaire aux lecteurs français ? Plus profondément, il fait vibrer le vieux rapport
d'amour et de haine qui lie les Français à un État qu'ils ne
cessent de critiquer que pour lui demander des subventions et
des lois protectionnistes. Surnageant sur le tout, une condamnation peu discrète du cosmopolitisme, une forme de xéno-
phobie qui, elle aussi, est traditionnelle. Ainsi, le succès du
livre, mis à part ses qualités qui sont réelles, s'explique surtout par ce qu'il révèle de la manière dont les Français envi-
sagent Paris. L'image de la capitale ainsi tracée, qui est certainement celle qu'en ont bien des citoyens, est tellement
négative qu'elle mérite d'être étudiée en détail. Essayons
simplement d'en reprendre les principaux thèmes, qui sous-
tendent toute l'histoire de Paris depuis cent cinquante ans.
    La coïncidence de deux évolutions contradictoires, l'accrois-
sement du poids démographique et économique de Paris en
même temps que son pouvoir décroissait, a eu probablement
deux effets défavorables qui se sont conjugués. D'une part,
l'État a regardé la capitale comme un rival de plus en plus
dangereux. Le pouvoir central, en évitant soigneusement que

la région parisienne ne constitue un pouvoir régional fort, a fait un nain politique de ce géant économique, et, en négligeant gravement, peut-être volontairement, de l'aménager, l'a laissé dépérir après la Grande Guerre et davantage encore après le second conflit mondial. En même temps, la puissance croissante de Paris n'a pas manqué d'inquiéter toutes les forces conservatrices qui, traditionnellement ennemies des grandes villes, ont essayé, depuis les années 1940, d'affaiblir la capitale et ont orienté en grande partie dans ce sens la politique d'aménagement. Paris semble avoir nourri trois grands mythes qui ont servi à l'attaquer : la *Babylone* moderne, creuset d'immoralité ; le monstre trop puissant qui personnifie l'*État-Léviathan* ; le *vampire* qui se nourrit des ressources de la France.

Les aménageurs qui se sont efforcés depuis cinquante ans d'affaiblir la région capitale ont justifié leurs actions moins par des arguments économiques (les données leur donnent tort) que par des condamnations morales. Depuis 1830, la « Babylone moderne » a été condamnée pour la seule raison qu'elle était florissante et libre ; elle a été stigmatisée comme le lieu, jadis, de l'enrichissement et des orgies, du crime et des révolutions, aujourd'hui, de la violence, de la ségrégation et de la drogue. La condamnation morale de la grande ville est aussi ancienne que les grandes villes : on pourrait remonter à Juvénal ou, mieux encore, à la malédiction de Babel ou des Cités de la Plaine dans la Bible. C'est qu'une métropole est comme l'exposition de la puissance et de la modernité d'une civilisation. Elle est aussi nécessairement un lieu d'échange, de contact, donc d'innovation, bref de révolution politique et de perversion morale. La grande ville est surtout un lieu de liberté. Dès le XIXe siècle, les Parisiens jouissaient d'une liberté, en particulier de mœurs, incomparablement plus grande que celle des provinciaux. Ils commencèrent bien avant eux à abandonner la famille traditionnelle : en 1891, sur 100 000 ménages, 77 divorçaient en France, et 282 dans le département de la Seine ; en 1888, 21 % des enterrements parisiens étaient civils et non pas religieux, une proportion très supérieure à la moyenne nationale. Gravier le déplore : « Plus on se rapproche du centre de la capitale, plus l'habitat et le cadre de vie sont défavorables à l'épanouissement d'une famille normale » (p. 60). En 1990 encore, on se marie beaucoup moins à Paris qu'en France, et l'on y divorce deux fois plus souvent; plus du quart des enfants naissent hors mariage; un couple sur dix vit en union libre, et cette proportion augmente régulièrement. La dissolution du mariage y donne moins lieu à des conflits déchirants : 70 % des divorces parisiens sont prononcés d'un commun accord, contre 51 % en France. La densité urbaine joue un rôle direct : on observe une évolution nuancée et régulière de ces comportements depuis le centre de Paris jusqu'aux franges rurales de l'Île-de-France où se retrouve la norme nationale [1]. Comme aux États-Unis [2], la condamnation morale de la grande ville paraît ainsi largement fondée sur une idéologie chrétienne dont elle semble joindre curieusement deux courants différents. Le christianisme de gauche, prêchant la solidarité, s'émeut des inégalités entre les régions et les villes françaises, ou entre les quartiers à l'intérieur de l'agglomération parisienne. Une forme plus conservatrice insiste davantage sur l'excès de liberté qu'offre la grande ville, la désagrégation des structures familiales traditionnelles, l'effondrement des contrôles moraux. Les deux courants se retrouvent pour désigner Paris à la vindicte publique, justifier les mesures qui pourront en limiter la croissance, et combattre la liberté au nom de l'égalité. Paris donne le mauvais exemple, avec d'autant plus d'éclat que la ville est plus puissante.

Depuis l'Ancien Régime, le pouvoir central s'est inquiété de la croissance de la capitale. Très peuplé et donc très puissant, « Paris-Léviathan » a toujours effrayé l'État et, parfois, la France. L'usage du mot « province », dans son sens péjoratif et pour désigner, de façon propre à la France, tout ce qui n'est pas la capitale, remonte au XVIIe siècle : on en trouve les premiers exemples chez La Fontaine et Molière. À la fin de l'Ancien Régime, la centralisation commencée par le pouvoir royal avait déjà fait de Paris une ville plus grande et

---

1. Cf. *Données sociales, Île-de-France*, 1989.
2. Où la grande ville, création de l'homme et nécessairement imparfaite, a souvent été opposée à la campagne, œuvre de Dieu : cf. R. Nash, *Wilderness and the American Mind*, Yale University Press, 1973; M. & L. White, *The Intellectual Versus the City*, Harvard University Press, 1962; L. Rodwin & R. M. Hollister, eds, *Cities of the Mind*, Plenum Press, 1984.

plus redoutable que les autres. Après la Fronde, la fonction politique fut transportée à Versailles. La Convention puis Napoléon Ier concentrèrent les pouvoirs à Paris. Sutcliffe note que, pendant la seconde moitié du XIXe siècle, la croissance démographique profita en Angleterre aux villes moyennes, alors qu'elle se concentrait, en France, dans les grandes villes (et non pas seulement à Paris) : il manquait des couches urbaines intermédiaires, un écran entre les métropoles et la campagne.

Depuis le XVIIe siècle au moins, les critiques de la capitale ont constamment jugé que Paris était trop grand. Beaucoup semblent croire qu'il existe une taille optimale que Gravier, par exemple, fixe à 2 millions d'habitants. C'est là un chiffre arbitraire et une affirmation que rien ne fonde. Les géographes ont abondamment débattu de la question [1]. Les politiciens se sont affolés : les socialistes convoquaient un colloque en 1990 en se demandant *Pouvons éviter le scénario-catastrophe ?* (Paris atteignant 10 millions d'habitants !), tandis que la droite répondait par un texte aussi angoissé l'année suivante. Les économistes ont conclu sagement qu'il était impossible de définir un optimum [2]. 11 millions de Parisiens vivent bien mieux en 1999 que 700 000 sous la Restauration. Tout est affaire d'équilibre entre les besoins et les investissements. Or, justement, la région parisienne a une productivité nettement supérieure à celle des autres régions françaises et pourrait amplement satisfaire tous ses besoins si les aménageurs n'avaient pas réduit, depuis les années 1950, ses investissements et si ses ressources n'étaient pas aussi largement mises à contribution par le reste du pays (cf. figure 36).

Il est probable que l'avantage parisien va s'accroître, car les modes de production les plus modernes et les plus efficaces semblent bien réclamer des nébuleuses d'activités de sous-traitance comme en offrent les grandes métropoles [3]. La fin du fordisme, de la production concentrée dans de grandes usines, laisse la place aujourd'hui à des services et à des

---

1. Cf., en particulier, les travaux de Pierre George.
2. R. Camagni (1994), *Économie urbaine*, SEDES.
3. Cf. B. Marchand & A. Scott, « Los Angeles en 1990 », *Annales de géographie*, n° 560, 1991.

industries « post-modernes » plus efficaces : la concentration est remplacée par un travail complexe d'organisation des tâches de multiples sous-traitants spécialisés, grâce à l'informatique. Les nouveaux modes de production conviennent particulièrement bien aux grandes métropoles comme Paris qui offrent un grand nombre de petites sociétés très spécialisées et une main-d'œuvre très qualifiée.

La construction de « trains à grande vitesse » (TGV) et les progrès des télécommunications ont profondément bouleversé les relations urbaines et renforcé aussi le rôle des grandes villes :

> Le paradoxe de la banalisation des télécommunications, c'est qu'elle valorise tout ce qui ne se télécommunique pas. Demain plus encore qu'aujourd'hui, c'est la rareté et l'accessibilité physique qui feront la richesse d'un lieu, la qualité d'une ressource… Cela apparaît bien actuellement, où, parallèlement au développement accéléré des télécommunications, on assiste à une concentration accrue des bureaux et des services au cœur de quelques grandes mégalopoles. Bien sûr, des activités quittent les centres, mais ce sont des activités de second rang ; car les sièges sociaux et même les centres de recherche tendent à se re-localiser de façon centrale. S'il est facile d'être branché sur Numéris ou d'avoir une antenne parabolique, il est plus difficile d'être à côté d'une gare TGV [1].

La construction du réseau de TGV, si important, a cependant été menée sans tenir aucun compte des intérêts de la capitale. Paris a moins besoin de liens vers les villes françaises que vers les grandes villes européennes. Des liaisons vers Londres, Amsterdam, Francfort, Zurich et Milan étaient nécessaires et urgentes. De toutes les lignes indispensables à Paris, une seule, vers Londres, a été construite, avec des capitaux principalement privés. Le schéma directeur des TGV retenu par le gouvernement en mai 1991, et qui prévoit un investissement énorme de 210 milliards de francs, suit de près le réseau prévu par la loi Guizot de 1842 : l'aveuglement anti-parisien est si grand que les trains rapides du

---

1. F. Ascher, « Villes : le paradoxe des télécommunications », *Libération*, 4 juin 1991.

XXIe siècle suivront les routes tracées par les ingénieurs de Louis-Philippe vers les villes de province plutôt que vers le reste de l'Europe.

C'est que l'État a toujours craint le pouvoir parisien, et la fragmentation administrative dans laquelle est encore maintenue l'agglomération aujourd'hui montre que cette peur n'est pas dissipée. Dupont-White a montré comment la centralisation, loin de rapprocher l'État de la capitale, tend au contraire à les opposer et à créer un contre-pouvoir :

> L'œuvre [de la capitale] est de créer des idées en dehors des églises, des académies : une mode et une société en dehors de la cour, une opinion en dehors du gouvernement [...] L'influence d'une capitale est celle des idées sur les choses, de l'esprit sur le reste : quoi de plus légitime ? [...] Louis XIV ne se doutait pas, en attirant près de lui l'élite de la France, que, s'il désarmait la province, il créait en même temps près du trône une force qui ne serait pas toujours pour le trône [...] Une ville n'est pas le siège du gouvernement sans attirer à elle tout ce qui tient au gouvernement par la dépendance, par l'espoir, par la curiosité et même par l'hostilité : on ne frappe bien que de près [...] si la centralisation crée un gouvernement plus fort que le pays, elle crée aussi bien une capitale plus forte que le gouvernement. Le poids et le contrepoids sont deux œuvres de la même main [...] l'homme n'a toute sa valeur qu'aggloméré [...] Rien n'atteste la puissance éducatrice d'une grande ville comme la différence du paysan à l'ouvrier parisien [1].

Paris, depuis le milieu du XIXe, s'est à peu près constamment opposé à l'État et aurait ainsi pu apparaître, s'il n'avait pas été constamment bridé, comme un contre-pouvoir capable de limiter les excès de la centralisation politique. Encore eût-il fallu, pour que ce contre-pouvoir pût s'exercer, que la région parisienne jouît d'une autonomie suffisante. La capitale, depuis deux siècles, a été pratiquement gérée par l'État : la Ville de Paris a constamment été cantonnée hors du droit commun, sans maire, sans franchises municipales, sans la libre gestion de son budget. La crise de 1870 permit bien à Paris de conquérir d'abord quelques libertés munici-

---

1. C. B. Dupont-White, 1860, p. 246-272.

pales : la loi du 14 avril 1871 rendit le conseil municipal électif, pour la première fois depuis un siècle, mais la Troisième République limita ce début d'autonomie par la loi du 5 avril 1884 et soumit de nouveau la ville à un régime spécial. L'élection d'un maire de Paris, en 1977, fut aussi un progrès en grande partie illusoire, puisque ce magistrat ne représente que la Ville proprement dite, moins d'un habitant de l'agglomération sur cinq, et que, grâce au cumul des mandats, le premier maire était élu en Corrèze.

Le thème d'un Paris vampire qui progresserait en épuisant les ressources du pays, en particulier sa population, est apparu dès le XVIIIᵉ (J.-J. Rousseau, *L'Émile*). La misère et l'hygiène désastreuse dans la capitale, de la Restauration au Second Empire, entraînèrent une mortalité plus forte qu'à la campagne, mais le phénomène fut inversé à la fin du XIXᵉ quand les progrès de la médecine et du système hospitalier commencèrent à rendre la capitale plus saine que de petites villes mal équipées et que des campagnes victimes de l'alcoolisme. La mortalité parisienne tomba au-dessous de la moyenne nationale dès la fin du XIXᵉ. Bertillon a montré qu'alors la mortinatalité à Paris n'était guère plus élevée qu'en province (sur 1 000 naissances, 68 mort-nés à Paris, 44 en France, 85 à Bruxelles, 97 à Saint-Étienne) [1]. Aujourd'hui, la natalité parisienne est nettement supérieure à celle des départements ruraux (cf. plus loin), et la mortalité y est inférieure à cause de la plus grande jeunesse de la population parisienne et de meilleures conditions sanitaires. Le thème de la ville-vampire a néanmoins acquis une force considérable depuis un siècle et demi qui montre bien qu'il s'agit davantage d'un mythe que d'un fait et d'idéologie que d'urbanisme. Le régime démographique de l'Ancien Régime s'est transformé à la fin du XVIIIᵉ siècle [2] ; la population a commencé à exploser sous Charles X. On n'a pas proposé d'explication satisfaisante de ces migrations. Les attribuer à une sorte de complot de la capitale, comme le fait Gravier, n'est pas crédible. On n'observe pas, au XIXᵉ ni au XXᵉ siècle, de politique parisienne destinée à attirer des migrants (et l'on comprend mal ce qui l'aurait justifiée), mais plutôt une

1. Cf. J. Bertillon, 1888-1889 et 1895.
2. Cf. le chapitre 1 et L. Chevalier, 1950.

angoisse constante du gouvernement national et de la municipalité devant la croissance parisienne qui leur pose des problèmes toujours nouveaux. On ne voit pas non plus quelles
mesures auraient pu obtenir des effets aussi considérables :
le tracé du réseau ferré est postérieur d'un demi-siècle au
phénomène et ne suffirait pas à en rendre compte. Il vaut
sans doute mieux invoquer l'attraction exercée par le marché
de l'emploi parisien. On pourrait même renverser l'argument
et expliquer le dessin en étoile du réseau ferré par les migrations. Celles-ci résultèrent probablement de transformations
profondes des campagnes françaises, de même que la
Grande-Bretagne avait, plus tôt, connu le mouvement des
Enclosures. La croissance de Paris au début du XIXe serait
due, dans cette hypothèse, moins à l'attraction de la capitale
qu'à la répulsion qu'exerçaient certaines campagnes et certaines petites villes sur leur population, comme on l'observe
aujourd'hui dans la croissance rapide des grandes villes du
tiers monde.

Le retard imposé aux campagnes françaises par des politiques conservatrices a sans doute joué aussi un rôle. Alors
que Napoléon III avait ouvert les frontières assez largement
en 1860 au profit des villes et de l'industrie, Méline, en
1892, inaugura une politique protectionniste qui protégea les
paysans tout en les maintenant dans des conditions de vie
archaïques et misérables. Pendant un siècle, on présenta
l'exode rural comme l'un des pires fléaux. Grâce aux efforts
immenses déployés par les divers gouvernements depuis la
fin du XIXe siècle et en particulier à ceux du régime de Vichy,
la population agricole française resta étonnement stable. Les
agriculteurs formaient 41 % de la population active en 1906,
38,5 % en 1913, mais encore 35,6 % en 1936, 36 % en 1946
et près de 30 % en 1954. En cinquante ans, la population
agricole avait très peu diminué, alors qu'en Angleterre, en
Allemagne ou aux États-Unis, elle était déjà tombée au-dessous de 10 %. Le grand transfert de main-d'œuvre des campagnes vers les villes qu'avaient connu les grandes nations
industrielles à la fin du XIXe ou au début du XXe se produisit
en France avec plus d'un demi-siècle de retard, au début des
années 1960 : la part des agriculteurs dans la population
active tomba brusquement de 30 % en 1954 à 16 % en 1968
(3,5 % aujourd'hui). Au même moment, et ce n'est sans

doute pas un hasard, l'aménagement du territoire s'imposa
comme si, renonçant à conserver la population dans les campagnes, certains essayaient du moins de la maintenir dans les
régions et les villes moyennes. L'exode rural brutal des
années 1950 et 1960 coïncida avec des attaques très violentes contre la croissance parisienne et avec une politique
d'aménagement visant d'abord à affaiblir Paris.

Les critiques ont reproché principalement à la capitale sa
grande taille et sa croissance excessive, sans songer qu'il
s'agissait là plutôt d'effets que de causes. Le paradoxe de
l'anti-parisianisme est qu'il est durable mais ne semble fondé
sur aucune base sérieuse[1]. On n'a jamais pu démontrer, malgré tant d'efforts, l'inefficacité des très grandes villes. Pendant cinquante années, l'aménagement, en France, a été fondé
sur le postulat que Paris ruinait la province, mais aucune
étude n'a tenté de vérifier cette hypothèse, ce qui montre bien
qu'elle correspondait davantage à un parti pris idéologique
qu'à une politique sérieuse. On a longtemps manqué d'informations crédibles sur les échanges entre Paris et les régions :
les travaux de l'équipe de Rémy Prud'homme[2] ont montré,
au cours de la dernière décennie, combien l'hypothèse fondamentale des aménageurs était fausse. Grâce à l'Union européenne, on dispose aujourd'hui de données précises[3]. La
figure 36 montre les flux d'impôts perçus et redistribués par
l'État dans les régions. Le total représente le budget de l'État
en 1995 : 1 734,8 milliards de francs. Il est alimenté par des
prélèvements fiscaux ; les fonds sont redistribués aux régions
(versements). Le solde est nul, aux erreurs d'arrondi près.

1. Le GERI (31, rue Pasquier, 75008-Paris) s'est donné pour tâche de
montrer combien Paris était nuisible. Association créée en 1989 par
le Comité de décentralisation, avec des fonds publics ou parapublics, le
Groupe d'études et de réflexions interrégionales a pour objectif de
« conduire de façon indépendante des études sur les conditions et les sur-
coûts éventuels d'une concentration des activités dans les agglomérations,
au-delà des seuils d'efficacité économique et de cohésion sociale ». Heureux chercheurs qui ont déjà trouvé que la grande ville était nuisible, et
qui n'ont plus qu'à en évaluer le « surcoût » au-delà de seuils que personne n'a encore pu établir.
2. Laboratoire OEIL, université de Paris-XII ; B. Boyer, 1991 ; L. Davezies, 1983 et 1989 ; Marie-Paule Rousseau, etc.
3. Curieusement, elles ne sont pas disponibles à Paris mais à Bruxelles,
où le ministère des Finances français a bien été obligé de les fournir à la
demande de la Commission.

Trois régions versent plus qu'elles ne reçoivent : l'Alsace, Rhône-Alpes et l'Île-de-France. Pour les deux premières, le déficit est faible ; pour la région parisienne, il est énorme. Les 19 autres régions reçoivent de l'État, c'est-à-dire presque uniquement de l'Île-de-France, des subventions pour plus de 100 milliards de francs (15 milliards d'euros).

Budget 1995	Prélèv.	Versem.	Solde	Pop. 95	Prélev./hab.	Solde/hab.
Total	− 1 734 807	1 734 807	− 1	59 130 023	− 29 339	0
	(millions F)	(millions F)	(millions F)		(F/Hab)	(F/Hab)
Alsace	− 48 792	46 004	− 2 670	1 679 258	− 29 056	− 1 590
Aquitaine	− 76 262	84 662	8 220	2 852 094	− 26 739	2 882
Auvergne	− 36 908	39 205	2 219	1 315 046	− 28 066	1 687
Bourgogne	− 43 407	47 819	4 358	1 609 860	− 26 963	2 707
Bretagne	− 74 203	83 524	9 243	2 850 917	− 26 028	3 242
Centre	− 67 933	68 444	598	2 405 682	− 28 239	249
Champ.-Ard.	− 38 715	40 739	2 015	1 345 105	− 28 782	1 498
Corse	− 6 138	9 415	3 233	255 283	− 24 044	12 664
Franche-Cté	− 28 775	31 179	2 346	1 107 167	− 25 990	2 119
Île-de-France	− 463 225	343 748	− 118 056	10 806 282	− 42 866	− 10 925
Langd-Rouss.	− 55 968	74 195	17 566	2 205 316	− 25 379	7 965
Limousin	− 19 301	23 734	4 331	716 894	− 26 923	6 041
Lorraine	− 61 790	70 133	8 263	2 308 051	− 26 772	3 580
Midi-Pyrénées	− 65 910	80 401	14 310	2 491 175	− 26 457	5 744
Nord-P.-de-C.	− 99 942	119 924	19 854	3 980 823	− 25 106	4 987
P. de la Loire	− 82 530	89 364	6 783	3 140 586	− 26 279	2 160
Picardie	− 47 761	51 005	3 257	1 834 084	− 26 041	1 776
Poitou-Char.	− 42 819	47 689	4 785	1 617 588	− 26 471	2 958
PACA	− 124 449	128 887	4 336	4 382 029	− 28 400	989
Rhône-Alpes	− 164 944	160 078	− 4 460	5 498 054	− 30 000	− 811
Basse-Norm.	− 36 805	43 305	6 327	1 406 755	− 26 163	4 498
Haute-Norm.	− 48 231	51 354	3 140	1 758 719	− 27 424	1 785

Figure 36
Prélèvements et versements de l'État en 1995 par région et par habitant

Sources : *Economic and Social Cohesion in the European Union : The Impact of Member States Own Policies, Regional Development Studies*, n° 29 (1998) Bruxelles. – *Recensement de la France 1990, 1999*, INSEE.

NB : 1. Les dépenses, ainsi que les soldes, sont calculés « par bénéficiaire » afin de permettre des comparaisons avec les autres pays européens, ce qui explique que le solde ne soit pas exactement égal à la différence des prélèvements et des dépenses. En outre, les chiffres sont arrondis.

2. Les populations de 1995 ont été évaluées par interpolation linéaire entre les recensements de 1990 et 1999.

Ces données étonnantes, qui renversent toutes les bases de la politique d'aménagement, appellent quelques remarques. On objectera sans doute que l'impôt sur les sociétés est payé au siège, en général à Paris, mais que la richesse est créée souvent dans les usines en province. C'est exact, mais de moins en moins vrai : les grandes firmes tendent à sous-traiter une part croissante de leur production (Renault, par exemple, ne produit plus que 40 % de la valeur ajoutée d'une automobile) à des entreprises plus petites localisées en province. En outre, la part des bureaux d'étude, des laboratoires centraux et des services commerciaux augmente aujourd'hui dans la valeur ajoutée. L'impôt sur les sociétés représente un quart des ressources de l'État. Il est difficile d'évaluer la part produite en Île-de-France ; si on l'estime à la moitié de cet impôt, c'est environ 12 % du total qu'il faudrait déduire, soit à peu près 14 milliards de francs. En revanche, les flux sociaux allant des grandes villes vers les campagnes sont considérables et augmenteraient encore beaucoup les chiffres cités. Enfin, il faudrait tenir compte de l'augmentation artificielle du coût de la vie dans les grandes agglomérations entraînée par la protection douanière des produits agricoles : les citadins paient leur sucre quatre fois plus que le prix mondial, leur blé deux fois plus cher et ainsi de suite.

Les évaluations sont imprécises mais la conclusion demeure : les grandes villes et surtout l'agglomération parisienne tiennent le reste de la France à bout de bras. Comme depuis une ou deux décennies, les régions françaises se sont réveillées et ont développé leur économie, l'importance des transferts était certainement beaucoup plus grande dans le passé, au cours du XXe siècle. Au total, ce sont des quantités immenses de capitaux qui ont quitté Paris pour la province.

Ce phénomène, à vrai dire, est bien normal : il se retrouve dans tous les pays développés. Ce qui est tout à fait surprenant, c'est que l'on ait pu établir pendant un demi-siècle une stratégie d'aménagement sur des hypothèses absurdes contraires à toute réalité. Une politique opiniâtre a été menée pour affaiblir la capitale sans que l'on n'ait honnêtement cherché à accumuler des informations sérieuses et sans ouvrir de débat public. Plus étonnant encore, cette politique qui ne s'appuie sur rien est applaudie par tous : l'opinion croit à des contre-vérités et veut y croire manifestement.

Comment expliquer une telle hostilité envers la grande métropole ? Le sentiment n'est pas nouveau et il peut être rattaché à quelques courants idéologiques fondamentaux de l'histoire européenne. Essayons d'ébaucher une grille d'analyse encore bien hypothétique en distinguant quatre niveaux de motifs, des plus rationnels aux plus obscurs.

Le premier, la redistribution de richesses à travers le territoire national par le système fiscal ou par des subventions, représente l'une des fonctions principales de l'État. La région parisienne, la plus riche de la nation, doit subventionner des régions plus pauvres. Une telle politique suppose que, loin d'affaiblir la région capitale, on la laisse prospérer afin d'en tirer des subventions plus élevées. Discussion publique des aides, contrôle des flux, solidarité véritable de la capitale et des provinces plutôt qu'opposition : les politiques suivies depuis cinquante ans envers Paris n'ont guère observé ces principes.

À un niveau moins avouable mais encore rationnel, on devine l'action de groupes de pression provinciaux qui tentent de s'approprier les ressources de la capitale au nom de l'aménagement : entre les deux guerres, combien de chemins de fer « électoraux » et de routes inutiles furent construits dans le Midi et dans le sud du Massif central par des présidents du Conseil qui voulaient favoriser leurs départements d'origine ? Le gouvernement Cresson a décidé (7 novembre 1991) de déplacer dans des villes de province des services publics installés à Paris. La politique d'aménagement tendra-t-elle à déménager tout le gouvernement et à installer l'État hors de Paris ? À Bordeaux comme jadis, à Bourges, ou plutôt au centre, plus près des Français, à Vichy par exemple ? Le départ de l'État coûterait à Paris près de 100 000 emplois : le choc serait rude, mais si la région parisienne y gagnait une véritable autonomie, comme les autres grandes métropoles mondiales, le changement pourrait être bénéfique.

Le troisième niveau, plus profond, est plus intéressant : on y devine le jeu politique d'acteurs puissants. Les perpétuels efforts pour freiner la croissance parisienne et l'exode rural s'expliquent en grande partie par le désir de préserver l'électorat conservateur des campagnes et d'éviter la croissance des villes et surtout de la banlieue, devenue majoritairement « rouge » entre les deux guerres. La lutte contre l'exode rural a duré de 1880 jusqu'aux années 1950, tant que les possédants français étaient principalement des notables ruraux ou des patrons de petites industries de province et que la France craignait une guerre contre l'Allemagne. Lorsque l'Europe fut construite et que le capitalisme national se modernisa de façon très rapide, entre les années 1950 et 1970, la barrière fut levée : les entreprises avaient besoin de main-d'œuvre dans les villes.

Mais les notables provinciaux à la recherche de crédits et les mouvements politiques conservateurs n'auraient pas connu un tel succès si des mouvements profonds et puissants ne leur avaient pas rendu favorable la majorité de l'opinion publique. Des tendances sourdes, largement inconscientes mais d'autant plus fortes, forment probablement un quatrième niveau d'explication, le plus intéressant. D'abord, le concept de nation. Beaucoup semblent encore concevoir la nation davantage comme un territoire que comme un ensemble de citoyens : plutôt que de chercher leur prospérité, même s'ils doivent pour cela s'agglomérer, on préfère distribuer également des points sur la carte et occuper le territoire de façon aussi homogène que possible ; conception archaïque qui voit la richesse dans la terre plutôt que dans l'homme, qui n'a pas encore compris que la puissance aujourd'hui est économique et non plus militaire, que l'on n'annexe plus des territoires, mais que l'on conquiert des marchés, sans oublier les relents racistes qui traînent autour du culte du sol national, la « terre » ou le « terroir » (on disait jadis *la glèbe*).

La diffusion par les géographes du modèle de Christaller [1] a confirmé ce point de vue : élaboré dans les années 1920 pour rendre compte du peuplement de la partie la plus rurale de la Bavière, ce modèle fonde toute l'économie sur les échanges des paysans venant vendre et acheter au petit marché rural. Il imagine que les villes forment une pyramide limitée au territoire national et ne prévoit pas de place pour la grande industrie ou les grands services (banques, assurances, import-export…), c'est-à-dire pour les activités typiques des grandes villes. Les flux interurbains circulent verticalement le long de la hiérarchie. Les villes semblent

1. Cf. B. Berry (1971), *Géographie des marchés et des commerces de détail*, Paris, A. Colin.

hiérarchisées en une pyramide dont Paris devrait être la tête, avec une taille proportionnée à celles des autres villes françaises : les liens avec l'étranger sont négligés. La formation moderne de réseaux urbains d'échanges qui traversent les frontières et mettent en relation des villes de taille et de nature différentes, souvent à grandes distances, semble ignorée. La France est conçue comme un ensemble fermé, avec des frontières étanches, peu sensible à ce qui se passe dans le reste du monde. Paris ne doit être que la capitale d'une France principalement agricole : le rêve du régime pétainiste.

Mais la réalité est manifestement autre : les grandes villes aujourd'hui n'ont que faire d'un arrière-pays agricole. Elles travaillent et commercent en réseau avec d'autres villes de taille analogue, par-delà les frontières. Utiliser un tel modèle en aménagement est encore plus absurde dans une Europe où les frontières n'existent plus. L'aménagement du territoire n'aboutit-il pas à favoriser la pyramide urbaine française aux dépens du rayonnement international de Paris ? Les deux fonctions, celle de capitale française et celle de métropole européenne, sont distinctes ; n'ont-elles pas des exigences contraires ? Paris peut-il demeurer une grande ville européenne et mondiale en restant capitale de la France ? Questions cruciales qui n'ont guère été étudiées ni discutées. Tout montre cependant que Paris est trop grand pour la France et travaille avec Londres, Osaka ou Los Angeles bien plus qu'avec des petites villes françaises. Un géographe fait fort justement la même remarque à propos de Londres, l'autre grande métropole européenne [1].

Autre thème puissant et vivace, le malthusianisme qui amène l'opinion à considérer la production de richesses comme un mal, l'ensemble des emplois comme un stock fixe qu'il faudrait redistribuer mais qu'on ne peut guère faire varier. Depuis cinquante ans, la politique d'aménagement a été principalement malthusienne, s'attachant bien davantage à limiter la croissance parisienne qu'à développer la province française. En un demi-siècle, on ne s'est guère préoccupé, en province,

---

1. « *The interests of the London City Region do not coincide with the interests of the rest of England. This is why the United Kingdom is not big enough for London* » (P. J. Taylor, « Is the United Kingdom Big Enough for Both London and England ? », *Environment & Planning*, 29 (5), May 1997, p. 766-770).

d'améliorer la formation professionnelle, de rendre plus dynamique et plus efficace la politique de crédit des banques qui
étaient pourtant nationalisées, de dynamiser les entrepreneurs
locaux, de faire fonctionner de façon satisfaisante les
chambres de commerce, de moderniser l'administration
publique, d'établir des contacts avec des villes étrangères.

Peut-on retracer les origines de ces courants ? À droite, on
pourrait d'abord invoquer un mécanisme de compensation,
par la bourgeoisie française, de l'affaiblissement du pays,
sensible dès la fin du XIXᵉ siècle, ainsi que le pouvoir exercé,
pendant si longtemps, par les notables ruraux. Avec le déclin
de son influence dans le monde et après le désastre de 1870,
la bourgeoisie française a célébré le culte du « petit » : le
« petit soldat français » plein d'initiative, la « petite balle » du
fusil Lebel, plus efficace, le petit paysan si touchant ; attitude
frileuse d'un patronat plus familial que capitaliste, plus provincial que parisien. Mais on aperçoit aussi un thème plus
profond et autrement redoutable, celui du déclin qui menace-
rait les sociétés qui s'ouvrent trop au modernisme, aux étrangers, aux idées nouvelles : lieu et occasion de toutes les déca-
dences, la grande métropole est cosmopolite, rejetant les
traditions, dévorant les ressources des campagnes, inféconde :

> La métropole croît en attirant à elle la population de la cam-
> pagne, laquelle, cependant, à peine urbanisée, devient, comme
> la population urbaine préexistante, inféconde. Le désert se fait
> dans les campagnes ; mais quand le désert étend ses champs
> abandonnés et brûlés, la métropole est prise à la gorge : ni ses
> commerces, ni ses industries, ni ses océans de pierre et de béton
> armé ne peuvent rétablir l'équilibre désormais rompu de façon
> irréparable : c'est la catastrophe.

De Gravier ces lignes ? Non, mais de Benito Mussolini[1].
Riccardo Mariani retrace l'origine de cette peur des villes
jusqu'à Oswald Spengler[2] et, peut-être, en remontant plus

1. Tirées de la préface qu'il écrivit au texte de Riccardo Korherr, *Regresso delle nascite : morte dei popoli*, Libreria del Littorio, Rome, 1928 ; nous traduisons. Cf. l'excellent ouvrage de R. Mariani, *Fascismo et « città nuove »*, Milan, Feltrinelli, 340 p., 1976.
2. O. Spengler (1923), *Der Untergang des Abendlandes*, C. H. Beck'sche Verlagsbuchhandlung, Munich, trad. fr. *Le Déclin de l'Occident* (1948), Gallimard, 2 vol.

loin, à des philosophes comme Giambattista Vico[1]. Une excellente étude a montré l'évolution de cette haine de la ville en Allemagne[2] qui a conduit la principale association rura-liste anti-urbaine, *Bund Artam*, à se fondre dans le parti nazi, emmenée par ses chefs, Walter Darré et Heinrich Himmler.

Depuis vingt ans, Paris n'attire plus les migrations, mais, grâce à sa forte natalité (due surtout aux populations immigrées des banlieues) et à sa faible mortalité (bon équipement sanitaire et population plus jeune), envoie des migrants dans toute la France : le régime démographique critiqué depuis un siècle et demi par les ennemis de la grande ville s'est complètement inversé, mais les critiques, curieusement, n'ont guère cessé.

Il est plus difficile de trouver des sources à gauche : les saint-simoniens souhaitaient l'expansion de l'économie. Fourier, loin de limiter le développement des villes, se contentait de l'organiser en utilisant, au profit de la collecti-vité, les passions et les goûts individuels. Proudhon a trop fortement inspiré la Commune pour servir de référence contre la grande ville. Marx, s'il a tant écrit sur la concentra-tion du capital, ne semble pas s'être inquiété de la concentra-tion urbaine, mais les Khmers rouges de Pol Pot, qui se sont référés à Marx, ont pratiqué la politique anti-urbaine sans doute la plus violente et la plus atroce du siècle : on pourrait trouver dans cette direction des indications intéressantes. Rappelons aussi combien les partis de gauche ont partagé avec la droite le respect du « petit », qu'il soit paysan, com-merçant ou patron. Il faudrait se tourner vers le christianisme social : le rôle des idées religieuses permettrait d'expliquer le caractère le plus étonnant peut-être de la politique d'amé-nagement menée contre Paris, son aspect moral. Enfin, il serait certainement fructueux d'analyser les conceptions éco-logistes, assez nouvelles mais déjà si puissantes.

L'anti-parisianisme apparaît ainsi comme un phénomène complexe, multiforme, fait de courants très différents, par-fois contradictoires, et dont l'importance relative a varié au cours d'un siècle et demi. Ses effets ont été désastreux pour

1. G. Vico (1992), *La Science nouvelle*, Nagel, Paris, 2e éd.
2. K. Bergmann (1970), *Agrarromantik und Großstadtfeindschaft*, Ver-lag A. Hain, 402 p. ; voir aussi B. Marchand (1999), « Nationalsozialis-mus und Großstadtfeindschaft », *Die alte Stadt*, 1/99, p. 39-50.

PARIS

Population	1999	1990	1982
	2 125 246	2 152 423	2 176 243

	1990-1999	1982-1990	1975-1982
Naissances	274 423	254 976	220 479
Décès	168 412	177 141	174 171
Acroisst brut	106 011	77 835	46 308
Variation après migration	− 27 177	− 23 820	− 123 587

Taux	1990-1999	1982-1990	1975-1982
Natalité (‰)	14,23	14,71	13,95
Mortalité (‰)	8,73	10,22	11,1
Solde nat. (%)	+ 0,55	+ 0,45	+ 0,29
Solde mig. (%)	− 0,69	− 0,59	− 1,08
Var. total (%)	− 0,14	− 0,14	− 0,78

ÎLE-DE-FRANCE

Population	1999	1990	1982
	10 952 011	10 660 554	10 073 059

	1990-1999	1982-1990	1975-1982
Naissances	1 480 879	1 289 663	1 068 281
Décès	695 165	653 290	595 209
Acroisst brut	785 714	636 373	473 072
Variation après migration	+ 291 457	+ 587 495	+ 194 494

Taux	1990-1999	1982-1990	1975-1982
Natalité (‰)	15,23	15,60	15,24
Mortalité (‰)	7,15	7,90	8,49
Solde nat. (%)	+ 0,81	+ 0,77	+ 0,68
Solde mig. (%)	− 0,51	− 0,06	− 0,40
Var. total (%)	+ 0,30	+ 0,71	+ 0,28

Source : *Recensements de la population 1982, 1990, 1999*, INSEE.

la capitale et expliquent en grande partie la différence considérable entre le XIXe et le XXe siècle. Les régimes qui se succédèrent, au XIXe, essayèrent de résoudre les problèmes immenses d'une ville en explosion ; ils y réussirent assez bien. La Convention nationale, en réunissant la Commission des artistes, posa les fondements de l'urbanisme parisien : certains aménagements des années 1920 réalisaient des projets de 1793. Napoléon traça les grands axes et, en quelques années, organisa l'administration urbaine, numérota les rues, prévit la modernisation des Halles, l'alimentation de la ville en eau, le pavage des voies, le premier grand réseau d'égouts : l'exemple de Rome était bénéfique. Le règne de Charles X, monarque conservateur noyé dans la dévotion, connut cependant les premières grandes opérations foncières et commença à construire le nouveau Paris bourgeois. Les conditions de vie à Paris sous la monarchie de Juillet furent épouvantables pour le plus grand nombre, mais le régime des Orléans avait quelque excuse de ne pas comprendre un phénomène entièrement nouveau. Jamais on n'avait vu de croissance démographique aussi rapide, et il fallait remonter à la Rome de Trajan pour trouver l'exemple d'une ville millionnaire. Tout était nouveau. Le développement rapide d'une statistique municipale et médicale, les admirables études et l'action opiniâtre d'hommes comme Parent-Duchatelet firent prendre conscience du drame. Les débats du conseil municipal en 1840 posèrent quelques-unes des questions fondamentales de l'urbanisme moderne et apportèrent des réponses encore valables à la fin du siècle. L'écho que leur donna la presse montre combien l'opinion était passionnée. On est confondu de l'audace des solutions proposées par Lanquetin, par Meynadier, ou, un peu plus tard, par tant d'autres, hommes et femmes anonymes, dans les clubs de 1848. La puissance et la cohérence des conceptions haussmanniennes, l'habileté avec laquelle le préfet sut récupérer pour la puissance publique le fruit de ses investissements, la liaison étroite entre toutes les parties du projet, depuis la décoration des balcons jusqu'au tracé des avenues et des parcs, tout justifie le prestige dont jouissait dans le monde l'urbanisme parisien vers 1880.

Le bilan du XXe siècle est bien différent. Dans la première moitié du siècle, Paris fut laissé à l'abandon par un régime de notables provinciaux qui ne voulaient rien dépenser pour la capitale. La responsabilité des élites de la Troisième République est immense : se refusant à limiter si peu que ce fût le droit de propriété sur le sol afin de ménager les paysans, elles laissèrent se développer anarchiquement la banlieue selon un plan désastreux qu'il est devenu impossible aujourd'hui de

réaménager ; par incurie, souvent par corruption, elles laissèrent construire la ceinture verte et anéantir définitivement
le dernier espoir de doter Paris de grands parcs et de promenades ; enfin, par démagogie et aussi parce que les grands
propriétaires terriens se souciaient davantage de conserver
leur patrimoine que d'en tirer des revenus, elles bloquèrent
les loyers et provoquèrent pendant quarante ans la plus
grande crise du logement qu'ait connue la capitale.

Après le désastre de 1940, Paris souffrit moins d'indifférence que d'une sollicitude pleine d'hostilité. Alors se manifesta clairement une tendance profonde de la société française, latente jusque-là : la haine de Paris et la volonté
d'affaiblir la capitale. La politique du *Retour à la terre* de
l'époque pétainiste fut suivie, après la Libération, par une
politique d'aménagement du territoire qui, chose surpre-
nante, ne semble pas avoir visé des buts bien différents.
Développer la province au détriment de Paris fut, depuis
1940, un souci constant, la seule politique d'aménagement
stable. L'anti-parisianisme semble avoir conduit les gouvernements successifs, surtout après 1974, à laisser se dégrader
les conditions de vie dans la capitale. S'est-il agi d'une politique visant à ruiner Paris, consciemment choisie mais
jamais avouée, ou bien d'une tendance naturelle de l'État à
la parcimonie ? La question est d'importance. Elle est nouvelle aussi : on ne voit pas, dans l'histoire de l'Europe, beaucoup d'exemples de gouvernants laissant volontairement
péricliter leur capitale alors qu'elle produit plus d'un quart
des richesses de la nation et fournit 30 % des ressources fiscales. Une politique aussi étrange n'est guère logique. On
devine des raisons plus profondes qu'un malthusianisme
banal, ou que l'avidité de certains provinciaux, des ressorts
plus cachés qu'il faudrait chercher dans l'histoire des idéolo-
gies. Il est vrai que, parallèlement à cette entreprise d'affaiblissement, certains gouvernements, ne reculant pas devant
la contradiction, menèrent des politiques d'expansion.
L'incohérence atteignit son comble sous le régime gaulliste
quand le ministre Sudreau limitait sévèrement la création
d'emplois à Paris cependant que le délégué au district,
Delouvrier, projetait huit villes nouvelles pour accueillir ces
nouveaux travailleurs que l'on empêchait de venir. Les
grandes opérations d'urbanisme furent souvent décidées

dans des conditions lamentables : tantôt il fallut des décennies pour trancher, tantôt le Prince, exaspéré, fixait son choix en quelques minutes, entre deux portes. Rarement, ou plutôt jamais, les Parisiens, qui payaient, ne furent consultés. Les bâtiments du plateau des Arcis (Beaubourg), parmi les plus anciens et les plus misérables de Paris, reconnus vétustes et malsains en 1832, furent déclarés insalubres en 1922 mais restèrent habités et ne furent démolis qu'en 1967.

Comment la région la plus puissante de France a-t-elle pu être aussi longtemps privée de pouvoir sur son propre destin ? À cause même de son importance dans la vie et l'économie du pays. Sous tous les régimes, les gouvernements n'ont eu de cesse de limiter l'autonomie parisienne, de maintenir la ville hors du droit commun, d'éviter qu'une région cohérente ne se forme. Jusqu'à ces dernières années, la politique française s'est déroulée dans un cadre national. Naguère encore, la mairie de Paris n'apparaissait que comme une étape que les politiciens espéraient provisoire sur le chemin de l'Élysée. L'Assemblée régionale, élue au suffrage proportionnel et dans un cadre départemental qui la morcelle encore davantage, est trop faible pour mener un véritable projet régional ; son exécutif est élu au second degré, sans légitimité directe. Le découpage administratif a morcelé la région parisienne ; les limites de l'Île-de-France, beaucoup trop étroites, assurent qu'une large partie du territoire qui vit en symbiose avec Paris se trouve partagée entre d'autres régions voisines : Picardie, Haute et Basse-Normandie, Centre, etc.

La politique d'aménagement régional semble bien avoir accéléré la déconcentration parisienne en agrandissant la zone d'influence de la capitale et en projetant certaines activités qui avaient besoin d'espace à sa périphérie (cf. P. Aydalot, 1978). La région parisienne, c'est-à-dire les communes qui travaillent directement avec la capitale, a été ainsi amenée à déborder très largement des limites étroites de la région d'Île-de-France : cette discordance entre structures administratives et vie réelle a des effets désastreux. La grande réforme des institutions régionales qui permettrait à la région parisienne de dépasser les limites étroites de l'Île-de-France, d'acquérir enfin son autonomie et de se gérer elle-même est encore à faire. Michel Rocard essaya bien de l'aborder, très prudemment, en 1991, et la laissa vite s'enliser. L'État, depuis soixante ans, conserve les petites régions dessinées par Vichy, alors que Jean-Louis Guigou[1] a montré, à juste titre, que la France ne comprend que sept ou huit véritables régions économiques et sociales. On ne peut penser sérieusement qu'une région-croupion formée de 1 305 communes parfois très différentes (du bourg betteravier et du centre industriel à la ville de Paris), et tenue encore en lisière par la surveillance pointilleuse et inquiète de l'État, puisse prendre les décisions considérables qui sont nécessaires. Le budget de la Ville est établi par le préfet ; le schéma directeur a été construit et imposé par l'État ; la Ville n'a même pas un siège d'observateur à la commission qui organise les transports régionaux. Le découpage de la région d'Île-de-France enserre l'agglomération dans un carcan qu'on a voulu aussi étroit que possible et empêche toute organisation rationnelle de la région parisienne.

Celle-ci, pourtant, est tout à fait originale : de la moyenne française à l'Île-de-France et à Paris, le pourcentage d'ouvriers et de retraités diminue régulièrement, alors que la proportion des cadres supérieurs devient considérable.

Recensement 1999	France (en %)	IdF (en %)	Paris (en %)
Non déclaré	9,26	12,93	17,59
Ouvriers	22,56	13,08	6,46
Petits employés	31,96	32,66	24,99
Cadres moyens	12,36	12,03	9,79
Cadres supérieurs	12,61	20,50	28,52
Patrons	11,25	8,80	12,66
Chômeurs	5,89	6,55	7,34
Ayant un emploi	55,06	62,98	59,51
Retraités	30,38	23,80	22,64

Le concept même de décentralisation a été perverti, en France, d'étrange façon. L'État n'a abandonné, en 1982, que peu de pouvoirs, en conservant les principales ressources fiscales. La pierre de touche d'une décentralisation authentique

---

1. Délégué à l'aménagement du territoire et à l'action régionale (DATAR) depuis 1997.

serait la dévolution de pouvoirs financiers importants à de grandes régions urbaines. Reconnaître à la région parisienne, aux régions lyonnaise, marseillaise ou lilloise le droit de lever elles-mêmes la plus grande partie des prélèvements fiscaux et de se gérer de façon autonome serait véritablement décentraliser : il n'en a jamais été question. Cependant, le renouveau du cadre régional se produit partout en Europe avec une vigueur parfois redoutable comme le montre l'exemple des ligues italiennes. Ces exemples voisins devraient faire réfléchir les responsables français et les amener à remettre en question les bases de la politique régionale.

Dès l'époque pétainiste, la France a négligé la politique d'« équipement » qui consiste à investir pour répondre aux besoins nouveaux, et suivi une politique d'« aménagement » qui tentait de remodeler le territoire selon un modèle idéologique préétabli. L'État a ainsi investi dans des campagnes qui se vidaient pour essayer d'y retenir la population et négligé les périphéries urbaines où elles venaient s'installer. Ce déséquilibre constitue aujourd'hui l'un des principaux problèmes français : les campagnes ont trop d'écoles vides ou de bureaux de poste non rentables (surcoût évalué à 4 milliards de francs par an), cependant que les banlieues abandonnées à elles-mêmes partent à la dérive. Le ministère de la Ville disposait, l'an dernier, d'environ 30 milliards pour investir dans des périphéries où vivent près de 12 millions de personnes, alors que l'agriculture bénéficiait de subventions directes de plus de 180 milliards pour 650 000 exploitations, soit plus de 20 000 francs par mois et par exploitation. Le paysan français est aujourd'hui un assisté (54 % de ses revenus proviennent de subventions publiques), mais les banlieues où vivent les jeunes couples qui travaillent, font des enfants et paient les impôts sont considérées par les médias et l'opinion comme des espaces dangereux et presque « hors de la République » tant l'idéologie ruraliste a triomphé. La haine de la grande ville, dont Paris a souffert si longtemps, s'est déplacée aujourd'hui et vise principalement les périphéries urbaines.

Cependant, les questions les plus importantes attendent encore une réponse : comment assurer une solidarité entre les régions et décentraliser en même temps, alors que ces deux politiques sont contradictoires ? Qui la solidarité parisienne doit-elle aider demain, dans la future Europe, sinon les régions les plus pauvres qui seront désormais la Galice, le Péloponnèse, ou même la Pologne et la Roumanie, et non plus la Bretagne ou le Limousin ? Le rôle de métropole européenne et mondiale et celui de capitale de la France sont-ils compatibles ? Sont-ils nécessairement liés ? Ne vaudrait-il pas mieux prévoir un déménagement de l'État hors de Paris et laisser à la région parisienne l'autonomie qui lui permettrait de jouer pleinement son rôle mondial ? L'État français jouera-t-il encore un rôle important dans cinquante ans ?

En pervertissant la décentralisation, en réduisant cette politique à une opposition entre Paris et la province, en ramenant les principales mesures à un effort pour affaiblir la capitale, l'État a réussi à conserver l'essentiel de son pouvoir, mais à quel prix pour la capitale ! Depuis un siècle, Paris a beaucoup pâti d'avoir été français : si la ville avait eu la chance d'être régie par les lois britanniques ou par les règlements d'urbanisme allemands, hollandais ou suisses, elle aurait évité d'être toujours en retard de vingt, trente, parfois quarante ans sur les autres grandes villes européennes. Dans la plupart des domaines : confort, logement, hygiène, transports, espaces verts, équipements publics, aujourd'hui pollution, la situation aurait sans doute été meilleure.

En cette fin de siècle où la formation d'un Grand Marché européen et l'effondrement du bloc communiste transforment de fond en comble la géographie du continent, où toute une période économique marquée par le fordisme et le keynésisme semble se terminer pour déboucher sur des méthodes nouvelles de gestion et de production « postmodernes », où l'Europe se cherche une capitale, Paris semble mal armé. Après cinquante ans de politique d'aménagement dont le but principal était de l'affaiblir, la capitale aborde le troisième millénaire dans de bien piètres conditions. La hargne, l'agressivité sont devenues des caractéristiques trop connues de la population parisienne. Certains en parlent avec humour (cf. A. Schiffres, 1990), mais comment ne pas voir que la dégradation des relations humaines dans une ville si agréable jadis, et qui fut un modèle d'urbanité, est l'effet de l'abandon où elle a été laissée par des autorités qui semblaient surtout soucieuses de contrôler la grande ville pour mieux la piller ?

Chronologie

1783	10 avril	• Ordonnance sur les bâtiments
1807	16 septembre	• Création d'une servitude de reculement
1809	17 mai	• Décret organisant l'octroi
1810	8 mars	• Expropriation par les tribunaux civils
	15 octobre	• Décret sur les bâtiments insalubres
1825		• Premiers trottoirs à Paris
1828	Avril	• Premiers omnibus, fondés par Stanislas Baudry (10 lignes dont 5 partaient de la Bastille)
1829		• Éclairage des rues au gaz (rue de la Paix et place Vendôme)
1832		• Terrible épidémie de choléra (plus de 30 000 morts)
1837		• Premier chemin de fer parisien (ligne Paris-Saint-Germain, construite par les frères Pereire)
1839-1841		• Commission sur le déplacement de Paris
1841	3 mai	• Expropriation par un jury de notables
1841-1845		• Construction des fortifications
1842	11 juin	• Loi Guizot sur les chemins de fer : l'État construit les infrastructures ; les compagnies privées les superstructures
1846		• Ouverture de la gare du Nord
1847-1852		• Construction de la gare de Lyon
1848		• Suppression des péages sur les ponts de Paris
1849-1852		• Construction de la gare de l'Est
1850	13 avril	• Loi de Melun, interdisant la location de logements insalubres
1851	10 décembre	• Chemin de fer de Petite Ceinture pour relier les cinq gares pari-

1851		siennes (construit de 1851 à 1867)
1852	20 mars	• Décret sur la salubrité
	25 décembre	• Expropriations plus faciles à Paris : un sénatus-consulte décide que l'expropriation sera décrétée par l'exécutif
1854		• Premiers tramways à chevaux
1855		• Premier projet de métro parisien, présenté par Brame et Flachat
	22 janvier	• Création de la Compagnie générale des omnibus ; la CGO reçoit le monopole des transports à Paris
1858		• Le Conseil d'État limite les expropriations ; les terrains inutilisés seront rendus à leur ancien propriétaire
1859		• Nouveau règlement d'urbanisme
1860		• Annexion de la banlieue : Paris passe de 3 288 hectares à 7 088 et de 1,2 million d'habitants à 1,6 million
		• Indemnité immédiate aux expropriés : la Cour de cassation ordonne le versement immédiat des indemnités aux locataires expropriés
		• La concession de la CGO est prolongée jusqu'en 1910
1862-1875		• Construction de l'Opéra-Garnier
1867		• Bateaux-omnibus sur la Seine
1870	5-10 septembre	• Comité central de la Commune : élection des comités locaux de quartier qui élisent le comité central
1871	18 mars	• Insurrection de la Commune
	10 août	• Loi sur les conseils généraux (appliquée à Paris à partir de 1932)
		• Première loi d'urbanisme en Suède
1875	4 août	• Chemin de fer de Grande Ceinture (construit de 1878 à 1883)
1880		• Premiers ascenseurs à Paris
1882-1884	23 juillet 1884	• Nouveau règlement d'urbanisme
1884	5 avril	• Charte des libertés communales : les communes doivent établir des plans d'alignement (jamais appliquée à Paris)
1885		• Société des amis des monuments

1885		parisiens, créée par Charles Normand (président : Victor Hugo)
1887	30 mars	• Loi sur la protection du patrimoine
1889		• Certains boulevards sont pavés en bois
		• Exposition internationale : galerie des Machines, Grande Roue, tour Eiffel…
	17 décembre	• Création de la Société française des HBM par Siegfried, Jules Simon…
1890		• L'électricité entre dans quelques appartements mais se répand très lentement : beaucoup de logements en seront encore privés en 1930
		• Début de l'exode vers la banlieue
1893		• Casier sanitaire : la Ville a six ans pour recenser les 80 000 immeubles de Paris
		• Nouveau règlement d'urbanisme
1893-1894		• Mise en service de l'Arpajonnais, abandonné en 1937
1894	30 novembre	• Loi Siegfried : création des comités locaux d'HBM
1895		• Création du Musée social
1896		• Premiers arrêts fixes des omnibus
1897		• Incendie du bazar de la Charité (117 morts, surtout des membres de l'aristocratie)
	29 décembre	• Loi sur l'octroi
1898		• Construction de la gare d'Orsay, ouverte en 1900
1898-1905		• Concours de façades
1900		• Premières salles de bains avec eau chaude et eau froide à Paris
		• Exposition internationale (ouverte le 28 mai 1900) ; Grand et Petit Palais
		• Institution de la carte hebdomadaire dans le métro
		• Premiers tramways électriques (ils disparaîtront en 1937)
	19 juillet	• Première ligne de métro
1901	Janvier	• Grande grève du métro
1902		• Affaire de Casque d'or
		• Nouveau règlement d'urbanisme :

1902		hauteur des immeubles = largeur de rue + 6 mètres ; hauteur max. : 20 mètres
	15 février	• Loi sur l'hygiène urbaine ; charte précisant la notion d'hygiène urbaine ; création du permis d'habitation
1903		• Cours de Marcel Poëte sur Paris
		• Société des cités-jardins, créée par Georges Benoit-Lévy
	30 mai	• Circulaire d'urbanisme pour la banlieue
	10 août	• Accident de métro (77 morts à la station Couronnes)
1904		• Première loi d'urbanisme en Allemagne
1905		• Premier autobus à vapeur
1906	12 avril	• Loi Strauss : financement des HBM par les communes et la Caisse des dépôts
	21 avril	• Loi Bauquier sur la protection des perspectives et des sites
1907		• Premier autobus parisien
1908	10 avril	• Loi Ribot : augmente l'aide de l'État pour fixer les ménages en faisant d'eux des propriétaires
1909		• Town Planning Act : première loi d'urbanisme en Grande-Bretagne
1910		• Comité pour l'extension de Paris
1912		• Ligue des espaces libres
	23 décembre	• Loi Bonnevay : création des offices publics d'HBM et cités-jardins
1913		• Disparition des tramways à chevaux
1914		• Société des cités-jardins de la région parisienne
	3 août	• Moratoire sur les loyers, renouvelé jusqu'à la fin de la guerre
1918	9 mars	• Blocage des loyers : dérogation au Code civil
1919	14 mars	• Loi Cornudet : impose un plan d'aménagement, le raccordement à la voirie, un permis de construire
1920		• Destruction des fortifications
1921	26 février	• Financement des HBM par des prêts de l'État à taux réduits

1923		• Destruction de l'îlot insalubre Saint-Merri
1924		• Loi sur les lotissements : un plan de lotissement devient obligatoire ; une commission départementale autorise les ventes
1925		• Commission d'aménagement et d'extension créée dans le département de la Seine par le conseil général
		• Création des HLM ; Henri Sellier fonde l'Union des HLM
1926		• Achèvement du boulevard Haussmann
1928	15 mars	• Loi Sarraut : réaménagement des lotissements défectueux commencés avant la loi Cornudet
	24 mars	• Création du Comité supérieur d'aménagement de la région parisienne (CSARP)
	13 juillet	• Loi Loucheur : aide de l'État à la construction de 280 000 logements ; 80 000 HBM locatifs construits
1930	2 mai	• Loi sur les sites : institue par département la liste des sites et des monuments
1932	14 mai	• Loi sur le futur plan d'aménagement de la région parisienne : celle-ci est délimitée par un cercle de 35 kilomètres autour de Paris
1933		• Plan André Citroën pour améliorer les transports dans l'agglomération parisienne
1934	14 mai	• Plan Prost
1936		• Plan Marquet : plan pour la construction de 270 kilomètres d'autoroutes avec une grande rocade autour de Paris (il ne fut pas appliqué)
1937		• Plan Le Corbusier : plan d'aménagement proposé à l'occasion de l'Exposition de 1937, repris en 1946
1939		• Achèvement de l'autoroute de l'Ouest (ouverte à la circulation en 1941)
	22 juin	• Un décret approuve le plan Prost

1941		• Commissariat aux travaux de la région parisienne : délimitation de la région parisienne, reprise en 1961 et encore en vigueur aujourd'hui
	6 avril	• Loi créant la délégation générale à l'Équipement national ; circonscriptions régionales d'urbanisme ; aménagement intercommunal
	24 août	• Une loi approuve le plan Prost
1942		• Action contre les taudis
1943		• Création du SARP et du CARP : le service d'aménagement de la région parisienne a pour but d'établir un plan d'urbanisme
	15 juin	• Loi créant le permis de construire généralisé
		• Loi d'urbanisme pour Paris ; nouveau plan coordonné pour la région parisienne
1946		• Projet Dautry
1947		• Premier grand ensemble : bâtiments de 2 à 5 étages dans le quartier de la Plaine à Clamart
1948	1ᵉʳ septembre	• Loi libérant les loyers et fixant de nouveaux loyers « justes » à la surface corrigée
1948-1953		• Ministère Claudius-Petit, qui tente d'aménager le territoire en détournant certaines activités de Paris
1950	21 juillet	• Les HLM remplacent les HBM
1953		• Plan Courant : le ministère de la Construction réorganise l'industrie du bâtiment et prévoit le desserrement de la banlieue parisienne
	9 août	• 1 % pour le logement : un décret oblige les entreprises de plus de 10 salariés à consacrer 1 % de la masse salariale au logement
		• Hiver particulièrement rigoureux : l'abbé Pierre se rend célèbre en logeant provisoirement des sans-toit
1954		• Grands immeubles à Sarcelles : 13 000 logements construits par la SCIC, sans équipements
1955	5 janvier	• Institution de l'agrément par le gou-

1955		vernement Mendès France, nécessaire pour construire des bâtiments industriels de plus de 500 mètres carrés
1957		• Construction du CNIT, marquant le début de la longue transformation de la Défense
1958	5 juillet	• Décret sur la préparation du PADOG
	8 décembre	• Création des ZUP
1959	7 janvier	• Création du Syndicat des transports parisiens
	4 février	• Une ordonnance crée le district de la région parisienne
1960	2 août	• Loi Sudreau, qui impose des redevances sur la construction de locaux industriels dans la région parisienne
	6 août	• Un décret approuve le PADOG et crée l'IAURP
1961		• Début de la construction d'un réseau d'autoroutes dans la région parisienne
		• Création du RER
	2 août	• Création du district de Paris par deux décrets (2 août et 31 octobre ; modifié par la loi du 17 décembre 1966)
1962		• Loi Malraux pour la restauration des grands monuments et des quartiers anciens
1963	14 février	• Création de la DATAR
		• Livre Blanc, qui projette la population et les besoins de l'agglomération jusqu'en 1985
1964		• Nouvelle faculté des sciences à Bercy
	14 mars	• Un décret crée 21 régions en France
	10 juillet	• Nouveaux départements parisiens : transformation des 3 anciens départements en 8 nouveaux
1964-1965		• Projet de SDAU
1965	10 juillet	• Loi sur la copropriété : les Parisiens commencent à acheter leur logement
1966		• Villes nouvelles ; E. Pisani pose la première pierre d'Évry-Ville nouvelle

1967		• Loi Pisani : organisation des SDAU et des POS • Construction de la tour Maine-Montparnasse
1969		• Transfert des Halles à Rungis • Création du musée Beaubourg • Le Livre Blanc, publié par le groupe interministériel sur le Bassin parisien, supprime 3 villes nouvelles • Création des ZAC : les zones d'aménagement concerté remplacent les ZUP ; ouverture à l'initiative privée
1970		• Plan d'épargne-logement • Affaire des abattoirs de la Villette
	10 juillet	• Loi Boscher : cadre légal des villes nouvelles (institutions mises en place en 1972-1973)
1973		• Circulaire Guichard : marque la fin des grands ensembles • Rapport Albert
1974		• Rapport du Hudson Institute • Rapport Beaujeu-Garnier
1976	6 mai	• Statut de droit commun accordé à la région d'Ile-de-France après une résistance opiniâtre du Sénat
	1er juillet	• Approbation du SDAURP, le jour même où est créée la région d'Ile-de-France
1977	Mars	• Élection d'un maire de Paris : Jacques Chirac est élu contre Michel d'Ornano
1981	Été	• François Mitterrand annonce les grands projets
1982	Juillet	• Loi Quilliot
1991		• Présentation du nouveau SDAURP
	Avril	• Loi Rocard établissant une solidarité financière entre les communes
	13 juillet	• Loi d'orientation pour la Ville • Loi Marchand : création d'un fonds de solidarité entre les villes de l'Ile-de-France • Nouveau schéma national des TGV
1995		• Mise en service de METEOR (RATP)
1996		• Mise en service d'EOLE (SNCF)

Orientation bibliographique

La bibliographie rassemble près de 450 titres et ne prétend pas être complète. On indiquera seulement, ci-après, les textes les plus importants et les noms des spécialistes qui ont publié abondamment.

Ouvrages d'histoire générale

L'*Histoire de la France urbaine* (Duby *et al.*, 1983) plante le décor.

La *Nouvelle Histoire de Paris*, dont les grands tomes très bien illustrés couvrent l'histoire de la capitale jusqu'en 1873, constitue un document fondamental : Lavedan, 1960 et 1975, particulièrement utile ; Girard, 1981 ; Rials, 1985 ; les volumes suivants sont en préparation.

L'*Histoire* de Dubech et Espezel (1926), passionnée et peu objective parfois, mais écrite dans un style dense, incisif, et riche d'une multitude de détails, est particulièrement intéressante.

Enfin, on ne négligera pas les textes classiques de Marcel Poëte.

Études particulières

Les travaux de Rouleau (1983 et 1985), d'Hillairet (1963), plus détaillés encore, et le *Guide* de Braibant (1965) sont des mines de renseignements sur l'histoire des rues et des immeubles.

Analyses irremplaçables de l'évolution des loyers dans Marnata, 1961 ; des transports en commun dans Lagarrigue, 1956.

Paris au XIXe siècle

L'ouvrage classique de Simond (1901) donne un bon aperçu de la période. Les travaux de Louis Chevalier, de Pierre Lavedan et

d'Adeline Daumard sont fondamentaux. On s'attachera particulièrement, pour les transformations d'Haussmann, aux études de
Gaillard (1976) et de Sutcliffe (1970), sans négliger Pinkney
(1957). La place de Paris en Europe au cours du XIXᵉ a été étudiée
par Willms (1988).

Pour l'architecture, on consultera Loyer, 1987, et les articles
publiés par Daly dans la *Revue générale d'architecture* entre 1840
et 1860, ainsi que son ouvrage de 1870-1872; voir aussi Chemetov
et Marrey, 1983.

Étude fondamentale des finances municipales dans Cadoux,
1900; de l'administration dans Des Cilleuls, 1900; et, pour le
début du siècle, dans Tulard, 1976.

Le *Journal de la Société de statistique de Paris* est une bonne
source d'informations détaillées à la fin du XIXᵉ siècle. Les travaux
de Bertillon, en particulier son *Atlas* (1888-1889), sont fort utiles.
La rente foncière à Paris est bien analysée dans l'ouvrage classique
d'Halbawchs (1909); l'évolution du coût de la vie dans l'étude de
Singer-Kérel (1961).

En faveur de la Commune, on lira le texte frémissant de Lissagaray (1969), témoin et protagoniste du drame; contre elle, on pourra
consulter le pamphlet violent de Du Camp (1871) et l'ouvrage
récent et très bien illustré de Rials (1985); on se reportera surtout
aux excellentes études de J. Rougerie (1968 et 1971); consulter
aussi *Les Écrivains français devant la guerre de 1870 et la Commune* (1972), ainsi que Lidsky (1970).

L'image de Paris dans la littérature a été étudiée dans la thèse
célèbre de Citron (1961); délicieux croquis de Gavarni (1841-
1843). Pour un tableau réaliste de la vie populaire dans la capitale,
on pourra lire Balzac (début de *La Cousine Bette*, sur les environs
du Louvre, ou, mieux, *La Fille aux yeux d'or*), mais on préférera la
littérature populaire, plus révélatrice, même dans ses exagérations:
le célèbre roman d'Eugène Sue, *Les Mystères de Paris*, et les aventures de Rocambole (Ponson du Terrail, 1857-1866 et 1869) donnent une image populaire de la vie quotidienne dans la capitale.

Paris au XXᵉ siècle

Le Paris de la Belle Époque a été abondamment évoqué par les
romanciers. On ne négligera pas les effrayantes aventures de Fantômas (Souvestre et Allain, 1961), qui peignent la capitale à la
veille de la Grande Guerre.

On consultera particulièrement les travaux (par ordre alphabétique) de Jean Bastié, de Mme Beaujeu, de Michel Carmona et de Pierre Merlin.

Bonne présentation de l'architecture parisienne moderne dans Martin, 1986; voir aussi Evanson, 1979, et Courtiau, 1990. La banlieue est bien étudiée dans Faure *et al.*, 1991, et surtout dans Bastié, 1965. Études sociologiques devenues classiques par Chombart de Lauwe, en particulier l'ouvrage collectif de 1952. Bon tableau de l'évolution récente de l'agglomération dans Vaujour, 1970, et dans le début de la thèse de Carmona (1979).

La question si importante et si mal étudiée encore des rapports de Paris avec la province est traitée avec passion dans Gravier, 1947 et 1972, et dans la conférence du CREPIF (1991). On trouvera des opinions opposées dans Doublet, 1976; Griotteray, 1962; Davezies *et al.*, 1983; Davezies, 1989; et dans les ouvrages passionnants de Dupont-White (1857 et 1860) et de Figueras (1967).

Sources

Documents cartographiques

On utilisera deux documents fondamentaux :
– l'*Atlas* de Jacoubet (1836) pour le début de la période étudiée;
– le grand *Atlas* de Bastié et Beaujeu (1967), outil indispensable.
Sur le Paris récent, l'*Atlas* de Noin (1984) est fort utile, ainsi que celui de Ballut (1987); le petit atlas de Couperie (1968) est commode.

Documents iconographiques

On trouvera un remarquable recueil de photographies de Paris à la fin du XIXe siècle dans Atget, 1992.

Sources statistiques

Outre les recensements, on consultera l'*Annuaire statistique de la Ville de Paris* qui offre, de 1881 à 1962, une multitude de renseignements.
Le chercheur pourra utiliser en particulier deux bonnes biblio-

thèques : la Bibliothèque historique de la Ville de Paris, rue Pavée,
en face de l'hôtel Carnavalet ; et la Bibliothèque administrative de
la Ville de Paris, sous les combles de l'Hôtel de Ville.

Il pourra aussi consulter une riche collection de films concernant
Paris et d'images de la capitale à la Vidéothèque de Paris, Forum
des Halles (porte Saint-Eustache).

Les travaux du CREPIF (Centre de recherche et d'études sur
Paris et l'Ile-de-France) : colloques, études et publications, sont
particulièrement utiles.

Des informations récentes pourront être obtenues de l'INSEE
(tour Gamma), de l'IAURIF, de l'APUR et de la Documentation
française.

Parmi tous ces livres utiles, l'auteur avoue avoir pris un plaisir
tout particulier à lire certains ouvrages bien écrits, avec fougue,
avec passion ou avec humour : les livres de Dupond-White (1857
et 1860), si subtils et si clairvoyants ; le texte de Loyer (1987) ;
celui de Sutcliffe (1970) ; l'ouvrage mal construit mais passionnant
de Gaillard (1976) ; l'*Histoire* de Dubech et Espezel (1926), au
style si brillant et si incisif ; enfin, la délicieuse comparaison
d'Olsen (1986).

Anonymes

« Paris in Literature », *Yale French Studies*, n° 32, New Haven,
    1964.
Album de statistique graphique, Paris, Imprimerie nationale, 1879-
    1897, 18 vol.
*Annuaire statistique de la Ville de Paris et des communes subur-
    baines de la Seine*, Paris, 1881-1962, 67 vol.
Données sociales, Ile-de-France, Paris, INSEE, 1989.
Emploi, Entreprises et Équipements en Ile-de-France, Paris, GIP-
    RECLUS, 1987.
La Tour de feu (études sur Fantômas), Paris, 1965.
« Grands travaux », *Connaissance des arts* (numéro spécial), 1989.
Hector Guimard et l'Art nouveau, Paris, Hachette, 1990.
Ile-de-France, un nouveau territoire, Paris, GIP-RECLUS-
    La Documentation française, 1988.
Ile-de-France : pouvons-nous éviter le scénario-catastrophe ?,
    Paris, Economica, 1990.
L'Ile-de-France au futur, Paris, DRE Ile-de-France, 1991.
La Brique à Paris, Paris, Pavillon de l'Arsenal, 1991.

La Vie des ménages de quatre nouveaux ensembles de la région parisienne (1962-1963), Paris, CINAM, 1964, 3 vol.

Le Fer à Paris, Paris, Pavillon de l'Arsenal, 1989.

Le Livre Blanc de l'Ile-de-France, Paris, DREIF-APUR-IAURIF, 1990.

Le Parisien chez lui au XIXᵉ siècle, 1814-1914, Paris, Archives nationales, 1976.

Les Écrivains français devant la guerre de 1870 et la Commune, Paris, 1972.

Les Grandes Gares parisiennes au XIXᵉ siècle, Paris, Ville de Paris, DAA, 1987.

Les Murs peints de Paris, Paris, Pavillon de l'Arsenal, 1990.

Les Plans Le Corbusier de Paris, 1922-1956, Paris, Éd. de Minuit, 1956.

Parcs et Promenades de Paris, Paris, Pavillon de l'Arsenal, 1989.

« Paris 1900 », *Revue d'histoire moderne et contemporaine* (numéro spécial), Paris, 1983.

Paris au XIXᵉ, Aspects d'un mythe littéraire, Lyon, Presses universitaires de Lyon, 1984.

Paris d'hospitalité, Paris, Pavillon de l'Arsenal, 1990.

Paris et le Phénomène des capitales littéraires, Paris, Presses universitaires Paris-Sorbonne, 1986, 2 vol.

Paris Haussmann, Paris, Pavillon de l'Arsenal, 1991.

Paris. Architecture et utopie, Paris, Pavillon de l'Arsenal, 1989.

Paris : la ville et ses projets, Paris, Pavillon de l'Arsenal, 1989.

Paris-Projet, Paris, APUR, 1981.

Recherches statistiques sur la ville de Paris et le département de la Seine, Paris, 1829, 4 vol.

Réflexions sur l'Ile-de-France, Paris, préfecture de la région d'Ile-de-France, 1989.

Roma, Parigi, New York : quale urbanistica per le metropoli ?, Rome, Gangemi Editore, 1985.

« Sept ans de vie de la région parisienne et de son district », *Cahiers de l'IAURP*, Paris, 1969.

Tableaux de l'économie d'Ile-de-France, Paris, INSEE, 1990.

ADLER (J.) (1987), *The Jews of Paris and the Final Solution (1940-1944)*, Oxford UP, Oxford, 312 p.

ALBERT (M.) (1973), *Paris ville internationale, rôles et vocation*, DATAR, Paris.

ALDUY (J.-P.) & J.-E. ROULLIER (1979), « Les Villes Nouvelles en région parisienne, 1963-1977 », *Annales de la recherche urbaine*, Paris, 100 p.

ALPHAND (A.) (1867-73), *Les Promenades de Paris*, Paris, 2 vol.

ANACHE (M.) (1980), *Le Peuplement des Villes Nouvelles de la région d'Île-de-France*, IAURIF, Paris, 163 p.

ANCELOT (1866), *Un salon de Paris, 1824 à 1864*, E. Dentu, Paris.

AUDIAT (P.) (1946), *Paris pendant la guerre (juin 1940-août 1944)*, Hachette, Paris, 331 p.

ARISTE (P. d') (1930), *La Vie et le monde du Boulevard, 1830-1870*, Paris.

ARON (J.-P.) (1967), *Essai sur la sensibilité alimentaire à Paris au XIXᵉ siècle*, A. Colin, Paris.

ARRIGHI DE CASANOVA (1982), *Rapport sur les moyens d'accroître le rayonnement international de Paris et de sa région, ainsi que des principales métropoles régionales*, Rapport à la DATAR, Paris, 123 p.

AUDIAT (P.) (1946), *Paris pendant la guerre*, Hachette, Paris.

AYDALOT (Ph.) (1978), *L'Aménagement du territoire en France, une tentative de bilan*, nᵒ 1, université Paris-I, Centre EEE, Paris, 20 p.

AYMONINO (C.), G. FABBRI & A. VILLA (1975), *Le città capitali del XIXᵒ secolo*, I : *Parigi e Vienna*, Officina Ed., Rome.

BACKOUCHE (I.) (2000), *La Trace du fleuve, la Seine et Paris (1750-1850)*, Éd. de l'EHESS, Paris, 430 p.

BAILLY (J.-C.) (2001), *Nouveaux rythmes urbains : quels transports ?*, Éd. de l'Aube.

BALLUT (A.) (1987), *Atlas de l'occupation du sol dans la région d'Île-de-France*, IAURIF, Paris.

BANCQUART (M.-C.) (1979), *Images littéraires du Paris fin-de-siècle*, La Différence, Paris.

BAROZZI (J.) (1997), *Littératures parisiennes*, Hervas, Paris.

BARROUX (M.) (1910), *Le Département de la Seine et la Ville de Paris : notions générales et bibliographiques pour en étudier l'histoire*, Paris.

BASTIE (J.) (1965), *La Croissance de la banlieue parisienne*, PUF, Paris.

— (1979), *Paris en l'an 2000*, SEDIMO, Paris.

— (1984), *Géographie du Grand Paris*, Masson, Paris.

— & J. BEAUJEU (1967), *Atlas de Paris et de la région parisienne*, Berger-Levrault, Paris, 964 p.

BAZIN (A.) (1833), *L'Époque sans nom : esquisses de Paris, 1830-1833*, Alexandre Mesnier, Paris, 2 vol.

BEAUJEU (J.) (1977), *Paris et la région d'Île-de-France*, Flammarion, Paris, 2 vol.

BEAUMONT-MAILLET (L.) (1991), *L'Eau à Paris*, Hazan, Paris, 261 p.

BECKOUCHE (P.) & F. DAMETTE (1990), *La Métropole parisienne, système productif et organisation de l'espace*, DATAR, Paris, 68 p.

BELGRAND (1869-83), *La Seine*, Institut d'histoire de la ville de Paris, 3 vol.

BELLET (V.) (1857), *Les Propriétaires et les loyers à Paris*, E. Dentu, Paris.

BENJAMIN (W.) (1989), *Paris, capitale du XIXᵉ siècle. Le livre des passages*, Éd. du Cerf, Paris.

BENOIT (P.) *et alii* (1993), *Paris 1995, le grand desserrement*, Romillat, Paris, 301 p.

BENSTOCK (Sh.) (1988), *Women of the Left Bank, XXth Century.*

BERLANSTEIN (L. R.) (1988), *The Working People of Paris, 1871-1914.*

BERNARD (J.-P.) (1991), *Paris rouge (1944-1964)*, Champvallon, Paris, 264 p.

BERTALL (1871), *Les Communeux, 1871. Types, caractères, costumes*, Gotschalk, Paris.

BERTAUT (J.) (1949), *Le Faubourg Saint-Germain sous l'Empire et la Restauration*, Taillandier, Paris.

— (1957), *Le Boulevard*, Taillandier, Paris.

BERTILLON (J.) (1888-89), *Atlas de statistique graphique de la ville de Paris*, Masson, Paris, 2 vol.

— (1895), *Origine des habitants de Paris en 1833 et en 1891*, Imprimerie Chaix, Paris.

BERTRAND (J.-M.) (1966), *Les Maisons d'habitation et la formation des quartiers de Paris*, thèse de 3ᵉ cycle dactylographiée, Paris, 2 vol.

— (1975), *L'Espace vécu des Parisiens*, APUR, Paris.

BESSON (M.) (1971), *Les Lotissements*, Berger-Levrault, Paris.

BOUCHET (J.) (1941), *Les Rapports administratifs de la Ville de Paris et du département de la Seine avec la Cⁱᵉ du Métro*, Librairie de droit et de jurisprudence, 314 p.

BOUDON *et alii* (1977), *Le Quartier des Halles à Paris*, CNRS, Paris, 2 vol.

BOULENGER (J.) (1933), *Le Boulevard sous Louis-Philippe*, Paris, 213 p.

BOURDET (C.) (1972), *À qui appartient Paris ?*, Éd. du Seuil, Paris.

BOUTET DE MONVEL (R.) (1911), *Les Anglais à Paris, 1800-1850*, Plon, Paris.

BOUTET DE MONVEL (N.) (1964), *Les Lendemains de Paris*, Denoël, Paris, 231 p.

BOYER (B.) (1991), *La Redistribution spatiale induite par les budgets publics locaux : le cas de la région Île-de-France*, thèse, université de Paris-XII.

BRISSY (Y.) (1974), *Les Villes Nouvelles : le rôle de l'État et des collectivités locales*, Berger-Levrault, Paris, 248 p.

BRUHAT (J.), J. DAUTRY & E. TERSEN (1960), *La Commune de 1871*, Éd. Sociales, Paris.

BRUN (J.) & C. RHEIN (éd.) (1994), *La Ségrégation dans la ville : concepts et mesures*, L'Harmattan, Paris.

BUNLE (H.) (1938), « L'agglomération parisienne et ses migrations alternantes en 1936 », *Bulletin de statistique générale de la France*, Paris, p. 95-156.

BURGEL (G.) (1999), *Paris, avenir de la France*, Éd. de l'Aube, Paris.

BURNAND (R.) (1951), *Paris 1900*, Hachette, Paris, 251 p.

CABAUD (M.) (1982), *Paris et les Parisiens sous le Second Empire*, Belfond, Paris, 318 p.

CADOUX (G.) (1900), *Les Finances de la Ville de Paris de 1798 à 1900*, Berger-Levrault.

CAHEN (G.) (1913), *Le Logement dans les villes : la crise parisienne*, F. Alcan, Paris, 195 p.

CAILLOIS (R.) (mai 1937), « Paris, mythe moderne », *Nouvelle Revue française*, XXV, 284.

CARACALLA (J.-P.) (1994), *Saint-Germain des Prés*, Flammarion, Paris.

— (1997), *Montparnasse : l'âge d'or*, Denoël, Paris.

CARCO (F.) (1927), *De Montmartre au Quartier latin*, Hachette, Paris.

— (1954), *La Belle Époque au temps de Bruant*, Paris.

CARMONA (M.) (1979), *Le Grand Paris. Évolution de l'idée d'aménagement de la région parisienne*, thèse d'État, Gyrotypo, Paris, 2 vol.

— (2000), *Haussmann*, Fayard, Paris.

CARREZ (J.-F.) (1991), *Le Développement des fonctions tertiaires supérieures internationales à Paris et dans les métropoles régionales*, La Documentation française, Paris, 114 p.

CASTERA (J. du) (1861), *La Ville de Paris et ses détracteurs*, E. Dentu, Paris.

CESENA (A. de) (1864), *Le Nouveau Paris*, Garnier Frères, Paris.

CHADYCK (D.) & D. LEBORGNE (1999), *Atlas de Paris : évolution d'un paysage urbain*, Parigramme.

CHAMPIGNEULLE (B.) *et alii* (1943), *Destinée de Paris*, Éd. du Chêne, Paris, 148 p.

CHARBON (B.) (1981), *Gouverner les villes géantes : Paris, Londres, New York*, Economica, Paris.

CHARLE (Ch.) (1998), *Paris fin-de-siècle*, Éd. du Seuil, Paris, 319 p.

CHARLET (G.) (1989), *L'Opéra de la Bastille : genèse et réalisation*, Le Moniteur, Paris.

CHASLIN (F.) (1986), *Les Paris de François Mitterrand*, Gallimard, coll. « Folio », Paris.

CHASSAIGNE (M.) (1912), *Étude économique sur les moyens de transport en commun dans Paris*, A. Rousseau, Paris, 187 p.

CHEMETOV (B.), M.-J. DUMONT & B. MARREY (1982), *Paris-ban-*

lieue, 1919-1939. Architectures domestiques*, Dunod, coll.
« Espace et architecture », Paris, 216 p.

CHEMETOV (P.) & B. MARREY (1983), *Architectures : Paris, 1848-
1914*, Dunod, Paris, 208 p.

CHEVALIER (L.) (1950 *a*), *La Formation de la population parisienne
au xixᵉ siècle*, INED, coll. « Travaux et documents », nº 10, PUF,
Paris, 312 p.

— (1950 *b*), *Les Fondements économiques et sociaux de l'histoire
politique de la région parisienne : 1848-1870*, Paris.

— (1967), *Les Parisiens*, Paris, 395 p.

— (1977), *L'Assassinat de Paris*, Calmann-Lévy, Paris, 285 p.

— (1978), *Classes laborieuses et classes dangereuses à Paris pendant la première moitié du xixᵉ siècle*, Librairie générale française, Paris, 729 p.

CHOMBART DE LAUWE (P.) *et alii* (1952), *Paris et l'agglomération
parisienne*, PUF, Paris, 2 vol.

CHRIST (Y.) (1967), *Les Métamorphoses de Paris*, Paris, 196 p.

— (1969), *Les Métamorphoses de la banlieue parisienne*, Paris,
186 p.

— (1977), *Paris des utopies*, Balland, Paris.

CITRON (P.) (1961), *La Poésie de Paris dans la littérature française,
de Rousseau à Baudelaire*, Paris.

CLARETIE (J.) (1992), *Paris assiégé*, A. Colin, Paris, 198 p.

CLAUDIN (G.) (1884), *Mes souvenirs : les boulevards de 1840 à
1870*, Calmann-Lévy.

CLERC (P.) (1967), *Grands ensembles, banlieues nouvelles*, PUF,
Paris, 471 p.

CLOUZOT (H.) & R. H. VALENSI (1926), *Le Paris de la Comédie
humaine*, Paris.

CLOZIER (R.) (1940), *La Gare du Nord*, Baillière, Paris, 294 p.

COATS (A.) (1990), *L'Aménagement de la zone de servitude non
aedificandi de l'ancienne enceinte fortifiée de Paris*, université
de Paris-II, CERUCL, 2 vol.

COCHIN (A.) (1864), *Paris, sa population, son industrie*, Colas, Paris.

COHEN (G.) (1913), *Le Logement dans les villes : la crise parisienne*, Paris.

COHEN (J.-L.) & A. LORTIE (1991), *Des fortifs au périf*, Picard,
Paris, 319 p.

COLIN (L.) (1885), *Paris : sa topographie, son hygiène, ses maladies*, Paris.

COMBEAU (Y.) (1998), *Paris et les élections municipales sous la
Troisième République : la scène capitale dans la vie politique
française*, Harmattan, Paris, 457 p.

COMBES (C.) (1981), *Paris dans « Les Misérables »*, CID, Nantes,
338 p.

420   *Orientation bibliographique*

COMMISSION D'EXTENSION DE PARIS (1913), *Aperçu historique. Considérations techniques préliminaires*, Chaix, Paris, 3 vol.

COMMISSION DES HALLES (1843), *Rapport de la Commission*, Paris.

CONDEMI (C.) (1992), *Les Cafés-Concerts. Histoire d'un divertissement (1849-1914)*, Quai Voltaire, Paris, 205 p.

CONFORA-ARGANDONA (E.) & R.-H. GUERRAND (1976), *La Répartition de la population. Les conditions de logement des classes ouvrières à Paris au XIXᵉ siècle*, CSU, Paris.

COSTE (M.), A. TRONCHET & M. BLAISE (1992), *Les Portes de Paris et au-delà*, RATP, Paris.

COUPERIE (P.) (1968), *Paris au fil du temps. Atlas historique d'urbanisme et d'architecture*, Joël Cuénot, Paris.

COURTIAU (J.-P.) (1990), *Paris : cent ans de fantasmes architecturaux et de projets fous*, First, Paris.

COUTURIER DE VIENNE (J.) (1860), *Paris moderne : plan d'une ville modèle que l'auteur a appelée Novutopie*, Librairie du Palais-Royal, Paris, 515 p.

CRÉMIEUX (F.) (1971), *La Vérité sur la libération de Paris*, Belfond, Paris.

CREPIF (1984), « Les Villes Nouvelles en 1984 », *Cahiers du CREPIF*, Paris, 210 p.

— (1991), « L'opposition Paris-Province : un faux débat à l'heure de l'Europe ? », *Cahiers du CREPIF*, Paris, 127 p.

CRESPELLE (J.-P.) (1976), *La Vie quotidienne à Montparnasse à la grande époque : 1905-1930*, Hachette, Paris, 204 p.

— (1981), *La Vie quotidienne des impressionnistes, du Salon des refusés (1863) à la mort de Manet (1883)*, Hachette, Paris, 286 p.

CSAOGRP (1934), *Projet d'aménagement de la région parisienne*, ministère de l'Intérieur, Paris, 2 fasc.

CSU (1961), *L'Attraction de Paris sur sa banlieue. Étude sociologique*, Éd. Ouvrières, Paris, 320 p.

D'ALMERAS (H.) (s.d.), *La Vie parisienne sous Louis-Philippe*, Albin Michel, Paris.

DANSETTE (A.) (1959), *Histoire de la libération de Paris*, A. Fayard, Paris.

D'ARISTE (P.) (1930), *La Vie et le monde du Boulevard*, Taillandier, Paris.

DAUBAN (C.-A.) (1873), *Le Fonds de la société sous la Commune*, Plon, Paris.

DAUBENTON (L.-J.-M.) (1829), *Recherches statistiques sur la ville de Paris*, Paris.

— (1843), *Du déplacement de la population de Paris*, Carilian-Goery, Paris, 54 p.

DAUDET (A.) (1877), *Le Nabab. Mœurs parisiennes*, Paris.

DAUMARD (A.) (1963), *La Bourgeoisie parisienne de 1815 à 1848*, Paris.

— (1965), *Maisons de Paris et propriétaires parisiens (1809-1880)*, Éd. Cujas, Paris, 285 p.

— (1973), *Enquête sur les fortunes françaises au XIXe siècle*, Paris.

DAUMAS (M.) *et alii* (1977), *Évolution de la géographie industrielle de Paris et sa proche banlieue au XIXe siècle*, CNAM & EHESS, Paris, 2 vol.

DAVESIES DE PONTES (L.) (1850), *Paris tuera la France : nécessité de déplacer le siège du gouvernement*, E. Dentu, Paris, 70 p.

DAVEZIES (L.) (1989), *La Redistribution interdépartementale des revenus induite par le budget de l'État, 1984*, Institut d'urbanisme, Paris-XII, OEIL, 113 p.

— *et alii* (1983), *Les Départements qui payent pour les autres*, DATAR, Paris, 225 p.

DAY (G.) (1947), *Les Transports dans l'histoire de Paris*, Méré, Paris, 145 p.

DEFRANCE (E.) (1904), *Histoire de l'éclairage des rues de Paris*, Paris, 125 p.

DE LANZAC DE LABORIE (L.) (1905-13), *Paris sous Napoléon Ier*, Plon, Paris, 8 vol.

DELAPORTE (F.) (1990), *Le Savoir de la maladie. Essai sur le choléra de 1832 à Paris*, PUF, Paris, 195 p.

DELATTRE (S.) (2000), *Les Douze Heures noires. La nuit à Paris au XIXe siècle*, Albin Michel, Paris, 674 p.

DELORME (J.-C.) & A.-M. DUBOIS (1997), *Passages couverts parisiens*, Parigramme.

DELVAU (A.) (1862), *Histoire anecdotique des cafés et des cabarets de Paris*, Paris.

DESCANRIOT (1860), *Histoire des agrandissements de Paris*, Paris.

DES CILLEULS (A.) (1900), *Histoire de l'administration parisienne au XIXe siècle*, Paris, 2 vol.

— & J. HUBERT (1885-91), *Le Domaine de la Ville de Paris dans le présent et le passé*, 2 vol.

DESMARAIS (G.) (1995), *La Morphogenèse de Paris, des origines à nos jours*, L'Harmattan, Paris.

DEYON (P.) (1992), *Paris et ses provinces. Le défi de la décentralisation, 1770-1992*, A. Colin, Paris, 176 p.

DISTRICT DE PARIS (1965), *Schéma directeur d'aménagement et d'urbanisme de la région de Paris*, Paris, 220 p.

DOISNEAU (R.) & M. POL-FOUCHET (1990), *Photographies de Paris*, Messidor, Paris.

DOUBLET (M.) (1976), *Paris en procès*, Hachette, Paris, 294 p.

DOUCHET (J.) (1987), *Paris Cinéma : une ville vue par le cinéma, de 1895 à nos jours*, Éd. du May, Paris, 199 p.

DRACHLINE (P.) & C. PETIT-CASTELLI (1990), *Casque d'Or et les Apaches*, Renaudot & Cie, Paris, 214 p.

DREYFUS (M.-C.) (1981), *Bibliographie sur les Villes Nouvelles de la région d'Île-de-France*, IAURIF, Paris, 8 fasc.

DUBECH (L.) & P. D'ESPEZEL (1926), *Histoire de Paris*, Payot, Paris, 510 p.

DU CAMP (M.) (1871), *Les Convulsions de Paris*, Paris.

— (1875), *Paris, ses organes, ses fonctions et sa vie dans la seconde moitié du XIXe siècle*, Hachette, Paris, 6 vol.

DUCOURNAU (J.) (1861), *Les Grands Travaux publics et les loyers de Paris*, E. Dentu, Paris.

DUCREST (G.) (1831), *Paris en province et la province à Paris*, Ladvocat, Paris, 3 vol.

DULAURE (1853), *Histoire des environs de Paris*, H. Boisgard, Paris, 321 p.

DUMAS (A.) (1901), *Le Chemin de fer métropolitain de Paris*, Le Génie civil, Paris.

DUMOLIN (M.) (1929-1931), *Études de topographie parisienne*, Paris, 3 vol.

DUMONT (M.-J.) (1991), *Le Logement social à Paris (1850-1930)*, Mardaga, Liège.

DUPOND-WHITE (C. B.) (1860), *La Centralisation*, Guillaumin, Paris, 372 p.

DURAND-BOUBAL (Ch.) (1994), *Le Café de Flore*, Indigo, Paris.

DURAND-CLAYE (A.) (1883), *L'Épidémie de fièvre typhoïde à Paris en 1882. Études statistiques*, Paris.

DURIEU (J.) (1910), *Les Parisiens d'aujourd'hui*, Giard & Brière, Paris.

DUVEAU (G.) (1939), *Le Siège de Paris : septembre 1870-janvier 1871*, Hachette, Paris.

— (1976), *Analyse historique de l'évolution des transports en commun en région parisienne*, Centre de documentation historique des techniques, Paris.

ÉPARVIER (J.) (1944), *À Paris sous la botte des nazis*, R. Schall, 100 p.

ÉTIENNE (M.) (1975), *Le Statut de Paris*, Berger-Levrault, Paris.

EVANSON (N.) (1979), *Paris, a Century of Change*, Yale University Press, New Haven, 352 p.

ÉVENO (C.) *et alii* (1992), *Paris perdu : 40 ans de bouleversements*, Carré, Paris.

FAITROP-PORTA (A.-C.) (1995), *Parigi visto degli italiani, 1850-1914*, CIRVI, 308 p.

FARGUE (L.-P.) (1935), *Le Piéton de Paris*, Paris.

FAURE (A.) (1978), *Paris carême-prenant. Du Carnaval à Paris au XIXe siècle*, Buchet-Chastel, Paris.

— *et alii* (1991), *Les Premiers Banlieusards. Aux origines de la banlieue de Paris, 1860-1940*, Créaphis, Paris, 285 p.

FAURE (J.) (1998), *Le Marais*, L'Harmattan, Paris.

FELIX (M.) & E. RAIGA (1958), *Le Régime administratif et financier de la Ville de Paris et du département de la Seine*, Paris, 4 vol.

FERMIGIER (A.) (1991), *La Bataille de Paris*, Gallimard, Paris.

FÉVAL (P.) (1858), *Les Amours de Paris*, Paris.

— (1862), *Le Roi de la barrière*, Paris.

FIERRO (A.) (1996), *Histoire et dictionnaire de Paris*, R. Laffont, coll. « Bouquins », Paris, 1 590 p.

FIGUERAS (A.) (1967), *C'est la faute à Paris*, Éd. de Midi, Paris.

FIGUIER (L.) (1862), *Les Eaux de Paris : passé, présent, leur avenir*, Paris, 292 p.

— (1914), *La Ville-Lumière*, Paris, 688 p.

FORD (J. R. & C.) (1969), *Paris vu par le cinéma*, Hachette, Paris.

FORTIER (B.) *et alii* (1996), *Métamorphoses de Paris*, Pierre Mardaga, Paris.

FOSCA (F.) (1934), *Histoire des cafés de Paris*, Paris.

FOUCART (B.), S. LOSTE & A. SCHNAPPER (1985), *Paris mystifié : la grande illusion du Grand Louvre*, Julliard, Paris.

FOURCAULT (A.) (1988), *Un siècle de banlieue parisienne*, L'Harmattan, Paris.

FOURIER (J.-M.) (1988), *Rapport sur les Villes Nouvelles de la région d'Île-de-France*, Comité de la région d'Île-de-France, Paris, 2 vol.

FOURNEL (V.) (1858), *Ce qu'on voit dans les rues de Paris*, Paris.

— (1865), *Paris nouveau et Paris futur*, Lecoffre, Paris, 390 p.

FRANC (R.) (1971), *Le Scandale de Paris*, Grasset, Paris.

FUGIER (A.-M.) (1991), *La Vie élégante ou la Formation du Tout-Paris, 1815-1848*, Fayard, Paris.

GAILLARD (J.) (1976), *Paris, la ville (1852-1870) : l'urbanisme parisien à l'heure d'Haussmann*, Champion, Paris, 687 p.

— (1982), *Communes de province, commune de Paris*, Flammarion, Paris.

GAILLARD (M.) (1991), *Paris au XIXe siècle*, AGEP, Paris, 324 p.

— (1995), *L'Eau de Paris*, Martelle, Paris, 224 p.

GALTIER (F.) (1901), *La Suppression de l'octroi*, Rousseau, Paris, 290 p.

GASCARD (P.) (1990), *Le Boulevard du Crime*, Hachette/Grassin, Paris.

GASNAULT (F.) (1986), *Guinguettes et lorettes : bals publics à Paris au XIXe siècle*, Aubier, Paris.

GASTINEL (A.) (1894), *Les Égouts de Paris. Étude d'hygiène urbaine*, Paris.

GAVARNI (1841-1843), 79 croquis de Lorettes, *Le Charivari*, Paris.

GAY (J.) (1986), *L'Amélioration de l'existence à Paris sous le règne de Napoléon III*, Genève.

GEORGES (P.) *et alii* (1950), *Études sur la banlieue de Paris*, Cahier de la Fondation nationale des sciences politiques, A. Colin, Paris, 184 p.

GÉRARDS (E.) (1996), *Carrières et catacombes*, DMI, Paris.

GIARD (L.) (1966-68), *Les Élections à Paris pendant la IIIe République*, thèse de 3e cycle, Dakar, 3 vol.

GIRARD (L.) (1952), *La Politique des travaux publics du Second Empire*, Paris.

GODARD (F.) (1973), *La Rénovation urbaine à Paris : structure urbaine et logique de classe*, Mouton, Paris.

GODFERNAUX (A.) (1931), *Le Chemin de fer métropolitain de Paris : son passé, ses extensions, son avenir*, Dunod, Paris.

GOUBERT (E.) (1891), *Les Maladies des enfants à Paris*, Paris.

GRANELLE (J.-J.) (1973), *Dix ans d'évolution du marché foncier à Paris (1960-1969)*, APUR, Paris.

GRAVIER (J.-F.) (1972), *Paris et le désert français en 1972*, Flammarion, Paris, 284 p.

GREEN (J.) (1983), *Paris*, Champvallon, Paris, 112 p.

GRIOTTERAY (A.) (1962), *L'État contre Paris*, Hachette, Paris.

GRISON (C.) (1957), *Évolution du marché du logement dans l'agglomération parisienne de 1880 à nos jours*, thèse, Faculté de droit, Paris, 202 p.

GUERRAND (R.-H.) (1986), *L'Aventure du métropolitain*, La Découverte, Paris, 192 p.

GUICHARDET (J.) *et alii* (1986), *Errances et parcours parisiens de Rutebeuf à Crevel*, La Sorbonne nouvelle, Paris.

GUILLEMIN (H.) (1973), *L'Héroïque Défense de Paris (1870-1871)*, NRF, Paris, 421 p.

HAEGEL (1994), *Un maire à Paris. Mise en scène d'un nouveau rôle politique*, Fondation nouvelle des sciences politiques, Paris.

HALBWACHS (M.) (1909), *Les Expropriations et le prix des terrains à Paris*, Cornely, 416 p.

— (1928), *La Population et les tracés de voie à Paris depuis un siècle*, PUF, Paris, 274 p.

HALPERIN (J. U.) (1991), *Félix Fénéon : art et anarchie dans le Paris fin-de-siècle*, Gallimard, Paris, 439 p.

HARSIN (J.) (1988), *Policing Prostitution in XIXth Century Paris*.

HAUSSER (E.) (1968), *Paris au jour le jour : les événements vus par la presse (1900-1919)*, Éd. de Minuit, Paris, 757 p.

HAUSSMANN (G.) (1890), *Mémoires*, Paris.

HÉNARD (E.) (1903-09), *Études sur les transformations de Paris*, Motteroz, Paris, 8 vol., partiellement rééditées par Reed, L'Équerre, Paris, 1982.

HENRIOT (P.) (1850), *Paris en l'an 3000*, Laurens, Paris, 106 p.

HÉRON DE VILLEFOSSE (R.) (1948), *Histoire de Paris*, Union biblio-
    phile, Paris, 399 p.
— (1973), *Les Halles, de Lutèce à Rungis*, Perrin, Paris, 394 p.
HERVIEU (J.) (1908), *Le Chemin de fer métropolitain municipal de
    Paris*, Paris, 2 vol.
HILLAIRET (J.) (1963), *Dictionnaire historique des rues de Paris*,
    Éd. de Minuit, Paris.
HUDSON INSTITUTE (1974), *Synthèse du rapport « Paris et sa région
    demain »*, Paris.
HUSSON (A.) (1875), *Les Consommations de Paris*, Hachette, Paris.
HUYSMANS (J.-K.) (1880), *Croquis parisiens*, Paris.
IAURIF (1976 *a*), *Atlas de l'occupation du sol en région pari-
    sienne*, IAURIF, Paris, 2 vol.
— (1976 *b*), *Schéma directeur d'aménagement et d'urbanisme de
    la région d'Île-de-France*, Paris, 168 p.
— (2000-2001), *Atlas des Franciliens*, Paris, 2 vol.
JACOUBET (Th.) (1836), *Atlas général de la ville, des faubourgs et
    des monuments de Paris*.
JACQUEMET (G.) (1984), *Belleville au XIXe siècle : du faubourg à la
    ville*, EHESS, Paris, 454 p.
JOUY (J.-E. de) (1816), *L'Hermite de la Chaussée-d'Antin ou
    Observations sur les mœurs et les usages parisiens au commen-
    cement du XIXe siècle*, Paris, 5 vol.
JUILLERAT (P.) (1906), *Le Casier sanitaire des maisons*, Paris.
JUIN (H.) (1978), articles sur Fantomas et Paris, *Europe*, juin-juillet.
— (1993), *Le Livre de Paris 1900*, Michèle Trinckvel, Paris.
KASPI (A.) & A. MARES (1990), *Le Paris des étrangers depuis un
    siècle*, Imprimerie nationale, Paris, 406 p.
KRANOWSKI (N.) (1968), *Paris dans les romans d'Émile Zola*, PUF,
    Paris.
KUBNICK (H.) (1969), *Les Délices des grands ensembles*, Hachette,
    Paris, 189 p.
LACHAISE (1822), *Topographie médicale de Paris*, Paris.
LACOMBE (P.) (1887), *Bibliographie parisienne. Tableaux de mœurs
    (1600-1880)*, Paris.
LACORDAIRE (S.) (1982), *Histoire secrète du Paris souterrain*,
    Hachette, Paris, 234 p.
LAGARRIGUE (L.) (1956), *Cent ans de transports en commun dans
    la région parisienne*, RATP, Paris, 4 vol.
LAMEYRE (G.-N.) (1958), *Haussmann, préfet de Paris*, Flammarion,
    Paris, 346 p.
LANGLE (H. M. de) (1990), *Le Petit Monde des cafés et débits pari-
    siens au XIXe siècle*, PUF, coll. « Histoires », Paris, 288 p.
LAROULANDIE (F.) (1988), *Ouvriers de Paris au XIXe siècle*, Chris-
    tian, 232 p.

LAVEDAN (P.) (1960), *Histoire de Paris*, PUF, Paris.

— (1969), *La Question du déplacement de Paris et du transfert des Halles au Conseil municipal sous la monarchie de Juillet*, Commission des travaux historiques de la Ville de Paris, 139 p.

— (1975), *Histoire de l'urbanisme à Paris*, APHP / Hachette, Paris, 634 p.

LAZARE (L.) (1870 *a*), *Les Quartiers de l'est de Paris et les communes suburbaines*, Paris, 248 p.

— (1870 *b*), *Les Quartiers pauvres de Paris : le XXe arrondissement*, Paris, 234 p.

LE BOTERF (H.) (1974), *La Vie parisienne sous l'Occupation*, France-Empire, Paris, 600 p.

LECLERCQ (Y.) (1987), *Le Réseau impossible, 1820-1852*, Droz, Genève, 287 p.

LE CORBUSIER (1946), *Destin de Paris*, Fernand Sorlot, Paris.

— (1956), *Les Plans Le Corbusier de Paris, 1956-1962*, Éd. de Minuit, Paris.

LECOUTURIER (H.) (1848), *Paris incompatible avec la République*, Desloges, Paris, 108 p.

LEFEBVRE (H.) (1965), *La Proclamation de la Commune*, Gallimard, Paris.

LEFEUVE (H.) (1873), *Les Anciennes Maisons de Paris sous Napoléon III*, Paris, 5 vol.

LE GOUX (M.) (1939), *Cent ans de banlieue : la banlieue ouest*, Dunod, Paris.

LEMOINE (M.) (2000), *Le Paris de Simenon*, Encrage, Paris, 320 p.

LENOIR (A.) (1867), *Statistique monumentale de Paris*, Paris, 3 vol.

LE QUILLEC (1997), *Commune de Paris. Bibliographie critique (1871-1997)*, Boutique de l'Histoire, Paris.

LESCOT (A.) (1826), *La Salubrité de la ville de Paris*, Paris.

LIDSKY (P.) (1970), *Les Écrivains contre la Commune*, Maspero, Paris.

LISSAGARAY (P.-O.) (1969), *Histoire de la Commune de 1871*, Maspero, Paris, 526 p.

LOJKINE (J.) (1972), *La Politique urbaine dans la région parisienne*, Mouton, Paris, 281 p.

LOUA (T.) (1873), *Atlas statistique de la population de Paris*, multigraphié, Paris.

LOYER (F.) (1987), *Paris XIXe siècle, l'immeuble et la rue*, F. Hazan, Paris, 478 p.

LUCCIANI (J.) (1986), *Les Activités industrielles des satellites proches de Paris*, thèse d'État, Paris-IV, 3 vol.

MACCHIA (G.) (1965), *Il mito di Parigi, saggi e motivi francesi*, Einaudi, Turin, 359 p.

— (1988), *Paris en ruines*, Flammarion, Paris.

MALET (H.) (1973), *Le Baron Haussmann et la rénovation de Paris*, Éd. Municipales, Paris.

MALET (L.) (1985), *Les Nouveaux Mystères de Paris*, R. Laffont, coll. « Bouquins », Paris, 6 vol.

MANEGLIER (H.) (1990), *Paris impérial : la vie quotidienne sous le Second Empire*, A. Colin, Paris, 311 p.

MARIE (L.) (1850), *De la décentralisation des Halles de Paris*, Paris, 31 p.

MARNATA (F.) (1961), *Les Loyers des bourgeois de Paris, 1860-1958*, A. Colin, Paris, 101 p.

MARREY (B.) (1979), *Les Grands Magasins*, Picard, Paris, 267 p.

— (1993), *Architectures à Paris, 1848-1914*, DAAVP.

MARSILLON (L.) *et alii*, (1886), *Le Métro et les transports en commun à Londres et à Paris*, Compagnie générale des omnibus, Paris.

MARTIN (A.) (1894), *Étude historique et statistique sur les moyens de transport dans Paris.*

MARTIN (L.) (1902-1904), *Encyclopédie municipale de la ville de Paris*, Paris, 3 vol.

MARTIN-FUGIER (A.) (1979), *La Place des bonnes. La domesticité féminine à Paris en 1900*, Grasset, Paris, 384 p.

MARTIN-SAINT-LÉON (1843), *Résumé statistique des recettes et dépenses de la Ville de Paris de 1797 à 1840*, Paris, 2ᵉ éd.

MARVILLE (1869), *Photos de Paris sous le Second Empire*, BAHV, Paris, 8 vol.

MASPERO (F.) (1990), *Les Passagers du Roissy-Express*, Éd. du Seuil, Paris, 330 p.

MASSA-GILLE (G.) (1973), *Histoire des emprunts de la Ville de Paris, 1814-1875*, Ville de Paris, Commission des travaux historiques, XII.

MAURICE (A. B.) (1919), *The Paris of the Novelists*, Chapman & Hall, Londres.

MAX (S.) (1966), *Les Métamorphoses de la grande ville dans les Rougon-Macquart*, Nizet, Paris.

MAZEROLLE (P.) (1875), *La Misère de Paris, les mauvais gîtes*, Sartorius, Paris, 323 p.

MERCIER (L.-S.) (1990), *Tableau de Paris. Le Nouveau Paris* (in *Paris le jour, Paris la nuit*), R. Laffont, coll. « Bouquins », Paris, 1371 p.

MERLIN (P.) (1982 *a*), *L'Aménagement de la région parisienne et les villes nouvelles*, La Documentation française, Paris, 212 p.

— (1982 *b*), *Les Transports à Paris et en Île-de-France*, La Documentation française, Paris, 280 p.

— (1990), *Propositions pour l'Île-de-France*, Presses de l'Université de Vincennes, Paris, 162 p.

MERRIMAN (J. M.) (1994), *Aux marges de la ville. Faubourgs et banlieues en France (1815-1870)*, Éd. du Seuil, Paris, 399 p.

MESNIL (O. du) (1890), *L'Hygiène à Paris : l'habitation du pauvre*, Baillière, Paris.

METTON (A.) (1980), *Le Commerce et la ville en Bassin parisien*, thèse d'État, Courbevoie.

MEURIOT (P.) (1913), « Le Livre foncier de Paris, 1911 : étude démographique et économique », *Journal de la Société de statistique de Paris*, Paris, p. 364-407.

MEYER (A.) (1979), *Représentations sociales et littéraires. Centre et périphérie. Paris, 1908-1939*, IAURIF, Paris, 336 p.

MEYER (Ph.) (1997), *Paris la grande*, Flammarion, Paris, 388 p.

MEYNADIER (H.) (1843), *Paris sous le point de vue pittoresque et monumental*, Dauvin & Fontaine, Paris, 274 p.

MICHEL (H.) (1982), *Paris allemand, Paris résistant*, Albin Michel, Paris, 2 vol.

MILLER (M. B.) (1987), *Au Bon Marché, 1869-1920*, A. Colin, Paris.

MINDER (R.) (1953), *Paris in der neuen französischen Litteratur (1770-1890)*, F. Steiner, Wiesbaden, 310 p.

MINGUET (M.) (1962), *Paris et l'Hexagone français*, France-Empire, Paris.

MIQUEL (P.) (1994), *Petite histoire des stations de métro*, Albin Michel, Paris.

MOILIN (T.) (1869), *Paris en l'an 2000*, Paris.

MOLLAT (M.) (1971), *Histoire de l'Île-de-France et de Paris*, Toulouse, 604 p.

MONCAN (P. de) (1987), *À qui appartient Paris ?*, Observatoire de la propriété immobilière, SEESAM, Paris.

— (1995), *Les Passages couverts de Paris*, Éd. du Mécène, Paris.

MONTIGNY (L.) (1825), *Le Provincial à Paris. Esquisse des mœurs parisiennes*, Paris.

MOREL (D.) *et alii* (1984), *La Nouvelle Athènes*, Musée Renan-Scheffer, Paris, 56 p.

MORIZET (A.) (1932), *Du vieux Paris au Paris moderne : Haussmann et ses prédécesseurs*, Hachette, Paris, 399 p.

NIVET (Ph.) (1994), *Le Conseil municipal de Paris de 1944 à 1977*, Publications de la Sorbonne, Paris.

NOEL (B.) (1971), *Dictionnaire de la Commune*, Hazan, Paris, 366 p.

NOIN (D.) (1984), *Atlas des Parisiens*, Masson, Paris.

OLSEN (D. J.) (1986), *The City as a Work of Art : London, Paris, Vienna*, Yale University Press, New Haven.

ORY (P.) (1982), *Les Expositions universelles de Paris*, Ramsay, Paris, 156 p.

OSTER (D.) & J. GOULEMOT (1989), *La Vie parisienne. Anthologie des mœurs du XIXᵉ siècle*, Sand / Conti, Paris.

PANERAI (P.) (1987), *Histoire architecturale et urbaine de Paris*, LADHRAUS, Versailles.

PARENT-DUCHATELET (1824), *Essai sur les cloaques ou égouts de la ville de Paris*, Paris.

— *La Prostitution dans la ville de Paris. Textes choisis*, Éd. du Seuil, Paris, 1981, 222 p.

PERREYMOND (H.) (1849), *Paris monarchique et Paris républicain*, Librairie sociétaire, 112 p.

PERROT (A.-M.) (1835), *Petit atlas pittoresque des 48 quartiers de la ville de Paris*, E. Garnot, réédité en 1987, Service historique de la Ville de Paris.

PHILIPONNEAU (M.) (1956), *La Vie rurale de la banlieue parisienne*, Paris.

PHILIPPE (Ch.-L.) (1905), *Bubu de Montparnasse*, Albin Michel, Paris.

PICON (A.) (1999), *Le Dessus des cartes. Un atlas parisien*, Pavillon de l'Arsenal / Picard, Paris, 287 p.

PILLEMENT (G.) (1943), *Destinée de Paris*, Le Chêne, Paris.

— (1976), *Du Paris des rois au Paris des promoteurs*, Entente, Paris.

PILLIET (G.) (1961), *L'Avenir de Paris*, Hachette, Paris.

PINÇON (M.) & E. PRETECEILLE (1973), *Introduction à l'étude de la planification urbaine dans la région parisienne*, CSU, Paris, 293 p.

PINÇON (M.) & M. PINÇON-CHARLOT (1989), *Les Beaux Quartiers*, Éd. du Seuil, Paris.

PINÇON (M.), E. PRETECEILLE & P. RENDU (1986), *Ségrégation urbaine, classes sociales et équipements collectifs en région parisienne*, Anthropos.

PINKNEY (D. H.) (1957), *Napoleon III and the Rebuilding of Paris*, Princeton.

PITTE (J.-R.) (1993), *Paris, histoire d'une ville*, Hachette, Paris, 192 p. (atlas).

PLANIOL (F.) (1986), *La Coupole*, Denoël, Paris.

POETE (M.) (1924-1931), *Une vie de cité : Paris, de sa naissance à nos jours*, Paris, 4 vol.

— (1925), *Comment s'est formé Paris*, Paris, 20 fasc.

POIRIER (J.-M.) (1974), *La Politique des espaces verts en région parisienne*, District de Paris, Paris, 266 p.

POISSON (G.) & J. HILLAIRE (1956), *L'Évocation du grand Paris*, Éd. de Minuit, Paris.

PONSON DU TERRAIL (P. A.) (1857-1866), « Les drames de Paris (les aventures de Rocambole) », *La Patrie, Le Petit Journal*, Paris, 440 numéros.

— (1869), « Les démolitions de Paris », *Le Petit Moniteur*, Paris.

POULIGNAC (F.) (1993), *La Banlieue parisienne*, La Documentation française, Paris.

POUMIES DE LA SIBOUTIE (D^r) (1910), *Souvenirs d'un médecin de Paris*, Plon, Paris, 386 p.

POURCHER (G.) (1964), *Le Peuplement de Paris*, coll. « Travaux et documents », n° 43, INED, Paris.

POZZO DI BORGO (R.) (1997), *Les Champs-Élysées, trois siècles d'histoire*, Éd. de la Martinière, Paris.

PRÉFECTURE D'ÎLE-DE-FRANCE (1976), *Schéma directeur d'aménagement et d'urbanisme de la région d'Île-de-France*, Paris, 2 vol.

PRONTEAU (J.) (1958), *Construction et aménagement des nouveaux quartiers de Paris, 1820-1828*, EPHE, Paris.

— (1966), *Le Numérotage des maisons de Paris du XVᵉ siècle à nos jours*, Bibliothèque historique de la Ville de Paris, 300 p.

REAU (L.) *et alii* (1954), *L'Œuvre du baron Haussmann, préfet de la Seine : 1853-1870*, PUF, Paris, 157 p.

REGAZZOLA (T.), M. FREYSSENET *et alii* (1971), *Ségrégation spatiale et déplacements sociaux dans l'agglomération parisienne*, CSU, Paris.

RENAUD (J.-P.) (1993), *Paris, un État dans l'État*, L'Harmattan, Paris, 277 p.

RETEL (J.-O.) (1977), *Éléments pour une histoire du peuple de Paris au XIXᵉ siècle*, CSU, Paris.

RIHS (Ch.) (1973), *La Commune de Paris, 1871. Sa structure et ses doctrines*, Éd. du Seuil, Paris, 384 p.

ROBERT (J.) (1987), « "Paris et le désert français"? : pour en finir avec un mythe », *Futuribles*, n° 113.

ROBIDA (A.) (1883), *Le XXᵉ siècle*, G. Decaux, Paris, 400 p.

— (1896), *Paris à travers l'histoire*, Librairie illustrée, Paris, 808 p.

ROCHE (D.) (1981), *Le Peuple de Paris*, Aubier, Paris.

ROCHEGUDE (marquis de) (1910), *Promenades dans toutes les rues de Paris par arrondissement*, Paris.

ROUGERIE (J.) (1968), « Remarques sur l'histoire des salaires à Paris au XIXᵉ siècle », *Le Mouvement social*, p. 71-108, avril-juin.

— (1971), *Paris libre, 1871*, Éd. du Seuil, Paris, 285 p.

ROULEAU (B.) (1983), *Le Tracé des rues de Paris*, Éd. du CNRS, Paris, 130 p.

— (1985), *Villages et faubourgs de l'ancien Paris. Histoire d'un espace urbain*, Éd. du Seuil, Paris, 380 p.

— (1997), *Paris, histoire d'un espace*, Éd. du Seuil, Paris, 480 p.

SALETTA (P.) (1994), *À la découverte des souterrains de Paris*, SIDES, Éd. de Physique, 350 p.

SALKI (S.) (1996), *Paris dans le roman de Proust*, SEDES, Paris, 250 p.

SAMARAN (Ch.) (1952), « Paris : aspects de la Comédie humaine », in *Balzac, le Livre du Centenaire*, Flammarion, Paris, p. 139-152.

SARP (1960), *Plan d'aménagement et d'organisation générale de la région parisienne (PADOG)*, Paris, 156 p.

SCHIFFRES (A.) (1990), *Les Parisiens*, J.-C. Lattès, Paris, 377 p.

SÉDILLOT (R.) (1962), *Paris*, Fayard, Paris.

SEIGEL (J.) (1985), *Bohemian Paris : Culture, Politics and the Boundaries of Bourgeois Life, 1830-1930*, New York.

SELLIER (H.) (1920), *Les Banlieues suburbaines et la réorganisation administrative du département de la Seine*, M. Rivière, Paris, 108 p.

SENNEVILLE (G. de) (1991), *La Défense, le pouvoir et l'argent*, Albin Michel, Paris, 289 p.

SERMAN (W.) (1986), *La Commune de Paris*, Fayard, Paris, 621 p.

SHAPIRO (A.-L.) (1985), *Housing the Poor of Paris, 1850-1902*, University of Wisconsin Press, Madison, 224 p.

SIMON (P.) (1891), *Statistique de l'habitation à Paris*, Librairie polytechnique Baudry & Cie, Paris.

SIMOND (Ch.) (1900), *La Vie parisienne au xixe siècle. Paris de 1800 à 1900*, Plon, Paris, 2 vol.

— (1901), *Paris de 1800 à 1900 d'après les estampes et les mémoires du temps*, Plon, Paris, 3 vol.

SINGER-KEREL (J.) (1961), *Le Coût de la vie à Paris de 1840 à 1914*, A. Colin, Paris, 560 p.

SONOLET (L.) (1929), *La Vie parisienne sous le Second Empire*, Payot, Paris, 256 p.

SOULIGNAC (F.) (1993), *La Banlieue parisienne, cent cinquante ans de transformations*.

SOUVESTRE (P.) & M. ALLAIN (1961), *Fantômas*, R. Laffont, Paris, 11 vol.

STANCIU (V. V.) (1968), *La Criminalité à Paris*, Paris.

STEIN (G.) (1940), *Paris, France*, Scribner, New York.

STEINBERG (J.) (1981), *Les Villes Nouvelles d'Île-de-France*, Masson, Paris, 799 p.

STEVENSON (N.) (1938), *Paris dans la Comédie humaine de Balzac*, Courville, Paris.

STOCKAR (W. de) (1931), *L'Extension de Paris et le rôle des moyens de communication*, Studer, Genève.

SUE (E.) (1848), *Les Mystères de Paris*, Fayard, Paris, rééd. 1923.

SUTCLIFFE (A.) (1970), *The Autumn of Central Paris : The Defeat of Town Planning, 1850-1970*, Edward Arnold, Londres, 372 p.

TARICAT (J.) & M. VILLARS (1982), *Le Logement à bon marché : chronique, Paris 1850-1930*, Apogée, Boulogne.

TENOT (E.) (1880), *Paris et ses fortifications, 1870-1880*, G. Baillière, Paris.

THIESSE (A.-M.) (1985), *Le Roman-Feuilleton parisien*, thèse, université de Paris-VII.

TISSOT (A. de) (1830), *Paris et Londres comparés*, Ducollet, Paris.

TOMBS (R.) (1997), *La Guerre contre Paris, 1871*, Aubier, Paris, 380 p.

TROLLOPE (F.) (1985), *Paris and the Parisians in 1835*, A. Sutton, Londres, 310 p.

TULARD (J.) (1976), *Paris et son administration, 1800-1830*, Bibliothèque historique de la Ville de Paris, 576 p.

URFALINO (Ph.) (1990), *Quatre voix pour un Opéra*, Métailié, Paris, 310 p.

VALANCE (G.) (2000), *Haussmann le grand*, Flammarion, Paris.

VALLES (J.) (1990), *Le Tableau de Paris*, Messidor, Paris.

VALMY-BESSE (J.) (1950), *La Curieuse Aventure des boulevards extérieurs (1786-1850)*, Albin Michel, Paris.

VAN BOQUE (D.) (1992), *L'Autobus parisien, 1905-1991*, Alcine, Paris.

VAUJOUR (J.) (1970), *Le Plus Grand Paris. L'avenir de la région parisienne et ses problèmes complexes*, PUF, Paris, 202 p.

VEUILLOT (L.) (1871), *Paris pendant les deux sièges*, Palmé, Paris, 2 vol., 1043 p.

VIELLARD-BARON (H.) (1993), *Les Banlieues françaises ou le ghetto impossible*, Point.

VIGIER (Ph.) (1982), *La Vie quotidienne en province et à Paris pendant les journées de 1848*, Hachette, Paris, 444 p.

VILLEDOT (Ch. de) (1843), *La Grande Ville : nouveau tableau de Paris*, Maresq, Paris, 2 vol.

VILLERME (L. R.) (1830), « De la mortalité dans les divers quartiers de la ville de Paris », *Annales d'hygiène publique et de médecine légale*, Paris.

VINÇARD (1863), *Les Ouvriers de Paris*, Paris.

WALTER (G.) (1960), *La Vie à Paris sous l'Occupation (1940-1944)*, A. Colin, Paris, 250 p.

WHILELM (J.) (1947), *La Vie à Paris sous le Second Empire et la Troisième République*, AMG, Paris, 228 p.

WILLMS (J.) (1988), *Paris, Hauptstadt Europas, 1789-1914*, Verlag C. H. Beck.

WINOCK (M.) & J.-P. AZEMA, (1970), *Les Communards*, Éd. du Seuil, Paris.

WOLF (P. W.) (1968), *E. Hénard and the Beginning of Urbanism in Paris, 1900-1914*, CRU, Paris.

YGAUNIN (J.) (1992), *Paris à l'époque de Balzac et dans la Comédie humaine*, Nizet, Paris, 320 p.

YRIARTE (Ch.) (1864), *Les Cercles de Paris, 1828-1864*, Librairie parisienne, Paris.

Index des noms
(personnes, lieux, institutions…)

Index rerum

Table

RÉALISATION : PAO ÉDITIONS DU SEUIL
NORMANDIE ROTO IMPRESSION S.A.S. À LONRAI
DÉPÔT LÉGAL : AVRIL 1993. N° 12864-5 (111771)
IMPRIMÉ EN FRANCE

Éditions Points

le cercle

Le catalogue complet de nos collections est sur Le Cercle Points, ainsi que des interviews d'auteurs, des jeux-concours, des conseils de lecture, des extraits en avant-première…

www.lecerclepoints.com

Collection Points Histoire

DERNIERS TITRES PARUS